GESCHICHTE DER CHUR- UND HAUPTSTADT BRANDENBURG

AN DER HAVEL

DIESES BUCH WURDE IM JAHRE 1928 IN DER BUCH- UND KUNSTDRUCKEREI J. WIESIKE, BRANDENBURG (HAVEL), HERGESTELLT · DIE BILDER FÜR DIE INITIALEN ZEICHNETE FRÄULEIN FRIEDEL TOEPFFER

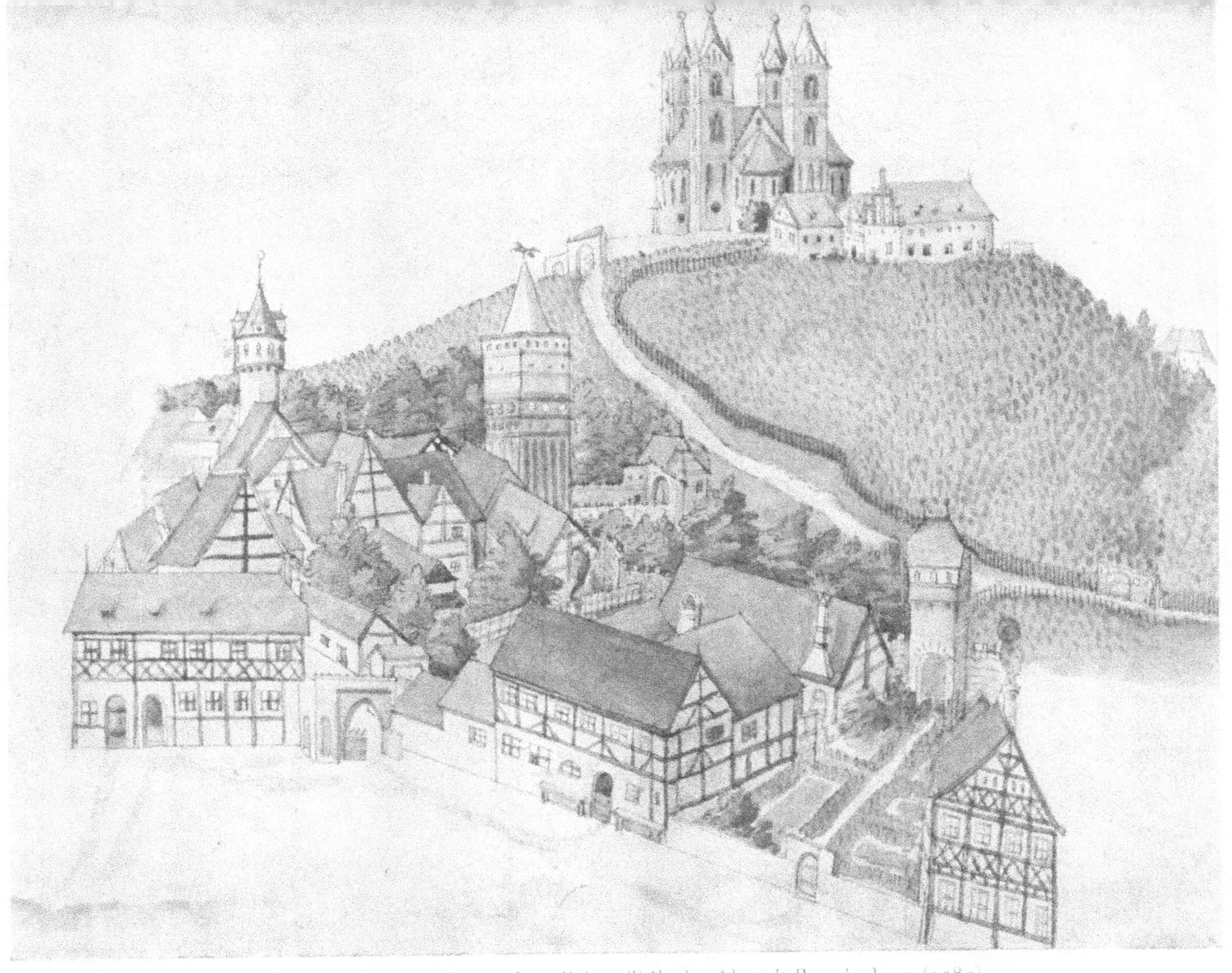

Älteste Abbildung des nordwestlichen Teils der Altstadt Brandenburg (1582)

Nach der Urhandschrift der Chronik des Zacharias Garcaus, die sich in der fürstlichen Bibliothek zu Wernigerode befindet.

GESCHICHTE DER CHUR- UND HAUPTSTADT BRANDENBURG

AN DER HAVEL

VERFASST IM AUFTRAGE DER
STÄDTISCHEN BEHÖRDEN

VON OTTO TSCHIRCH

FESTSCHRIFT ZUR
TAUSENDJAHRFEIER DER STADT

1928/29

BAND I / BRANDENBURG (HAVEL) / 1928

Die Deutsche Nationalbibliothek verzeichnet diese Publikation in der Deutschen Nationalbibliografie; detaillierte Daten sind im Internet über http://d-nb.de abrufbar.

ISBN 978-3-88372-146-0

Erschienen im Verlag Klaus-D. Becker, Potsdam 2021
Printed in Germany

Unveränderter Nachdruck der Festschrift zur
Tausendjahrfeier der Stadt Brandenburg 1928/29

Titelbild: Brandenburg an der Havel, Partie an der Havel

DEM TAUSENDJÄHRIGEN BRANDENBURG ZUM GELEIT

Ein aus überreichem Quellenmaterial schöpfendes, umfassendes Geschichtswerk über das tausendjährige Brandenburg wird hiermit der Öffentlichkeit übergeben.

In unserer schnellebigen, vorwärtsdrängenden Zeit wird es vielleicht manchem als ein überholter Gedanke erscheinen, daran zu erinnern, daß alles im Dasein der Völker und auch der Gemeinden auf geschichtlichem Werden und Wachsen beruht. Und doch ist es kein müßiges Sichverlieren in halb vergessenen Überlieferungen, wenn man bestrebt ist, auf den Ursprung zurückzugehen, mit forschendem Blick den Gang der Entwicklung zu verfolgen und daraus manchen Schluß zu ziehen, der für die Gegenwart und Zukunft seine Bedeutung hat. Jeder fortschrittfreundliche, auf das Blühen und Gedeihen seines Gemeinwesens bedachte Kommunalpolitiker wird sich gerade von der Anknüpfung und Pflege der Beziehungen zur Vergangenheit seines Ortes und von dem Hervorheben seiner geschichtlichen Denkwürdigkeiten neben anderen Auswirkungen auch den Erfolg versprechen, daß die Aufmerksamkeit weiter Kreise dadurch auf ihn gelenkt, der Fremdenverkehr gefördert, der Verkehr und Umsatz gesteigert wird. Man braucht nur an bekannte Städte mit alten Bauten und Toren zu erinnern, um manchen Skeptiker davon zu überzeugen, daß es sein Gutes hat, sich nicht vollständig von den Wurzeln loszulösen, aus denen sich die Gemeinde entfaltet hat.

Ich erachte es als meine Ehrenpflicht, anzuerkennen, daß die erste Anregung zur Herausgabe einer vollständigen Stadtgeschichte von meinem leider viel zu früh verstorbenen Amtsvorgänger, Oberbürgermeister Ausländer, stammt, der mit weit vorausschauendem Blick den städtischen Körperschaften frühzeitig vorschlug, dem auf dem Gebiete heimatgeschichtlicher Forschungen bewanderten und weit über die Grenzen der Stadt in der Mark bekannten Professor Otto Tschirch den Auftrag zu erteilen, eine zusammenfassende Geschichte der Stadt zu schreiben. Dieser hat sich der gewaltigen Arbeit mit großer Hingabe unterzogen. Die nun der Öffentlichkeit übergebene Stadtchronik stellt das Lebenswerk des 70jährigen

Heimatgeschichtsschreibers dar, für das ihm Dank und Anerkennung gebührt. Dieses Werk soll besser als rauschende Jubelfeiern das Bild der tausendjährigen Entwicklung der Stadt Brandenburg und aller der Kräfte aufzeigen, die an seiner Stellung im früheren und jetzigen Preußen und Deutschland und an seinem politischen, kulturellen und wirtschaftlichen Eigenleben bestimmend mitgearbeitet haben und heute noch mitwirken. Die Lösung dieser Aufgabe des Chronisten fällt in eine Zeit, die zwar zeitlich ein Jahrtausend geschichtlichen und volkswirtschaftlichen Geschehens umfaßt, aber keinen Abschluß, kein Endergebnis, viel eher einen Anfang darstellen kann.

Die außen- und innenpolitischen Nachwirkungen des Weltkrieges, die Ablösung mehr als 1000jähriger Monarchien durch die soziale Republik, die Umwälzungen auf dem Gebiete der Geistes- und technischen Wissenschaften durch zahlreiche bahnbrechende Erfindungen, die völlige Umgestaltung des Verkehrs durch Kraftfahrzeug, Flugzeug, Luftschiff, Funkspruch, die gewaltigen Veränderungen im Wirtschaftsleben durch den Gebrauch der modernen Verkehrsmittel, die Umstellung in Erzeugung und Verteilung aller Güter durch Rationalisierung, die Nutzanwendung dieser Grundsätze auch auf die öffentliche Verwaltung, die Verwaltungsreform, die schließlich ausmündet in der Frage des künftigen deutschen Einheitsstaates, alles dies stellt Führer und Mitarbeiter in der Verwaltung einer Gemeinde an den Anfang einer neuen Zeit und vor Zukunftsaufgaben, die keinen Raum lassen für eine selbstzufriedene Wertung eines verflossenen Zeitabschnittes.

> „Die Belebung des Gemeingeistes und Bürgersinns, die Benutzung der schlafenden oder falsch geleiteten Kräfte und der zerstreut liegenden Kenntnisse, den Einklang zwischen dem Geist der Nation, ihren Ansichten und Bedürfnissen und denen der Staatsbehörden, die Erweckung eines lebendigen, feststrebenden, schaffenden Geistes“

erwartete Freiherr vom Stein als Schöpfer der Selbstverwaltung für Preußen vor 100 Jahren. Möge dieser Geist auch uns Wegweiser sein und unsere Arbeit für die alte Chur- und Hauptstadt Brandenburg durchdringen und beherrschen auf dem Wege ins zweite Jahrtausend.

Brandenburg, im November 1928.

Dr. Dreifahl [signature]

Oberbürgermeister.

VORREDE UND QUELLENBERICHT

Nach siebenjähriger ununterbrochener Arbeit, die jahrzehntelange Vorstudien abschließt, übergebe ich die Geschichte der Chur- und Hauptstadt Brandenburg, deren Abfassung ich im Auftrage der städtischen Behörden übernommen habe, der Öffentlichkeit. Das Herannahen der Tausendjahrfeier, für die das Buch als Festschrift bestimmt ist, und manche anderen Aufgaben, die des Verfassers noch harren, drängen zum endlichen Abschluß, wenn auch mancher Abschnitt noch der Feile, manche Frage noch einer völligen Lösung bedurft hätte. Indessen erfordert gerade die quellenmäßige Geschichte einer tausendjährigen Stadt, mag sie auch nicht zu den weltgeschichtlich bedeutenden gehören, eine solche Vielseitigkeit der Gaben und eine solche Andacht zum Kleinen, daß ich mich getrost mit dem Angestrebten und Geleisteten bescheiden und jüngeren Kräften die Fortsetzung und Verbesserung überlassen will. Ich habe mich bemüht, aus den ersten Quellen heraus eine für weite Kreise lesbare Geschichte der tausend Jahre städtischen Lebens zu entwerfen und neben den äußeren Schicksalen der Stadtgemeinde auch möglichst alle Seiten ihrer inneren Entwicklung zu schildern versucht. Manches dieser bunten vielseitigen Aufgaben muß noch zurückgestellt werden, z. B. der anziehende Vorwurf einer Bühnengeschichte, weil sie eine Darstellung der märkisch-lausitzisch-anhaltischen Wandertruppen voraussetzt, die noch keiner zu schreiben gewagt hat. Aber wenn auch oft nur kurze Andeutungen geboten werden konnten, so ist doch ein gewisser Überblick gewonnen. Urkunden und Aktenstücke der Archive und Geschichtserzählungen liegen in reicher Fülle zugrunde. Der Inhalt der Archivalien, wie sie vor allem das Brandenburger Stadtarchiv, die Akten des Brandenburger Amtsgerichts, das Domkapitularische Archiv daselbst und das Geheime Staatsarchiv in Berlin bieten, ist nicht so leicht zu erschöpfen, und es konnte für den vorliegenden Zweck nur darauf ankommen, das Wichtigste herauszuheben und die Linie der Gesamtentwicklung zu verfolgen. Über die Bestände des Brandenburger Stadtarchivs mich hier ausführlicher zu verbreiten, liegt um so weniger Anlaß vor, als die historische Kommission der Provinz Brandenburg in kurzem ein Inventar der Brandenburger Archive veröffentlichen wird. Eine wichtige Ergänzung des Brandenburger Stadtarchivs bildet das Archiv des Brandenburger Schöppenstuhls, das auf dem hiesigen Amtsgericht aufbewahrt wird. Die mehr als hundert Aktenbände des alten märkischen Obergerichts sind durch das Werk Adolf Stölzels über den Brandenburger Schöppenstuhl mit seiner eingehenden Darstellung und seinen urkundlichen Beigaben der Forschung erschlossen worden und der Verfasser durfte sich für den vorliegenden Zweck damit begnügen, aus diesem Quellenwerk zu schöpfen. Außerdem bewahrt das Brandenburger Amtsgericht noch Gerichtsprotokollbücher der Alt- und Neustadt aus dem 16. und 17. Jahrhundert, die manchen kulturgeschichtlichen Stoff für die allgemeine Stadtgeschichte bieten. Sie sind an einigen Stellen herangezogen worden. Bei der Benutzung des Geheimen Staatsarchivs zu Berlin-Dahlem durfte ich mich des wohlwollendsten Entgegenkommens der Behörden erfreuen, die mich durch reichliche Übersendung alles Nötigen in den Stand setzten, die Bestände in aller Ruhe gründlich durchzuarbeiten. Insbesondere fühle ich mich zu herzlichem Danke Herrn Staatsarchivdirektor Geh. Rat Dr. Klinkenborg und Herrn Staatsarchivrat Dr. Schultze verpflichtet. Um die Schätze des Brandenburger Stadtarchivs nutzbringend zu verwerten, waren allerlei mühsame Vorarbeiten zu machen. Es wurde eine Ratsliste aus den Kämmereirechnungen des 17. und 18. Jahrhunderts angefertigt, so daß daraus der Personalbestand des Magistrats von 1650 bis 1809 festgelegt ist. Ebenso entstand ein Inhaltsverzeichnis des neustädtischen Heinßschen Kopialbuchs von 1704, das wegen seiner vielfach ungedruckten Urkunden und Abschiede aus dem 17. und folgenden Jahrhunderten besonders wichtig ist und eine Übersicht der Einnahmen und Ausgaben im 18. Jahrhundert, Arbeiten, die, wenn sie auch vorläufig ungedruckt bleiben müssen, ihren dauernden Wert behalten. Dankbar erkenne ich den unermüdlichen Eifer der mir hierbei hilfreichen und verständnisvollen Dienst leistenden Verwalterin der Magistratsbücherei, Fräulein E. Lesser, an. Über die Bestände der genannten vier Archive ist kaum hinaus gegangen worden, da die durch einen Hinweis Sellos erweckte Aussicht, in Breslau ein älteres neustädtisches Kopialbuch zu finden, sich als trügerisch erwies. Nirgends hat sich dies ältere Kopialbuch der Neustadt, das im 15. Jahrhundert angelegt worden ist und Urkunden bis in das dritte Jahrzehnt des 16. Jahrhunderts enthielt, entdecken lassen. Aber es ist doch gelungen, den vollständigen Inhalt dieser verlorenen Handschrift festzustellen, weil der gründliche und fleißige Forscher Alphonse de Vignolles um 1700 alle in diesem damals noch vorhandenen Kopialbuche enthaltenen Urkunden mit der Seitenzahl in seinem noch in Breslau aufbewahrten Regestenwerk verzeichnet hat. So darf man darüber beruhigt sein, daß durch das Verschwinden dieser stadtgeschichtlichen Quelle nichts Wesentliches verlorengegangen ist.

Neben den Urkunden und Akten der Archive waren alte und neue geschichtliche Darstellungen zu berücksichtigen. Die Stadt Brandenburg ist in der an Geschichtsschreibern recht armen Mark vielfach für die Landes- und Ortsgeschichte ein wichtiger Mittelpunkt gewesen. Schon über die Eroberung

Brennaburgs durch den Askanier Albrecht den Bär berichtet ein Domherr des Stifts, Heinrich von Antwerpen, und eine Bischofschronik folgt bald, die freilich nur in Bruchstücken wiederhergestellt werden konnte. Dann folgten freilich anderthalb Jahrhunderte, in denen die geschichtliche Überlieferung fast völlig verstummt, und gerade die Zeit der Wirren des falschen Waldemar, in der die Städte Brandenburg eine führende Rolle spielten, läßt uns schmerzlich Geschichtserzählungen vermissen, die uns ein lebendigeres, farbenreicheres Bild der Ereignisse und Persönlichkeiten gewähren würden, als es der lückenhafte Urkundenstoff darbietet. In dem Zeitalter der Quitzows, den Heldentagen der Brandenburger Bürger, hat dann der Brandenburger Stadtschreiber Engelbert Wusterwitz mit Liebe und Haß ein lebensvolles Bild der selbsterlebten Kämpfe entworfen. Aber diese wichtige Geschichtsquelle wäre uns ganz verloren, wenn die übrigens gar nicht kritischen Chronisten der späteren Humanistenzeit, Hafftiz und Angelus, den Brandenburger Stadtschreiber nicht ausgeschrieben und in ihrer Sprache erneuert hätten. Dem Reformationszeitalter fehlte es überhaupt nicht an Teilnahme für das Altertum der Heimat. Der berühmte Rektor der Königsberger Universität, Georg Sabinus (Schüler), ein Brandenburger Bürgermeistersohn, ist von der Humanistenunsitte der Neigung zu unkritischen Fabeleien nicht frei, aber ein anderer Brandenburger, Zacharias Garcäus, zeigt, daß es auch damals schon klare Köpfe gab, die die geschichtliche Überlieferung auf ihren Wert zu prüfen verstanden. Und neben ihm steht der altstädtische Rektor, Stadtschreiber und spätere Bürgermeister Simon Roter, der in seinem zweibändigen Kopialbuch eine große Menge Urkunden für die Nachwelt gerettet und mit kritischer Sorgfalt wiedergegeben hat. Aus dem 17. Jahrhundert ist dann eine ausführliche Beschreibung Brandenburgs von Joachim Fromme erhalten, die uns sehr anschaulich den damaligen Zustand der Stadt wiedergibt. Sie ist eigentlich ein Schulbuch, zur Übung im Lateinischsprechen verfaßt, und gibt in Form eines Gesprächs zwischen einem einheimischen Schüler und einem Fremden eine Führung durch die Stadt mit ihren Merkwürdigkeiten. Das Büchlein ist noch heute unschätzbar für die Kenntnis der alten Örtlichkeiten. Von der ersten Auflage ist nur noch ein Stück in der Gymnasialbücherei erhalten. Aber der neustädtische Rektor Gottschling hat eine neue Ausgabe davon mit Anmerkungen vermehrt herausgebracht. Gottschling hat auch selbst eine eigene Beschreibung des Brandenburgs seiner Zeit (1732) veröffentlicht, und er wie der altstädtische Rektor Schlicht haben Beiträge zur örtlichen Schulgeschichte herausgegeben. Das 18. Jahrhundert hat auch weiterhin kleinere Vorarbeiten zur Stadtgeschichte geliefert. Der neustädtische Rektor Fincke veröffentlichte in einer Reihe von Schulprogrammen (1749—1753) städtische Urkunden, die seither verlorengegangen sind. Auch Büschings Reise nach Reckahn (2. Aufl. 1780) bietet einige Nachrichten über das Brandenburg der späteren friderizianischen Zeit. Das neue Jahrhundert mit der äußeren Bedrängnis und inneren Erneuerung schenkt der Churstadt ein Wochenblatt (1809/10), das in seinen ersten Jahrgängen manchen schätzbaren Beitrag zur Stadtgeschichte bringt. Bald nach den Befreiungskriegen gab dann der spätere Minister G. A. R. von Rochow seine geschichtlichen Nachrichten von Brandenburg und dessen Altertümern (1821) heraus, ein lithographiertes Heft, das hauptsächlich eine Beschreibung der Baudenkmäler mit einem kurzen vorausgeschickten Abriß der Geschichte bietet. Die zweite, gedruckte Ausgabe dieses Schriftchens besorgt dann schon Moritz Wilhelm Heffter, der sich damit die ersten Sporen auf dem Gebiete verdiente, auf dem er später so Bedeutendes leistete. Er darf als der Vater der Brandenburger Stadtgeschichte bezeichnet werden, denn er schuf mit seiner kurzgefaßten „Geschichte der Chur- und Hauptstadt Brandenburg von den frühesten bis auf die neuesten Zeiten (Potsdam 1840)“ eine noch heute brauchbare Grundlage für die stadtgeschichtliche Forschung. Fügt man hinzu, daß er das Brandenburger Stadtarchiv durch ein handschriftliches Kopialbuch, die Prozeßakten des Schöppenstuhls auf dem Amtsgericht durch ein alphabetisches Orts- und Personenverzeichnis, das 36bändige Urkundenwerk Riedels durch chronologische und alphabetische Register erschloß, so ergibt sich, welchen Dank die brandenburgisch-märkische Geschichtsschreibung diesem bescheidenen und mühsamen Forscher schuldet. In seinen letzten Lebenstagen sah er noch den Historischen Verein der Churstadt entstehen, der seitdem die Forschungsarbeit an der Stadtgeschichte zu seiner dauernden Aufgabe gemacht hat. Inzwischen hatte die Stadtgeschichte wichtige amtliche Grundlagen gewonnen. Auf Verfügung der Regierung mußte auf dem Rathause eine laufende handschriftliche Stadtchronik geführt werden. In Brandenburg ist dies vom Jahre 1837 mit Unterbrechungen bis zum Jahre 1861 geschehen, zuerst durch den Syndikus Spitta, später durch den Stadtrat Petersen, und wir erhalten so eine offizielle, vom Magistrat veranlaßte und gebilligte Darstellung der städtischen Ereignisse. Von 1844 an werden daneben die Verwaltungsberichte gedruckt herausgegeben, in denen der Oberbürgermeister Ziegler ein Mittel sah, die öffentliche Meinung für seine vielfach angegriffene Amtsführung zu gewinnen. Seitdem sind die Rechenschaftsberichte des Magistrats wohl regelmäßig erschienen und bis auf wenige Jahrgänge erhalten. Sie nehmen fortgesetzt einen immer größeren Umfang an und bieten eine reiche Fülle vor allem statistischen Stoffes. Den ersten Jahren des Historischen Vereins, der in der Zeit der Reichsgründung aufblühte, verdankt auch Schillmanns Stadtgeschichte ihre Entstehung. Sie ist unvollendet geblieben — reicht sie doch nur bis zur Zeit der Glaubenserneuerung —, und auch enttäuscht sie den Leser etwas, denn der Verfasser, der über die älteste Zeit verdienstvoll gearbeitet hat, läßt es schließlich an Ausdauer fehlen und sein Buch verliert sich zuletzt in eine ermüdende Aneinanderreihung der überlieferten Urkunden. Ihm folgt bald (1886) die stoffreiche Kommunalgeschichte des Stadtsyndikus Dullo, ein Werk, das auf fleißigem Aktenstudium aufgebaut ist, aber diesen Stoff gänzlich ungeordnet zusammenhäuft.

Seitdem sind die einzelnen Teile der Stadtgeschichte fleißig und erfolgreich angebaut worden, so daß zuverlässige Grundlagen für eine zusammenhängende Darstellung geschaffen sind. Ich erinnere an Sellos Herausgabe askanischer Chroniken und Krabbos askanische Regesten. Gebauer hat eine Reihe von Jahren die Geschichte von Dom und Stadt Brandenburg in der Zeit der Glaubenskämpfe mit sichtbarem Erfolge angebaut und, aus dem Brandenburger Stadtarchiv sind eine Reihe von Doktorabhandlungen hervorgegangen, die die ältere und neuere innere Geschichte Brandenburgs glücklich aufklären. Es sind die Arbeiten Grases, Drägers (des früh Vollendeten), Neumanns und Jerochs (1928). Auch die Bau- und Kunstdenkmäler Brandenburgs haben durch die Herausgabe der Inventare (Bergau-Wernicke 1885 und Eichholz 1912) eingehendste Bearbeitung erfahren, wobei der ältere Forscher Wernicke seinem Nachfolger gegenüber unübertroffen und unentbehrlich bleibt. So konnte der Verfasser es wagen, nachdem er schon 1912 kurzgefaßte „Bilder aus der Geschichte Brandenburgs" veröffentlicht hatte, eine aus den ersten Quellen geschöpfte breitere Darstellung der äußeren und inneren Geschichte der Stadt zu geben. Die Herren Studienassessor Dr. Neumann und Lehrer Haug haben die Güte gehabt, die Korrekturen des umfangreichen Buches zu lesen, wofür ich ihnen an dieser Stelle den besten Dank sage. Die städtischen Behörden haben dem Werke eine der Tausendjahrfeier würdige Ausstattung gewährt, und der Verfasser kann nur wünschen, es möge der Wert des Inhalts dem stattlichen Gewande einigermaßen entsprechend befunden werden. Er wird zufrieden sein, wenn sein Werk die Geschichtsfreunde auf ebenem Wege durch das Gestrüpp der tausendjährigen Aktenmassen führt und den Gelehrten den Zugang zu neuem erfolgreichen Forschen bahnt.

Brandenburg, im Mai 1928. OTTO TSCHIRCH

INHALTSÜBERSICHT DES ERSTEN BANDES

ERSTES BUCH

ZWEITES BUCH

VERZEICHNIS DER BEILAGEN, BILDER, KARTEN, PLÄNE UND ZIERBUCHSTABEN

ZU BAND I

ZIERBUCHSTABEN

ERSTES BUCH

GERMANISCHE UND WENDISCHE VORGESCHICHTE
SIEG DER CHRISTENLEHRE UND DES DEUTSCHTUMS

I. EINLEITUNG
VORGESCHICHTLICHE ZEIT

ENN man fragt, wann zuerst der Name Brandenburg (Brennaburg) in der geschichtlichen Überlieferung erklingt, so lautet die Antwort: Im Winter 928/29. Es ist also gerade ein Jahrtausend seitdem vergangen. Der deutsche König Heinrich berennt die alte Wendenburg und bringt sie nach monatelanger Belagerung unter deutsche Herrschaft. Aber wenn auch jede schriftliche Kunde aus früheren Zeiten fehlt, so weisen doch zahlreiche Bodenfunde mit großer Deutlichkeit darauf hin, daß die wichtige Übergangsstelle an der Havel schon in uralten Zeiten besiedelt gewesen ist. Schon in jener weit zurückliegenden Zeit, als der Rückzug des nordischen Gletschereises das Havelland für menschliche Besiedelung freigab, haben Renntierjäger das Havelgebiet um Brandenburg bewohnt. Von Menschenhand bearbeitete Renntiergeweihstücke, die sie hinterlassen haben, bezeugen ihre Anwesenheit. Einige Jahrtausende später hauste ein Jäger- und Fischervolk an den Havelseen, das die Jagdtiere in Wildgruben fing und den Fischen mit Harpunen und Angelhaken nachstellte, die es aus dem Geweih des Elchs und des Rothirschs mittels kleiner Feuersteinmesser zu schnitzen verstand. Nachkommen dieses Fischervolks werden die eigentümlichen „Walzenbeile" mit kreisrundem oder ovalem Querschnitt zugeschrieben, die bereits der Übergangszeit von der mittleren zur jüngeren Steinzeit angehören. Im Verlauf der jüngeren Steinzeit (etwa 4000 bis 2000 v. Chr.) wird nun die alte, nichtarische Urbevölkerung durch ein von Norden kommendes, wahrscheinlich indogermanisches Volk verdrängt, das bereits Ackerbau und Viehzucht trieb, seine Waffen und Werkzeuge aus Feuerstein und Felsgestein kunstvoll herzustellen verstand und auch in der Kunst der Töpferei wohlbewandert war. Töpfe und Steinbeile, die dieser nordischen „Megalithkultur" angehören, finden sich anfangs nur spärlich im Havelland; erst gegen Ende der jüngeren Steinzeit häufen sich die Funde, ein Beweis, daß jetzt ein stärkerer Zuzug aus dem Norden erfolgte. Unter dem Einfluß einer fremden, an der mittleren Elbe heimischen Kultur entwickeln jetzt die nordischen Einwanderer eine eigene, bodenständische Kultur, die havelländische, deren feingearbeitete und sauber und geschmackvoll verzierte Gefäße in und um

Brandenburg reichlich vertreten sind. Ihre Toten begruben sie in Erdgräbern, die mitunter mit Steinen umsetzt wurden.
Neben dieser eingesessenen ackerbautreibenden Bevölkerung hatte ein fremdes Handelsvolk, das den Handel zwischen dem Norden und Mitteldeutschland vermittelte, zerstreute Niederlassungen gegründet. Die diesem Volk eigentümliche „Kugelflasche" fand sich u. a. auch in einem Grab in der Krakauer Vorstadt. Ihre Toten begruben diese Händler ebenfalls in Erdgräbern, und zwar in „Hockerlage". Vereinzelt findet sich auch schon Brandbestattung. Außerdem haben bereits während der jüngeren Steinzeit lebhafte Handelsbeziehungen mit Thüringen und Schlesien bestanden.
Von Schlesien her scheint auch die Bronze eingeführt worden zu sein, welche der folgenden Periode (2000 bis 800 v. Chr.) ihren Namen gegeben hat. Die Besiedelung des Havellandes wird in der älteren Bronzezeit nur durch Einzelfunde bezeugt, während Gräber gänzlich fehlen. Zahlreich sind die Funde an schön gearbeiteten Waffen und Schmucksachen in den Torfmooren, in die sie einst als Opfergaben versenkt wurden. Gräberfelder treten erst etwa von 1400 v. Chr. ab auf, und bald in so großer Menge, daß sie auf eine dichte Besiedelung schließen lassen. Die Toten wurden jetzt auf dem Scheiterhaufen verbrannt und in einer Urne beigesetzt. Kleinere Gefäße mit Speise und Trank, oft in großer Zahl, wurden dabeigesetzt. Die Gräber stehen oft in mehr oder minder umfangreichen Steinpackungen, oft fehlen diese auch; mitunter wird auch die Brandasche mit in die Grube geschüttet. In Brandenburg selbst ist ein bronzezeitliches Gräberfeld in der St. Annenstraße angeschnitten worden. Ein anderes lag hinter dem Marienberg, ein drittes am Sandfurtgraben. — Die Wohnungen waren rechteckige Pfostenhäuser, wie wir sie schon aus der Steinzeit kennen. Sie enthielten einen hinteren Hauptraum mit der Herdstelle und einen Vorraum oder eine Vorhalle. Die bronzezeitlichen Bewohner des Havellandes waren wahrscheinlich schon Germanen. Ihre Kultur steht jedoch unter dem Einfluß eines Volkes, das von vielen Forschern für nichtgermanisch gehalten wird und das besonders die südöstliche Mark bewohnte. Dieser Einfluß zeigt sich vor allem in den Gefäßformen, die nahe Verwandtschaft mit der „Lausitzer" Kultur zeigen. Auch in der frühesten Eisenzeit (etwa 800 bis 400 v. Chr.) ist dieser Einfluß noch erkennbar. In dieser Zeit läßt die Bevölkerungsdichte etwas nach, ist aber immer noch recht erheblich. Von 400 ab stehen die Germanen des Havellandes dagegen unter dem Einfluß der keltischen, in Süd- und Mitteldeutschland heimischen Latènekultur. Keltische Fibelformen werden eingeführt und nachgeahmt, bald aber auch selbständig weiterentwickelt. Namentlich in der Herstellung ihrer Eisenwaffen gehen die Germanen der

letzten vorchristlichen Jahrhunderte bald ihre eigenen Wege. Auch jetzt werden die Toten noch verbrannt, und die Sitte kommt auf, den Toten ihre Waffen mit ins Grab zu geben.
In den ersten nachchristlichen Jahrhunderten wohnte nach dem Zeugnis römischer Schriftsteller der mächtige swebische Stamm der Semnonen im Havelland. Ihre Hauptblütezeit muß aber in die voraufgehenden Jahrhunderte fallen; denn die Zahl der Gräberfelder dieser Zeit ist nicht groß. Auch wissen wir, daß die swebischen Volksstämme im Elb- und Havelgebiet schon seit dem ersten Jahrhundert vor Christo begonnen haben, nach dem südwestlichen Deutschland abzuwandern und die Kelten aus ihren alten Sitzen zu verdrängen. Gegen Ende des 3. nachchristlichen Jahrhunderts sind sie ganz aus unserer Heimat verschwunden. Die großen Gräberfelder des 4. und 5. Jahrhunderts, von denen sich eines auch in der St. Annenstraße zu Brandenburg befand, schreibt man wohl mit Recht den Langobarden zu, die um diese Zeit in langsamer Abwanderung von ihren alten Sitzen an der unteren Elbe nach dem südöstlichen Europa begriffen waren. Als auch sie schließlich das Havelgebiet verließen, blieb höchstens noch eine kleine Restbevölkerung zurück, die aber keine Spur ihres Daseins hinterlassen hat, wenn nicht der germanische Name Brennaburg darauf hindeutet, daß eine ununterbrochene Überlieferung ihn den Slaven übermittelt hat. Diese haben vom 6. oder 7. Jahrhundert ab allmählich von dem verödeten Land Besitz ergriffen und die alte Havelstadt, deren Besiedelung wir von der Steinzeit an verfolgen konnten, zu einer ihrer Hauptfesten ausgebaut[1]).

II. GERMANEN UND SLAVEN IM HAVELLAND BIS 800

HABEN die Germanen über zwei Jahrtausende in unserer Landschaft gesessen, so ist es nicht zu verwundern, daß Reste ihrer Sprache sich in den Ortsnamen unserer Gegend erhalten haben. Es ist ein schwer auszurottender Irrtum, der sich in volkstümlichen Schriften immer wieder findet und mit zäher Lebenskraft sich zu erhalten sucht, der Name von Brandenburg habe ursprünglich Brennabor oder Brannibor gelautet und sei also augenscheinlich slavischer Herkunft. Die Brennaborräder der Brandenburger Fahrradfabrik der Gebrüder Reichstein haben die unrichtige Namensform über die ganze Welt verbreitet. Betrachten wir die ältesten Formen, in denen uns der Name der Stadt in Urkunden und Jahrbüchern des früheren Mittelalters begegnet. In der Gründungsurkunde des Bistums Brandenburg vom 1. Oktober 948, die sich im Domarchiv zu Brandenburg befindet, lautet der Name Brendanburg[2]), und der Chronist der Ottonen, der um 967 schrieb, Widukind von Corvey[3]), nennt die Stadt, die Heinrich I. eroberte, Brennaburg. Diese Form, daneben die heutige „Brandenburg" und ähnliche begegnen uns durch das ganze Mittelalter, und erst die Zeit der Humanisten hat die klare Sachlage durch etymologische Spielereien verdunkelt. Daß die märkischen Chronisten des 16. Jahrhunderts in abenteuerlichen Namensableitungen Großes leisteten, ist bekannt, und ihrer Neigung für das klassische Altertum entsprechend führten sie den Ursprung deutscher Städte gern auf die Römer zurück. So schreibt damals (1550) Georg Sabinus oder Schüler, selbst ein Brandenburger Bürgermeisterssohn, in seiner bekannten Beschreibung Brandenburgs: „Brandenburg besteht aus zwei Städten, deren eine als ihren Gründer Brennus rühmt, unter dessen Führung die gallischen Semnonen Rom 416 (?!) vor Christo plünderten, deren andere von dem Frankenkönige Brando, des Marcomirus Sohn, um 270 gegründet worden sein soll. Und weil beider Gründer Namen miteinander verwandt sind, wurden beide Städte abwechselnd Brenniburg und Brandeburg genannt"[4]). Seit Sabinus spielt dann bis in das 19. Jahrhundert der fabelhafte Urahn Brennus in der vaterländischen Mythologie Brandenburg-Preußens eine große Rolle, und so kommen die Märker und die Preußen im Munde der Dichter zu dem wenig geschmackvollen Namen der Brennen. Ramler, der Berliner Herold des friderizianischen Ruhmes, nennt sie kaum anders, und es war eine Verherrlichung des Schutzpatrons der preußischen Nation, wenn der Hofkapellmeister Johann Friedrich Reichardt die italienische Oper „Brennus" für Berlin schrieb, bei deren letzten Proben der König Friedrich Wilhelm II. selbst das geliebte Cello in die Hand nahm und im Orchester mitspielte[5]). Diese phantastischen Namensableitungen aber lassen die slavische Form Brennabor noch ganz außer Spiel. Sie kommt im ganzen 16. Jahrhundert noch nicht vor. Derjenige, der sie zuerst aufgebracht hat, ist ein gelehrter tschechischer Jesuit, Bohuslaus Balbinus, der 1677 eine böhmische Geschichte herausgab. Er erzählt, wie Heinrich der Finkler, über das Eis heranziehend, Brandenburg eingenommen habe, vergleicht damit voll Bewunderung den kühnen Zug des Schwedenkönigs Carl Gustav X. über den gefrorenen Belt nach Fünen und fügt hinzu: „Brandenburg wurde in jener Zeit von den Slaven: Branny Bor, d. h. silvae custodia, Wache des Waldes, genannt." Es unterliegt keinem Zweifel, daß diese Ableitung von dem tschechischen Gelehrten selbst stammt, und daß sie von ihm in der Absicht erfunden ist, um Brandenburgs slavischen Ursprung zu erweisen[6]). Von ihm haben sie erst die späteren märkischen Geschichtschreiber entlehnt. Aber noch eine zweite Annahme begegnet. Sie erkennt zwar das Wort Brandenburg als deutsch an, aber sieht darin nur die Übersetzung des alten wendischen Namens der Havelstadt, der Sgorzelica gelautet habe. Sie ist ebenso haltlos. Unsere ältesten Quellen wissen, wie schon erwähnt, nichts von einem zweiten wendischen Namen der Stadt, und nur der deutsche wird immer wieder genannt. Der Name Sgorzelica findet sich erst in einer polnischen Chronik, die in der vorliegenden Form wohl nicht einmal dem 13., sondern erst dem 14. Jahrhundert angehört. Diese Chronik geht gewöhnlich unter dem Namen Boguphals II., Bischofs von Posen, der um 1253 starb, ist aber jedenfalls zunächst fortgesetzt und umgearbeitet von dem Domherrn Baczko in Gnesen, der am Ende des 13. Jahrhunderts schrieb und bald darauf starb. Diese Chronik hat noch später, also im 14. Jahrhundert, von einer gelehrten Hand verschiedene Einschaltungen mit fabelhaften Genealogien im Geschmack jener Zeit erhalten. Dieser Überarbeiter hat die krankhafte Neigung, alle, auch unzweifelhaft deutsche Ortsnamen aus der polnischen Sprache zu erklären, um die von ihm behauptete ehemals weite Ausdehnung des polnischen Reiches nach Westen zu beweisen. Wie er erzählt, daß der Bauer Piast und seine Nachkommen, die Piasten, bis über die Elbe nach Westen geherrscht hätten, so leitet er Megdborg, d. h. Magdeburg, aus der slavischen Urform Miedzyborzye, Bremen aus dem Polnischen, Lüneburg vom slavischen luna = Feuerschein ab. Bardewik, Schleswig müssen im zweiten Teil die slavische Wurzel wies = Dorf enthalten, und der erste Teil von Schleswig soll von sledz (polnisch = Hering) kommen. Auch Mecklenburg (deutsch = große Burg) kann sich der polonisierenden Erklärung nicht entziehen. Inmitten dieser Fabeleien ist von dem Lande Brandenburg die Rede. Der Chronist nennt es „Sgorzelica, welches jetzt Brandenburg genannt wird“, und an anderen Stellen bezeichnet er den Markgrafen von Brandenburg als von Sgorzeliz[7]). So wenig nun auf die übrigen törichten Konjekturen als Chronisten etwas zu geben ist, so ist auch an unserer Stelle mehr als wahrscheinlich, daß der polnische Verfasser Brandenburg mit Hilfe des polnischen Wortes sgorz=Brand lediglich übersetzt hat, der zu allen Zeiten bewiesenen Neigung der Polen folgend, die deutschen Ortsnamen zu polonisieren. Wäre der Ausdruck Sgorzelica in der wendischen Bevölkerung neben oder gar statt Brandenburg üblich gewesen, so stände zu erwarten, daß diese Namensform namentlich zur Zeit der wiederhergestellten Slavenherrschaft 983 bis 1150 irgendwann in Chroniken oder Urkunden begegnete, was keineswegs der Fall ist[8]). Es ist somit die merkwürdige Tatsache festzustellen, daß mitten im Slavenlande durch viele Jahrhunderte wendischer Herrschaft hindurch der deutsche Name Brandenburg, der nach der üblichen Deutung eine Burg bedeutet, die auf dem Boden ausgebrannter Rodung errichtet ist, sich aus der Germanenzeit her erhalten hat. Mit gutem Rechte darf man annehmen, daß hier schon in germanischer Zeit eine Ansiedlung bestand, worauf ja auch die zahlreichen in der Stadt gehobenen Urnenfunde der Bronzezeit hinweisen.

Es ist jedenfalls auch sehr bedeutsam und gibt zu denken, daß Brandenburg in der alten deutschen Heldensage eine wichtige Rolle spielt. Eine der schönsten deutschen Heldengeschichten, die von dem wilden Jäger Iron und seiner schönen und treuen Gattin Isolde, haftet an Brandenburg. Freilich ist uns diese Sage nur in einer norwegischen Quelle überliefert, in der Thidrekssage aus der Mitte des 13. Jahrhunderts, die aber der Aufzeichner derselben selbst auf die Erzählungen niedersächsischer Sänger aus Bremen, Münster und Soest zurückführt[9]). Somit ist uns gewiß darin echtes deutsches Sagengold erhalten. Die Überlieferung berichtet folgendes: Iron ist der Sohn des Königs Artus von Brittangen (Britannien), der nach dem Tode seines Vaters mit seinem Bruder das Reich verliert und an Attilas Hof in Susat (Soest) flieht, der den edlen Verbannten zum Unterkönig in Brandinaburg einsetzt. Dort vermählt er sich mit der schönen und reichen Isolde. Das Glück der Ehe wird nur durch die wilde Lust Irons am Waidwerk getrübt, dem er in den Waldwildnissen um Brandinaburg mit seinen Hunden und Habichten frönt. Nur vorübergehend gelingt es Isolde, den Gemahl durch eine sinnige List im Hause festzuhalten.

Als er von einem mächtigen Wisent im Walslangawalde hört, der dem König Salomon von Frankenland gehört, zieht er sogleich gegen das Ungeheuer aus, erlegt es, wird aber, im fremden Gehege jagend, von König Salomon gefangen und in den Turm geworfen. Da ruht die treue Isolde nicht, bis sie den geliebten Mann mit ihrem Golde befreit hat. Aber bald nach der Freude des Wiedersehens erkrankt Isolde und wird ihrem Gemahl durch jähen Tod entrissen. Iron aber findet dann ein verhängnisvolles Ende im Kampfe mit Herzog Ake Harlungertrost, zu dessen Gattin Bolfriane er in frevelhafter Leidenschaft entflammt. Unbegraben modert sein Leichnam, von seinem Roß, seinen Hunden und Habichten beklagt, im grünen Tann, bis Dietrich und seine Recken ihn finden und ehrenvoll bestatten. Des Helden verwaiste Feste Brandinaburg aber, von mächtigen Feinden arg bedrängt, wird durch Attila, Dietrich von Bern und Hildebrand von ihren Bedrängern erlöst. Von den Söhnen Akes Harlungertrost, den Harlungen, aber weiß die Sage noch zu erzählen, daß der finstere, mißtrauische König Ermanrich diese beiden jungen Helden, Edgard und Ake, verfolgt und aufgehängt habe.

Echt germanische Züge zeigt die Sage des Helden Iron. Wie im Nibelungenliede ist Gattenliebe und Weidmannstreiben verherrlicht. Die Märe ist in die engste Verbindung mit der hunnischen und ostgotischen Sage von Attila, Dietrich und Hermanrich gebracht. Freilich erscheint die Attilasage schon in ihrer späteren niedersächsischen Form, in der Etzel nicht mehr an der unteren Donau, sondern schon in Westfalen lokalisiert ist, wo man später in Soest die Stätten der letzten Burgunderkämpfe zeigte. Aber während die niedersächsischen Sänger dieser späteren Sagen auf der roten Erde offenbar gut Bescheid wußten und die örtlichen Angaben daselbst Zusammenhang zeigen, so erscheint unser Brandenburg in einem dichten geographischen Nebel, und die daneben genannten nachbarlichen Waldgebiete, der Ungarwald und südlich (!) davon der Walslangawald, unter dem man den Wasgau an der Grenze Frankreichs vermutet, zeigen nur, daß der sächsische Sagendichter oder wohl besser der norwegische Nacherzähler keine Ahnung von der Lage der von ihm genannten Orte hat, und daß er wie Shakespeare keine Bedenken tragen würde, Böhmen an den Meeresstrand zu versetzen. Nur die Lage Brandenburgs zwischen Westfalen und dem polnisch-russischen Osten steht einigermaßen fest und beruhigt uns darüber, daß doch nur unser Brandenburg gemeint sein kann. Wenn aber aus der vorliegenden Überlieferung wohl nicht mehr geschlossen werden kann, als daß um 1200 in Westfalen von der deutschen Grenzburg Brandenburg gesungen wurde, so scheint der altüberlieferte Name Harlungerberg für den heutigen Marienberg doch mehr zu bedeuten[10]). Schon 1166, zu einer Zeit, wo die Eindeutschung in Brandenburg kaum angefangen hatte, erscheint in Urkunden geistlicher Aussteller der Harlungerberg. Ich habe schon vorher darauf hingewiesen, daß die Harlungen ein sagenhaftes Heldenbrüderpaar sind, die durch den Gotenkönig Ermanrich ihren tragischen Untergang finden. Der Name des Berges zeigt, daß ihre Geschichte in unserm Heimatboden verwurzelt ist. Sonst sind die Brüder zu Breisach in Baden heimisch. Es sind zwei Jünglinge, die in der Pflege des treuen Eckhart stehen. Ein ungeheurer Schatz ist ihnen eigen. Jugendlich übermütig ist ihr Benehmen; kein Waldvogel, kein wildes Tier ist vor ihnen sicher; leicht wird es darum dem hinterlistigen Sibich, sie bei ihrem Oheim Ermanrich zu verleumden, sie hätten ihre Augen auf die Königin, Ermanrichs Gemahlin, geworfen und gedächten, ihr nachzustellen. Ermanrich, von wilder Wut über ihre Verwegenheit und von Habgier nach ihrem Horte getrieben, bringt sie in Abwesenheit ihres Pflegers hinterlistig in seine Gewalt und läßt sie aufhängen. Der Beweggrund der Eifersucht scheint erst später in die Sage eingedrungen zu sein. Wichtiger erscheint der Goldhort, um dessentwillen sie sterben müssen; und darum gibt es so manche Harlungerberge in Deutschland; denn das Volk liebt es, in auffallend hervortretende Berge geheimnisvolle Schätze zu versenken. Daß die Harlungensage in der Mark im Schwange gewesen sein muß, dafür spricht auch der Umstand, daß der Annalist des Klosters Pegau im benachbarten Sachsen um 1150 die sagenhaften Helden an den Anfang des Stammbaums der Grafen von Groitsch setzt und ihrem Vater Brandenburg als Herrschersitz anweist. Und der Berg, der früher den Triglavtempel getragen hatte und jetzt mit einer Marienkapelle gekrönt war, wäre in einer bischöflichen Urkunde von ihrem geistlichen Schreiber wohl nicht mit einem auf germanische Götter- und Heldensage hindeutenden Namen bezeichnet worden, wenn dieser nicht ein altes geschichtliches Recht gehabt hätte[11]).

So dürfen wir wohl in dieser alten engen Verbindung Brandenburgs mit der deutschen Heldensage einen vernehmlichen Nachklang der germanischen Vergangenheit unserer Heimat sehen, zugleich einen Beweis, daß die Germanen nicht, wie man früher vielfach annahm, den Osten Deutschlands vollständig geräumt haben, sondern in einzelnen Gruppen zurückgeblieben sind und ihre Sitte und Sage bewahrt haben. Und daß, wie schon hervorgehoben, gerade hier eine wichtige Siedlung entstand, dazu hat schon früh die natürliche Lage des Ortes führen müssen. Von Magdeburg aus, dem uralten Übergang über die mittlere Elbe, ging eine wichtige Heeresstraße nach Nordosten durch die märkische Landschaft, deren weitere Richtung durch das Havelländische Luch im Westen und die waldigen Spree- und Dahmelandschaften im Osten von jeher auf den Spreeübergang bei Berlin hingedrängt worden ist.

Darin liegt die Wichtigkeit dieser geographischen Stelle an der Spree, die schon im Mittelalter zu einer überragenden Handelsbedeutung der späteren Reichshauptstadt geführt hat, von vornherein begründet. Die Bedeutung Brandenburgs für den Verkehr hat nun von ältester Zeit darin bestanden, daß es der erste Havelübergang auf dieser Heerstraße in die Mittelmark hinein war. Der Weg führte weiter über Spandau, wo man zum zweiten Male die Havel querte. Trotz dieser doppelten Flußüberschreitung zog man den Weg durch das Havelland dem südlicheren über Belzig und Brück vor. Dort hätte man die Sümpfe der Plane- und Nutheniederung zu überwinden gehabt, hätte den Fläming fast an seiner höchsten Stelle überschreiten müssen und außerdem weite, menschenleere Waldungen gefunden. Demgegenüber führte der Weg, der die Havel von der Platte der Neustadt aus über die Dominsel hinweg überschritt, über den Lehmboden des hohen Havellandes durch eine dicht besiedelte Gegend, und der Fluß, dessen Übergang das einzige Hindernis bildete, war eine schiffbare Wasserstraße, an der man Güter austauschen konnte und die man oft auch dem gefährlicheren Landwege vorgezogen haben wird[12]). Über Brandenburg konnte man aber nicht nur vom Südwesten nach dem Havellande kommen, sondern auch eben dahin aus der Zauche. Dazu kam später auch noch der Verkehr aus dem Nordwesten von Havelberg über Pritzerbe her, der in alter Zeit keine geringe Bedeutung hatte.

In geschichtlicher Frühzeit mag indessen die Verkehrswichtigkeit Brandenburgs hinter der militärischen zurückgetreten sein. Ehe wir von friedlichen Warenzügen auf dieser Straße vernehmen, erscheint Brandenburg als eine unzugängliche Inselburg, die nur im Winter angegriffen werden konnte. Sie liegt ja nicht an einer besonders engen Stelle der Havelniederung, vielmehr ist der Flußübergang hier nur durch eine schmale Sandzunge und mehrere Inseln in einem weiten Moore ermöglicht. So mag Brandenburg in altgermanischer und wendischer Zeit ein wichtiger, beherrschender Brückenkopf für die Bevölkerung gewesen sein[13]).

Man muß sich denken, daß in alter Zeit das Wasser einen viel größeren Raum einnahm als heutzutage. Wenn heute in bestimmten Jahreszeiten die Havel über ihre Ufer steigt und die angrenzenden Wiesen überflutet, stellt sich noch annähernd das Bild der alten Wasserfeste her, rings von Gewässern umgeben. Aber auch damals schon bot das Gelände dem Fischer, dem Hirten, dem Ackersmann Lebensunterhalt, dem Krieger einen sicheren Stützpunkt für Feldzüge nach allen Seiten und einen Schlupfwinkel, die Beute zu bergen. Die sich kreuzenden Straßen aber mochten auch Handwerk und Handel bis zu einem gewissen Grade begünstigen.

Alle diese Vorzüge werden schon zu germanischer Zeit gewirkt haben. Aber die Geschichte schweigt davon. Wir wissen nur, daß die Germanen allmählich ihre Sitze im Osten Deutschlands freiwillig aufgaben. Auch die Semnonen und nach ihnen die Langobarden zogen aus ihren alten Sitzen im Havellande in ihrer Hauptmasse ab. So lag nunmehr das Land zwischen Elbe und Weichsel fremdem Angriff offen. Schon lange war es nur dünn bevölkert gewesen von zurückgebliebenen Resten der wandernden Stämme. Mauringaland wurde es von den Germanen genannt: Land wildwuchernder Grasnarbe, obgleich es die abgewanderten Stämme noch immer bis zum 6. Jahrhundert als Heimat und Eigen betrachteten[14]). Die letzten Germanen, die über die Elbe zurückgingen, waren Nordschwaben, Nachkommen der alten Semnonen, also gleich diesem Stamme Bewohner des Havellandes[15]). Nun verschwand die letzte Scheu der östlichen Nachbarn vor dem Einzug in das germanische Ödland. Die Slaven setzten über die Weichsel und ergossen sich, vereinzelten Vorläufern folgend, über die breiten Gebiete des heutigen nordöstlichen Deutschlands. In einzelne Sippen zerstreut, unruhig in kleinen Gruppen im Lande hin- und herwogend, wurden sie zunächst zu harmlosen Nachbarn der deutschen Westgermanen, bis auf die Zeiten des 8. und 9. Jahrhunderts, wo die Germanen sich zu neuer Ausbreitung nach Osten rüsteten. Als Karl der Große den zähen Widerstand des letzten von der Frankenherrschaft freien deutschen Stammes der Sachsen gebrochen hatte, richtete er die Zeichen fränkischer Reichshoheit am Elbstrom auf und sicherte die Grenze durch deutsche Brückenköpfe. Ja, er unternahm sogar, um die wilden Stämme die Macht des fränkischen Staates fühlen zu lassen, einen Zug gegen die Wilzen, der in großem Maßstabe vorbereitet wurde. Das fränkisch-sächsische Hauptheer unter dem Befehle des Königs selbst überschritt auf zwei Brücken die Elbe und drang, weit und breit das Land verwüstend, in das Innere des Landes vor. Gleichzeitig fuhr eine Flotte der Friesen mit einem Teile der Franken an Bord die Elbe und Havel aufwärts. Im Havellande muß dann die Vereinigung beider Heeresabteilungen stattgefunden haben[16]). Es ist vielleicht nur Zufall, daß Brennaburg hierbei nicht genannt wird. Der Widerstand der Slaven brach vor dem fränkischen Ansturme rasch zusammen. Aber durch diesen und spätere Erfolge ließ sich Karl nicht verleiten, wendisches Gebiet dem fränkischen Staatswesen einzuverleiben. Er betrachtete die Elbslaven als Fremde, die er auch nicht zum Christentum bekehrte, die er nur so weit von sich in Abhängigkeit brachte, als es für die Sicherheit seines Gebiets erforderlich war, ja, zu denen er seine Kaufleute nicht reisen ließ[17]).

III. BRENNABURG, EINE DEUTSCHE BURG UNTER DEN OTTONEN

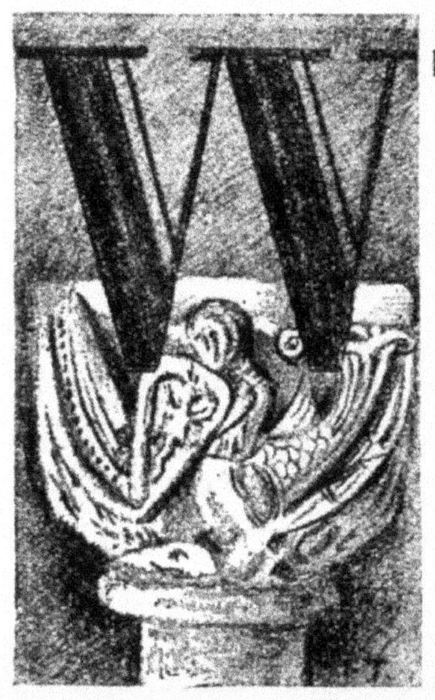

ENN der mächtige Frankenkaiser so zurückhaltend in seiner Politik gegen die Slaven war, so ist nicht zu verwundern, wenn unter seinen schwachen Nachfolgern man noch weniger von Reichs wegen an eine Unterwerfung der Elbslaven dachte. Erst unter den Herrschern aus dem sächsischen Hause trat darin eine Wendung ein und es begann der jahrhundertelange Kampf der Deutschen und Wenden um Brandenburg. Wie die Ludolfinger schon als Herzöge von Sachsen es durch ganze Geschlechtsreihen hindurch für ihre besondere Pflicht gehalten hatten, die Grenzwacht gegen die Slaven zu halten, so unternahm es nun der erste aus ihrem Geschlechte, der zur königlichen Macht emporgestiegen war, Heinrich, die langwierigen Grenzfehden durch einen starken Schlag und die Unterwerfung der Wenden zu beendigen. Und diese wendischen Eroberungen sind, wie ein neuerer Geschichtschreiber sagt, die weltgeschichtliche Tat Heinrichs I.[17a]). Durch sie hat er das deutsche Volk in das Gebiet geführt, in das sich nach fast einem Jahrtausend der Schwerpunkt der deutschen Macht verlegen sollte[18]). Die Zeit der ersten Eroberung Brandenburgs festzustellen, ist nicht ganz leicht, da die Angaben der Chroniken schwanken und die Hauptquelle, der sächsische Geschichtschreiber Widukind von Corvey, keine genaue Zeitangabe macht. Doch ist neuerdings ziemliche Übereinstimmung darüber erzielt, daß die Ereignisse in die Zeit von 928 bis 929 zu setzen sind.

„Überraschend fiel Heinrich in das Land der Heveller ein, ermüdete sie durch zahlreiche Kämpfe, schlug endlich im härtesten Winter sein Lager auf dem Eise auf und nahm die Stadt Brennaburg durch Hunger, Schwert und Kälte." So berichtet Widukind. Es ging also der Einnahme eine lange Belagerung voraus, die durch völlige Absperrung die Belagerten dem Hunger preisgab und zur Übergabe zwang[19]).

Man sieht aus diesem Bericht, daß der Erzähler die Eroberung dieser Wasserburg als eine große Waffentat ansah. In der Tat war ja die Lage Brandenburgs für eine Verteidigung ganz besonders günstig. Die alte Wendenfeste lag, wie der Erzähler angibt, rings vom Wasser umgeben, d. h. auf der heutigen Dominsel. Mitten im Strom gelegen, beherrschte es den wichtigsten

Verkehrsweg des Landes und vermochte den Eingang zum Havellande und den dahinterliegenden Landschaften zu sperren. Es war sehr schwierig, diese Festung zu umgehen. Im Süden des Havellaufs dehnte sich meilenweit ins Land hinein das unwegsame Havelbruch aus. Nördlich von dem Plauer See, der den Zugang in breiter Fläche sperrte, zog die untere Havel breit nach Norden und hemmte das Vorrücken eines Heeres. Dahinter aber waren noch zwei Wasserlinien, die zusammenhängende Verkehrshindernisse darstellten. Erstens die von Norden nach Süden gerichtete Sumpfniederung, die noch heute durch den Bohnenländer und den Gördensee bezeichnet wird und die ehemals einen einzigen See, den Zummelt, bildete. Zweitens der Beetzsee, der sich eine Meile weit in nordsüdlicher Richtung von Radewege bis an die Dominsel erstreckt, aber auch weiterhin nach Nordosten im Riewendtsee sich fortsetzt. Auch ist die Lücke zwischen den letzten beiden Wasserlinien durch die sogenannten Schwedenschanzen ausgefüllt, eine mindestens in das Mittelalter zurückreichende doppelte Reihe von Wällen, die ebenfalls den Eintritt in die nächste Umgebung Brandenburgs erschweren[20]).
Diese überaus natürlich gesicherte Lage der Wendenfeste Brandenburg macht es erklärlich, daß um seinen Besitz immer wieder hart gerungen wurde. Schon die erste Eroberung ist kein dauernder Erfolg gewesen, denn sehr bald darauf flammte ein gewaltiger Aufstand der im südlichen Mecklenburg wohnenden Redarier auf, der durch seine ersten blendenden Erfolge die übrigen Stämme des Ostens und also wohl auch die Heveller mit sich riß. In heißem Ringen einer gewaltigen Entscheidungsschlacht erlitten die Wenden eine vernichtende Niederlage, die sie für den Rest der Regierung Heinrichs zur Ruhe brachte[21]). Aber Brandenburg ging — wir wissen nicht genau, wann — den Deutschen wieder verloren und mußte durch List wiedergewonnen werden. Ein vornehmer Slave Tugumir, der dem Fürstengeschlecht angehörte, das in Brandenburg auf Grund des Erbrechts herrschte, war in deutsche Gefangenschaft geraten und wurde durch Geld und Versprechungen gewonnen, die Stadt seiner Väter durch Verrat wieder in die Hände der Deutschen zu bringen. In der Tat kehrte er zu seinem Volke zurück und gab vor, er sei heimlich aus der Gefangenschaft entflohen. Einen Neffen, neben ihm das letzte Mitglied seines Geschlechts, wußte er durch List in seine Gewalt zu bringen und brachte ihn um. So fiel die Fürstenwürde ihm zu, er benutzte sie aber nur, um den Deutschen die Feste in die Hände zu spielen. Gewiß haben die deutschen Oberherren dem eingeborenen Fürsten die neu erworbene Herrschaft gelassen, um so mehr, als sich unter dem Eindrucke des neuen Falls von Brandenburg alle Stämme bis zur Oder hin unterworfen haben sollen[22]). Aber das war nur ein ganz vorübergehender Er-

folg. Seit alter Zeit tobte zwischen Slaven und Deutschen ein wilder Raubkrieg. Der Adel der Sachsen und Thüringer hatte seit Jahrhunderten seine Lust daran gebüßt. Wenn die deutschen Krieger ins Wendenland zogen, frohlockten nach der Anschauung dieser wilden Gesellen der dürre Wolf im Walde und der schwarze Rabe, der leichengierige Vogel; denn kein Leben ward geschont. Jede Niederlage der Slaven, jede Eroberung ihrer Burgen brachte den Deutschen Verteilung des Heerraubes an Land, Leuten und erkämpften Schätzen. Die grausame Verbissenheit dieser jahrhundertelangen Grenzfehden steigerte sich nun womöglich noch, als die Kraft dieser Unternehmungen durch die dahinterstehende Macht des Reiches wuchs. An Stelle des früheren fruchtlosen und zerstreuten Grenzkrieges trat der Gedanke größerer Angriffe in umfassender Organisation. Aber derselbe Geist skrupellos gewalttätigen Vorgehens blieb herrschend. Wir hören nicht, wie König Heinrich das eroberte Brennaburg behandelte. Aber wenn wir zwei Zeilen weiter über die Eroberung der Wendenstadt Gana vernehmen, er habe dem Kriegsvolk den Ort zur Plünderung überlassen, die Erwachsenen sämtlich niedergemetzelt, Knaben und Mädchen in die Knechtschaft fortgeführt, so erlaubt dies einen Schluß auf das Schicksal der in Brandenburg Belagerten. Die wendischen „Hunde“, auf die der Deutsche in stolzem Gefühl seiner überlegenen Rasse und seines Christentums verachtungsvoll und ohne Erbarmen herabsah, vergalten solche Grausamkeit mit einer gleichen. König Heinrich dachte nur daran, den trotzigen Widerstand der Slaven durch rücksichtslose Härte zu brechen; er rüstete Räuberscharen gegen die Wenden aus und gestattete diesen abenteuerlichen Freischärlern ausdrücklich jegliches Verbrechen gegen die Feinde. Sie sollten sie ausplündern, soviel sie sich getrauten [23]). Die Wendenbekehrung vernachlässigte er. Durchzog er siegreich das Land, so wurden wohl die heidnischen Götzen umgestürzt und äußerlich Massentaufen vollzogen. In friedlichen Zeiten war man zufrieden, wenn der auferlegte Tribut einkam. Anders dachte freilich Heinrichs Sohn Otto. Religiöses Gefühl und staatsmännische Berechnung trieben ihn in gleichem Maße dazu, das Wendenland kirchlich zu organisieren. Er und seine Helfer, vor allem der von ihm eingesetzte Markgraf Gero, der den südlichen Abschnitt der Slavengrenze und darunter das Havelland verwaltete, ließen es zwar an unerbittlicher Härte gegen die Unterworfenen nicht fehlen; die bekannte Erzählung, daß der Markgraf einem von den Wenden geplanten Anschlag auf sein Leben dadurch zuvorgekommen sei, daß er gegen dreißig ihrer Fürsten, die zu einem Gastmahl versammelt waren, niedermachen ließ, beleuchtet die gegenseitige Erbitterung genugsam [24]). Aber wie Karl der Große neben Anwendung weltlicher Machtmittel die unterworfenen Sachsen durch umfassende kirchliche Organisation des ganzen eroberten Landes zu fesseln suchte, so folgte Otto I. auf dem gleichen Wege. Da die deutschen Bischöfe an der slavischen Grenze kaum Mission im Wendenlande getrieben hatten, wurde auf der ganzen Linie an der Nordostgrenze des Reiches eine Kette von Slavenbistümern errichtet, die von Jütland bis zur Schwarzen Elster reichte. Das südlichste dieser Bistümer war Brandenburg, dessen Gründungsurkunde uns erhalten ist. Sie trägt das Datum vom 1. Oktober 949, muß aber aus ausschlaggebenden Gründen in das Jahr 948 gesetzt werden, und man hat eine gleichzeitige Stiftung der Bistümer Brandenburg und Havelberg anzunehmen, die auf einer großen Reichsversammlung zu Magdeburg vollzogen wurde[25]). Es war eine große Staatshandlung, die Otto nach reiflich erwogenem Plan hier vollzog. Er sah sie als eine die Gesamtkirche und das ganze Reich auf das nächste angehende Angelegenheit an und zog deshalb die bedeutendsten Männer seiner Umgebung als Ratgeber hinzu. Die Stiftungsurkunde bestimmt die Ausdehnung des Bistums (Sprengels) in der Weise, daß die Elbe im Westen, die Oder im Osten die Diözese begrenzen soll. Die nördliche Grenze ist durch die Südgrenze des Bistums Havelberg bestimmt, die südliche bildet eine westöstliche Linie von der Mündung der Schwarzen Elster hinüber zum Bober. Das Bistum umfaßte nicht weniger als 10 slavische Stämme, deren Namen meist auf ihre örtliche Lage hindeuten: Es sind Moraciani (Möckerngau), Cieruisti (Zerbstgau), Ploni (Planegau), Zpriannani (Spreegau), Heveldun (Havelland), Venecri (Uckerland), Riaciani, Zamcici, Dassia (Dossegau), Lusici (Lausitz). So umfaßte der Brandenburger Sprengel ein Gebiet, weit größer als die meisten deutschen Bistümer. Wir dürfen aber annehmen, daß in der älteren Zeit die unmittelbare deutsche Herrschaft und demzufolge auch die geistliche Herrschaft des Brandenburger Bischofs östlich nur bis zur Havel-Nuthe-Linie gereicht, das heißt nur die vier westlichen Gaue Möckern-, Zerbst-, Planegau und Havelland umfaßt hat. Durch Verleihung von Grundbesitz und Zehnten wurde das neue Bistum entsprechend seiner Ausdehnung reich ausgestattet. Es erhielt mit der nördlichen Hälfte der Insel, auf der der Bischofssitz lag, auch die nördliche Hälfte des Ortes Brandenburg selbst und dazu die Hälfte aller Dörfer, die zum Burgwarde von Brandenburg gehörten. Die südliche Hälfte blieb gewiß der weltlichen Gewalt vorbehalten. Entweder saß hier der Hevellerfürst Tugumir, oder die Ortschaft unterstand unmittelbar dem Markgrafen, der seinen Befehlshaber hier eingesetzt hatte. Handelte es sich doch für den Landesherrn darum, die wichtige Wendenburg fest in der Hand zu behalten. Außerdem aber wurden dem Bischofe noch zwei Burgwarde zugesprochen, Pritzerbe und Ziesar, in denen der Bischof später mit Vorliebe sich aufhielt[26]). Die Errichtung eines Bistums setzt auch den Bau einer

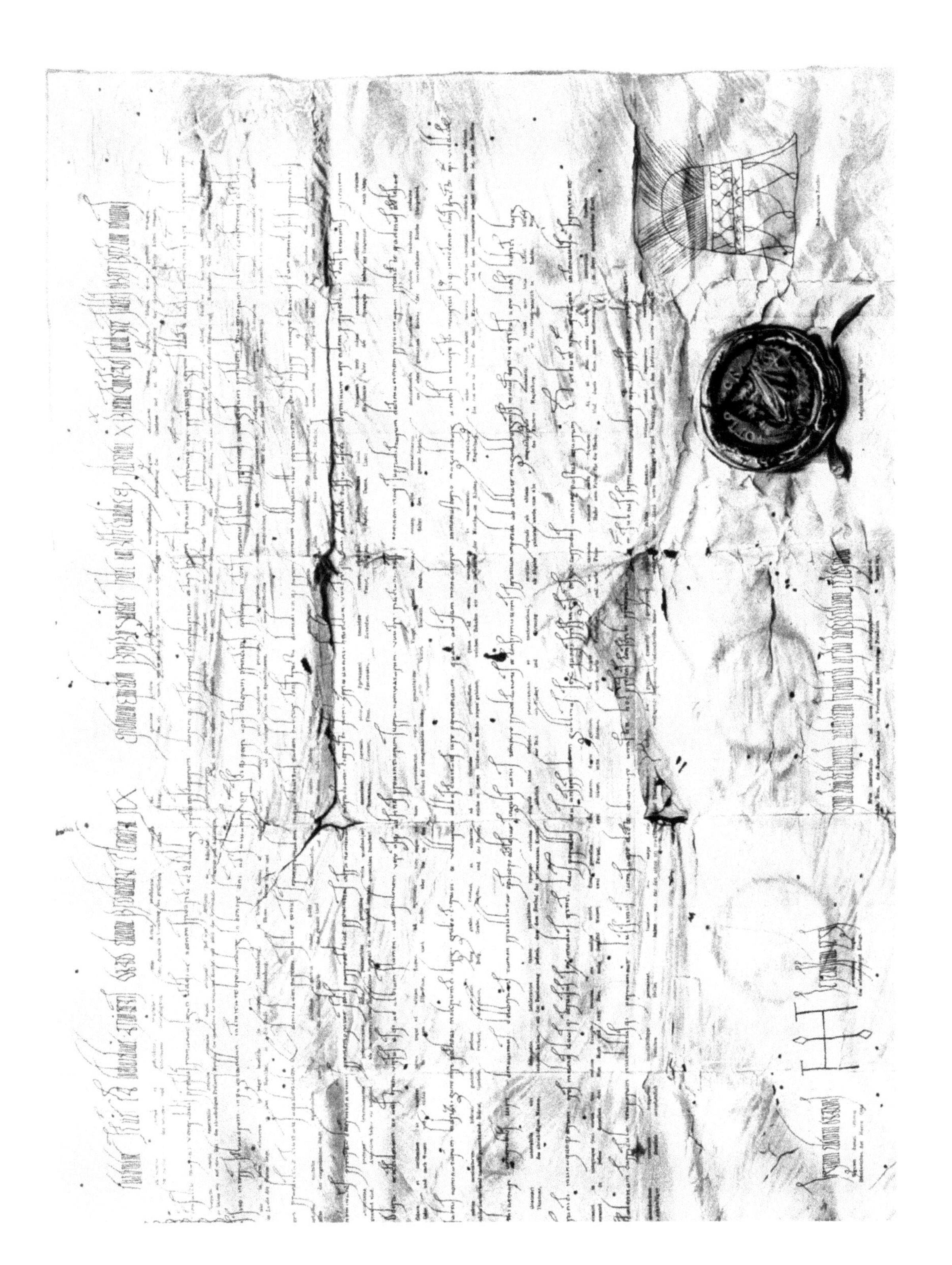

Domkirche voraus. Ein Gotteshaus mochte schon vorher auf der Burginsel bestehen, da der Wendenfürst Tugumir nachweislich Christ geworden war[27]). Die Kathedralkirche wird den Platz des heutigen Doms eingenommen haben; aber erhalten ist von diesem ältesten Bauwerk wohl nichts. Es mag ein vorläufiger Notbau aus Fachwerk gewesen sein. Nach wenigen Jahren zeigte freilich ein großer Aufstand der Slaven, daß ihr Widerstand noch nicht gebrochen war. Die Zusammenfassung aller deutschen Kräfte verwandelte die höchste Gefahr in einen glänzenden Sieg. Um so mehr achtete Otto darauf, die slavische Mission auf noch festere Grundlagen zu stellen. Die planmäßige Ordnung der slavischen Mission wurde nun von Kaiser Otto dem Großen durch die Gründung des Erzbistums Magdeburg, das der Mittelpunkt der Heidenbekehrung im Wendenlande werden sollte, vollendet. Dem Erzbischof von Magdeburg wurden die beiden Wendenbistümer Havelberg und Brandenburg unterstellt, und am Weihnachtsfeste 968 weihte der erste Erzbischof von Magdeburg, Adalbert, den Brandenburger Bischof Dodilo, der nach dem Tode des ersten Bischofs Thietmar den Krummstab erhalten hatte. Aber schon der Schöpfer dieser Mutterkirche wußte, daß es sich nicht um die Krönung eines fast vollendeten Werks, sondern um die mühseligen Anfänge der Mission handle. Und gerade in den mittleren Gebieten des Wendenlandes, gerade im Havellande war der Gegensatz der Wenden gegen das Christentum besonders schroff. Im Jahre 980 wurde der zweite Bischof von Brandenburg Dodilo von seinen eigenen Pfarrkindern erdrosselt. Der flammende Haß, den die Unterdrückten gegen die siegreiche Religion empfanden, der sich in dieser Untat aussprach, haftete so zäh in den Gemütern, daß sie dem Gemordeten selbst die Ruhe der Gruft nicht gönnten. Die Deutschen hatten Dodilos Leichnam in den bischöflichen Gewändern in seiner Domkirche beigesetzt. Als aber drei Jahre darauf der große Wendenaufstand losbrach, riß das empörte Volk ihn aus dem Sarge, beraubte ihn der priesterlichen Kleider und warf den nackten Leichnam in die Gruft zurück. Es klaffte eben ein nicht zu überbrückender Abgrund der Gesinnung zwischen den christlichen Deutschen und den heidnischen Wenden. Die Chronik Thietmars von Merseburg, eines Bischofs aus deutschem Grafenstamme, der selbst wohl die wendische Sprache verstand und sich doch so wenig in die Seele der Unterworfenen zu versetzen verstand, gibt uns davon sprechende Zeugnisse. Wenn er uns berichtet, die Merseburger Wenden hätten das Kyrieeleison, das ihnen der Bischof Boso erklärt und sie zu singen gelehrt, in ein sinnloses sorbisches Wort verkehrt und sich dabei höhnisch auf ihren Lehrmeister berufen[28]), oder wenn er erzählt, die Slaven, die in der Fastenzeit Fleisch äßen, würden mit Ausreißen der Zähne bestraft[29]), wobei er bemerkt, dies Volk müsse gehütet werden wie eine Herde Rinder und gezüchtigt wie störrische Esel, und sei ohne schwere Strafe nicht im Zaum zu halten, so malt er damit anschaulich das Verhältnis zwischen dem Herrn und den Unterworfenen. Im Anfange der Regierung Ottos II. herrschte eine drückende Schwüle über den Wendenländern, und ahnungsvolle Gemüter, wie Thietmars Vater, der Graf Siegfried von Walbeck, sahen im Traume das Ungewitter, das über Gerechte und Ungerechte sich ergießen sollte[30]). Als dann der Kaiser in Italien eine furchtbare Niederlage durch die Sarazenen erlitt, brach der Sturm los, der das Wendenland von der Schlei bis zur Schwarzen Elster von der deutschen Herrschaft losriß und die Gründungen Ottos I. jenseits der Elbe völlig vernichtete. Nichts war geschehen, um das Unheil rechtzeitig zu beschwören. Im Juni 983 erhoben sich die Wilzen. Am 29. erschienen sie vor Havelberg. Die deutsche Besatzung wurde vollständig überrascht, so daß die Wenden die Stadt einnahmen, ohne ernstlichen Widerstand zu finden. Die christliche Kirche und was an Jesu Glaube erinnerte, wurde zerstört. Drei Tage später standen sie vor Brandenburg. Das Gerücht von dem Schicksal Havelbergs eilte den Aufständischen voraus. So konnte Bischof Volkmar, dem es nach einer Märtyrerkrone nicht gelüstete, vorher entfliehen. Die Verteidigung war durch blassen Schrecken gelähmt. Als man zur Frühmesse läutete, drangen die Heiden in die Burg ein. Markgraf Dietrich und die Besatzung räumten die Feste. Wer von den Geistlichen zurückblieb, fiel der Knechtschaft oder dem Tode anheim. Wie man gegen das Bischofsgrab wütete, ist bereits berichtet. Auch hier wurde die Kirche geplündert und verwüstet. Bald drangen die Wenden über die Elbe und sengten und brannten in den deutschen Gauen. Erst jetzt warfen sich die sächsischen Großen der rasenden Sturmflut entgegen und trieben unter Anführung Dietrichs und des Magdeburger Erzbischofs die Eingedrungenen über die Elbe zurück. Dann aber löste sich der sächsische Heerbann auf, ohne den Strom zu überschreiten. Die Eroberungen Ottos I. wurden bis auf weiteres verlorengegeben.

Aber der Besitz von Brandenburg war für die Macht und für das Ansehen des Reichs zu wichtig, als daß man sich mit seinem Verlust ohne weiteres hätte abfinden können. So beginnt nach acht Jahren slavischer Besetzung noch einmal ein wechselvoller Kampf um die Feste. Im Jahre 991, wohl im Herbst, begann der junge deutsche König Otto III. sie zu belagern. Er war ein Knabe von 11 Jahren; man darf also annehmen, daß die Leitung des Feldzugs bei seinen weltlichen Beratern, etwa dem sächsischen Herzog Bernhard, lag, aber des Königs Anwesenheit wird bei den in Frage stehenden Zügen ausdrücklich hervorgehoben. Der erste Zug geschah mit großem Aufgebot, auch der polnische Herzog Miseco leistete ihm Zuzug. Der Feldzug brachte die Stadt in seinen Besitz, und er konnte in der eroberten Feste eine Urkunde ausstellen [31]). Aber noch im selben Jahre ging der Ort durch Verrat wieder verloren. Ein sächsischer Ritter, der sich über Zurücksetzung durch den Markgrafen Dietrich beklagte, ging zu den Feinden über, die ihm willig Brandenburg überlieferten, von wo aus er das Sachsenland an der Elbe durch räuberische Einfälle heimsuchte, die freilich erfolgreich zurückgewiesen wurden [32]). So zog ein deutsches Heer unter dem Könige im nächsten Jahre wiederum vor Brandenburg, auch diesmal mit starken Hilfskräften. Die Herzöge von Bayern und Böhmen befanden sich in seinem Gefolge, und auch polnische Truppen stießen wieder zum Belagerungsheer [32]). Die Wenden hielten es für klug, solchem großen Aufgebot gegenüber Verhandlungen zu beginnen, die zu einem Frieden führten. Der König zog ab; aber die Liutizen hielten ihre Versprechungen nicht, und aller Aufwand wäre vergebens gewesen, wenn der Überläufer Kizo, der in Brandenburg gebot, sich nicht mit den Wenden entzweit und die Burg den Deutschen überliefert hätte. Die Liutizen, über diesen Verrat von gewaltiger Wut entbrannt, griffen ihn sogleich mit ihrer ganzen Mannschaft an und schlossen ihn in der Burg ein. Otto III., der damals in Magdeburg verweilte, sandte zahlreiche sächsische Große mit einer stattlichen Heeresmacht dem Bedrängten zu Hilfe. Aber die Wenden drangen auf sie ein und trennten sie, so daß ein Teil in die Stadt gelangte, aber nur, um miteingeschlossen zu werden, ein anderer mit Verlusten und unverrichteter Sache zurückkehrte. Nun zog der König eine noch größere Heeresmacht zusammen und eilte zum Entsatz der Bedrängten. In der Tat brachen die Belagerer, als sie die Deutschen in der Ferne erblickten, ihr Lager ab und entflohen. Die Besatzung der Stadt aber zog ihren Befreiern mit dem Jubelgesange des Kyrieeleison entgegen, in das die Ankommenden freudig einstimmten [33]). Brandenburg schien so dem Deutschen Reiche wiedergewonnen. Eine starke deutsche Besatzung sollte den Besitz sichern; als aber der Befehlshaber Kizo sich nach Quedlinburg begab, benutzte einer seiner Ritter, der Wende Bolibut, seine Abwesenheit, gewann durch seine Anhänger die Stadt und setzte Kizos Gemahlin und seine Dienstleute gefangen. Christlicher Gottesdienst wurde nun wieder in Brandenburg verboten [34]), und Brandenburg ging nun ganz der deutschen Herrschaft verloren, um so mehr als bald darauf Kizo von seinen eigenen Leuten erschlagen wurde. In dem Frieden, den Otto III. vor seinem Römerzuge 996 mit den Slaven schloß, blieb gewiß der Ort deutschem Einflusse entzogen [35]). Auch der letzte Vorstoß, den der König nach seiner Rückkehr aus Italien ins Havelland unternahm, blieb erfolglos [36]).

IV. DIE ZEIT DER LETZTEN WENDENHERRSCHAFT

WÄHREND der königliche Knabe Otto III., der sich später seines ungesitteten Sachsenstammes schämte, unter der Leitung seiner sächsischen Vormünder zäh und rastlos um den Besitz der wichtigen Feste Brandenburg gerungen hatte, bis ihn die italienischen Angelegenheiten dieser heimischen Sorgen entfremdeten, verfolgte König Heinrich II. nach dem endgültigen Verlust Brandenburgs eine ganz andere Politik. In dem Kampf gegen Polen, das eine große Gefahr für das Deutsche Reich war, wünschte er die Elbslaven in seine Bundesgenossenschaft zu ziehen, und dies entsprach unzweifelhaft auch der Stimmung des sächsischen Volkes. Die Kraft der Slaven war nach allen Kämpfen der vorhergehenden Jahrzehnte ungebrochen, und in Sachsen begann man sich in das Unvermeidliche zu schicken. Man wollte Frieden unter allen Umständen und Sicherheit des eigenen Landes und war bereit, dafür die Selbständigkeit des verhaßten und verachteten heidnischen Gegners anzuerkennen. So schloß Heinrich 1003 zu Quedlinburg mit den Slaven den folgenschweren Vertrag, in dem er die Liutizen als gleichgestellte Bundesgenossen anerkannte und von dem rechtselbischen Lande wohl nur den Gau Morciciani, der für die Verteidigung der Grenzfestung Magdeburg unentbehrlich war, behauptete. Unter den Feldzeichen ihrer Götter haben dann die Wenden in seinem Heere gekämpft[37]). Im ganzen Wendenlande war die Herrschaft des Reiches und die des Christentums auf lange Zeit zu Ende. Mochte der erste Nachfolger des 983 vertriebenen Brandenburger Bischofs Volkmar, Vigo, noch die Hoffnung hegen, auf seinen Bischofssitz zurückzukehren, er mußte bald seinen Plan aufgeben, und er wie seine Nachfolger lebten ein volles Jahrhundert lang in der Fremde. Zwar wurde beim Tode eines Bischofs regelmäßig ein neuer gewählt; aber ihren Sprengel durften sie nicht zu betreten wagen. Entweder hielten sie sich im Gefolge des Kaisers oder am Hofe des Magdeburger Oberhirten oder, als Weihbischöfe in fremden Kirchenprovinzen auf. Die Fortsetzung der Bischofsreihe war eigentlich nur eine Rechtsverwahrung[38]). Selbst der Teil des Brandenburger Bistums, der unmittelbar an der Elbe lag, wurde nicht dauernd festgehalten. Der Hof Leitzkau, den Bischof Vigo noch bewohnt hatte, war 1017 schon verödet und von

unzähligem Wilde bevölkert. (Thietmar.) Diese Zustände waren zunächst eine Folge der politischen Verhältnisse, die dem letzten Sachsenkaiser eine große Rücksicht gegen die Wenden in bezug auf die Schonung ihrer religiösen Überzeugung auferlegte. Aber die Missionsarbeit der Kirche wurde dadurch lahmgelegt. Als nach dem Zerfall des Polenreiches der Bund zwischen Liutizen und Deutschen ein Ende nahm, erneuerten sich nun die alten Grenzfehden, die unter Konrad II. wieder zu wildem Hasse und rücksichtsloser Grausamkeit entarteten. Als später friedlichere Zeiten kamen, ja selbst christliche Wendenfürsten hier und da die Zügel ergriffen, ging die Mission dennoch nicht vorwärts. Bald siegte wieder das Heidentum, und bis zum Anfange des 12. Jahrhunderts fand man östlich der Elbe selten einen Christen. So konnte sich noch einmal slavisches Wesen ungestört in unserer Heimat entfalten. Wie früher wurde auf dem Harlunger Berge der dreiköpfige Triglav, dreiköpfig, weil er in drei Reichen, im Himmel, auf der Erde und der Unterwelt herrschte, verehrt. Sein Bild war, wenn wir die Schilderung des Stettiner Gottesbildes auf Brandenburg übertragen dürfen, nicht riesenhaft, sondern eher zwergenhaft klein. Die Köpfe waren versilbert, und ein goldenes Band verhüllte Augen und Lippen. Das verbundene Antlitz bedeutete, daß dieser barmherzige Gott, dessen Wesen manchen fast christlichen Zug aufweist, von den Sünden der Menschen keine Kenntnis nahm und nichts davon offenbarte. Im Tempel wurde zu Ehren des Gottes ein schwarzes Roß gehalten, mit Sattel und Zaum, der stattlich mit Gold und Silber verziert war. Der heilige Rappe weissagte, indem er, von Priesterhand geführt, über neun Speere, die auf die Erde gelegt waren, dahintrabte.
Der wendische Mann hatte eine große Vorliebe für die Fischerei, und daher waren die später unter den deutschen Bürgern fortlebenden Wenden Fischer, die auf den Kietzen wohnten. Im Ackerbau war er mit seinem den Boden nur leicht ritzenden Hakenpfluge dem deutschen Bauern, der den schweren Pflug tief zu führen wußte, niemals gewachsen, und daher kommt es, daß auch slavische Herrscher die deutschen Bauern zur Hebung der Landwirtschaft und der Bodeneinkünfte in ihr Land riefen. Auch die wendischen Waffen waren schwach und ärmlich dem deutschen wuchtigen Schwert gegenüber. Tapferkeit im Kampfe bei großer Geduld und Bedürfnislosigkeit hat der Wende oft genug gezeigt. Aber seiner Sinnesart fehlt es an Ruhe, Besonnenheit und festen Grundsätzen: ein haltloses Schwanken zwischen Grausamkeit und weichlichem Mitleid ist ihm eigen. In den sozialen Verhältnissen mangelt es dem Slaven an Sinn für Bürger- und Bauernfreiheit, die im mittelalterlichen Deutschland so herrlich ihre Blüte entfaltete. Das wendische Recht ist im Verhältnis zur erhabenen Poesie der deutschen Rechtsgebräuche niedrig und

alltäglich. Der Gottesdienst ist überaus vielgestaltig, ohne Maß noch Ziel; außer sehr zahlreichen Gottheiten gibt es eine Menge grauenhafter Gespenster, tückischer Geister und schädlicher Mächte. Eine Volksseele, die solchen verderblichen Dämonen widerstandslos preisgegeben war, mußte dem Heldengeiste der Germanen unterliegen.
Und unaufhaltsam nahte der Tag ihres Unterganges. Nicht in trotzigem Heldenkampfe ist das märkische Wendentum zur Rüste gegangen, wie tatenmüde und ergeben hat es von seinem nationalen und religiösen Sonderleben Abschied genommen. Wir sehen, wie im Laufe des 11. Jahrhunderts eine slavische Völkerschaft nach der anderen sich dem Christentum zuwendet, und wie schließlich bald nach 1100 die Slaven im späteren Brandenburg, nachdem auch die Pommern den neuen Glauben angenommen haben, nur noch eine Insel heidnischer Stämme unter christlichen Völkern bilden. Deutsche Edle leben als Herrscher im Slavenlande, slavische Große nehmen christliche Kultur als Geiseln im Deutschen Reiche an. Beide Völker vermischen sich mit dem Erfolge, daß die höhere Kultur und die höhere Volkskraft siegt. Wie einst die Germanen sich bewundernd vor römischer Bildung und Macht beugten, so jetzt die Wenden vor germanischem Adel, und manch slavischer Edelmann nahm einen deutschen Namen an, weil er so an der siegreichen Kultur teilzunehmen gedachte. In diese im Innersten erschütterte Slavenwelt brach nun im Beginn des 12. Jahrhunderts die großartigste Volksbewegung der deutschen Nation ein, die Kolonisation der deutschen Bauern im Osten. Damals zuerst ertönte der laute Ruf der Niederdeutschen im Westen: „Na Ostland wille wi riden", der so Gewaltiges zustande gebracht hat. Ehe wir aber zur näheren Betrachtung des Übergangs der Burg Brandenburg und des Havellandes an die Deutschen kommen, wollen wir noch einen kurzen Blick auf das wendische Brennaburg werfen. Heute ist die Inselnatur der ersten Ansiedlung dadurch aufgehoben, daß von der Burg nach den benachbarten Stadtteilen Dämme durch Wasser und Niederung führen. Diese sind natürlich für die älteste Zeit wegzudenken. Alsdann erstreckt sich ein breiter Wasserspiegel zwischen der Burg und dem Gelände am Fuße des Harlunger Berges, der die Annäherung von dorther sehr erschwerte. Ein leichterer Zugang bot sich vom Süden her von dem hoch gelegenen Gelände, das jetzt die Neustadt trägt. Hier trennte nur ein schmaler Flußarm die Insel vom gegenüberliegenden Ufer, und es ist darum anzunehmen, daß hier die uralte Handelsstraße die Brennaburg erreichte, die von Magdeburg aus in das innere Wendenland ging. Diese Handelsstraße ging von Magdeburg über Ziesar durch die spätere neustädtische Heide, überschritt die Havel zur Dominsel und ging von dort aus über das hohe Havelland weiter. An der Stelle der Neustadt mag

schon damals eine kleine dörfliche Ansiedlung gewesen sein, worauf mehrere vorgeschichtliche Fundstätten auf dem Boden der Stadt deuten. Man hat früher aus dem Straßennamen „Deutsches Dorf" geschlossen, daß an der Stelle der Neustadt sich ursprünglich eine von Deutschen gegründete Dorfschaft befunden habe, aus der sich dann die Neustadt entwickelt habe[39]). Indessen ist neuerdings festgestellt worden, daß an Stelle des Ausdrucks Deutsches Dorf sich früher Steutz- oder Stutzdorf findet, so daß die Annahme einer deutschen Ansiedlung, die der Neustadt vorausgegangen sei, ihre Stütze verliert und nur die Vermutung übrigbleibt, daß auf dem Boden der Neustadt vorher eine Ortschaft bestanden habe, die dann in diesem Namen fortlebt[40]).

V. DIE ERWERBUNG BRANDENBURGS DURCH ALBRECHT DEN BÄREN

AS erste Vordringen der Deutschen in das Wendenland und der erste groß angelegte Versuch, deutsche Herrschaft und Christentum dort zu pflanzen, war ein Werk der sächsischen Könige gewesen, die die überlieferte Grenzfehde des sächsischen Stammes zu einer umfassenden Eroberungspolitik erhoben. Nachdem diese Bestrebungen gescheitert waren, wandte sich das deutsche Königtum von diesen Aufgaben der Eindeutschung und Bekehrung des Slavengebiets dauernd ab, und an seine Stelle traten im 12. Jahrhundert bedeutende Territorialfürsten, die dieses Kulturwerk weiterführen. Es sind vor allem die beiden gewaltigen Gestalten, der Sachsenherzog Heinrich der Löwe und der Markgraf Albrecht, der schon von den Zeitgenossen dem großen Welfen durch den Beinamen des Bären als ebenbürtig gegenübergestellt wurde[41]), die in den Slavenländern jenseits der mittleren und unteren Elbe ihre weltgeschichtliche Tätigkeit entfalteten. Albrechts Tätigkeit besonders ist es zu danken, daß Deutschtum und Christentum an Stelle des wendischen Heidentums sich dauernd in den Havelgegenden festsetzten und von hier aus siegreich bis zur Oder und darüber vordringen konnten. Wo die Selke in anmutigem Tale die Ostabhänge des Harzes durchbricht, um ihren Weg zur Bode zu suchen, liegt die alte Burg Ballenstedt; den Fluß ein wenig aufwärts finden sich im Walde die Trümmer der Burg Anhalt; beide Burgen, wie eine dritte, die über Aschersleben heute in reizenden Anlagen versteckt gelegene Ascania oder Askaria, haben dem Geschlechte, dem Albrecht entsprossen war, ihre Namen gegeben. Hier im sächsischen Schwabengau kam die Familie allmählich auf und mehrte durch eine Reihe glücklicher Heiraten ihren Besitz, der schließlich ostwärts bis an die Elbe reichte. Der Vater Albrechts, Otto der Reiche, vermählte sich mit der begüterten Eilika aus dem Hause der Billunger. Herzog Magnus, der letzte Fürst aus diesem ruhmreichen Sachsengeschlechte, hatte nur zwei Töchter. Die ältere Schwester Eilikas, Wulfhild, reichte ihre Hand einem Welfen, dem Herzog Heinrich dem Schwarzen von Bayern. Diese zwei Heiraten legten den Grund zu der verderblichen Eifersucht, die später zwischen Welfen und Askaniern entstehen sollte. Otto und Eilika, die Eltern Albrechts, haben ihm beide hervorstechende Charakterzüge vererbt. Graf Otto war ein Mann, der früher als andere in der Bekämpfung der Slaven und der Kolonisation des Ostens die wichtigste Aufgabe der deutschen Nation erkannt hat. Seinem jüngeren Bruder überließ er willig die glänzende rheinische Pfalzgrafschaft, die ihm als Erbe des Stiefvaters winkte. Er verschmähte es, sich in die Reichshändel zu verstricken, die sein Haus nahe genug berührten, und widerstand allen Lockungen des Ehrgeizes großer Politik. Nach Osten blickte er unverwandt, um die günstige Stunde zu nützen, die Slavenwelt dem Deutschtum dienstbar zu machen, und gewann so wirklich immer weiter Gelände den wendischen Gegnern gegenüber. Anders Eilika, in der die stolzen Überlieferungen des Billungischen Hauses lebten. Allezeit war sie, wie es scheint, mit Leib und Seele dabei, wenn sich eine Aussicht öffnete, ihrem Gatten oder ihrem Sohne die sächsische Herzogswürde zu verschaffen. Sie wagte sich wohl selbst ins Kampfgetümmel und wäre in Halle einmal beinahe in einem Straßenkampfe ums Leben gekommen. Eine Frau von männlicher Beherztheit, aber voll unruhigen Ehrgeizes. Albrecht der Bär zeigt nun in seinem ganzen Leben ein Doppelgesicht, einen fast unsteten Wechsel zwischen entgegengesetzten Bestrebungen. Immer wieder suchte er in rastloser Fehdelust seine Hausmacht im Sachsenlande zu vergrößern und womöglich an Stelle der Welfen das sächsische Herzogtum als der Mutter Erbe zu gewinnen. Daneben aber kehrt er immer wieder zu dem großen Gedanken seines Vaters Otto zurück, das Slavenland im Osten zu erobern und deutsch zu besiedeln. Die Fehden im Sachsenlande haben ihm nur Mißerfolge und Enttäuschungen gebracht. Seine wahre Größe besteht in dem, was er als Vorkämpfer des Deutschtums gegen die östliche Slavenwelt geleistet hat[42]). Schon als etwa Fünfundzwanzigjähriger hatte er 1124, gleich nach des Vaters Tode, im Bunde mit dem Sachsenherzoge Lothar die Markgrafschaft Niederlausitz erobert, so daß er nun längs der ganzen Nordgrenze seines Machtbereichs Slaven zu Nachbarn hatte. Im großen Stil griff er sogleich die Slavenpolitik an. Dem Pommernapostel Otto von Bamberg bot er über die Slavenländer hinweg seine hilfreiche Hand[43]) (1128), und sein slavischer Nachbar gab schon damals dem kraftvollen Schutzherrn einen glänzenden Beweis seines Vertrauens. In Brandenburg war wohl 1127 nach dem gewaltsamen Tode seines Vorgängers Meinfried[44]) der Slavenfürst Pribislav durch Erbrecht auf den Thron der Heveller gekommen. Früh schon trat er aus innerer Überzeugung zum Christentum über und empfing mit seiner Gemahlin Petrussa die Taufe, nach der er den deutschen Namen Heinrich annahm. Unter den furchtbaren Heimsuchungen seines Landes war er zu der Erkenntnis gekommen, daß nur aufrichtiger Anschluß an die überlegenen deutschen Eroberer dem Lande Frieden und

Wohlstand zurückbringen könnte. Seine Ehe war kinderlos. Um seine eigene Herrschaft über die heidnischen Wenden zu stützen und den Bestand des Christentums daselbst für die Zukunft zu sichern, trat er in enge Beziehungen zu dem Markgrafen der Lausitz, Albrecht. Als diesem der erste Sohn Otto geboren wurde, übernahm er die Patenstelle bei ihm und überwies ihm als Taufgeschenk das südlichste seiner Gebiete, die an die Lausitz grenzende Zauche[45]). Diese verheißungsvolle Gabe verlor zwar sehr von ihrem Werte, als Albrecht bald darauf durch die Ungnade seines kaiserlichen Herrn die Markgrafschaft Lausitz einbüßte, gewann aber große Bedeutung, als ihm vom Kaiser Lothar in erneutem Vertrauen 1134 die Nordmark, d. h. etwa die heutige Altmark, übertragen wurde. Zur Nordmark hatten nämlich einst alle Länder zwischen Oder und Elbe gehört, und wenn sie auch 983 verlorengegangen waren, so war der Anspruch auf sie niemals aufgegeben worden. So drang Albrecht nun auf Grund seines Amtsrechts allmählich immer weiter im Slavenlande vor, gewann die Priegnitz und konnte auch dem Havellande nahekommen und die alten Beziehungen zu Pribislav-Heinrich erfolgreich pflegen. Im Anfange der vierziger Jahre setzte der nun schon hochbetagte Hevellerfürst Albrecht den Bären zum Erben seiner ganzen Herrschaft ein, so daß Albrecht und bald auch sein Sohn Otto seitdem den Titel Markgraf von Brandenburg führten[46]). Gleichzeitig hatte die christliche Mission östlich von der Elbe ihre lange unterbrochene Arbeit von neuem begonnen. Sie konnte sie beginnen, weil durch das Schwert der Askanier und die christlichen Neigungen Pribislav-Heinrichs das Land zwischen Havel und Elbe vor den Angriffen feindlicher Slaven gedeckt wurde. Die Brandenburger Bischöfe, die seit einem Jahrhundert ihre Sprengel hatten meiden müssen, durften ihre durch die immer fortgesetzte Bischofswahl unverjährt gebliebenen Ansprüche wieder aufleben lassen. Bischof Hartbert war der erste, der im Anfange des 12. Jahrhunderts den ernstlichen und von Erfolg gekrönten Versuch machte, Boden in dem verlorenen Bistum zu gewinnen. Zwar der Kreuzzug gegen die Slaven, der um 1108 geplant wurde und von dem uns ein merkwürdiges Sendschreiben geistlicher und weltlicher Machthaber unterrichtet, kam nicht zur Ausführung. Hartbert aber setzte sich dann in Leitzkau, unweit des Grenzstroms, der Elbe, auf eigne Hand fest, einem bedeutenden, aber in der Slavenzeit zur Wildnis verödeten Orte, der zugleich ein Mittelpunkt des wendischen Götzendienstes war. Der Bischof zerstörte mehrere heidnische Götterbilder und erbaute hier aus Holz die erste Kirche in seinem Sprengel[47]). Zuerst hatte er mit Feindseligkeit der Eingeborenen zu kämpfen, bald aber wuchs die Zahl der Gläubigen, so daß er ein steinernes Gotteshaus errichten und als Hauptkirche des wiedergewonnenen Sprengels weihen konnte[48]). Unter seinem

Nachfolger Ludolf gewann die slavische Mission an der Mittelelbe einen neuen Antrieb dadurch, daß der Prämonstratenserorden wohl unter dem Einfluß seines großen Stifters Norbert, der Oberhirt des Magdeburger Erzstuhles geworden war, die Führung in der Missionsarbeit jener Gegenden übernahm. 1133 [49]) wurde eine Niederlassung dieser Mönche in Leitzkau gegründet, die wohl aus St. Marien zu Magdeburg, dem gemeinsamen Mutterkloster aller Prämonstratenser in den Slavenländern, kamen. Diesen in Leitzkau tätigen Brüdern wurde dann bald das Recht übertragen, einen neuen Brandenburger Bischof zu wählen, und als dann als erster Kirchenfürst, der aus solcher Wahl hervorging, Wigger, bisher Propst von St. Marien in Magdeburg, ein sehr bedeutender Mann, den Bischofsstuhl bestieg, kam bald die Stunde, wo die Ordensbrüder bis zum alten Sitz des Bistums vordrangen. Auf den Ruf des christlichen Wendenfürsten von Brandenburg und unter freudiger Zustimmung ihres Bischofs, von ihrem Mutterkloster reich mit allen kirchlichen Geräten ausgestattet, zogen etwa um 1140 neun Brüder nach der Hauptstadt des Bistums. In der Vorstadt Brandenburgs, in Parduin, wurden sie bei der St. Gotthardtkirche angesiedelt, die vermutlich erst für die neuen Ankömmlinge errichtet wurde [50]). Vorher hatte es wohl nur auf der Brennaburg selbst ein christliches Gotteshaus gegeben, die Burgkapelle des Fürsten, die spätere kleine Petrikirche, an der ein Erzpriester Ulrich waltete (schon 1136 erwähnt) und in der später Pribislav-Heinrich seine letzte Ruhestätte gefunden hat [51]). Unter dem Schutze des frommen Wendenfürsten, mit allen Lebensbedürfnissen reichlich von ihm versorgt, vermochten sie an ihrer neuen Wirkungsstätte eine segensreiche Tätigkeit zu entfalten. Noch heute ist ein ehrwürdiger Rest ihres ursprünglichen Gotteshauses, die Westfront der Gotthardtkirche in ihrer alten Form erhalten. Dieser Feldsteinbau sollte ursprünglich zwei Türme tragen, deren Ausführung zweifelhaft ist. Das Eingangstor mit seinen urwüchsigen, hochaltertümlichen, romanischen Formen wird von einem weiten Rundbogen umschlossen und von zwei viereckigen Pfeilern getragen; es paßt nach seiner Formsprache durchaus in die erste Zeit der Prämonstratenseransiedlung [52]). Auf dem Kriegerdenkmal des Marienberges ist der Einzug der Ordensbrüder in Parduin von Meister Siemering eindrucksvoll dargestellt. Wir sehen die heiligen Männer unter Führung ihres Bischofs Wigger, beladen mit den heiligen Geräten, in den neugeweihten Tempel einziehen, freudig begrüßt von Pribislav und seiner Gemahlin Petrussa, während seitwärts sich die heidnischen Wenden unwillig abwenden. Der letzte Hevellerfürst hat nach dem Berichte der Zeitgenossen es verstanden, obwohl er durch seinen Glauben einem großen Teile seiner Landsleute entfremdet war, seinem Lande den Frieden zu sichern und mit seinen deutschen Nachbarfürsten in

Freundschaft zu leben. Als im Jahre 1147 unter dem Einflusse Bernhards von Clairvaux der überaus törichte Wendenkreuzzug gegen das Abotriten- und Pommerland unternommen wurde, der geeignet war, neue tiefe Erbitterung unter den Slavenvölkern hervorzurufen, und sich wohl nur aus geheimen ehrgeizigen Eroberungsplänen der beteiligten weltlichen Fürsten erklären läßt, wußte Pribislav-Heinrich sich und sein Volk von dem Kriegssturm fernzuhalten und verhielt sich neutral [53]). Seine von Petrussa, seiner Gemahlin, lebhaft unterstützten Bestrebungen, dem Christentum unter seinem Volke Eingang zu schaffen, trafen auf zähen Widerstand. Immerhin aber hat er wohl den Mittelpunkt des wendischen Götzendienstes, das Triglavheiligtum, das den Harlunger Berg krönte, zerstört und an seiner Stelle eine Marienkirche errichtet, die ursprünglich klein, schlicht und aus Holz gewesen sein mag, bis im 13. Jahrhundert an ihre Stelle das großartige Gotteshaus trat, das für Jahrhunderte ein berühmtes Wallfahrtsziel der Gläubigen wurde [54]). Je weniger er den neuen Glauben unter seinen Landsleuten ausbreiten konnte, desto eifriger bekundete er selbst seine kirchlich ergebene Gesinnung. Ob er, wie man neuerdings angenommen hat, 1145 eine Kreuzfahrt im Gefolge des Meißner Markgrafen Konrad von Wettin in das heilige Land unternommen hat, steht nicht sicher fest. Seiner Gesinnung würde eine solche Pilgerreise gewiß entsprochen haben, indessen das hohe Alter, das Pribislav in jenem Jahre schon hatte, erwecken Zweifel an dem Aufenthalt in Palästina. Auch gibt es Ritter aus dem Thüringer Geschlecht von Brandenburg (Burg östlich von Eisenach an der Werra), die damals im Gefolge Konrads von Meißen gewesen sein können [55]).
Um seine Ergebenheit der Kirche und den geliebten Ordensbrüdern gegenüber sichtbar zu bekunden, legte er seine Krone und seinen fürstlichen Schmuck auf dem Altare des Apostels Petrus zu Leitzkau nieder [56]). Sichtbare Überreste seiner Regierungstätigkeit sind die Münzen, die er schlagen ließ und die ebenfalls ein offenes Bekenntnis zum christlichen Glauben bieten. Seine Denare zeigen auf der Vorderseite in mehreren Abarten das Brustbild des Herrschers im Lederhelm mit darüber gelegten Stahlbügeln, in den Händen Schwert und Fahne, in der Umschrift HEIN. BRAND; auf der Rückseite das Brustbild der Fürstin in Haube und Radmantel mit der Umschrift PETRUSSA. Daneben gibt es noch andere Gepräge, die auf der Vorderseite den Fürsten zu Pferde mit Fahne und Schild, auf der Rückseite entweder ein viertürmiges Gebäude oder einen Bischof, der in der Linken einen Kelch trägt und die Rechte segnend erhebt, zeigen. Die Münzbilder sind außerordentlich primitiv, aber schon ihr Vorhandensein läßt auf einen gewissen Kulturfortschritt des Havelgebietes unter Heinrich und Petrussa, die, wie ihr Gatte, einen

christlichen, auf den Schutzpatron Brandenburgs hinweisenden Namen angenommen hatte, schließen[57]).

Was Pribislav-Heinrich geschaffen hatte, ein christlicher Staat von festerem Gefüge im Havellande, war nach seinem Tode mit der Auflösung bedroht. Als der hochbetagte Greis daher seinen Tod herannahen fühlte, nahm er noch auf dem Sterbebette seiner gleichgesinnten Gemahlin das Versprechen ab, die Burg nach seinem Ende dem Markgrafen Albrecht zu übergeben, damit die Saat des christlichen Glaubens in seinem Lande nicht dem Untergange geweiht sei. Petrussa erfüllte seinen letzten Wunsch, und da sie bei der Nachricht von des Fürsten Tode einen Aufstand der christenfeindlichen Menge fürchten mußte, ließ sie die Leiche ihres Gemahls unbeerdigt stehen und verheimlichte drei Tage lang sein Hinscheiden, bis Albrecht der Bär, den sie durch Eilboten benachrichtigt hatte, mit bewaffneter Macht herankommen konnte, um sein Erbe anzutreten. Der Markgraf erschien, bemächtigte sich ohne Schwierigkeit der Stadt, beging mit großer Feierlichkeit die Bestattung seines verdienstvollen Vorgängers und aufrichtigen Freundes, der in der Burgkapelle der Burginsel seine letzte Ruhe fand, vertrieb die Slaven, die heidnischer Gesinnung und gewaltsamer Gelüste verdächtig waren, aus der Stadt und übergab sie bei seinem Abzug einer auserwählten Schar eingeborener Wenden und deutscher Krieger[58]).

Mit Brandenburg fiel das ganze Gebiet der Heveller (Heveldun) in die Hände des Markgrafen. Aber diese Erwerbung war noch nicht endgültig. Noch einmal hat er die vielumstrittene Feste verloren und mußte sie nun mit viel Blutvergießen wieder erkaufen. Ein polnischer Großer Jaczo, ein naher Verwandter des verstorbenen Slavenfürsten, empfand den Übergang der Herrschaft im Havellande an Albrecht als schreiendes Unrecht und machte seine Erbansprüche geltend[59]). Sobald er die Mittel dazu gewann, wußte er unter mißvergnügten Wenden der Stadt sich Freunde zu erkaufen, die dann verräterisch seinem Heerhaufen nachts die Tore öffneten. Wann er Brandenburg einnahm und wie lange er im Besitz seiner Eroberung blieb, wird uns nicht berichtet. Wir erfahren nur, daß der Markgraf in Gemeinschaft mit Erzbischof Wichmann von Magdeburg ein starkes Aufgebot sammelte und mit ihm vereint vor die starke Feste zog. Lange trotzte die fast uneinnehmbare Burg dem Ansturm der Belagerer, die ihre Streitkräfte in drei Heerhaufen teilten. Nach langen blutigen Kämpfen, bei denen ein Neffe des Markgrafen, Werner von Veltheim, auf einem Boot sein Ende fand, erkannte die Besatzung endlich das Erfolglose ihres Widerstandes und ergab sich. Am 14. Juni 1157 konnten die Deutschen einziehen, über der Burg ihre Siegesfahne aufpflanzen und durch einen feierlichen Gottesdienst dem Herrn ihren

Dank darbringen. So kamen Brandenburg und das Havelland endgültig in deutsche Hände.

Erst ganz neuere Berichte erzählen dann noch von einer Schlacht bei Spandau, und eine erst im 19. Jahrhundert auftauchende Sage berichtet, Jaczo habe sich auf der Flucht in die Havel geworfen und gelobt, Christ zu werden, wenn er gerettet würde. Nachdem er das Ufer erreicht, habe er seinen Schild an einen Baum gehängt, seinem Gelübde getreu dem Kampf für den alten Glauben entsagend. Friedrich Wilhelm IV. hat diesen Vorgang durch ein schlichtes Denkmal an Schildhorn bei Spandau verewigt. Aber diese Geschichte beruht, wie gesagt, keineswegs auf einer alten Volksüberlieferung; sie ist offenbar erst ganz neuerdings aus dem Namen des Ufervorsprungs Schildhorn an der Havel entstanden. Nachdem so die alte Havelfeste und ihr Gebiet dauernd von den Deutschen gewonnen war, folgte jetzt eine Zeit ruhigen Ausbaues. Vor allem konnte die Kirche von dem alten Bischofssitz wieder förmlich Besitz ergreifen. Schon Bischof Wigger, der einen gewaltigen Aufschwung des ihm anvertrauten Sprengels erlebt hatte und gewiß an dem Fortgange des Werkes regen Anteil genommen hat, dachte daran, den Bischofssitz nach seiner alten Stätte zu verlegen. Aber er starb darüber hin, und erst seinem Nachfolger Wilmar war es vergönnt, diesen Plan auszuführen. Schon im ersten Jahre seiner Amtsführung, 1161 [60]), erklärte Wilmar auf einer Magdeburger Synode seine Absicht, auf der Burg Brandenburg selbst, die nun endlich nach vielen heißen Kämpfen dem Christusglauben wiedergewonnen sei, ein Domkapitel für den Bistumssprengel zu errichten und stattete die neue Gemeinschaft durch Grundbesitzschenkungen würdig aus [61]). Aber erst vier Jahre später erfolgte die wirkliche Übersiedlung des Kapitels. Am 8. September 1165 bewegte sich ein feierlicher Zug der Prämonstratensermönche, die bisher an der Gotthardtkirche angesiedelt und nun zum neuen Domkapitel des Bischofssprengels bestimmt worden waren, von allem Volke begleitet, von Parduin hinüber nach der Havelinsel. Hier an der Stätte der alten Burg, wo einst Otto der Große das Bistum begründet hatte, legte Bischof Wilmar im folgenden Monat, am 11. Oktober, feierlich den Grundstein zu einer neuen Kathedrale des Bistums. Aber diese Grundsteinlegung war vielleicht nur eine nachträgliche Feier und ein Teil des Domes schon vollendet, soweit er zur notdürftigen Verrichtung gottesdienstlicher Handlungen erforderlich war. Denn wenn schon im Jahre 1161 die Übersiedlung des Prämonstratenser-Kapitels von Parduin nach der Burg beschlossen und feierlich beurkundet, aber erst 1165 ausgeführt worden ist, so trat diese Verzögerung wahrscheinlich eben darum ein, weil man die nötigen Vorbereitungen zur Unterbringung der Ordensbrüder und zur Sicherung des regelmäßigen

Gottesdienstes treffen mußte[62]). Von dem alten Dome, der in der Mitte des 10. Jahrhunderts nach der Stiftung des Bistums errichtet worden war und der bei dem Wendenaufstande von 983 der Zerstörung zum Opfer fiel, ist kein Überrest mehr vorhanden. Es ist wohl nur ein einfacher Holzbau gewesen. Bei dem Neubau begann man, wie die verschiedenen Steinformate am erhaltenen Dome zeigen, mit rund abschließendem Chor und Querschiff einer in der Form einer romanischen Basilika errichteten Kreuzkirche[63]).

Brandenburg und Havelland konnte aber für Deutschtum und Christentum nur erhalten werden, wenn die zum großen Teil den Eroberern feindliche slavische Bevölkerung mit einem starken deutschen Element durchsetzt wurde. Der Chronist Helmold berichtet uns darüber, der Markgraf Albrecht habe nach Holland, Flamland und an den Rhein geschickt, um Ansiedler herbeizurufen, und es seien dieser Einladung unzählige starke Männer gefolgt, die das Slavenland einnahmen, während die Wenden überall vernichtet oder vertrieben worden seien. Diese allgemeine Angabe ist die einzige Quelle für die Siedlungstätigkeit Albrechts. Kein Kolonisationsprivileg, wie wir sie von dem Zeitgenossen, dem Erzbischof Wichmann von Magdeburg, besitzen, ist von den Markgrafen erhalten. Und wenn man mit guten Gründen den Bericht Helmolds als ausgeschmückt und übertrieben bezweifelt hat, so ist es nun sehr schwer, über diese Tätigkeit Albrechts ein sicheres Urteil zu gewinnen. Mit anderen neueren Geschichtsforschern bin ich der Ansicht, daß eine wirkliche Austreibung der Slaven wohl nur in seltenen Fällen im Havellande erfolgt ist. Wenn wir auch urkundlich im Havellande vor 1200 etwa 40 Dörfer[64]) erwähnt finden, die fast alle slavische Namen tragen, so dürfen wir doch annehmen, daß es daneben im Lande noch genug Wälder und Sümpfe gab, die gerodet und entwässert werden konnten, und schwerer Boden, den die Wenden, die die fischreichen Niederungen bevorzugten, nicht ergiebig zu machen verstanden. Wir können daher glauben, daß auch ohne Ausrottung und Vertreibung der bisherigen Einwohner in dem ziemlich dünn bevölkerten Lande Platz für eine große Zahl von Einwanderern war, die aus dem Westen herbeiströmten. Einzelheiten über diese Vorgänge festzustellen, ist jedoch nicht möglich. Jedenfalls aber mußte eine reichliche Besiedlung des Umlandes durch deutsche Bauern vorhergehen, wenn im 13. Jahrhundert die große Zahl von Städtegründungen in der Mark Erfolg haben sollte[65]). Der Umstand, daß in Brandenburg selbst, auf der Dominsel, noch im Anfange des 14. Jahrhunderts Slaven auf den Kietzen lebten, daß in unmittelbarer Nähe von Brandenburg noch ein Jahrhundert nach der Eroberung der Burg Dörfer wie Mötzow slavisch genannt wurden, sprechen durchaus gegen die Annahme der Vertreibung der Eingeborenen.

ZWEITES BUCH

DIE STÄDTE BRANDENBURG IM ZEITALTER DER ASKANIER

I. DIE ENTSTEHUNG DER BEIDEN STÄDTE BRANDENBURG

IE eigentümliche Entwicklung der Stadt Brandenburg ist schon in ihrer örtlichen Lage vorgezeichnet. Das alte Brennaburg auf der rings von breiten Wasserflächen umgebenen Insel war als Brückenkopf zur Verteidigung und Sperrung des Übergangs über die Havel geeignet und hat als solche Feste nur durch seine Lage jahrhundertelang einen Gegenstand heftigsten Kampfes zweier großer Volksstämme gebildet. Aber sich zu einem größeren städtischen Gemeinwesen zu erweitern, war dieser Ort durchaus ungeeignet[66]); er bot in seiner nördlichen Hälfte, die schon bei der Bistumsgründung der Kirche überlassen war, den nötigen Raum für die Bistumskirche und die Unterbringung des Prämonstratenserdomkapitels, und in seiner südlichen, dem Markgrafen zustehenden Hälfte nahmen drei wendische Kietze, Fischeransiedlungen der heimischen Bevölkerung, den ganzen Raum ein, so daß daneben kaum noch die kriegerische Besatzung Platz fand, die die mitten im feindlichen Heidenlande gelegene Burg zu sichern hatte. Wenn nun das Einströmen deutscher Ansiedler den Handelsverkehr mächtig steigerte, der an dieser Stelle zu Wasser und zu Lande wohl schon früher lebhaft pulsierte, so mußten Kaufleute und Handwerker, die sich hier niederlassen wollten, eine andere Stelle suchen, und wenn schon die Prämonstratensergemeinschaft, ehe sie den alten Bischofssitz auf der Insel wiedergewann, im Flecken Parduin am Fuße des Harlungerberges, der bisher das Triglavheiligtum getragen hatte, sich ansiedelte, vielleicht gerade, um von dort aus den Sieg des Christusglaubens an der alten Stätte des Götzendienstes überwachen zu können, so wählte die Gewerbe und Handel treibende Bevölkerung dieselbe schon längst bestehende dörfliche Ortschaft gern zu ihrer Niederlassung, die an der Hauptwasserstraße, dem schiffbaren Havelstrome, lag, und in der sich deshalb schon damals eine Salzzollstelle befand. Dieser Ort wurde deshalb, weil er nur als Marktvorort der alten Brennaburg Bedeutung hatte, bald als Marktdorf Parduin (villa forensis) bald als Vorstadt (suburbium) von Brandenburg bezeichnet, und der erwähnte Zoll wird abwechselnd in dem gleichen Jahr als in Parduin oder in Brandenburg gelegen angegeben. Wenn unter diesen Umständen aus dem Jahre 1170 eine Urkunde des Markgrafen Otto I. vorhanden ist, die in merkwürdiger äußerer

Form, aber in der feierlichsten Weise den Brandenburger Bürgern die Zollfreiheit im ganzen Lande verleiht, und wenn diese Urkunde stets im Archiv der Altstadt aufbewahrt worden ist, so können wir nicht daran zweifeln, daß dieses ehrwürdige Schriftstück sich auf diese Marktniederlassung Parduin bezieht, die mit der Altstadt Brandenburg örtlich zusammenfiel und damals amtlich diese Bezeichnung schon angenommen haben muß. Der Text der Urkunde ist etwa folgender[67]): Der Markgraf Otto I. weilt mit seiner Gemahlin Judith und seinen beiden Söhnen Otto und Heinrich in seiner Burg Havelberg und sitzt dort dem alten Gericht Botting vor, umgeben von der glänzenden Schar seiner Edeln. Von seinem Richterstuhle richtet er an die Versammelten die Frage, welche von den Burgen seiner Herrschaft den vornehmsten Namen trage. Da erhebt sich aus der Mitte seiner Großen und Hofräte Burchard von Falkenstein und spricht vor allen und für alle im Kreise: Vor den übrigen Burgen der ganzen Mark hat Brandenburg einen ruhmvollen und weit bekannten Namen als königliche Burg, kaiserliche Kammer und als Bischofssitz. Auf Grund dieser Angaben faßt dann der Markgraf nach reiflicher Beratung mit seinen Edeln den Beschluß, den Brandenburger Bürgern die Vergünstigung zu gewähren, ohne Zoll zu entrichten, frei in dem ganzen Lande des ihm unterworfenen Gebietes zu kaufen und zu verkaufen. Nur der Fischzoll wird ihnen nicht erlassen, doch blieben auch von diesem Heringe, Muränen und Lachse frei.

Die merkwürdige, von der sonst meist streng in der Kanzlei der askanischen Markgrafen beobachteten Form abweichende Gestalt dieser Urkunde, die aus zwei auseinanderfallenden Teilen, einer Erzählung und einer rechtlichen Bekundung, besteht, zusammen mit auffallenden Sprachformen und Unebenheiten, hat schon früh zu starken Zweifeln an der Echtheit des Dokuments geführt, denen ein Ungenannter zuerst in den dreißiger Jahren des vergangenen Jahrhunderts Ausdruck gab. Die Bedenken, die bis in die neuere Zeit z. B. von Schillmann geteilt worden sind, erklären sich ausreichend daraus, daß der Verfasser der Urkunde ein romanisch sprechender Ausländer war, der mit dem Kanzleigebrauch des askanischen Hofes nicht genügend vertraut war. Die berufensten Sachkenner, Riedel, Sello, Krabbo, haben an der Echtheit des Stückes mit aller Entschiedenheit festgehalten, und auch ich zweifle nicht, daß es aus der Kanzlei des Markgrafen hervorgegangen ist.

Wir sehen in dieser Urkunde also den Beweis, daß die Altstadt Brandenburg damals bereits vorhanden war und ihre Bürger Handel trieben. Denn auf der Burginsel wohnten nicht Kaufleute, die einen solchen Gnadenbrief brauchten. Vielleicht war auch Parduin nicht vollständig mit der neuen Stadt verschmolzen und bildete zunächst noch eine selbständige Ortschaft neben ihr, woraus sich

In nomine sancte et individue trinitatis. Notum sit universitati fidelium tam presentibus quam futuris nunc
et in perpetuum. Ego Otto dei gratia brandeburgensis marchio et Iudita uxor mea filiique nostri
Otto maior et Heinricus minor principatum et tytulum nostri officii quem nobis ad hoc a deo nobis inposi-
tum agnoscimus ut patres orphanorum et iudices viduarum simus. preterea delicta quibus ex ne-
cessitate secularium negociorum involvimur multiplici elemosine largitione oportet ut emaculemus.
Unde est quod cives nostri brandeburgenses ad sinum misericordie nostre concurrentes et gratiam nostram
inpetrantes ab omni exactione telonei ex hoc nunc et in perpetuum absolvimus. Accidit autem
ut prenominatus marchio sedens in castro suo havelberg ad placitum suum quod vulgo di-
citur bottinhe pro tribunali a baronibus suis inquisivit quod castrum principatus eius specialiter
principale nomen teneret. Burgensis quidem unus de primis consilii palacii domini marchionis nomine
borchardus pro omnibus et pre omnibus circumsedentibus respondit. pre ceteris castris tocius marchie brandeburg gloriosum et nomen est famosum regale castrum camera imperialis sedes episcopalis.
Capitulo deliberato a marchione et primatibus eius communi consilio civibus brandeburgensibus libertas emendi
et vendendi per omnem terram dicioni sue subiectam data est per totum absque teloneo. Generaliter autem telo-
nium de piscibus non tenebit nisi tantum de allecibus [illegible] et salsis. Quicumque hanc perpetuam istius confederatio-
nem violaverit stabilitatem brandeburgensis marchionis et eius successorum incurrisse noverit offensionem in[illegible]
Anno dominice incarnationis M C LXX regnante domno F. imperatore sub domno episcopo Willemaro brandeburgensi coram idoneis testibus hec data sunt [illegible]
Hec scripsit Wiricus francigena capellanus domini marchionis [illegible]

Die Urkunde des Markgrafen Otto I. für die Bürger von Brandenburg vom Jahre 1170
Älteste städtische Urkunde

1. Lichtbild nach einem Abgusse mit erhabenem Rande

2. Lichtbild nach einem Abgusse ohne Rand

Das Siegel des Markgrafen Otto I. von der nebenstehenden Urkunde
Stadtarchiv zu Brandenburg

dann erklären würde, daß fast bis 1240 der Name Parduin erscheint. Wenigstens hat P. J. Meier darauf aufmerksam gemacht, daß in dem Grundriß der Altstadt die jetzt im Innern der Stadt spitz zusammenlaufenden Straßen des Marktes und der Bäckerstraße darauf hindeuten, es habe sich unmittelbar bei diesem Zusammentreffen ursprünglich das Tor befunden. Es mag also wohl dort die Stelle gewesen sein, wo sich das durch die Gotthardtkirche ganz genau bestimmbare Parduin anschloß[68]).

Allmählich mag dann der Übelstand fühlbar geworden sein, daß Parduin wohl am schiffbaren Strom, aber nicht an der großen Landstraße lag, die, wie wir früher schon ausführten, von Magdeburg über Ziesar durch die spätere Brandenburger Heide das Gelände der späteren Neustadt erreichte und an der damaligen Fährstelle gegenüber der Dominsel mündete, um dann nach Überschreitung der Havel und Durchquerung der Insel das hohe Havelland zu durchziehen und das Spree- und Odergebiet aufzusuchen. Als nach endgültiger Besitznahme Brandenburgs durch die Deutschen die Handelswege sicherer wurden, wird diese Straße häufiger befahren und von zahlreichen Warenzügen belebt worden sein. Da mochte denn das von der Burg südwestlich gelegene Gelände auf dem linken Havelufer, das geräumig und etwas hoch gelegen allenthalben guten Baugrund bot, und wo sich bereits von alter Zeit her eine kleine dörfliche Ansiedlung befand, recht geeignet erscheinen, um eine größere Kaufmannsstadt aufzunehmen. 1196 taucht zum ersten Male der Name Neustadt Brandenburg in einer Urkunde auf, und man hat danach anzunehmen, daß die Neustadt etwa 25 Jahre jünger als die Altstadt ist[68a]). Der ursprüngliche, bis zum heutigen Tage im ganzen unverändert gebliebene, nur nach Südsüdosten etwas erweiterte Stadtplan zeigt unverkennbar einen großen Zug in seiner ganzen Anlage. Besonders auffallend erscheint die für jene Zeit verschwenderisch breite St. Annenstraße, die anfangs einen anderen, uns unbekannten Namen führte[69]), und die nicht viel schmälere, geradlinige Steinstraße. Rathäuser — wenn sie in der ersten Zeit überhaupt vorhanden waren — und Pfarrkirchen muß man sich auf großen freien Plätzen liegend denken. So hat das neustädtische Rathaus, das jetzt von beiden Seiten von schmalen höfelosen Häusern eingefaßt ist, ehemals frei auf dem Marktplatze gestanden. Ehe der jetzige, in seinem Kerne noch frühgotische Bau errichtet wurde, mögen an seiner Stelle nur schlichte Verkaufshallen mit Fleisch-, Brot- und Schuhscharn gewesen sein. Der Neustädtische Markt bildete mit dem Molkenmarkte wohl ursprünglich ein Ganzes, da der Häuserblock in der Mitte des Molkenmarktes (die ehemaligen Schuhbuden) noch nicht vorhanden war. Die später an das Rathaus angebauten Häuser waren zuerst hölzerne Verkaufsbuden, die durch die Nachlässigkeit der Behörden erst allmählich in massive Gebäude umgewandelt worden sind.

In gleicher Weise ziemlich frei standen auch die Katharinen- und die Gotthardtkirche, und erst allmählich sind die Häusergruppen von geringer Tiefe entstanden, die nun die Ränder der früher offenen, zum Kirchhofe benutzten Plätze besetzten. Der Stadtplan der Neustadt war von vornherein darauf angelegt, die ältere Gemeinde jenseits des Stromes zu überflügeln, und der Umstand, daß es der neuen Stadt zuerst fast ganz an einer Feldmark fehlte, und sie so von vornherein auf Gewerbe- und Handelsbetrieb angewiesen war, verstärkte den Gegensatz gegen die ältere Stadt unter dem Harlungerberge, die von Anfang an mehr Ackerbau trieb, und dieser Gegensatz ist bis in die neueste Zeit bestehen geblieben. Die beiden Städte waren nicht nur durch die Havel, sondern auch durch ein breites Sumpfgelände voneinander getrennt, und es ist bezeichnend, daß die beiden Tore der Alt- und der Neustadt, die zwischen beiden die Verbindung herstellten, den Namen „Neues Thor" führten. Daraus läßt sich schließen, daß die beiden Ortschaften ursprünglich überhaupt keinen Zugang zu einander besaßen, daß sie nur jede mit der Burg in Zusammenhang standen, der freilich für die Altstadt durch die weite Wasserfläche so lange erschwert war, als der Dammweg noch nicht aufgeschüttet war, der später die Altstadt mit der Burg verband.
Wer heute etwa im Kraftwagen von Magdeburg auf dem Steinweg über Plaue Brandenburg durchfährt, indem er die Altstadt durchmißt, die Havel auf der Langen Brücke überschreitet, die Neustadt durchquert und dann auf der Potsdamer Straße weiterfährt, kann sich kaum eine rechte Vorstellung von den Lageverhältnissen der alten Wendenburg und den ihr angegliederten, neu erwachsenen Städten machen. Denn die Straße, auf der er in Brandenburg eintritt, hatte um 1200 kaum die Bedeutung eines Heerweges, weil die Plauer Havelbrücke, die um 1240 zum ersten Male erwähnt wird, wahrscheinlich noch gar nicht vorhanden war. Und selbst wenn sie schon bestanden hätte, wäre die Straße Plaue—Altstadt Brandenburg ohne rechte Fortsetzung geblieben, da, wie gesagt, anfangs zwischen Altstadt und Neustadt eine Verbindung fehlte und auch von Parduin nach der Burg ein Landweg nicht vorhanden war. Auch der Potsdamer Steinweg, der mit der Magdeburg-Berliner Bahn vielfach die Richtung teilt, ist erst ein Erzeugnis des 19. Jahrhunderts. Bis dahin führte die Heerstraße von Brandenburg aus dem Mühlentor über den Dom durch das Havelland über Wustermark und Spandau nach Berlin, so daß ein Bild: Ansicht von Brandenburg (Vue de Brandebourg) um 1790 uns eigentümlicherweise nur das Neustädtische Mühlentor von außen zeigt. Das war eben damals der eigentliche Eingang zur alten Kurstadt und konnte somit als Teil für das Ganze gesetzt werden[70]). Für die älteste Zeit ist eben der Umstand, daß die einzige große Heerstraße von Magdeburg über

Brandenburg in das Oderland die über Ziesar durch die spätere Heide der Neustadt führende war. Durch die Entstehung der beiden deutschen Stadtgemeinden ging nun auch mit der Burg Brandenburg eine merkwürdige Veränderung vor sich. Bisher war sie eine viel umstrittene Feste gewesen; viermal war sie mit stürmender Hand von den Deutschen genommen worden, dreizehnmal hat sie zwischen 928 und 1157 den Besitzer gewechselt[71]). Sie verdankte ihre militärische Bedeutung nicht gerade künstlicher Befestigung, denn es war wohl nur eine durch Planken geschützte Wallburg, und noch 1238 ist in einer Urkunde nur davon die Rede, daß sie künftig einmal im Falle der Not mit Mauern befestigt werden könnte[72]). Aber ihre natürliche Lage hatte sie nach mittelalterlichen Verhältnissen fast unüberwindlich gemacht. Rings von weiten Wasserflächen umgeben, machte der Platz eine regelrechte Einschließung von allen Seiten sehr schwierig. Der Angreifer mußte, wenn er Erfolg haben wollte, sich eine Anzahl von Booten verschaffen und auf ihnen seine Streitkräfte verteilen, so daß die Verteidiger, wenn sie geschickt verfuhren, den Gegner durch Einzelerfolge empfindlich schwächen konnten. Auch die weitere Umgebung mit ihren dichten Wäldern und schwer zugänglichen Morasten machte die zahlenmäßige Überlegenheit der Belagerer vielfach nutzlos. Als dann Albrecht der Bär und seine Nachfolger darangingen, das eroberte Wendenland weniger durch Zwingburgen als durch groß gedachte, planmäßige Anlage deutscher Dörfer und Städte zu sichern, und als nun gegenüber der alten Wendenburg sich die beiden Städte erhoben, die wohl zuerst teilweise mit Planken, aber doch bald durch Mauern befestigt wurden[73]), schien es unnötig, der Dominsel ferner die Eigenart als Festung zu bewahren. Die Erleichterung des Verkehrs mit den Vororten und die wirtschaftliche Verwertung der Wasserkraft des Havelstromes trat ganz in den Vordergrund. Und so scheint in jenen Tagen vom Landesherrn das große Werk unternommen worden zu sein, die Dominsel mit Parduin-Altstadt, mit der eben entstandenen Neustadt und dem nördlichen Havelland durch Dämme zu verbinden, in letzteren Fällen mit der Absicht, die Wasserkraft des Havelstromes zur Anlegung von Mühlen zu benutzen. Der gewaltigste dieser Dämme, der Überflutungen des nördlich gelegenen Beetzsees für die Zukunft unmöglich machen und das weite Fluß- und Sumpfgelände zwischen Altstadt und Dom durchqueren sollte, wird später laut einer Urkunde des 14. Jahrhunderts durch Frondienste aller der Dörfer instand erhalten, die östlich und westlich vom Beetzsee liegen, eine Verpflichtung, die bald durch Geldzahlungen abgelöst wurde[74]). Man darf wohl aus diesen Leistungen der 39 Dörfer, die in dem Gnadenbriefe des Markgrafen Ludwig vom Jahre 1335 aufgezählt sind, schließen, daß die Bauern dieser Ortschaften wie zur Erhaltung dieses Bauwerks, so schon zu seiner Herstellung herangezogen worden sind. Mußte doch dieser mächtige Wasserbau den Dörfern auf beiden Seiten des Sees den größten Vorteil bringen. Der Beetzsee erstreckt sich ja meilenweit von Brandenburg aus nach Norden und Nordosten, war damals an seinen beiden Ufern mit breiten Sumpfniederungen umgeben und bildete so eine ähnliche Scheidewand in der Landschaft, wie die Oberhavel zwischen Brandenburg und Werder das Havelland und die Zauche schied. Die Pehlbrücke, die jetzt in der Nähe von Radewege die Wasserfläche an einer engen Stelle überbrückt, war damals noch nicht vorhanden. Es sollte deshalb der Damm, der nun von Parduin nach dem östlichen Havelland östlich vom Beetzsee und nach der Dominsel führte, eine wichtige Fahrstraße vom Westen nach dem Osten des Havellandes schaffen und zugleich den Zugang nach Brandenburg öffnen, das in jener Zeit als die Hauptstadt des Landes galt und als solche öffentlich anerkannt wurde[75]). Der Zeitpunkt, in dem jenes Riesenwerk unternommen und vollendet wurde, ist vielleicht näher zu bestimmen durch die Erwähnung einer neuen Brücke in der Nähe von Parduin, deren Einkünfte samt der Hälfte einer dabeigelegenen älteren Brücke dem Domkapitel vom Bischof Siegfried im Jahre 1217 (oder 1216) übereignet werden[76]). Es kann damit kaum eine andere als die später so genannte Homeienbrücke gemeint sein, die also kurz vorher erbaut sein muß. Es würde sich somit daraus ergeben, daß der später sogenannte Grillendamm, der im 15. Jahrhundert den Namen „alter Damm" trug, später aber bis ins 18. Jahrhundert hinein Homeiendamm hieß, im Anfange des 13. Jahrhunderts durch das Fluß- und Sumpfgelände gelegt worden ist[77]). Gleichzeitig sind dann natürlich auch die beiden Mühlendämme entstanden, die nördlich und südlich von der Dominsel liegen. Auch sie müssen dem Antrieb der Markgrafen ihre Entstehung verdanken, die bis über 1300 hinaus diese Mühlen besaßen. Durch die Aufstauung des Havelwassers wurde es dann zugleich nötig, daß die damals schon rege Flußschiffahrt einen anderen Weg suchte. Man führte nun in einem ziemlich weiten Bogen um die Neustadt herum, von ihren Mauern entfernt genug, um nicht einen Überfall fürchten zu müssen, der im Gewande friedlichen Verkehrs nahen konnte, einen Graben aus der Oberhavel nach der Unterhavel, der in der Nähe der heutigen St. Annenbrücke nordwestlich davon, östlich vom Schleusenkanal, sich aus der Oberhavel abzweigt und sich zunächst in südlicher Richtung hinzieht, dann südlich vom heutigen Staatsbahnhofsgelände einen Hügel: Steinles Berg umfließt, um später in nordwestlicher und zuletzt in nordnordwestlicher Richtung die Unterhavel zu erreichen. Er wird noch heute in seiner oberen Hälfte bis zu seiner südlichsten Stelle Flutgraben genannt, und führt weiterhin nach der Jakobskapelle, die er berührt, den Namen Jakobsgraben. Früher hat er wohl in seiner ganzen Ausdehnung Flutgraben geheißen, da die Flutstraße, die sich von der Großen Gartenstraße aus über die Werderstraße hinweg nach dem Jakobsgraben hin erstreckt, sonst nicht von ihm diesen Namen hätte überkommen können. Ohne Zweifel ist dieser Wasserlauf künstlich von den Bürgern der Neustadt hergestellt worden. Darauf deutet der Ausdruck des Gnadenbriefes, den der Markgraf Johann der Neustadt Brandenburg im Jahre 1315 ausstellt, worin er den Bürgern das Recht verleiht, die in dem der Stadt gehörigen Graben hergestellte „Flutrinne“ (vlotrenne) zu bauen, zu erhalten und auszubessern, zu benutzen und Einnahmen daraus zu ziehen [78]). Unter Flutrinne versteht man im Mittelalter ganz allgemein eine Schleuse oder einen Schleusengraben. In den Nachbarstädten Spandau und Rathenau finden wir Flutrinnen 1232 und 1351 erwähnt [79]). Und bis vor kurzem hieß ein Teil des Finowkanals von Liebenwalde bis über Grafenbrück hinaus die Flut, wie auch die Stelle an der Abzweigung des Müllroser Kanals von der Spree oberhalb von Berkenbrück bei der Kunersdorfer Schleuse An der Flut genannt wird [79a]). Der Ausdruck ist durchaus verständlich, da die mittelalterlichen einfachen, nur aus einem Stauwehr und einem hölzernen Gerinne bestehenden Schleusen die Flut brauchten, um die Schiffe durch das Wehr hinunter oder hinauf zu bringen. Der Umstand, daß die Flutrinne in Spandau schon im Jahre 1232 erwähnt wird, läßt darauf schließen, daß das gleiche Bauwerk in Brandenburg, der Mutterstadt Spandaus, noch älter ist.

In der vorher ausgeführten Weise durch Dämme mit den neu entstandenen, benachbarten Ortschaften verbunden, war die „Burg Brandenburg“ kein fester Platz mehr, vielmehr auf den Schutz durch die Befestigungen der jüngeren Städte angewiesen.

Denn jene ersten Zeiten der Askanier waren ja noch keineswegs friedlich, vielmehr dauerte der Kriegszustand, der bisher an der Tagesordnung gewesen war, noch lange fort. Markgraf Otto I., der älteste Sproß des Bären, hatte bei der Erbteilung zwischen sieben Söhnen wenig mehr als Nordmark, Havelberg und Brandenburg geerbt. Er und seine beiden Söhne Otto II. und Albrecht II. (bis 1220) legten dann in immer neuen Kriegen mit Dänen, Pommern und Mecklenburgern den territorialen Grund zu einer Hausmacht, die es ihnen möglich machen sollte, unter den deutschen Fürsten den Rang zu behaupten, den der Ahnherr sich erkämpft hatte. Aber das mit der Schärfe des Schwertes errungene, durch jahrelange Kriege verödete Land zu kultivieren, ihm die Segnungen geordneter Verwaltung zuteil werden zu lassen, waren sie noch nicht imstande. Zwar ist in jenen Tagen (1180) schon in der seen- und waldreichen Wildnis der Zauche das Zisterzienserkloster Lehnin von Otto I. gegründet worden, das dann höhere Acker- und Gartenkultur in dem noch öden Lande pflanzte. Aber an städtischen Gründungen fehlte es noch lange im Wendenlande, und bis in das 13. Jahrhundert hinein waren Havelberg und Brandenburg die einzigen deutschen Städte rechts von der Elbe. Noch war die Mark meist ein Feldlager. Rings an den Grenzen standen erbitterte Feinde. Ruhten die Waffen einmal, dann regte sich der leidige Streit mit den Bischöfen von Brandenburg um den Genuß der Zehnten und die Besetzung der geistlichen Stellen in den neu erworbenen Gebieten, und der vom Magdeburger Erzbischof gegen Fürsten und Untertanen geschleuderte Bannstrahl hemmte jede friedliche Entwicklung, ja er hatte endlich die verhängnisvolle Folge, daß die Askanier 1196 dem Oberhirten der Elbstadt für einen großen Teil ihrer Eigengüter, darunter auch die Zauche mit der eben erst gegründeten Neustadt Brandenburg, die Lehnshoheit übertragen mußten. Die besten Kräfte des Landes wurden so von vornherein durch die Wirren im Reiche verschlungen, in denen die Askanier immer eine Rolle gespielt hatten. Bessere Tage kamen erst unter den askanischen Brüdern Johann I. und Otto III., die in treuer brüderlicher Eintracht miteinander die Mark regiert und nach schweren Bedrängnissen in ihrer Jugend, nach jahrelangen, ehrenvollen Kämpfen den Ruhm gewonnen haben, die eigentlichen Gründer des brandenburgischen Staatswesens zu heißen. Mit den Städten Brandenburg sind die markgräflichen Brüder während ihres langen Herrscherlebens auf das engste verbunden gewesen, so daß ihrer hier ausführlicher gedacht werden muß.

In einem wilden Kriegsabenteuer ihrer Jugend scheint die Neustadt Brandenburg allerdings eine etwas zweideutige Rolle zu spielen. Die jungen Markgrafen Johann und Otto standen in den ersten Jahren ihrer Regierung nach ihrer Mündigkeitserklärung um 1226 in dem Thronstreit zwischen Staufen und Welfen auf der Seite der letzteren, weil Otto das Kind von Braunschweig ihr Schwager war. Dadurch, daß sie sich dieses Verwandten kräftig annahmen, kamen sie in Streit mit dem kaiserlich gesinnten Erzbischof Albrecht von Magdeburg, dessen Gebiet sie durch einen Streifzug heimsuchten. Er aber jagte ihnen mit seinem Lehnsaufgebot nach und ereilte sie an einem Spätnachmittage des Jahres 1229 an der Plane vor den Toren der Neustadt Brandenburg. Die Hauptmacht der Märker hatte bereits, der glücklichen Heimkehr und der gemachten Beute froh, die Planefurt dort, wo jetzt der Weg nach dem Neuen Kruge die Berlin-Magdeburger Eisenbahn schneidet, durchschritten, der schwerfällige Troß aber erfüllte den ganzen Damm, der zur Stadt führte; da brachen, diesen günstigen Augenblick benutzend, die bisher in der Neustädter Heide verborgenen Verfolger auf die noch jenseits zögernde Nachhut herein, hieben sie nieder, durchritten das Wasser, warfen die Wagen rechts und links vom Damm hinunter in die Niederung und zersprengten die Hauptmasse der Brandenburger, die bereits durch die fliehenden Troßknechte in Unordnung gebracht worden war. Was nicht fiel, suchte sein Heil in der Flucht, die sich dem Steintore zu wälzte, das damals noch nicht durch den gewaltigen Turm geschützt war, der jetzt den Toreingang flankiert. Die Nacht brach herein, die Gefahr schien groß, daß mit den fliehenden Freunden der Feind zugleich eindringe. Die Bürger zogen jedenfalls die Brücke auf und schlossen das Tor. Knirschend sahen die jungen Markgrafen den Rettungsweg versperrt; doch es gelang ihnen, durch die Gärten die Stadt umreitend, den Schmerdamm vor dem Lehniner Tor zu gewinnen, auf diesem Wege, dank der Ausdauer ihrer Rosse, im Schutze der Nacht zu entkommen und Spandau zu erreichen [80]).

Wohl lag es nahe, bei dieser Aussperrung der jungen Fürsten aus ihrer eigenen Stadt an Verrat zu denken, denn der Erzbischof war ja seit der Schenkung von 1196 der Oberherr der Stadt, dessen Ungnade zu fürchten war. Bei der lückenhaften Überlieferung hat man noch an einen anderen Schuldigen gedacht. Die Persönlichkeit, die von Amts wegen für die Sicherheit der Städte Brandenburg zu sorgen hatte, war der Burggraf von Brandenburg, dessen Amtsbezirk das Gebiet diesseits der Elbe umfaßte und der auf der Burg zu Brandenburg seinen Sitz hatte. Er war der Stellvertreter des Landesherrn, der sogar nach der Angabe des Sachsenspiegels, eintretendenfalls über eine Schuld des Markgrafen zu richten hatte, wie der rheinische Pfalzgraf über den deutschen König. Das Amt, das als Lehen vererbt wurde, war sehr wichtig, und sein Inhaber vereinigte die gesamte Verwaltung, die Rechtsprechung wie die Heeresgewalt in seiner Hand. Die Brandenburger Burggrafen waren von hohem Adel und haben ihr Amt in drei Geschlechtsfolgen innegehabt (Baderich I., Siegfried und Baderich III. aus dem Geschlecht der Grafen von Dornburg; der letzte von ihnen stand als Lehnsinhaber von Belzig in nahen Beziehungen zu dem Herzoge Albert von Sachsen, der den jungen Markgrafen feindlich war. Es ist eine nicht unwahrscheinliche Vermutung, daß dieser Beamte die Ausschließung der Markgrafen aus ihrer Stadt verschuldet hat. Jedenfalls verschwindet er bald darauf aus seinem Amtsbezirk und scheint sich nach seinem sächsischen Besitz zurückgezogen zu haben [81]). Er mag von den Landesherren schließlich aus seinem Amt verdrängt sein, das wie die anderen Burggrafschaften den Fürsten als eine Gefahr für ihre Macht erschien, wie sie denn überhaupt geneigt waren, abhängige, unfreie Ministerialen an Stelle von Edlen in ihre Ämter zu bringen. Wie es sich nun auch mit dieser Aussperrung der Flüchtlinge verhalten mag, jedenfalls ist der Zorn der markgräflichen Jünglinge auf die Neustadt Brandenburg rasch verraucht. Denn bald darauf, am Pfingstsonntage des Jahres 1231, begingen sie dort ein fröhliches Fest mit aller Pracht damaligen Rittertums, ihre Schwertleite [82]). So schöne Tage wie damals hatte die alte Wendenburg neben dem wiedererstandenen Dome, der gerade damals wohl vor einem großen Umbau stand, noch nie erlebt, und sollte sie auch sobald nicht wieder sehen. Denn da wir uns diese Feier ohne die tätige Beteiligung des Brandenburger Bischofs nicht gut vorstellen können, so muß es die letzte friedliche Berührung zwischen Bistum und Markgrafen auf längere Zeit gewesen sein. Denn bald darauf erneuerte sich der langwierige Zehntenstreit, der erst 1237 zu einer endgültigen Schlichtung kam [83]).

An dieser Stelle mag daher des Bischofs Gernand gedacht werden, eines der bedeutendsten Inhaber der Brandenburger Bischofswürde. Wenn die vorliegende Stadtgeschichte es auch im Gegensatze zu ihren Vorgängern Heffter und Schillmann grundsätzlich vermeidet, auf die Geschichte des Bistums und des Domkapitels näher einzugehen, so verdient dieser Kirchenfürst wegen seiner geistigen Bedeutung und seines Einflusses auf seine örtliche Umgebung in politischer, künstlerischer und literarischer Beziehung eine kurze Würdigung an dieser Stelle.

Wir wissen nicht, ob Gernand vornehmer Geburt war, doch ist dies wahrscheinlich. Sein Emporsteigen aber dankt er in jedem Falle seinen hervorragenden Geistesgaben. Als Domherr einer Magdeburger Kirche erregte er die Aufmerksamkeit des späteren Erzbischofs Albrechts von Kefernburg, der sich durch Studien in Hildesheim, Paris und Bologna eine reiche Bildung angeeignet hatte, und doch anerkannte, daß er das Beste seines Wissens seinem heimischen Lehrer Gernand zu danken hatte. Dieser Kirchenfürst, der einer der bedeutendsten Vertreter des Magdeburger Erzstuhls gewesen ist, der sich mit dem großen Gedanken eines nordischen Patriarchats trug und seine ehrgeizigen Pläne über Pommern bis nach Livland schweifen ließ, sandte Gernand wiederholt nach Rom an den Papst, um seine Bestätigung als Erzbischof zu erwirken. Dabei hatte er seine Geschäftsgewandtheit außerordentlich schätzen gelernt. Als Gernand dann im Gefolge des Metropoliten wiederum nach Rom ging, wo eine zwiespältige Bischofswahl des Brandenburger Sprengels zu schlichten war, zog er auch die Augen des Oberhirten der Christenheit, Honorius III., in dem Maße auf sich, daß dieser ihn wohl auch auf Albrechts Empfehlung an Stelle der streitenden Bewerber zum Bischof ernannte. Er hat sich dann noch längere Zeit in Italien aufgehalten, ist dort vom Papste selbst mit Ring und Stab und vom Kaiser Friedrich II. mit dem Zepter investiert worden. Als Bischof hat er dann seine bisherigen Mitbewerber zu versöhnen und überaus schwierige politische Aufgaben mit großem

Geschick zu lösen verstanden. Obwohl er als Günstling und Anhänger des Kirchenfürsten der Elbstadt, für den er auch noch später Sendungen nach Italien übernahm [84]), im Innern auf seiten der Feinde der jungen Markgrafen stand, hat er es doch verstanden, offene Feindseligkeiten zu vermeiden, obwohl er einen wichtigen grundsätzlichen Kampf mit ihnen ausfechten mußte. Die Bischöfe im Wendenlande durften wie die im Reiche die Rechte reichsunmittelbarer Fürsten für sich in Anspruch nehmen. Da aber die Kaiser in jener Zeit schon längst die östlichen Marken sich selbst überlassen und auf jedes oberherrliche Eingreifen in das Walten der Markgrafen verzichtet hatten, so standen die Bischöfe jener Gegenden von vornherein in der Gefahr, die Reichsunmittelbarkeit einzubüßen und mußten daher besonders auf der Hut sein, ihre Stellung gegenüber allen Übergriffen der machtvollen Markgrafen zu behaupten. Das ist die tiefgreifende Bedeutung des Zehntenstreites zwischen den Askaniern und dem Brandenburger Bischofe, die alten und die neuen Lande in der Mark betreffend. Es ist Gernand gelungen, mit aller diplomatischen Kunst, die ihm zu Gebote stand, freilich nicht ohne Ränke, in dem Zehntenstreit beachtenswerte Erfolge zu erringen und die Selbständigkeit seines Bistums dem Drucke der weltlichen Macht gegenüber in dem Vergleiche von 1237 zu wahren. Diese friedliche Auseinandersetzung führte dann auch dazu, daß die Kirche auch auf der Brandenburger Dominsel ihr eigener Herr wurde. Fürst und Bischof wohnten dort gar zu eng nebeneinander. Wir wissen ja freilich, daß die Markgrafen, wie alle Herrscher jener Zeit, ein Wanderleben führten, von Burg zu Burg zogen, um eine einzige Gegend nicht allzusehr durch Einforderung von Naturalleistungen zu belasten und um die Verwaltung durch persönliche Gegenwart besser im Auge zu behalten. Indessen hatten sie doch Orte, die sie durch öfteren Aufenthalt bevorzugten, und das war bisher wohl Brandenburg im besonderen Maße gewesen. Der Umstand, daß die erste Gemahlin Ottos I., Judith, die ihre Grabschrift als Perle Polens rühmt, ihre letzte Ruhestätte in dem Brandenburger Dom gefunden hat, spricht für diese Annahme. Jetzt aber war die alte Inselfeste durch die beiden ummauerten Nachbarstädte in Schatten gestellt und hatte überhaupt nach den neuesten Gebietserweiterungen nach Osten zu ihre Bedeutung als Grenzfestung verloren, und so entschlossen sich die Markgrafen wohl bei Beendigung des Zehntenstreits im Jahre 1238, dem Brandenburger Bischof die ganze Burginsel zu überlassen und schenkten ihm bald darauf auch die bisher ihnen gehörige Burgkapelle, das heutige Peterskirchlein. Damit verschwindet die Burg Brandenburg als Fürstensitz spurlos aus der Geschichte. Daß nicht einmal altes Gemäuer an die alte stolze Feste erinnert, um deren Besitz jahrhundertelang zwischen Deutschen und Wenden gerungen worden war, braucht nicht wunderzunehmen; denn sie scheint ja, wie schon erwähnt, nur in der einfachsten Art befestigt gewesen zu sein und ihre Hauptstärke in ihrer natürlichen Lage gehabt zu haben. Heute deutet immer noch der Name Burg Brandenburg, den das Domkapitel amtlich fortgebraucht, auf die kriegerische Vergangenheit der Dominsel. —

So hatte Bischof Gernand seiner Kirche wichtige Vorteile durch seine diplomatische Kunst errungen. Aber er muß auch sonst eine geistig überlegene und durch wissenschaftlichen Ernst abgeklärte Persönlichkeit gewesen sein, die in ihrem Kreise literarisch und künstlerisch anregend wirkte und dem Bischofssitz dadurch besonderen Glanz verlieh. Von seinen Schriften ist allerdings nichts auf unsere Zeit gekommen. Aber der Verfasser eines damals hochgeschätzten Urkundenformelbuches und Briefstellers rühmt ihn als Vorbild im Urkundenstil, dem er zwar nicht die Schuhriemen lösen könnte, aber von dessen reichem Tische er doch die Brosamen sammeln wolle. Seiner feinen und reichen Bildung wegen schickte der Adel des Landes ihm, d. h. der Brandenburger Domschule, seine Söhne zur Unterweisung in Wissenschaft und guter Sitte, und täglich hatte er an seinem Tische Scholaren und Arme, die er speiste[85]).

Wenn wir diese Umstände berücksichtigen, werden wir es mit anderen märkischen Geschichtsforschern für sehr wahrscheinlich halten, daß die leider verlorene, aber aus ihren zerstreuten Trümmern umsichtig wiederhergestellte Brandenburger Bischofschronik, die bald nach dem Tode Gernands von einem für die Mark warm empfindenden Mann mit Zuhilfenahme Magdeburger Quellen verfaßt wurde, der Anregung des trefflichen Kirchenfürsten ihren Ursprung verdankt. In ihr hat ein liebevoller und dankbarer Schüler dem Genius Gernands ein schönes Denkmal gesetzt. Noch dauernder und eindrucksvoller ist das Vermächtnis, das dieser kunstsinnige Bischof in Brandenburger Bauwerken hinterlassen hat. Es handelt sich um die hochberühmte Marienkirche, die leider dem Vandalismus des Soldatenkönigs zum Opfer gefallen ist, und Neubauten am Dom.

Daß Gernand an der Erbauung der stolzen Marienkirche auf dem Berge großen Anteil hat, wird dadurch sehr wahrscheinlich, daß in denselben Frühlingstagen des Jahres 1222, als Gernand mit seinem Gönner, dem Erzbischof Albrecht von Magdeburg, in Italien am päpstlichen Hofe weilt und vom Papste zum Bischof ernannt wird, Honorius III. einen reichen Ablaß von 20 Tagen allen denen verkündet, die am Tage Mariä Geburt zum Harlungerberge wallfahren und den Bau der Marienkirche durch Gaben fördern[86]). Und wenn wir dann in den durch Zeichnungen erhaltenen Bauformen der sehr eigenartigen, zerstörten Wallfahrtskirche Anklänge an Magdeburger und Halberstädter Formen, wie sie in den dortigen Domen zur selben Zeit erscheinen, finden, so stimmt dazu wieder der Umstand, daß Gernand auch als Bischof Mitglied einer Magdeburger Kirchenkörperschaft blieb und sich auffallend oft dort aufgehalten hat. Der kühne Meister aber, der, mag er auch aus einer sächsischen Bauhütte hervorgegangen sein, hier etwas unerhört Neues wagte, und im Grundriß seiner Schöpfung die Form des griechischen, von einer Mittelkuppel gekrönten Kreuzes, das an orientalische Kreuzkirchen erinnert, mit dem romanischen Muschelabschluß der Kreuzflügel vereinigte, und den Bau dann noch durch vier viereckige stattliche Ecktürme bereicherte, stand ganz auf der Höhe der Kunst seiner Zeit. Im Innern unternahm er gleichfalls etwas Neues und wölbte über dem mittleren Rechteck eine flache Mittelkuppel — der erste Versuch dieser Art in der Mark. Der erhabene Gedanke solcher weiträumigen hohen Kupellhalle ist allerdings nicht voll zum Ausdruck gekommen. Der Innenraum der Kirche empfing vielmehr seinen eigentümlichen Charakter dadurch, daß nur das Querschiff und der Westflügel die ganze Höhe des Gebäudes zeigten, während die vier Türme, deren Inneres zum Kirchenraum hinzugezogen war, und insbesondere der östliche Kreuzarm zweigeschossig waren. So zeigte die Kirche im Osten eine ausgedehnte Emporenanlage, von der herab das wundertätige Marienbild der im Querschiff versammelten Menge gezeigt wurde. Diese etwas unregelmäßige Gestaltung des Innenraumes scheint den märkischen Wallfahrtskirchen eigentümlich gewesen zu sein, denn in denen zu Wilsnack und in bescheidenerem Maße zu Buckau im Westhavelland finden sich ähnliche, im Osten angeordnete Emporen. In jedem Falle aber ist die Wallfahrtskirche auf dem Marienberge, die mit ihren vier in goldene Kugeln auslaufenden Türmen weit hinaus in die Lande grüßte, und zu der an den Marienfesten gewaltige Scharen von Pilgern gewallfahrtet kamen, um die Wunderkraft des Marienbildes in der Vorhalle zu erproben, ein bauliches Meisterwerk, das in gleichem Maße den schaffenden Künstler ehrt, der die Mittel seiner Kunst sicher und frei zur Gestaltung seiner Gedanken zu brauchen wußte, wie den Kirchenfürsten, dessen Genius einen solchen einzigartigen Plan verwirklichen half. Eine gleiche rege Unternehmungslust und kühne Neuerungsfreude spricht aus dem umfassenden Umbau des Domes. Die Nachrichten und der Befund des Bauwerks lassen es als sehr wahrscheinlich erscheinen, daß unter Gernands Regierung Chor und Querschiff des Domes einen merkwürdigen Umbau erfuhren, der den Chor höher legte, die bisher fehlende Krypta und eine Kapelle einfügte und so eine Anzahl bisher entbehrter Nebenaltäre für besonders verehrte Heilige, wie Maria, Johannes, Augustinus, an Stelle der fehlenden Seitenapsiden schuf. Der weihevolle Raum der romanischen Gruftkirche mit den schönen mannigfachen Säulenkapitälen, unter denen vor allem die mit den reizvollen phantastischen Tiergestalten, die Oberkörper sächsischer und wendischer Krieger tragen, künstlerisch hervorragen, zeigt heute freilich nicht mehr die ursprüngliche Gestalt; auf die breiten romanischen Pfeiler sind ein reichliches halbes Jahrhundert später schlankere gotische Wölbungen aufgesetzt. Die Krypta war übrigens damals nicht wie heute durch die große, zum Chor emporführende Freitreppe verdeckt, sondern öffnete sich ähnlich wie noch jetzt die in der Klosterkirche von Jerichow in zwei großen Bogen nach dem Mittelschiff, in vier nach der Seite zu den Kreuzflügeln. Die Bunte Kapelle daneben, die heute noch besonders wohl erhalten erscheint, und Bemalung in romanischen Friesen an den Wänden und in dreifarbigen spätgotischen Ranken an den Gewölbekappen zeigt, die in den alten Farben neuerdings wiederhergestellt ist, stammt aus der gleichen Zeit und ist im Jahre 1235 vom Bischof Gernand mit einem Altar des heiligen Augustinus, nach dessen Regel die Prämonstratenser des Domkapitels lebten, eingeweiht worden [57]).

Wie verständnisvoll in derselben Zeit in Brandenburg auch die Kleinkunst in Miniaturmalerei und Weberei gepflegt wurde, zeigt das wertvolle Epistolarium, dessen versilberter und mit Edelsteinen geschmückter Deckel im Hochrelief die Gestalt des Erlösers in strengen romanischen Formen zeigt, auf einem Regenbogen sitzend, in der Linken das Buch des Lebens, die Rechte segnend erhoben. Auch das in Leinen gestickte „Hungertuch", eine zur Auflegung auf den Altartisch zur Fastenzeit bestimmte Decke mit reicher, farbiger Darstellung der ganzen Heilsgeschichte, wohl eine Arbeit märkischer kunstgeübter Nonnen, ist ein kostbares Stück romanischer Kleinkunst des 13. Jahrhunderts.

Die Marienkirche und der frühgotische Umbau der Domostteile bezeichnen den glanzvollen Höhepunkt der älteren Baukunst unserer Stadt. Die siegreiche Macht der streitenden Kirche im Wendenlande sprach sich in dem stolzen Türmebau der Bergkirche wie in dem hochgelegenen Chor des Domes aus, der die begnadeten Geistlichen, die ritterbürtigen Prämonstratenser vor der Menge der Laien unnahbar abschloß. Der kindliche Wunderglaube des Volkes durfte sich an der Feierlichkeit des Gottesdienstes berauschen, in dem das Wunderbild den Gläubigen dargeboten wurde, durfte träumen in dem geheimnisvollen Dämmer der unterirdischen Gruftkirche.

Das Domstift der Prämonstratenser Chorherren, die, mit weißer Kutte und blauem Mantel angetan, nach der Regel des heiligen Augustinus streng mönchisch lebend, in jener ersten Zeit gewiß eifrig nach der Art ihres Ordens für die Ausbreitung des christlichen Glaubens in dem noch vielfach heidnischen Lande gewirkt haben, und seine Kirche genoß in den beiden

Städten hohe Verehrung. Der Vorrang der Bischofskirche vor den anderen Gotteshäusern zeigt sich bei den hohen Festen. Am Palmsonntage zogen alle Geistlichen und die Bürgerschaft beider Städte in feierlicher Prozession zur Palmenweihe in die Kathedralkirche, und in keinem Gotteshause der beiden Städte durfte an diesem Tage Messe gelesen werden, ehe diese Feierlichkeit im Dome vorüber war; auch am Himmelfahrtstage und am Peter-Pauls-Tage, dem Namenstage der Domheiligen, war die gleiche Prozession vorgeschrieben.

So, sehen wir, hatte sich die Bestimmung der Dominsel seit einem Jahrhundert wesentlich verändert. Ursprünglich vor allem eine schwer zugängliche Wasserburg, die durch ihre Lage mitten im Havelstrom geeignet war, das Havelland und die Zauche militärisch zu beherrschen, war sie durch die Eroberung der Deutschen wieder Bischofssitz und wohl in der ersten Zeit deutscher Besitznahme ein bevorzugter Aufenthaltsort der askanischen Markgrafen geworden. Dann waren durch die Gründung der Altstadt und Neustadt und durch andere Verhältnisse große Veränderungen vor sich gegangen. Die Burg war ihrer Wehrhaftigkeit entkleidet worden, die Aufgabe, den Havelübergang zu verteidigen, hatten die beiden jungen Stadtgemeinden, die wohl früh ummauert sind, übernommen. Der Bischof zog sich gern auf seine Residenzen Pritzerbe und später Ziesar zurück, wo er allzu naher Berührung mit dem Domkapitel entzogen war. Die Markgrafen kamen immer seltener nach Brandenburg und hielten sich mit Vorliebe in ihren altmärkischen Burgen Salzwedel, Stendal, Tangermünde und Arneburg auf. Wenn sie aber die alte Hauptstadt aufsuchten, so nahmen sie nur ihre Wohnung in den Bürgergemeinden. So wurde die Burg Brandenburg ein stiller, friedlicher Klosterbezirk, außer von den Prämonstratenser Chorherren nur noch von den wendischen Fischern bewohnt, die in der Oberhavel ihre Netze stellten.

II. ÄUSSERE GESCHICKE BEIDER STÄDTE ZUR ASKANIERZEIT

NZWISCHEN entwickelten sich die beiden neugegründeten Stadtgemeinden auf beiden Ufern der Havel unter den ritterlichen askanischen Brüdern in gedeihlicher Weise, wenn wir auch infolge der so überaus dürftigen Überlieferung gar wenig von ihnen erfahren. Sie nahmen gewiß tätig teil an den heißen Fehden Johanns und Ottos. Aber diese wurden nicht mehr in jugendlicher Abenteuerlust unternommen; in friedlichen Staatsverträgen dehnten die Markgrafen ihr Gebiet weit nach Nordosten und Südosten aus bis zur Oberlausitz und dem Lande Stargard, dem heutigen Mecklenburg-Strelitz, mußten aber auch das Schwert ziehen gegen die Nachbarn, die scheelen Auges auf das mächtig erstarkende Brandenburg blickten. Da kämpfte man gegen den Markgrafen von Meißen, den Magdeburger Erzbischof und den Halberstädter Bischof und wußte ihnen an der Plauer Brücke besser zu begegnen als einst an der Plane. Und nun, nachdem die markgräflichen Brüder in einem siebenjährigen schweren Kriege Ruhm und Sicherheit ihren Landen gewonnen hatten, sahen sie freie Bahn vor sich, eine großartige Kulturarbeit zu beginnen, die sich vor allem in zahlreichen Städtegründungen äußerte. Nicht immer handelte es sich um Neuanlage städtischer Ansiedlungen. Oft wurden längst bestehenden Handelsstätten durch Verleihung deutschen Stadtrechts, durch Einrichtung von Stadtverwaltungen nach deutscher Art die Aufgaben gegeben, mit der Kultivierung des Landes voranzugehen. Deutsches Recht und deutsche Sitte, deutsche Wehrhaftigkeit und deutsche Kunst fanden eine sichere Stätte hinter den Planken und Mauern der neugegründeten Städte. Die deutsche Landbevölkerung, die zu gleicher Zeit im Osten festwuchs, fand hier Anlehnung und kräftigen Rückhalt und gewann so allmählich Übergewicht über das Wendentum, das sich in die Kietze und Fischerdörfer zurückzog, um selbst in der Mittelmark noch bis in das 17. Jahrhundert ein freilich kümmerliches Dasein zu fristen. Die nachmals bedeutendsten, reichsten, mächtigsten Städte der Kurmark, Berlin, Spandau, Kölln, Frankfurt, Angermünde, kleinere, wie Strausberg, Lychen, Gransee, auch jetzt mecklenburgische Städte, wie Neubrandenburg, Friedland und Stargard, wurden so von den Brüdern gegründet. Was aber diesen Schöpfungen eine besondere Bedeutung für die Stadtgeschichte Brandenburgs gibt, ist der Umstand, daß Brandenburg damals gewissermaßen zum geistigen Haupte der Mark diesseits der Elbe erhoben wurde, indem der größte Teil der genannten Städte nach und nach Brandenburgisches Stadtrecht erhielt, entweder unmittelbar von Brandenburg selbst oder durch Vermittlung einer Tochterstadt. Wir werden auf diese Verhältnisse weiterhin noch einzugehen haben. Die markgräflichen Brüder haben in der letzten Zeit ihrer Regierung dann eine landesherrliche Maßregel getroffen, die für die beiden Städte Brandenburg von tief einschneidender Wirkung war. Die Brüder, die selbst in so bewundernswerter Eintracht regierten und eine gemeinsame Hofhaltung führten, fürchteten, daß nach ihrem Tode ihre zahlreichen Söhne diesem Beispiele nicht folgen würden. Sie teilten daher ihr Land im Jahre 1258 [88]). Zunächst schlossen sie allerdings die Doppelstadt Brandenburg von der Teilung aus, wie es scheint, weil sie sie, die der Mark den Namen gegeben hatte, als vornehmste Stadt, als Hauptstadt des Landes betrachteten, und durch diese Maßregel wie durch ein Sinnbild bezeugen wollten, daß trotz der Aussonderung johanneischer und ottonischer Landesteile die Einheit der Mark Brandenburg fortbestünde. Aus demselben Grunde hielten die Brüder auch an der bisher gemeinsam geführten Hofhaltung fest. Erst im Jahre 1260 wurde die Teilung auch auf die Hauptstadt ausgedehnt. Johann empfing die Altstadt, Otto die Neustadt. Durch diese staatsrechtliche Trennung, die fast bis zum Ende der askanischen Zeit fortdauerte, wurden die Städte recht eigentlich einander gegenübergestellt, während sie bisher friednachbarlich nebeneinander gestanden hatten. Das hat für das Verhältnis beider Städte zueinander eine verhängnisvolle Folge gehabt, auf die später zurückzukommen sein wird.

In jenen Tagen nahmen die beiden Städte noch vor allem anderen teil an den ruhmreichen Erfolgen ihrer Herrscher, wenn uns auch kein Quellenzeugnis dafür aufbewahrt geblieben ist. Otto III. scheint nach dem Eingehen der landesherrlichen Burg auf der Dominsel mit Vorliebe auf dem markgräflichen Hofe in der Neustadt sich aufgehalten zu haben, der an der Stelle des späteren Pauliklosters lag. Hier hat er auch sein Ende gefunden, einige Monate nach dem etwas älteren Bruder Johann, der in der zweiten Hälfte des Jahres 1266 gestorben war [89]). Nachdem er noch am Morgen die sonntägliche Messe besucht hatte, verschied er in Gegenwart zahlreicher Dominikanermönche, für die er eine besondere Vorliebe hatte. Daher ist dieser Hof später diesem Orden geschenkt und an seiner Stelle ein Kloster der Predigermönche erbaut worden. Sein Leichnam wurde von seiner Gemahlin, der Böhmin Beatrix, und seinen beiden älteren Söhnen Johann (III.) und Otto (V.) nach Strausberg übergeführt, wo er im Chor der dortigen, von ihm gegründeten Dominikanerkirche seinem

Wunsche gemäß feierlichst bestattet wurde.[90]) Dieses Kloster ist längst verfallen und spurlos verschwunden.[91])

Mit dem Tode dieser beiden Fürsten ging eine Zeit zu Rüste, in der der askanische Herrscherstamm noch mehr als mit siegreichem Schwerte durch kluge Eintracht und durch folgenreiche Familienverbindungen immer erfolgreicher nach Osten vordringen konnte. Die Heirat Johanns I. mit einer Dänin befestigte die Stellung Brandenburgs nach Norden, die so lange durch die Gegnerschaft Dänemarks in Frage gestellt worden war, und ermöglichte Vorteile gegenüber Pommern, die den Gewinn der zukünftigen Kernlandschaft der Mark mit Berlin und der Uckermark brachte. Die Vermählung des jüngeren Bruders Otto mit der Tochter des Böhmenkönigs Wenzel eröffnete eine überaus vorteilhafte Verbindung nach dem Süden. Das ostdeutsche Fürstentum war jetzt gewissermaßen zu einer großen Familie vereinigt, dessen Mittelpunkt die verschiedenen Askanier von Brandenburg, Sachsen und Anhalt bildeten[91a]). Und mit diesen weise erweiterten Hilfsmitteln hatten die Brüder in vier Jahrzehnten gemeinschaftlicher Tätigkeit Großes erreicht; den bisher unbedeutenden Besitz ihres Vaters hatten sie im Osten um mehr als das Doppelte vergrößert und obendrein die Lehnshoheit über Pommern errungen. Ihr Gebiet war unter ihnen zu dem größten aller deutschen Länder mit Ausnahme Böhmens angewachsen[92]).

Bei dieser gemeinsamen Herrschertätigkeit hatte jeder seiner Eigenart nach sein Bestes eingesetzt. Johann ist der nüchterne Staatsmann, der auf dem Boden der Wirklichkeit bleibende, der planvoll die Erweiterung und innere Stärkung des Territoriums durch Städtegründungen betreibt und die Grundlinien der späteren Neumark östlich der Oder zieht, Otto demgegenüber eine religiös romantisch mystisch angelegte Natur, die mehr ins Weite strebte. Wie er jeden Freitag zum Gedächtnis des Leidens Christi sich mit Nägeln und Nadeln bis aufs Blut quält, wie er durch Fasten, Nachtwachen, Knierutschen, Geißelung sich so kasteit, daß ihm von allzu großer Andacht das Fleisch an den Knien zwei Finger dick herausgequollen ist, ja wie er selbst von seinen Kriegsleuten mönchische Übungen erwartete, so zieht er wiederholt, mit dem Kreuze geschmückt, als Streiter des Deutschen Ordens gegen die heidnischen Preußen, wo er ein zweites Brandenburg gründet. Aber auch in weltlichen Kämpfen weit draußen erprobte er sein Schwert, diente seinem Schwager, dem großen Böhmenkönige Ottokar, als Marschall und half ihm im Ungarnkriege 1260 den glänzenden Sieg auf dem Marchfelde erstreiten. Seine schwärmerische Frömmigkeit, die ganz der gesteigerten Verzücktheit des Zeitalters des heiligen Franz entspricht, hindert ihn aber doch nicht, der Kirche gegenüber die Forderung der Staatsmacht rücksichtslos zur Geltung zu bringen, wie der Zehntenstreit mit dem Brandenburger Bischof und die planmäßige Einschränkung des geistlichen Besitzes in der Neumark beweist[93]). Seine bedeutende Persönlichkeit ebenso wie seine religiöse Richtung und seine einflußreichen Familienverbindungen mögen ihn nach dem Tode Wilhelms von Holland als deutschnationalen Bewerber um den Kaiserthron empfohlen haben. Aber die Bewerbung scheiterte an dem Eigennutz der Parteien, die landfremde Fürsten bevorzugten, und so gehörten seine letzten Jahre ganz dem Ausbau des mächtig emporwachsenden Territoriums[94]). Nach dem Tode der Brüder sehen wir die beiden Städte Brandenburg bis zum Aussterben des askanischen Geschlechts dauernd verschiedenen Linien angehören. Von den Markgrafen der johanneischen (älteren) Linie stellen wiederholt die drei Brüder Johann (II.) der Prager, Otto (IV.) mit dem Pfeil und Konrad gemeinsam Urkunden für die Altstadt aus, doch tritt nach dem frühen Tode des älteren Bruders, der an einer Turnierverwundung umkam, der mittlere Otto IV. lange Jahre als das Haupt der älteren Linie hervor, der in der Tat die übrigen Markgrafen durch seine persönliche Bedeutung überragte[95]). Unter ihm und seinem Neffen Waldemar steigerte sich die Ausdehnung und die Macht des askanischen Reiches außerordentlich, im Süden bis an die Grenzen Böhmens, im Osten bis an die Weichsel, im Norden bis an die Ostsee, wo selbst die großen Handelsstädte Danzig und Lübeck in Abhängigkeit von ihnen gerieten. Natürlich erweckte dieses rastlose Emporstreben und rücksichtslose Vorwärtsdrängen Neid und Haß der Nachbarn. So hatte der allzeit kampflustige und hochgemute Otto mit dem Pfeil jene wechselvollen Fehden mit dem Erzstift Magdeburg zu bestehen, in denen er selbst in Gefangenschaft geriet, aus der ihn der Überlieferung nach nur der vom treuen Johann von Buch wohlverwahrte Schatz seines Vaters Johann löste. Wie die Magdeburger Bürger dem Rufe ihres Kirchenfürsten folgten und die Kerntruppen seines Heeresbannes wurden, werden auch die Brandenburger ihrem Markgrafen Heeresfolge geleistet und tapfer für ihn gestritten haben. Wenigstens weisen Lobsprüche der Markgrafen wegen der Treue der Bürger und Gnadenbeweise der Herrscher für die Stadt darauf hin, wenn uns auch keine ausdrücklichen Nachrichten darüber erhalten sind[96]). Aber auch manche Unbilden werden die Bürger für ihre Herren haben ertragen müssen, vor allem in jenem harten und über ein Jahrzehnt währenden Streit der johanneischen Markgrafen mit dem Brandenburger Bischof, dessen Untertanen sie allerlei Steuern und Herbergspflichten aufzuerlegen suchten. Das führte bekanntlich im Jahre 1296 dazu, daß der Kirchenbann gegen die Markgrafen Otto IV. und Konrad verkündet wurde und selbst den Klostergeistlichen in Brandenburg zeitweise das Recht genommen wurde, die im Interdikt befindlichen Untertanen geistlich zu versorgen. Die Markgrafen ließen sich durch diese furchtbare Waffe nicht schrecken und hielten jahrelang in ihrem Widerstande aus, bis es endlich im Jahre 1305 mit dem Nachfolger im Bistum, Friedrich, zu einer Versöhnung kam, die für die Kirche nicht unvorteilhaft war, aber auch des Staates Würde wahrte. Als dann der ritterliche Markgraf Otto IV., der auch als Minnesänger in der Erinnerung der Nachwelt fortlebt, 1308 das Zeitliche gesegnet hatte, beginnt die Regierung Waldemars, dessen Gestirn gewaltig leuchtend emporsteigt, um schließlich nach kurzem Glanze zu erlöschen. Unter ihm beginnt das Geschlecht der Askanier, das noch vor 30 Jahren 19 Köpfe gezählt hatte, reißend zusammenzuschmelzen, steht bald nur auf wenigen Augen, um endlich 1321 ganz auszusterben [97]). Die Gestalt des letzten großen Askaniers, der der Johanneischen Linie entstammt, schwankt noch heute in dem Urteile der Geschichte, und auch die Stadt Brandenburg hat wechselnde Beziehungen zu ihm gehabt. Schon früh zeigte sich in ihm ein schroffer Herrscherwille. Sein scharfes, rücksichtslos energisches Wesen, die Klaue des jungen Löwen, wurde offenbar, als das Haupt der ottonischen Linie, der Markgraf Hermann der Lange, 1308 dahinschied und als alleinigen Angehörigen seines Zweiges einen kaum sechsjährigen Sohn namens Johann zurückließ. Die Vormundschaft über diesen hätte, der herrschenden Gewohnheit zufolge, an Markgraf Otto mit dem Pfeil, als an den nächsten männlichen Verwandten von Vaterseite her, fallen müssen, jedoch hatte Hermann es vorgezogen, vier seiner vertrautesten Räte durch letzten Willen zu Vormündern zu ernennen. Gleichwohl nahm Waldemar, wohl im Einverständnis mit seinem bejahrten Oheim, der damals in Mecklenburg Krieg führte, den Knaben gleich nach des Vaters Tode zu sich, und als die Vormünder ihm das Kind wieder entführten, zog er mit gewappnetem Kriegsvolk gegen die Burg Spandau, wohin der junge Johann gebracht worden war, verjagte die Besatzung und nahm den Neffen wieder in seinen Gewahrsam und unter seine Vormundschaft, führte auch seitdem die Regentschaft in den ottonischen oder salzwedelschen Erblanden. Diese rasche Tat rief in diesem Gebiete ungeheure Aufregung hervor. Man fürchtete die Habsucht und Herrschsucht Ottos IV. und Waldemars, besorgte, sie würden unter dem Rechtstitel der Vormundschaft sich die Huldigung in den ottonischen Landen erzwingen, ja man soll Waldemar selbst beschuldigt haben, er stehe seinem jungen Neffen nach dem Leben. So kam es zu einer Erhebung der Bevölkerung des einen askanischen Teilstaates gegen den andern. Die schon zum Bewußtsein ihrer Macht gekommenen märkischen Städte der ottonischen Hälfte taten sich zu gemeinsamem Handeln zusammen. Unter der Führung von Berlin und Kölln traten sie in Beratungen, die zu einem förmlichen Bunde aller im Gebiete des jungen Markgrafen Johann liegenden

Städte gediehen. Noch ist uns die offenbar gegen Waldemar gerichtete Erklärung der Neustadt Brandenburg erhalten, worin die Ratmänner und die gesamte Bürgerschaft bezeugen: nach gemeinsamem Beschluß aller Städte unseres Herrn Markgrafen ist in fester Treue eine Einigung dahin geschlossen, daß, wenn irgendeine Gewalttat von einem Mächtigen einer der Städte angetan würde, wir derselben, um sie abzuwehren, beistehen werden mit Rat und mit Tat.

Es ist bezeichnend, daß in diesem Bündnis schon die Doppelgemeinde Berlin-Kölln und nicht Brandenburg als Führerin vorangeht. Aber es ist ohne weiteres erklärlich. Beide Spreegemeinden gehörten dem ottonischen Gebiete an, vertraten also in diesem Falle ganz die gleichen Interessen, abgesehen davon, daß sie ein Jahr vorher sich zu einer Bundesstadt vereinigt hatten. Im Gegensatz dazu waren die Schwesterstädte an der Havel durch die Landesteilung auseinandergerissen worden, und so mußten sie in dieser Frage notwendig als Gegner einander gegenüberstehen.

Die Wirkung dieses Städtebündnisses zeigte sich sogleich. Waldemar gab die Versicherung, daß den Städten ihre hergebrachten Rechte auch in dem Falle bleiben sollten, daß ihr junger Landesherr stürbe. Im übrigen aber wußte er sich im Besitze der Vormundschaft zu erhalten, lebte in gutem Einvernehmen mit seinem Mündel, und seine Stellung befestigte sich auch in Johanns Landen um so mehr, als er bald hernach die Prinzessin Agnes, Johanns Schwester, heiratete*). Auf die weitere Regierung des großen Waldemar einzugehen, würde sich von der Aufgabe dieses Buches zu weit entfernen. Immerhin darf ein kurzer Hinweis auf diese große Zeit der Mark nicht fehlen, da ihre Geschehnisse gewiß in der Hauptstadt lauten Widerklang fanden. Dieser Markgraf, der schon 1308 Landesherr oder Regent einer gewaltigen Ländermasse war, zu der außer der jetzigen Mark noch große Strecken von Schlesien, Polen, Pommern, Westpreußen und Sachsen gehörten, also eines Gebietes, wie es in gleichem Umfange kein anderer der damaligen deutschen Reichsfürsten besaß, hat seiner Zeit das eigenartige Gepräge aufgedrückt. Seine unscheinbare kleine Gestalt barg nicht bloß eine stählerne, in allen ritterlichen Künsten geschulte Kraft, sondern auch einen kühnen, weitblickenden staatsmännischen Geist. In der Entfaltung äußeren Glanzes hat er mit der offenen Hand der Jugend wohl zuviel des Guten getan. Durch alle deutschen Länder trug das dankbare Völkchen der fahrenden Spielleute den Ruhm seiner Schwertleite auf dem Felde vor Rostock, wo er 1311 vom König Erich Menved von Dänemark mit neunundneunzig seiner vornehmsten Vasallen in der Anwesenheit einer großen Zahl norddeutscher Fürsten zum Ritter geschlagen wurde und im Palast wie im Turnier als ein ebenbürtiger

Nebenbuhler des mächtigen nordischen Herrschers erschien. Wenn er dann im Bunde mit Erich von Dänemark und Heinrich von Mecklenburg gegen die stolzen Ostseestädte Wismar und Rostock siegreich kämpfte, oder den Markgrafen Friedrich von Meißen in seine Hände brachte und mit schwerem Lösegeld schatzte, inzwischen in rastlosem Ehrgeiz seine Länder bis zur Weichsel und Ostsee weiter auszudehnen suchte, so weckte das endlich Neid und Haß aller Nachbarn, und Waldemar mußte, als er gegen Dänemark für Stralsunds Freiheit eintrat, gegen den gewaltigen Nordischen Bund Dänemarks, Schwedens, Polens, Rügens, Mecklenburgs, Braunschweigs, Sachsen-Lauenburgs und Meißens um sein und seines Reiches Dasein kämpfen. Sein Heldentum wurde trotz der Niederlagen durch einen ehrenvollen Frieden belohnt, der dem Markgrafen Land und Rechte und seiner Bundesgenossin Stralsund allen Besitz und Gerechtsame ließ. In den letzten Lebensjahren aber, da Waldemar nach dem Tode des jungen Neffen Johann das ganze askanische Gebiet unter seiner Herrschaft vereinigt, scheint er dem erschöpften Lande absichtlich Frieden gegönnt, nur wachsam nach der Polengrenze geschaut zu haben, um, der Überlieferung der Ballenstädter getreu, den deutsch gewordenen Nordosten vor dem Slaventum zu schirmen. Dann aber ergriff ihn, nachdem er schon eine Zeitlang gekränkelt hatte, ein heimtückisches Fieber und legte ihn binnen wenigen Tagen auf die Totenbahre, mit einem Schlage die große Zukunft des Brandenburger Landes auf lange vernichtend[99]). Während die Altstadt Brandenburg so an den stolzen Geschicken der Mark unter Otto mit dem Pfeile und Waldemar teilnahm, walteten in der Neustadt die Herrscher der ottonischen Linie, unter denen vor allem Otto der Lange (V.) und sein Sohn Hermann zu nennen sind. Jener, von den fahrenden Sängern und den Chronisten wegen seiner männlichen Schönheit und ritterlichen Tugenden gepriesen, von den Böhmen, für deren jungen König er jahrelang die Vormundschaft führte, als eigennütziger Erpresser und Gewaltmensch angefeindet, in jedem Falle ein ehrgeiziger und streitbarer Herr, der, obwohl der jüngeren Linie der Ballenstädter angehörend, dennoch auf Kosten der johanneischen Markgrafen sich zur führenden Persönlichkeit innerhalb des Gesamthauses aufzuschwingen versuchte und zeitweise in offenem Kampfe mit Otto IV. (und Konrad) stand, den er 1290 in Ziesar angriff[100]). Durch diese Mißhelligkeiten werden natürlich die Beziehungen zwischen Alt- und Neustadt Brandenburg auch vielfach gestört worden sein. Auch unter seinem Sohne Hermann, der Otto dem Langen folgte und bis 1308 regierte, muß das Einverständnis beider Linien nicht immer das allerbeste gewesen sein, wenn auch die Brandenburger Markgrafenchronik versichert, Otto mit dem Pfeile habe in seinem Alter immer in Eintracht mit Markgraf Hermann gelebt[101]).

Denn wenn auch Markgraf Hermann, der als kraftvoller und weiser Herrscher gerühmt wird, in seinem letzten Lebensjahre mit Otto mit dem Pfeile gemeinsam in Mecklenburg kämpfte und bei der Erbauung des Schlosses Eldenburg erkrankte und vom Tode ereilt wurde, so zeigte doch seine letztwillige Verfügung über die Vormundschaft seines unmündigen Erben, daß er von einem gewissen Mißtrauen gegen die Vertreter der johanneischen Linie beherrscht wurde[108]). Wir haben schon gesehen, wie dann sein Sohn Johann von Waldemar unter seine Vormundschaft genommen wurde und dieser somit auch über die Neustadt Brandenburg Einfluß gewann. Von dem jungen Johann, der einen frühzeitigen Tod fand, rührt jener wichtige Gnadenbrief für die Neustadt her, der die Vorrangstellung Brandenburgs unter den märkischen Gemeinden begründet.

III. INNERE ENTWICKLUNG DER STÄDTE UNTER DEN ASKANIERN

N den beiden Stadtgemeinden hatte sich inzwischen ein freies, deutsches Bürgerleben entfaltet. Wir haben schon gesehen, wie die Burg auf der Dominsel einer wesentlichen Erweiterung nicht fähig war. Außer dem Domklosterhof und einer Fürstenwohnung war nur noch für die hörigen Wenden dort Platz, die ihrer Fischerei oblagen. So siedelten sich denn Kaufleute und Handwerker, die durch die rasche Verkehrsentwicklung des Koloniallandes herbeigezogen wurden, ganz wie es die neuere Forschung bei den meisten älteren Städtegründungen des Ostens beobachtet hat, neben der Burg an, aber jenseits der Havel zunächst in dem Wendendorf Parduin, wo die Prämonstratenserniederlassung um die Gotthardtkirche herum ihnen den Boden bereitet hatte. Dann aber wurde bald die Altstadt in planmäßigem Grundriß abgesteckt. War es überhaupt jemals hier die Absicht, eine Kaufmannsstadt, eine reine Marktansiedlung zu gründen, so hat sie doch von vornherein eine mehr ackerbauliche Eigenart gehabt. Wir sehen die Bürger von Anfang an mit Hufen ausgestattet, und indem später mehrere Dörfer mit ihrer Feldmark der Altstadt einverleibt werden, wird diese Seite noch stärker betont. Anders ist die Richtung der Neustadt. Hier fehlte eine Feldmark, und das Dorf, auf dessen Boden teilweise die Stadt angelegt worden ist (Stutzdorf), mag nur ein Fischerort gewesen sein. Was die Neustadt zuerst an Land überwiesen bekam, ist wesentlich nur Weideland, Almende gewesen, abgesehen von den Gärten, Worthen, die in der Nähe der Stadt lagen. Erst in späteren Jahrhunderten, wo die Bürger erkannten, daß sie vom Gewerbe und Handel allein nicht leben konnten, haben sie in weiterer Entfernung von der Stadt das Ackerland erworben, das unmittelbar vor den Mauern ihnen versagt war, entweder durch die sumpfige Beschaffenheit des Geländes oder durch die Nähe angrenzender Dörfer, wie Wust, Schmerzke, Göttin. Aus dem Grundstückkataster, das im Jahre 1722—1724 aufgestellt ist, ergibt sich, daß das Hauptackerfeld der Neustadt im Norden des Domes auf dem Mühlenfelde liegt, das erst im 14. Jahrhundert erworben worden ist. Die übrigen Felder, die südwestlich der Stadt liegen, werden Beiländer genannt und sind offenbar kleinere Stücke, die im Laufe der Zeit aus der Almende herausgeschnitten worden sind[103]). Im übrigen sind wir leider in bezug auf die Vorgänge bei der Gründung beider Städte ohne jede urkundliche Nachricht. Wir müssen indessen annehmen, daß sie sich ähnlich vollzogen hat wie die Gründung derjenigen märkischen Städte, auf die später brandenburgisches Recht übertragen worden ist. Das heißt Stadtgründer und Stadtherr war in beiden Fällen der Markgraf, worauf das Wappen des Landesherrn, der rote Adler im Stadtwappen beider Städte deutet. Er bediente sich vermutlich hier wie anderwärts eines Mittelmannes oder Unternehmers, der die Fremden in das Land rief, den Neuzuziehenden die Wohnsitze anwies, und nachdem die erste schwere Arbeit der Neueinrichtung vollbracht war, noch dauernd einen bevorrechteten Platz innerhalb der Bürgerschaft als Inhaber des Erblehens, als Schultheiß einnahm. Diese Brandenburger Schultheißen werden uns zuerst 1241 in einer Urkunde genannt, für die Altstadt erscheinen als Zeugen in einem Prozeß des Domkapitels sogar zwei, Peter und Giselbert, vermutlich zwei Brüder, die zu gesamter Hand belehnt waren, und für die Neustadt Nikolaus[104]). Welche Amtsbefugnisse diese Schulzen damals hatten, erfahren wir nicht aus den Urkunden, aber wir dürfen annehmen, daß der Gang der Entwicklung hier der gleiche gewesen ist wie in anderen märkischen Städten. Zuerst waltete über beiden Städten der Brandenburger Burggraf, dessen Amtsbezirk das ganze markgräfliche Gebiet diesseits der Elbe umfaßte. Daß die erbliche Gewalt dieses Edeln über die Stadtgemeinde ein Ende nahm, in diesem Wunsche begegneten sich der Markgraf, dem der stolze Beamte, der auch bedenkliche Beziehungen zu den Nachbarfürsten hatte, unbequem und gefährlich erschien, der Vogt des Brandenburger Bezirks, zu dessen Vogtei Städte und Dörfer seines Sprengels gehörten, und die Bürger, die einen Beamten an ihrer Spitze haben wollten, der in engerer Beziehung zu ihrem Gemeinwesen stand. Wenn nun, wie wir gesehen haben, der Burggraf nach 1230 ausschied und der Vogt zunächst an seine Stelle trat, so konnte dies wohl den Fürsten befriedigen, der nun einen Ministerialen, welcher von ihm weit abhängiger war, mit diesem Amte auf Zeit betrauen konnte, aber viel weniger die Städte, die mit ihrer ganzen Eigenart über die Dörfer hinausstrebten und ein besonderes Stadtrecht verlangten, das ihnen ja auch schon bei ihrer Gründung durch die Bewidmung mit Magdeburger Recht[105]) verliehen war. Kein Wunder darum, daß die Städte sich bemühten, von der Herrschaft des Vogtes möglichst unabhängig zu werden, was ihnen um so eher gelang, als eine freiere Bewegung der Bürger den Grund- und Landesherren die Aussicht eröffnete, daß die Städte immer leistungsfähiger wurden. So dürfen wir vermuten, daß bald eine Änderung der Stadtverwaltung zugunsten der Bürgerschaft eintrat. Von vornherein, ist anzunehmen, hatte wie in anderen Städten auch hier der vom Fürsten mit der Leitung der Ansiedlung beauftragte Unternehmer, der an dem neugegründeten Orte blieb, das Amt des Ortsvorstehers als erbliches Lehen empfangen. Wie in jedem Dorfe, so übte auch in den Städten Brandenburg von Anfang an je ein Schultheiß mit den vermutlich sieben Schöffen die niedere Gerichtsbarkeit aus, der Schultheiß, indem er das Gerichtsverfahren leitete, das Urteil verkündete und vollstreckte, die Schöffen, indem sie das Urteil fanden, d. h. aus ihrer Kenntnis des Gewohnheitsrechts feststellten, was in dem Einzelfall der gesetzlichen Überlieferung entsprach. Zum Schulzenamt gehörten mehrere Freihufen und meist ein Drittel der Gerichtsgefälle, während er die dem Grund- und Landesherrn zustehenden Einkünfte an den Hof zu senden hatte.[108]) Es war nun sehr naheliegend, daß diese schon vorhandene Körperschaft, die aus den angesehensten Männern der Bürgerschaft bestand, außer der Rechtsprechung auch Angelegenheiten der Verwaltung an sich nahmen, wobei der Landesherr sie gewähren ließ. Und mit dem Anwachsen der Arbeiten auf beiden Gebieten, denen der Gerichtsbarkeit und der Stadtverwaltung, vor allen Dingen der Marktpolizei, machte sich auch eine Vermehrung der leitenden Personen notwendig; es treten hier wie überall anderwärts neben den Schöffen Ratmänner (consules) auf, die vielfach mit Schulze und Schöffen gemeinsam Rechts- und Verwaltungsgeschäfte erledigen, um schließlich sich von der gerichtlichen Körperschaft zu trennen und allein die eigentliche Stadtverwaltung zu besorgen. Die Zahl dieser Ratsherren für jede Stadt betrug 12. Ein merkwürdiger und folgenreicher Unterschied bestand zunächst zwischen Schöffen und Ratsherren in bezug auf die Art und Zeitdauer ihrer Bestellung. Die Schöffen, bekanntlich eine in ganz Deutschland verbreitete Einrichtung Karls des Großen, der dadurch die drückende Dingpflicht aller Freien zu erleichtern suchte, wurden grundsätzlich für die ganze Lebensdauer bestellt, und von ihnen selbst durch Zuwahl ergänzt, während für die Ratsherren ursprünglich jährliche Wahl bestimmt war. Der Umstand nun, daß die neu zu wählenden Schöffen mit Vorliebe aus dem Rat genommen wurden, hat bald dazu geführt, daß auch die Ratsherren nicht mehr jährlich wechselten. Es kam die Sitte auf, daß die abtretenden Ratsmitglieder selbst den Rat zu wählen hatten. Und nun ließ man einfach einen Teil der alten Ratmannen noch ein weiteres Jahr im Amte und wählte nur für die austretenden neue. Bald ging man noch einen Schritt weiter, indem man einen Bruchteil des Rates am Ende des Jahres in den Ruhestand setzte, der nach Jahresfrist wieder in volle Tätigkeit trat, während die übrigen dann für ein Jahr austraten. Das war die Einrichtung des alten und neuen Rates, der in Brandenburg zum erstenmal im Jahre 1307 erkennbar wird. Beide Räte zusammen bestanden nun aus 18 Personen.

Ratswahl oder, wie man seitdem sagte, Ratsversetzung war so rasch zu einer bloßen Form geworden. Man wählte immer wieder dieselben 18 Personen, und im Falle einer freigewordenen Stelle durch Tod oder Abzug trat ein naher Verwandter an den Platz, so daß es bald eine kleine Zahl angesehener Familien gab, deren Mitglieder durch ihre Geburt zum Stadtregiment vorbestimmt waren. Diese Entwicklung hat sich schon am Ende der askanischen Zeit vollzogen, so daß die Grundlinien der aristokratischen Ratsverfassung, die im wesentlichen bis zur absolutistischen Reform König Friedrich Wilhelms I. bestanden hat, in Brandenburg (und in den märkischen Städten überhaupt) bereits in dieser Frühzeit des Städtewesens gelegt worden sind.

Betrachten wir nun im einzelnen die Entwicklung der städtischen Gerechtsame in der älteren Zeit, so ist zunächst die Gerichtsbarkeit ins Auge zu fassen. Ursprünglich hatte der Stadtschulze mit den Schöffen nur die niedere Rechtspflege zu verwalten, während dem Vogt oder Landrichter schwerere Verbrechen, die an Leib und Leben zu strafen waren, Streitigkeiten der ganzen Gemeinde mit den Nachbarn etwa über die Grenzen ihres Gebiets und die Aufsicht über die engere Rechtspflege des Stadtschulzen noch längere Zeit verblieben. Eine weitere Staffel der Entwicklung scheint eine Urkunde von 1309 zu bezeichnen, in der die beiden Schwesterstädte an der Spree, Berlin und Kölln mit Brandenburg (vermutlich der Neustadt, mit der sie unter einem Landesherrn standen), einen Vertrag dahin abschlossen, daß die in einer von ihnen rechtskräftig ausgesprochenen Verfestung (eine örtlich beschränkte Ächtung als prozeßliches Zwangsmittel) auch in der anderen Stadt wirksam sein sollte[107]). Die Verfestung war nun eine dem oberen Gericht vorbehaltene Strafmaßregel gegen Ausbleibende, von der der Sachsenspiegel (I, 68, § 1) lehrt, daß man sie nur bei Klagen auf Hals und Hand anwenden dürfe. Es ergibt sich mithin aus dieser Urkunde, daß damals sowohl in Brandenburg als in Berlin die Ausübung des Blutbannes in gewissen Fällen zugelassen war. In dem gleichen Vertrage aber wird der Möglichkeit gedacht, daß Bürger der drei Städte vor das Landding (Landgericht des Vogts) gefordert werden könnten, woraus geschlossen werden muß, daß die Stadtgemeinden von der Gerichtsbarkeit des Landrichters noch nicht ganz befreit waren, dem doch sonst die schwere Kriminalgerichtsbarkeit vorbehalten war. Vielleicht war das Verfestungsrecht dem Stadtgericht damals schon zugestanden in Fällen, wo eine dreimalige Ladung nicht erforderlich war, z. B. bei handhafter Tat, weil in diesem Falle der Stadtschulze nicht aus eigener Machtvollkommenheit, sondern nur zum Zwecke rascheren Verfahrens als Beauftragter des Landrichters verfährt. Damit war das Stadtgericht freilich noch nicht völlig vom Landgericht losgelöst, aber diese Befreiung ließ nicht lange auf sich warten[106]). Ein umfassender Gnadenbrief des Markgrafen Johanns VI. sichert den Bürgern der Neustadt Brandenburg zu, daß der markgräfliche Vogt nicht das Recht haben sollte, innerhalb der Stadtmauern oder des Weichbildes (infra iura civitatis) gegen irgendeinen Bürger Gewalt zu üben, vielmehr sollte jeder Bürger seines Stadtrechts (suo iure) sich erfreuen und nur vor dem Stadtschulzen sein Recht finden. Ja auch außerhalb der Stadt darf der Vogt den Bürger nicht eigenmächtig gerichtlich verfolgen, sondern muß ihn vor seinem ordentlichen Richter verklagen und dort gegen ihn sein Recht suchen. Sogar alle Verbrechen, die in der Stadt begangen werden, dürfen die Bürger, wenn der Schuldige auf handhafter Tat ergriffen wird, selbst richten. Sie konnten also in diesem Falle auch gegen Ritterbürtige, die sonst ihrem Forum entzogen waren, gerichtlich vorgehen. Endlich aber wurde ihnen noch das wichtige Recht zugesprochen, Gesetze und Verordnungen in ihrer Stadt selbständig zu erlassen. Ja Brandenburg sollte für die ganze Mark ein Quell des Rechtes sein. Dies besagt die in dem gleichen Gnadenbriefe enthaltene markgräfliche Verordnung über den Rechtzug in der Mark, die für die Stadt Brandenburg und die Gesamtheit der märkischen Städte eine grundlegende Bedeutung hatte, von der wir aber wohl anzunehmen haben, daß sie ein schon längst bestehendes und ausgeübtes Recht bestätigte. Es ist der erwähnte Gnadenbrief des jungen Markgrafen Johanns VI. für die Neustadt Brandenburg, worin bestimmt wird, daß alle märkischen Städte (zunächst der jüngeren Linie) ihr Rats- und Schöffenrecht, d. h. ihre Rechte sowohl in bezug auf die Stadtverwaltung als auf die Rechtsprechung, von der Stadt Brandenburg holen sollten. Um diese Bestimmung in ihrer ganzen Bedeutung zu erfassen, wird es nötig sein, weiter zurückzugreifen. Es war ein altdeutscher Brauch, daß eine neugegründete Stadt sich mit dem Rechte einer älteren bewidmen ließ. Nicht das Land bildete ja in jenen Tagen des Emporsteigens des Städtewesens eine rechtliche und politische Einheit, sondern die Städte waren im Lande Inseln höheren politischen Rechts. Entstand eine neue Stadt, so lehnte sie sich an ein älteres gleichartiges politisches Gebilde an. Auf die jüngere Stadt übertrug man der älteren Einrichtungen wie deren Verwaltungs- und Rechtsgrundsätze. So erwuchsen Mutter-, Tochter- und Enkelstädte in fortgesetzter Stufenleiter. Brandenburg war Tochterstadt von Magdeburg wie Stendal. Als älteste Tochterstadt Brandenburgs wird urkundlich 1232 Spandau genannt und ausdrücklich von ihren Landesherren, den askanischen Markgrafen, angewiesen, ihr Recht von Brandenburg zu holen. Vielleicht hat Berlin schon früher Brandenburgisches Recht erhalten, bewidmete aber seinerseits Frankfurt mit seinem, d. h. Berliner Recht, so daß diese Stadt nur mittelbar

Brandenburgische Einrichtungen empfing. Von einigen Priegnitzer Städten abgesehen, die von Stendal abhängig waren, darf man wohl annehmen, daß alle märkischen Städte ihr Recht von der Havelstadt erhielten. In der Tat hatten die brandenburgischen Markgrafen besondere Gründe, ihre Hauptstadt Brandenburg mit außerordentlichen Gerichtsvorrechten auszustatten. Der Markgraf hatte in seinen Gebieten allmählich eine Machtvollkommenheit errungen, neben der die Gewalt des deutschen Königs kaum noch in Betracht kam. Mit diesem Preise staatlicher Selbständigkeit hatten sich die Askanier bezahlt gemacht, als sie die schwierige und gefahrvolle Aufgabe auf sich nahmen, des Reiches Grenzen in den Marken zu sichern und auszudehnen. War aber dem Markgrafen in der Mark dieselbe Gerichtshoheit zugefallen wie dem Könige im Reiche, so war nichts natürlicher, als daß er eifrig bestrebt sein mußte, die Hauptstadt seiner Mark zum beherrschenden Mittelpunkt der Rechtspflege in seinen Landen zu machen. Was die Kaiserpfalzgerichte für das Reichsland der Umgegend kraft kaiserlicher Gnadenbriefe waren, das sollte die Stadt Brandenburg für die Mark kraft markgräflicher Privilegien sein. Wenn nun dieses Vorrecht zunächst auf Grund gewohnheitlicher Übung wohl beide neu entstandenen Gemeinden der Altstadt und der Neustadt gemeinsam genossen, so trat durch die Teilung der märkischen Lande zwischen den Brüdern Johann I. und Otto III. das eigentümliche Verhältnis ein, daß jede der beiden Gemeinden einen anderen Landesherrn bekam. Die Erkenntnis dieser Tatsache ist für das Verständnis der Gnadenbriefe wichtig, die über die Verleihung des Schöffenstuhls an die Städte Brandenburg handeln und wohl nur ein bereits bestehendes Gewohnheitsrecht bestätigen. Im Jahre 1315 also verlieh der eben mündig gewordene Markgraf Johann VI., der den Salzwedeler Anteil der Mark mit der Neustadt Brandenburg beherrschte, seiner Stadt Brandenburg, d. h. der Neustadt, die seine Vorfahren mit vielen Vorrechten geschmückt hätten und von der die ganze Herrschaft ihren Ursprung herleite, wie von der Quelle die Bächlein, die auch vor allen anderen durch den Königsbann glänze, das besondere Vorrecht, daß alle im Gesamtbereich seiner Herrschaft gelegenen Städte und Plätze von ihr ihre Rats- und Schöppenrechte holen und daß niemand das von ihren Schöppen und Ratmannen gegebene Recht anfechten solle. Obwohl in dieser Urkunde der Name der Neustadt als solcher nicht erwähnt ist, kann doch nach Lage der Sache kein Zweifel bestehen, daß der Gnadenbrief zu ihren Gunsten gegeben ist, und daß also mindestens seitdem die Schöppen der Neustadt einen Oberhof für sich bildeten[109]). Ob vor der Landesteilung von 1260 die Schöppen der Altstadt und der Neustadt schon einen gemeinsamen Oberhof gebildet haben, darüber fehlen urkundliche Nachrichten.

Daß aber mindestens neben der Neustadt, wenn nicht sogar allein, die Schöppen der Altstadt vorher die gleichen Rechte genossen, die 1315 der Neustadt verliehen wurden, kann schon aus dem Grunde kaum bezweifelt werden, daß der älteste weitgehende Gnadenbrief von 1170, der die hervorragende und führende Bedeutung der Burg Brandenburg betont, sich dauernd im Besitze der Altstadt befunden hat. Und wenn auch keine Urkunde vorhanden ist, die der Altstadt ausdrücklich den Schöppenstuhl zuspricht, so weist doch eine Stelle in dem Gnadenbriefe Markgraf Ludwigs vom 23. Februar 1324 für die Altstadt deutlich darauf hin, daß diese Stadt, wie das Haupt den Gliedern, den übrigen Städten Rechte und Lebensvorschriften nach langer und anerkannter Gewohnheit überliefere[110]). Daraus ist zu entnehmen, daß die Schöppen beider Städte damals längst im Besitze des Vorrechts gewesen sind, märkischen Städten Rechtsbelehrung zu erteilen. Solange die Teilung der märkischen Lande mit Einschluß der Stadt Brandenburg bestand (1260—1317), konnte eine reinliche Scheidung dieser Befugnisse aufrechterhalten werden. Als dann die Länder durch Aussterben der Salzwedelschen Linie wieder in eine Hand kamen, war jede der beiden Städte Brandenburg befugt, Rechtsbelehrung über die gesamte damalige Mark zu erteilen. Allmählich wurde dies Vorrecht nicht nur für die Städte, sondern auch über das platte Land der Mark ausgeübt, das in älterer Zeit eine andere höchste Dingstatt hatte. Diese war in der Neuen Mark jenseits der Elbe (d. h. der heutigen Mittelmark) ohne Ausnahme das Landgericht zur Klinke bei Brandenburg gewesen, von wo die Berufung an das Gericht zur Krippe (krepe) in der Mark Stendal, von da an das angesehenste und älteste Gericht der Markgrafschaft, an die Dingstätte zur Linde in der Mark Salzwedel und alsdann an die markgräfliche Kammer ging. Man hat viel über die Lage der Klinke bei Brandenburg gestritten und sie öfter ganz in der Nähe der Stadt gesucht, ja sogar sie mit dem später nachweisbaren Schöppenhause auf der Langen Brücke gleichgesetzt. Jedenfalls ist aber dieser Ort auf dem platten Lande zu suchen, wie die entsprechenden Dingstätten der Krippe und der Linde, deren Örtlichkeiten als mitten auf dem Lande in der Altmark befindlich feststehen. Da nun drei Stunden von Brandenburg nördlich eine Landzunge mit einem Burgwalle im Riewendtsee vorhanden ist, in deren Nähe eine Klinkbrücke und ein Klinkgraben auf den verschollenen Namen der Klinke hinweisen, so ist es sehr wahrscheinlich, daß hier die alte Malstatt sich befand, wohin die Berufung im Landgericht erfolgte. In der ersten Hälfte des 14. Jahrhunderts trat dann an ihre Stelle der Schöppenstuhl zu Brandenburg, dessen Schöppen durch ihre Weisheit und ihr praktisches Geschick ein solches Ansehen gewannen, daß auch landrechtliche Prozesse gewohnheitsmäßig ihrer Rechtsbelehrung unterworfen wurden.

Es ist nun an der Zeit, von den *wirtschaftlichen* Fortschritten zu sprechen, die die Städte Brandenburg in der Zeit der Askanier machten. Es ist schon davon die Rede gewesen, daß die *Altstadt* von vornherein mehr eine ackerbauende Gemeinde gewesen ist als die Neustadt. Wenn in der altstädtischen Feldmark noch heute alte und neue (und luckenbergische) Hufen unterschieden werden, so liegt es nahe, die alten Hufen dem Dorfe Parduin zuzuschreiben, das ja die Keimzelle der Altstadt geworden ist. In der Tat erstrecken sich die alten Hufen nördlich von dem um die Gotthardtkirche gelegenen Parduin zwischen Beetzsee und dem über das Vorwerk Silo nach Pritzerbe führenden Steinwege. Weiter nach Südwesten schließen sich dann die neuen Hufen an, die der Altstadt dann bei ihrer Gründung verliehen sein mögen. Bald reichte auch diese erweiterte Feldmark für die Bedürfnisse der wachsenden Stadtgemeinde nicht aus, um so mehr, als die Gemarkung des Dorfes Luckenberg bis unmittelbar an die Mauern der Altstadt sich erstreckte. So schenkte denn Markgraf Johann I. 1249 der Altstadt die Dörfer Luckenberg, Blosendorf und den Berg Kallenberg, so daß der Ackerbesitz der Altstadt sich nun bis zum Quenzsee erstreckte, und er verfügte, daß die Einwohner der Dörfer in das Stadtrecht aufgenommen werden sollten. Die Lage des einstigen Dorfes Luckenberg ist dadurch bestimmt, daß die noch heute vorhandene Nikolaikirche das Gotteshaus dieser Landgemeinde war. Sie steht noch heute mit ihrem altersgrauen, von Efeu umsponnenen Gemäuer wie ein ehrwürdigstes Altertum mitten im Getriebe der lebhaften Industriestadt, aber geweiht und befriedet durch den stillen alten altstädtischen Gottesacker, der sie umgibt. In einer Urkunde Bischof Wilmars vom Jahre 1166 wird zwar schon der Gotthardtkirche gedacht, sonst aber nur von anderen Kirchen gesprochen, die künftig in dem genannten Dorfe errichtet werden möchten[111]). Da aber dann 1173 die Nikolaikirche im Parduiner Pfarrsprengel gelegen erwähnt wird[112]), 1179 mit Hinzufügung der Angabe ihrer Lage in Luckenberg, so wird man annehmen müssen, daß sie vor 1173 als Dorfkirche von Luckenberg erbaut worden ist. Die dreischiffige Basilika mit verlängertem, durch eine runde Apsis abgeschlossenen Chor ohne Turm und Querschiff ist mit ihren kleinen Rundfenstern und dem aus tastenden Versuchen sich allmählich entwickelnden Rundbogenfries in ihrer Gesamterscheinung wohl die älteste Kirche der Mark Brandenburg und zeigt in einzelnen Bauteilen merkwürdige Anklänge an lombardische Backsteinkunst, die neuere Kunstgeschichtsforscher veranlaßt haben, unseren norddeutschen romanischen Backsteinbau in ursächliche Verbindung mit Oberitalien zu bringen[113]). Die Glocken sind längst verstummt und verschwunden. Der Ernst wehmütiger Erinnerung blickt aus den kleinen Rundfenstern des uraltertümlichen, wie in einem

Traum versunkenen Bauwerks. Wenn das Dorf mit dem niederdeutschen Namen (Luckenberg=Lütkenberg), wie man annehmen möchte, von Albrecht dem Bären gegründet, rasch emporgewachsen ist, so daß es sogleich einer ziemlich stattlichen Kirche bedurfte, so ist es ebenso auffallend schnell von der kräftig emporsteigenden Altstadt aufgesogen worden. Nur die Kirche und das benachbarte Stadttor, früher nicht Plauer, sondern Luckenberger Tor genannt, hielt die Erinnerung an die eingegangene Ortschaft fest. Die Vereinigung Luckenbergs mit der Altstadt und die Regelung seiner landwirtschaftlichen Verhältnisse scheint sich übrigens nicht sogleich ohne Hindernisse vollzogen zu haben. Denn im Jahre 1295 finden es die Markgrafen Otto IV. mit dem Pfeil und Konrad nötig, die Vereinigung erneut auszusprechen und nähere Bestimmungen zu treffen. Das Dorf Luckenberg wird danach mit allem Zubehör der Altstadt nach Stadtrecht übereignet, so zwar, daß die Felder nur von der Bürgerschaft der Altstadt bebaut werden sollen. Die Ackerbesitzer sollen von ihren Hufen Pacht in der Höhe von 3 Pfund entrichten. Wenn sie sich dessen weigern, sollen die Bürger selbst die gleiche Pacht entrichten oder die Felder anderen übertragen, die dann von jeder Hufe 2 Schilling zahlen sollen. Dabei sollen ihnen die gegenwärtigen und zukünftigen Vögte allen Beistand leisten[114]). Das in der Urkunde von 1249 genannte Blosendorf ist ganz und gar verschollen; da aber die Grenzen der Ländereien sich bis zum Quenzsee erstrecken sollen, so scheint es an der Stelle von Neuendorf gelegen zu haben, das dann im Laufe des 13. Jahrhunderts entstanden sein muß. Im Jahre 1286 erwähnt nämlich der Brandenburger Dompropst Heidenreich seinen Kaplan Konrad, der Pfarrer in Neuendorf sei[115]). Da nun ein Geistlicher, der dem Dompropst als Kaplan diente, eine Pfarre wohl nur in der näheren Umgebung Brandenburgs verwalten konnte, so spricht die Wahrscheinlichkeit dafür, daß in dieser Urkunde Neuendorf, das oberhalb der Einmündung der Havel in den Plauer See gelegen ist, gemeint sein wird. Denn es gibt oder gab noch drei andere Neuendorf im Zauch-Belziger Kreise, eins bei Treuenbrietzen, eins bei Niemegk und eins bei Brück. Aber alle diese sind von Brandenburg zu weit entfernt, als daß ein Kaplan des Brandenburger Dompropstes die Pfarre eines dort gelegenen Dorfes innehaben könnte[116]).

Der Kallenberg der Urkunde ist eine Feldflur, die noch heute den Namen Gallberg trägt und sich nordwestlich von dem Marienberg befindet.

Im Jahre 1290 verliehen ferner Markgraf Otto IV. und Konrad der Altstadt den erblichen Besitz des Dorfes Brielow nach Stadtrecht, frei von allem Zoll und der Verpflichtung der Dammarbeit. Es wird hier auch die Summe angegeben, die die Bürger für diese Verschreibung gezahlt haben, nämlich

9 Mark Stendaler Geld und 21 Pfund Pfennige[117]). Seitdem ist Brielow brandenburgisches Kämmereidorf geblieben. Bei einer der beiden Urkunden, die über diese Abtretung vorhanden sind, ist der Bezirksvogt Heinrich von Ziesar als Zeuge genannt, der offenbar die Überweisung in die Wege leiten sollte[118]).

Eine weitere wertvolle Zuwendung und Erweiterung ihres Stadtgebietes empfing die Altstadt 1308 von Markgraf Otto IV. und Waldemar durch Schenkung des Wendkietzes und des Beetzsees, den bisher der Edle Nikolaus von Buk vom Landesherrn zu Lehen getragen hatte[119]). Der Wendkietz, den die Altstadt so erwarb, war der heutige altstädtische Kietz, der sich vor den Mauern der Altstadt von dem jetzt verschwundenen Mühlentor (Mühlentorstraße Nr. 15) bis zur späteren sogenannten Homeienbrücke, die die Havel am Ausgange des Beetzsees überquert, erstreckt, heute den äußeren Teil der Mühlentorstraße (Nr. 18) und den heute noch sogenannten Kietz umfaßt[120]). Wie es der Name andeutet, so wurde der Kietz von Wenden bewohnt, die dort der Fischerei oblagen. Es gibt ja bekanntlich in der Mark Brandenburg annähernd 100 solche ehemals wendische Fischervorstädte, die die Reste der in den Städten wohnenden Wenden aufnahmen, die vielleicht nicht von vornherein das Recht entbehrten, Bürger zu werden, aber tatsächlich doch bald aus der eigentlichen Stadt verdrängt wurden. Außer dem altstädtischen Wendkietz bestanden in Brandenburg noch drei Kietze, der große und der kleine Domkietz auf der Dominsel, die dem Bischof gehörten, und der ebenda südlicher gelegene markgräfliche Kietz Woltiz, der später in den Besitz der Neustadt überging. Der Erwerb des Beetzsees, der seinen Namen wohl nach einer eingegangenen Ortschaft führt, deren Platz noch heute eine wüste alte Dorfstelle am See bezeichnet, leitet den Übergang ausgedehnter Fischereirechte an die Bürger ein, der für ihre Ernährung außerordentlich wichtig war. Zu diesen bedeutenden Vergebungen kamen nun für die Altstadt noch eine ganze Reihe von Abgabenerlassen, die die Gemeinde und ihre Bürger außerordentlich günstig stellten. Am 1. September 1275 überließen die Markgrafen Johann, Otto IV. und Konrad der Stadt den Hufenzins, der ihnen als Grundherren gebührte, von 30 Hufen, sowohl alten als neuen, zu eigener Einhebung und dauerndem Besitz. Der Hufenzins, der, wie es scheint, die ganze Feldmark der Altstadt betraf, die alten Hufen, d. h. die Gemarkung Parduins und die anderen, d. h. die der Altstadt — denn die Einverleibung Luckenbergs ist ja erst 1295 wirklich vollzogen worden —, wurde seitdem nicht mehr an den Grundherrn gezahlt, sondern in eine Gemeindeabgabe verwandelt[121]). Eine zweite grundherrliche Abgabe erließen dieselben Fürsten der Altstadt in dem Worthzins (census arearum), der Steuer von den Hofgrundstücken der Bürger, die bei der Gründung der Stadt auferlegt zu werden pflegte[122]). Weit darüber hinaus ging dann noch die Befreiung der Altstadt von allen öffentlichen direkten Steuern und Bedeabgaben (exactio, precaria sive consagittatio), die die Markgrafen Otto IV. und Konrad im Jahre 1295 aussprachen. Man hat diese Begnadigung bezweifelt, die ja in der Tat das einzige Beispiel eines völligen Orbedeerlasses einer märkischen Stadt darstellt. Aber wenn das Landbuch Karls IV. im Verzeichnis der städtischen direkten landesherrlichen Steuern (Orbeden) hinter dem Namen Alt Brandenburg einen leeren Raum läßt, deutet dies doch darauf hin, daß die Stadt auch noch um 1375 bedefrei war. Die Bede, die älteste direkte öffentliche Steuer, hat ja bekanntlich ihren Namen von dem niederdeutschen Ausdruck für Bitte erhalten, worauf auch die lateinische Übersetzung precaria hinweist. Es würde aber ein Fehlschluß sein, wenn man deshalb annähme, diese Steuer sei ursprünglich eine freiwillig dargebotene Leistung gewesen, vielmehr trägt diese landesherrliche Abgabe der Askanier von vornherein den Charakter der Zwangsbede[123]). Diese außerordentliche Vergünstigung für die Altstädter Bürger erklärt sich vielleicht daraus, daß die johanneischen Markgrafen gegenüber der größeren, mächtig aufstrebenden Neustadt der kleineren Altstadt, die dahinter zurückblieb, entsprechende Vorteile sichern wollten.

Werfen wir nun einen Blick auf die wirtschaftliche Entwicklung der Neustadt. Wir haben gesehen, wie diese Gemeinde von vornherein auf Handel und Gewerbe fast ausschließlich angewiesen war. Sie entbehrte ursprünglich eine Feldmark. Noch in dem großen Gnadenbrief, den Johann VI. 1315 der Neustadt verlieh, ist keine Rede von Ackerland der Bürger, sondern nur von dem Felde, das sich von der Stadt bis zu der Niederung der Bornlake erstreckt, wo die Bürger die Weidetrift für ihr Vieh frei und ruhig haben sollten. Auch dürfen die Bürger ihr Vieh zu allen Stadttoren austreiben und auf den Feldern allenthalben weiden, wenn sie nur die Feldfrüchte und Saaten der angrenzenden Dörfer nicht schädigen. Die Bornlake befindet sich 2 km aufwärts von der bei Görisgräben befindlichen Buckaubrücke in dem Winkel zwischen Buckau und Verlorenwasser auf dem rechten nördlichen Ufer dieses Baches[124]). Somit erstreckte sich also das Weichbild der Neustadt schon damals bis zu jener weit entlegenen Stelle.

Je mehr sich aber die Stadt entwickelte, machte sich der Mangel an Erzeugnissen des Ackerbaues immer stärker fühlbar, und da es der kaufmännischen Bevölkerung nicht an Geldmitteln fehlte, so konnte die Stadt zu Landerwerbungen schreiten. Im Jahre 1297 vereignet Markgraf Otto der Lange der Neustadt das Dorf Planow mit allem Zubehör und befreit die Zuwendung von allen Beden (angariis et perangariis), ordentlichen und außerordentlichen

Diensten[125]). Das Dorf Planow ist jetzt ganz und gar verschollen. Seinem Namen nach ist es in der Nähe des Planeflusses zu suchen. Büsching sucht es (in seiner Reise nach Reckahn 1785, S. 258) im Hagen, d. h. im Rehagen, einem südlich vom Neuen Kruge, westlich vom Sandfohrtsgraben gelegenen Teile der Neustädtischen Heide. Dort wird in der Tat seine Lage angenommen werden müssen, südlich und nördlich von zwei Bruchniederungen eingefaßt. Hier findet sich nach einer alten Karte des Stadtarchivs von 1563 eine Furt im Sandfurtgraben, genannt Papenbrügge, die der Pfarrer vermutlich benutzte, um die Tochtergemeinde geistlich zu versorgen. Planow war 1297 ein absterbendes Dorf, dessen Pfarrer aber noch 1307 erwähnt wird[126]). Dieser mag also früher über diese Brücke nach Göttin gegangen sein, um dort geistliche Handlungen zu verrichten. Später wurde Göttin in Schmerzke eingepfarrt, aber 1541 mußte die Neustadt für Planow noch den Zehnten nach Schmerzke entrichten[127]).
Die Feldmark von Planow war wohl nicht allzu fruchtbar; wird doch heute sein Gebiet nur als Waldland benutzt. So ist denn die Neustadt bald darauf zu einer neuen Erwerbung geschritten, deren Lage zeigt, wie eng ihre Feldmark von allen Seiten durch benachbarte Dörfer eingeschlossen war. Der Markgraf Waldemar, der für seine kriegerischen Unternehmungen außerordentlich viel Geld brauchte, verkaufte am 26. Januar 1319 an die Neustadt das Dorf Stenow, den Kietz Woltiz und den Krug Cracow mit allen dazugehörigen Äckern, Wiesen, Gewässern und Gehölzen, der Bede in Geld und Korn, mit hohem und niederem Gericht, Wagen- und sonstigen dinglichen und persönlichen Diensten gegen eine Kaufsumme von 263 Mark brandenburgischen Geldes, von denen der Markgraf 135 Mark den Bürgern bereits schuldig war[128]). Das Dorf Stenow lag an dem in der Nähe der Pfänderbucht von der Klein-Kreutzer Straße links abführenden Wege. Das Dorf ist längst verschwunden; es erinnern daran nur noch einige Grundsteine, die der Pflug auf dem Mühlenfelde aufwühlt, das einst die Feldmark der Ortschaft ausmachte. Der Hof und Krug Cracow lagen nordöstlich von der Dominsel, wahrscheinlich an dem nach Mötzow führenden Wege, der jahrhundertelang die Heerstraße nach Spandau und Berlin bildete. Die Krakauer Straße, die vom Dom nach Norden führt, erinnert noch jetzt an ihn. Der Kietz Woltiz ist endlich der südliche, ehemals dem Markgrafen gehörige Teil der Dominsel, der durch den neustädtischen Mühlendamm mit dem neustädtischen Mühlentore verbunden ist und jetzt unter dem Namen „Mühlendamm“ einen Teil der Neustadt bildet.
So gewannen die Neustädter eine ziemlich große Feldmark, die allerdings recht unbequem nur über die Dominsel und ein Gelände, das später der

Altstadt gehörte, zu erreichen war, ein Umstand, der zu manchen Streitigkeiten Anlaß gegeben hat. Der Erwerb des Kietzes Woltiz hatte wohl nur die Bedeutung, den Neustädtern einen unmittelbaren und eigenen Zugang zu diesem Felde zu schaffen.

Hatte die Neustadt so eine Feldmark erworben, die bis in die neuere Zeit ihren Nutzen gebracht hat, so wurden ihrer Fischerbevölkerung kurz vorher (1315) Fischereigerechtigkeiten zugesprochen, die ihnen reiche Ernte versprachen. Die Brandenburger durften nieder- und aufwärts der Havelgewässer Schmalfischerei ausüben bis zur Furstätte. Die Lage dieses Ortes ist aus einer Reihe von Urkunden zu erschließen. Es ist ein Platz auf einer Insel der Oberhavel zwischen Deetz und Saaringen, mit einer Schutzhütte, in der die Fischer des Nachts Feuer machen, um sich zu wärmen[129]).

Aber die Havel diente nicht nur dazu, mit ihrem Fischreichtum die Ernährung der Stadt zu verbessern, auch als Handelsfahrstraße brachte sie den Bürgern Nutzen. Wir haben schon oben gesehen, daß die Neustädter, sobald der unmittelbare Verkehr zwischen Ober- und Unterhavel durch die Anlage der Mühlen gesperrt wurde, sogleich dafür Sorge trugen, durch eine Schleuse für die ungehinderte Fortdauer des Stromverkehrs zu sorgen. Und indem der Markgraf ihnen auf Grund seines Wasserregals das Recht übertrug, die Flutrinne zu eigenem Nutzen um die Stadt zu führen und zu unterhalten, hatten sie von dem Schiffsverkehr regelmäßige Einkünfte.

Über die Verhältnisse des Handwerks zu Brandenburg in askanischer Zeit ist unmittelbar kaum etwas überliefert. Aber mittelbar erfahren wir aus Berliner Urkunden allerlei, was unbedenklich für die Erkenntnis der Brandenburger Zustände verwertet werden kann. So ist ein Weistum (d. h. eine Rechtsbelehrung) der Berliner Ratmannen an die Stadt Frankfurt erhalten, in welchem sie wohl bald nach der Gründung jener Stadt ihr das Stadtrecht mitteilen, wie sie es selbst von den Brandenburgern überliefert bekommen haben[130]).

Wir sind berechtigt, ohne alle Einzelheiten zu entlehnen, doch die darin ausgesprochenen Grundzüge des Stadtrechts als auch für Brandenburg gültig anzunehmen. Nach dieser Aufzeichnung hat der Rat die Befugnis, Handwerkerinnungen nach eigenem Ermessen einzurichten und wieder aufzuheben. Er übt auch über den Betrieb dieser Gewerbe, als Bäcker, Fleischer, Tuchmacher, selbst die Aufsicht aus, bestellt die Obermeister der Gewerke und nimmt für sich das Recht in Anspruch, durch Verbote und Strafen dafür zu sorgen, daß nicht durch falsches Maß und Gewicht die Bevölkerung geschädigt werde[131]). Es sind diese Bestimmungen um so beachtenswerter, als in Magdeburg, von wo das Stadtrecht auf Brandenburg übertragen worden ist, den Schuhmachern schon vom Erzbischof Wichmann im 12. Jahrhundert

die Gerechtsame erteilt wird, ohne Einmischung eines öffentlichen Beamten ihre Obermeister frei wählen zu dürfen[132]). Es zeigt sich eben, daß die Ratsverfassung der märkischen Städte den Handwerkern gegenüber straffere Befugnisse hatte.
Kurz erwähnt werden in dem 1297 angelegten Schöffenbuche der Neustadt eine ganze Anzahl von Handwerkern: Bader, Böttcher, Färber, Fuhrleute, Goldschmiede, Knochenhauer, Krämer, Leineweber, Ölschläger, Schmiede, Schneider, Schuhflicker, Steinmetzen, Stellmacher, Winzer[133]). Diese Liste, die doch manche weniger verbreitete Gewerke erwähnt, läßt auf ein reicher entwickeltes Gewerbe schließen.
Die einzige Urkunde, die das Handwerksleben der askanischen Zeit betrifft, stammt aus dem Jahre 1315 und berichtet, daß Markgraf Johann VI. Streitigkeiten zwischen den Neustädter Fleischern und Juden schlichtet[134]). Wir erfahren dadurch, daß es in der Neustadt Brandenburg damals schon eine Anzahl Israeliten gab, deren Rechtsverhältnis zu der Knochenhauerinnung geregelt werden mußte. Die Juden, dies durch alle Lande zerstreute Volk, lebten im damaligen Deutschland unter seltsamen, erniedrigenden und doch zeitweise nicht ungünstigen Rechtsverhältnissen. Obwohl man die Juden als Nachkommen derer, die den Herrn gekreuzigt hatten, verabscheute und, wenn die Leidenschaft aufflammte, verfolgte, glaubte man sie doch nicht entbehren zu können, da das Kirchenrecht des Mittelalters den Christen das Zinsnehmen verbot und diese Ungläubigen, die dem christlichen Gesetz nicht unterworfen waren, das unentbehrliche Geldgeschäft auf sich nahmen. Dieser Umstand bestimmte auch die Kaiser, den immer wieder bedrängten Juden einen allerdings jeden Augenblick widerruflichen Schutz zu gewähren und sie zu kaiserlichen Kammerknechten zu erklären. Und wie alle Regalien früher oder später den Beherrschern Deutschlands entglitten und den Landesherren anheimfielen, so ging auch der Judenschutz, der vor allem eine einträgliche fiskalische Einnahme war, in die Hände der Territorialfürsten über. Und in den Städten des kolonialen Ostens, wo nun auch die Geldwirtschaft unaufhaltsam eindrang und die einwandernden Bürger zur Errichtung ihrer Behausungen flüssiges Geld brauchten, fand sich der Jude ein, der der großen Nachfrage nach Geld allein ein genügendes Angebot entgegensetzen konnte. Aber der Widerspruch, das Zinsgeschäft als unentbehrlich anzuerkennen und es doch mit einem Makel zu brandmarken, hat sich an der mittelalterlichen Welt bald gerächt. Auch in Brandenburg also traten die Juden schon in askanischer Zeit als ein wichtiger Bestandteil der Bevölkerung auf. Das Zusammenwohnen mit den Christen, bei dem anfänglich wohl noch auf keine räumliche Absonderung gesehen wurde, zeitigte eine Schwierigkeit durch

das jüdische Speisegesetz. Da sie die Vorschriften desselben nur erfüllen konnten, wenn sie selbst schlachteten, so entstand ihnen durch das Fleisch, das sie entweder ihrem Gesetz nach nicht verwenden durften oder für ihre geringe Zahl zu reichlich war, eine fortdauernde Verlegenheit, namentlich im Sommer, wo das Fleisch nicht gepökelt werden kann. Sie mußten daher darauf sehen, den überflüssigen Fleischvorrat loszuschlagen, wodurch sie die Rechte der Fleischerzunft verletzten. Da war ein Ausgleich durch gesetzliche Bestimmungen notwendig, den nun Markgraf Johann im Anschluß an den bisher schon geübten alten Brauch traf. Vor allem sollte darauf gehalten werden, daß kein fremder Jude sich herausnehme zu schlachten, ehe er das Bürgerrecht erworben habe. Es ergibt sich daraus die beachtenswerte Tatsache, daß die Juden in der Stadt ein gewisses Bürgerrecht besaßen. Ferner aber darf der Jude nur für seinen eigenen Bedarf schlachten. Was er nach den rituellen Vorschriften nicht genießen darf, mag er verkaufen; ein solches Tier aber darf er nicht in einzelnen Stücken, sondern nur ganz veräußern. Nur im Sommer, wo Pökeln unmöglich ist, ist ihm der Verkauf wenigstens in Vierteln gestattet. Tiere, von denen er nicht essen darf, wie Böcke, Ziegen, Farren, leichte Kälber, soll er überhaupt nicht schlachten. Erfüllt er diese Bestimmungen, so soll er bei Schuhflickern und Fleischhauern ebenso billig einkaufen dürfen wie die Christen[135]). Die kleine Zahl der damals hier ansässigen Juden wird in dieser Frühzeit ihre soziale Stellung in der Stadt erleichtert haben, denn mit Recht hebt ein neuerer Forscher hervor, daß ihre soziale Stellung in dem Maße gesunken sei, als ihre wirtschaftliche Bedeutung stieg. Ihre höchst einträgliche Tätigkeit als Geldwechsler, die bei der unheilvollen Zersplitterung und dem haltlosen Schwanken des Münzwesens ebenso notwendig wie sittlich bedenklich war, ihr Monopol für Geldgeschäfte, das bei dem unerhört hohen Zinssatz (auf 43½ vom Hundert bei Darlehen auf Wochenfrist 1255 gesetzlich festgelegt[136]) Ausbeutung der Opfer und wilden Haß des Volkes zur Folge haben mußte, führte immer wieder zu verhängnisvollen Ausbrüchen der Erbitterung. Aber in jenen ersten Zeiten war gerade bei der kulturellen Rückständigkeit des kolonialen Ostens davon noch nicht viel zu spüren.

Werfen wir nun noch einen Blick auf die kirchlichen Einrichtungen der beiden Städte zur Zeit der Askanier, so ist die Ausbeute an Nachrichten recht dürftig. Von der Pfarrkirche der Altstadt, der St. Gotthardtkirche, mit der der Prämonstratenserkonvent so lange verbunden war, bis er 1165 nach dem wiedererstehenden Dom übersiedelte, haben wir schon erzählt. Sie stand von alters her unter dem Patronat des Domkapitels, das dann die Kirche mit Geistlichen versorgte. Von der inneren Ausstattung des Gotteshauses, das wir uns als einen schlichten romanischen Basilikenbau zu denken haben, ist allein noch der schöne bronzene Taufkessel erhalten, wohl das älteste Stück dieser Art in der Mark, das in edlen romanischen Formen gebildet ist. Viel weniger noch wissen wir von der Bauzeit und dem Aussehen der Katharinenkirche, der Pfarrkirche der Neustadt. Sie stand bis in das 14. Jahrhundert hinein unter dem Patronat der Markgrafen, die sie vermutlich auf ihre Kosten gleich nach der Gründung der Stadt errichtet haben. Abgesehen von dem Feldsteinunterbau der Turmhalle ist weder von dem Äußern noch von dem Innern des älteren Gebäudes irgend etwas erhalten geblieben; es muß doch aber ein sehr stattlicher Bau gewesen sein, nach dem, was wir über eine Glocke der alten Kirche hören. Im Jahre 1582 stürzte der alte, noch vom ersten Bau stammende Turm infolge eines mit Erderschütterungen verbundenen Orkans ein. Bei dem Fall wurden die vier Glocken zertrümmert, die größte unter ihnen, die, wie uns berichtet wird, nebst der Jahreszahl 1287 die Inschrift: Sancte Catharine laus sit sine fines (Heilige Katharina, dein Lob ertöne in Ewigkeit) trug, hatte ein Gewicht von 50 Zentnern (zu je 110 Pfund). Die drei anderen zusammen wogen 54 Zentner, so daß der Turm, der, quadratisch in der Form, 80 Ellen hoch war, von bedeutender Stärke gewesen sein muß. Diesem gewaltigen Turm wird die Ausdehnung des ganzen Gebäudes entsprochen haben. Die Titelheiligen der Kirche waren Katharina von Alexandrien, eine der 14 Nothelfer, die Patronin der Philosophie und der Schulen, und Amalberga, eine fränkische Prinzessin, die in Flandern ein Kloster gegründet hatte und bei dem Sumpffieber half. Letztere war wohl mit den flämischen Ansiedlern in Brandenburg eingezogen. Seit dem Jahre 1270 sind uns auch die Namen der Pfarrer an der Katharinenkirche bekannt[137]). Neben diesen großen Pfarrkirchen haben sich dann im Laufe des 13. Jahrhunderts auch Klosterkirchen der beiden großen Bettelmönchsorden erhoben. Schon bald nach 1237 hatten sich die Franziskaner in der Altstadt eingefunden. Das Kloster war ursprünglich in Ziesar, dem Lieblingswohnsitz des Brandenburger Bischofs, vom dortigen Pfarrer Magister Helias (Elias?) gegründet worden, dessen Name wohl von dem Hauptmitarbeiter des heiligen Franz Helias von Cortona entnommen war. Bald nach seinem Tode siedelten die Brüder nach der Altstadt Brandenburg über und errichteten dort ein neues Kloster am Havelufer im äußersten südlichen Winkel der Stadt. Die Gebeine des Stifters ihrer früheren Niederlassung, der ihnen viele Wohltaten erwiesen, namentlich den Grundstock zu ihrer später recht stattlichen Bücherei gestiftet hatte, überführten sie in ihre neue Heimat, um ihm dort in der Kirche vor dem Altar Johannis des Täufers eine ehrenvolle Grabstätte zu bereiten. So berichtete eine von dem Brandenburger Geschichtsschreiber Zacharias

Gartz überlieferte Inschrift, die sich damals noch an der linken Seite des Chors befand. Die Klosterkirche ist wohl erst am Ende des 13. Jahrhunderts schlicht ohne Chor, Seitenschiff und Turm als ein einfacher, fast scheunenartiger, holzgedeckter Bau errichtet worden. Die frommen Mönche hatten, dem Gebote des Franziskus getreu, die heilige Armut erwählt und wurden vom niederen Volke ihres andächtigen Ernstes wegen hoch verehrt.

Besonders nahe traten sie der Bürgerschaft in der schweren Zeit des Interdikts um 1300, wo sie, einem alten Recht zufolge, zu einer Zeit, da keine Glocke ertönen, kein Toter in geweihter Erde bestattet werden durfte, dem Volke die heiligen Tröstungen spendeten, bis auch ihnen der Bischof von Lebus die strenge Einhaltung der Interdiktsgebote einschärfte[138]).

In der Neustadt erhob sich nun an der Stelle, da der fromme Markgraf Otto III. einst seinen letzten Atem ausgehaucht hatte, das Kloster der Dominikaner- oder Predigermönche. Der Sohn des Verewigten, Otto V., der Lange, schenkte 1286 den Dominikanern den markgräflichen Hof, auf dem nun sogleich der einschiffige Chor der späteren Paulikirche emporstieg, der erste gotische Bau in Brandenburg, der wohl noch in demselben Jahre von dem Bischofe Gebhard eingeweiht und dem Apostel Andreas und Maria Magdalena gewidmet worden ist. Erst später haben die Predigermönche das Gotteshaus nach Paulus, dem redegewaltigen Schutzpatron der Provinz Sachsen des Dominikanerordens, genannt.

Von vornherein macht sich ein scharfer Unterschied zwischen der Art der Jünger des Franziskus und des Dominicus geltend. Beide waren auf die Volkspredigt bedacht: aber der einfachen, herzgewinnenden Sprache der Minderbrüder, in deren Besitz von Büchern nach dem Gebot des Stifters nur der Psalter und die Evangelien sein sollten, gegenüber war die der Predigermönche von vornehmer, gelehrter Bildung durchdrungen, ein Kampf mit Worten für die Rechtgläubigkeit, wie sie die Päpste forderten. Enge Beziehungen zum Adel und zu den Fürsten bahnten ihnen allenthalben den Weg. So auch in Brandenburg, wo ihnen alsbald ein ausgedehntes Gebiet zum Bau von Kirche (1286) und Kloster zur Verfügung gestellt wurde. Ihre reichlichen Mittel gestatteten ihnen, für ihre Predigtkirche sogleich einen dreischiffigen, weiträumigen, lichterfüllten Hallenbau zu beginnen, in dem die Augen dahin freie Bahn hatten, wo von der Kanzel das klare und zur Begeisterung fortreißende Wort des Predigers ertönte.

Wenn das kirchliche Leben beider Städte durch den Einzug der Bettelorden wesentlich bereichert wurde, so sind neben ihren geistlichen Einrichtungen noch Brüderschaften früh nachzuweisen, die die Macht kirchlicher Gedanken auch außerhalb der Klostermauern zeigen. So befanden sich in beiden

Städten schon damals Hospitäler, die zur Verpflegung und Versorgung armer alter und siecher Leute dienten.
Im ganzen Mittelalter ist nach Anschauung der christlichen Kirche die Armut mit dem Glanze besonderer Heiligkeit und Ehrwürdigkeit umgeben. Man braucht nur an den Kultus der Armut durch den heiligen Franziskus und seine Jünger zu denken, der schließlich zu einer gewissen Verhätschelung der Bettelei als einer Gott wohlgefälligen Sache durch die kirchlichen Behörden geführt hat. Aber schon in den Anfängen der christlichen Kirche ist die Liebestätigkeit der Armut gegenüber rege und lebendig. Der alten kirchlichen Anschauung nach gehörte alles Kirchengut den Armen und Beladenen. Sie hatten ein förmliches Anrecht auf den vierten Teil des Kirchenvermögens. Bistümer und Klöster behalten einen gewissen Teil ihres Besitzes den Armen vor. Mit jedem Kloster war in der Regel ein Armenspital verbunden. Im 12. und 13. Jahrhundert wurden förmliche Orden für die Armen- und Krankenpflege gestiftet. Neben den Antonitern, den Kreuzträgern mit dem roten Stern, war es vor allem der Orden vom Heiligen Geiste, der sich dieser Aufgabe widmete. Der große Papst Innocenz III. erneuerte im Jahre 1198 das alte angelsächsische, von einem nordischen Könige im 8. Jahrhundert gestiftete Marienkloster in Rom (Sta. Maria in Sassia) und machte daraus das Erzhospital vom heiligen Geist, in dem der Ordensmeister wohnte, und das noch heute besteht, das Mutterhaus für unzählige Heiligegeisthospitäler in allen europäischen Ländern. Der Orden hat, wie die meisten Mönchsgilden, eine vorübergehende Blüte gesehen und ist durch Eigennutz und Habsucht bald in Verfall geraten, aber der weitverbreitete Name der Heiligegeisthospitäler weist auf die begeisternde Kraft hin, die der Heilige Geist, die dritte Person der Dreifaltigkeit, den Gläubigen mitteilt. (Vgl. die mittelalterliche Hymne: Veni creator spiritus). Die meisten älteren Siechenhäuser sind von der Kirche gestiftet, gingen aber später in den Städten aus geistlicher in die weltliche Verwaltung über und wurden von den Gemeinden übernommen. In Brandenburg haben wir gerade dafür ein lehrreiches Beispiel in dem St. Spiritushospital der Altstadt. Dieses wird am frühesten von allen genannt als das Armenhospital in Parduin nahe bei der Krakauer Brücke, die wohl der heutigen Homeienbrücke entspricht. Es erscheint mit der Bezeichnung St. Spiritus schon in einer Urkunde Markgraf Ottos II. für das Domkapitel von 1204. Und wenn die Echtheit dieser Urkunde bezweifelt und sie wohl mit Recht als nach echter Vorlage interpoliert angesehen wird, so erscheint das Hospital doch sogleich wieder 1209 in einer Bestätigungsurkunde Albrechts II. im Besitze des Domkapitels, und 1217 bestätigt Bischof Siegfried II. dem Domkapitel die gleichen Besitzrechte. Seitdem aber hört die Erwähnung des Ho-

spitals in den Urkunden des Domkapitels auf, und später erscheint das Heiligegeisthospital in der Altstadt im Besitze der Stadtgemeinde. Das erklärt sich sehr einfach daraus, daß das Domkapitel schon 1220 eine Schenkung erhielt, die für die Herstellung eines eigenen Hospitals auf dem Dom bestimmt war, und andere bischöfliche Gnadenbriefe von 1225, 1227, 1230 und 1234 bestätigen die eifrige Fürsorge, mit der dieses neue Hospital am Dom ausgestattet wurde. Wenn nun aber das Armenhospital in Parduin noch 1204 (?), 1209 und 1217 dem Domkapitel gehört, so ist anzunehmen, daß es eine Gründung dieses Stifts war. Da aber um 1200 das Domkapitel keine Veranlassung mehr hatte, in Parduin oder der Altstadt Brandenburg, wo sich schon eine selbständige Stadtgemeinde befand, ein Hospital zu gründen, so ist diese Gründung jedenfalls zu der Zeit erfolgt, da das Brandenburger Domkapitel oder vielmehr der Prämonstratenserkonvent nach seiner Übersiedlung von Leitzkau zwischen 1140 und 1165 noch in Parduin bei der Gotthardtkirche seinen Sitz hatte. Somit läßt sich das Bestehen dieses Hospitals mit großer Wahrscheinlichkeit bis in die Zeit vor 1165 zurückverlegen, d. h. es erscheint diese Anstalt älter als die Altstadt Brandenburg, ja vielleicht hat der Geschichtsschreiber der mittelalterlichen Liebestätigkeit Michael, recht, wenn er es als das älteste Hospital dieses Namens in ganz Deutschland erklärt[139]). Aus kirchlichem Besitz und kirchlicher Verwaltung ist es dann später in städtische übergegangen, ohne daß wir über den Zeitpunkt dieser Veränderung ausdrücklich unterrichtet werden. Doch dürfen wir annehmen, daß sie um 1230 geschah, als das Hospital aus den Besitzurkunden des Domkapitels verschwindet und bei der Domkirche das neue Domhospital entstand. Über die innere Einrichtung dieser Anstalt ist uns aus so alter Zeit nichts bekannt.

Das Heiligegeisthospital der Neustadt wird zuerst in einer Urkunde des Jahres 1303 erwähnt. Da aber in einem Dokument von 1319 einer Schenkung des Markgrafen Otto des Langen an das Hospital gedacht wird, so ist anzunehmen, daß es mindestens schon vor dem Tode dieses Herrschers, also vor 1298, bestand. 1309 wird das Heiligegeistspital als innerhalb der Mauern der Stadt liegend angegeben. Es ist dies auffallend, da später im Jahre 1444 eine Heiligegeistkapelle zwischen beiden Städten genannt wird. Wenn man nun doch annehmen muß, daß diese Kapelle bei dem gleichnamigen Spital lag, so wird man zu dem Schluß kommen, daß das Spital inzwischen aus dem Stadtmauerring in das Gelände zwischen Neustadt und Altstadt verlegt worden ist. Die Urkunde von 1309 berichtet uns nun über das Spital einige anziehende Einzelheiten. Ein wohlhabender Bürger, Heinemann von Pritzerbe, erscheint vor den 12 Ratsherren der Neustadt, die bei dieser Gelegenheit zum ersten Male mit Namen genannt werden, und schenkt dem Hause zum heiligen Geist sechs Frusta, d. h. entweder 6 Wispel hart Korn oder 12 Wispel Hafer oder sechs Pfund Pfennige jährlicher Einkünfte[140]), die das genannte Haus alljährlich ohne Abzug empfangen soll. Dafür übernimmt es die Verpflichtung, einen Priester zu halten, der für die Seelen des Stifters, seiner Frau und seiner Vorfahren allwöchentlich vier Vigilien und ebensoviel Totenmessen lesen soll. Außerdem soll der Vorsteher des Hauses alljährlich am Donnerstag nach Weihnachten, Ostern, Johannis- (24. 6.) und Michaelistag (29. 9.) jedem Pfründner des steinernen Hauses eine Semmel Weißbrot, ein gutes Fleischgericht mit einer guten Kanne dicken und guten Bieres zur Erinnerung der genannten armen Seelen spenden, damit die Siechen in ihren Gebeten der Verblichenen gedenken.

Aus dem Vorhergehenden ergibt sich, daß das Heiligegeistspital zur Zeit dieser reichen Stiftung schon begütert war, denn das Siechenhaus befand sich in einem steinernen Gebäude, was in jener Zeit gewiß noch eine Seltenheit war. Wenige Jahre darauf (1320) hören wir, daß sogar schon eine Heiligegeistkapelle in der Neustadt vorhanden war, bei der ein Priester angestellt war. Auch die vier jährlichen gespendeten Erinnerungsmähler weisen auf eine gewisse Behäbigkeit der Verhältnisse hin.

Ein verwandtes Gebiet mittelalterlichen Lebens, das Freude am irdischen Genusse und fromme Andacht vereinigt, betreten wir, wenn wir von dem damals in Brandenburg schon vorhandenen Kaland sprechen. Eine uralte Sitte war es, daß die weltlichen Geistlichen eines örtlichen Sprengels sich am ersten jeden Monats (den Kalenden des römischen Kalenders) vereinigten, um durch gemeinsame Andachtsübungen und gesellige Unterhaltung sich in ihrem Berufe zu stärken. Die Einrichtung wurde auf eine Stiftung des Papstes Pelagius II. um 580 zurückgeführt, und fünf Jahrhunderte später finden wir die Kalandsversammlungen in einer Synodalverfügung des Erzbischofs Hinkmar von Rheims von 852 als üblich erwähnt. Aber erst im Laufe des 13. Jahrhunderts sind Kalandsbruderschaften im Gebiete des sächsischen Stammes offenbar in enger Verbindung mit den bischöflichen Sprengeln nachzuweisen. Die älteste echte Nachricht berichtet 1265 vom Braunschweiger Kaland, und bald tauchen allenthalben auf altsächsischem Boden diese geistlichen Bruderschaften auf. Es sind ursprünglich überall Vereine weltlicher Priester einer Stadt oder eines kleineren Landsprengels, die monatlich zu religiösen und geselligen Zwecken zusammenkommen, aber bald sich durch Zutritt von Laienbrüdern und -schwestern verstärken. Diese Bruderschaften vereinigten sich oft zu gemeinsamer Unterhaltung eines Altars, an dem Seelenmessen für diejenigen Verstorbenen gelesen werden, die in einer engeren Beziehung zu der Bruderschaft gestanden haben[141]). So erfahren wir durch eine Urkunde vom

17. Januar 1309, daß Markgraf Waldemar den Kalandsbrüdern der Altstadt eine Stiftung macht. Er übereignet ihnen 6 Wispel Weizen, die sie vierteljährlich aus den hiesigen markgräflichen Mühlen empfangen sollen. Sie verpflichten sich, aus diesen Einkünften an dem Altar, den sie in der Gotthardtkirche errichtet haben, einen Geistlichen anzustellen, der täglich daselbst Messen lesen soll, insbesondere für die Seelen der Vorfahren des Fürsten. Die Stiftung ist nicht eigentlich ein Geschenk, sondern ein Verkauf, denn die Kalandsbrüder zahlen dafür 70 Mark brandenburgischen Geldes bar. Wir sehen, der große Markgraf wußte seine Sorge für das Seelenheil seiner Verwandten gut mit Vorteilen für seine gewaltigen Geldbedürfnisse zu vereinen. Es war diese Übereignung ein Geschäft, bei dem beide Teile ihre Rechnung fanden, der Fürst, der Seelenmessen für seine Ahnen erhielt, die Priestergenossenschaft, die die würdige Unterhaltung ihres Altars sicherte, an dem neben den Seelen der Fürstlichkeiten auch der Verstorbenen ihrer Gemeinschaft alltäglich gedacht wurde[142]). Eine bald darauf ausgestellte Urkunde ist geeignet, uns über die Frühzeit der sogenannten Elendengilden (fraternitas exulum) zu unterrichten, die zwar in einiger Verbindung mit den Kalanden stehen, aber doch ihren eigenen Weg verfolgen. Es ist eine Vereinigung von Bürgern der Neustadt Brandenburg zur Verrichtung christlicher Liebeswerke, die uns in der Gilde der Kalandsbrüder des Elends um 1315 entgegentritt. Der junge Markgraf Johann schenkt zum Seelenheil seiner Eltern der genannten Bruderschaft drei Wispel Weizen aus dem Dorfe Etzin, damit davon und von anderen Almosen die Fremden verpflegt und die Toten begraben werden könnten[143]). Die Urkunde ist nicht ohne geschichtliche Bedeutung als ältestes Zeugnis über das Bestehen einer Elendsbruderschaft in Norddeutschland und sodann, weil sie ein gewisses Licht auf den bisher noch dunkeln Ursprung dieser frommen Bruderschaften wirft. Die eigentümliche Bezeichnung der Gilde als Kalandsbrüder des Elends (fratres calendarum exilii) hat frühere Geschichtsforscher verleitet, die Urkunde dem Kaland zuzuschreiben, wie man in früheren Zeiten überhaupt dazu neigte, Kaland- und Elendsgilden einander gleichzusetzen[144]). Indessen ergibt sich aus dem Wortlaut der Urkunde unzweideutig, daß es sich nur um jene Bruderschaft handeln kann, die die fromme Pflicht auf sich nahm, die Elenden (exules, advenae) zu beherbergen und zu verpflegen und bei ihrem Hinscheiden in der Fremde für ihr christliches Begräbnis zu sorgen. Unter den Elenden versteht der mittelalterliche Sprachgebrauch die Fremdlinge, die bei dem strengen Fremdenrecht jener Tage wohl als schutzlos und beklagenswert gelten konnten. Die fromme Sehnsucht, die Gottheit und die Heiligen an bestimmten, durch Wunder berühmten Stätten zu verehren, setzte große Scharen von Pilgern in Bewegung,

die infolge der häufig auftretenden Seuchen oft in der Fremde der Krankheit anheimfielen oder sogar erlagen. Brandenburg barg ja auf seinem Marienberge auch ein wundertätiges Bild der Himmelskönigin, das Tausende von Wallfahrern herbeilockte. Diesen „Elenden“ Hilfe zu bringen oder den letzten Dienst zu erweisen, war die Aufgabe dieser geistlichen Bürgergilden, die im Anfange des 14. Jahrhunderts allenthalben im östlichen Norddeutschland, vor allem in Niedersachsen und in der Mark Brandenburg, auftauchen, von den geistlichen Hirten jener Sprengel wohl besonders angeregt. Vielleicht hat der große Jubelablaß von 1300, der einen so gewaltigen Schwarm von Wallern in Bewegung setzte, zu diesen Gründungen die Veranlassung gegeben. Daß aber diese Brandenburger Elendsgilde auch den Namen Kaland trug, deutet darauf hin, daß sie sich selbst als eine Abart der älteren Kalandsgilden ansah, die schon im 13. Jahrhundert vorkommen und allgemeinere Zwecke verfolgen. Solche Elendenkalande gibt es mehrere, z. B. auch in Berlin. Dort aber hat sich die Gilde zu einem reinen Kaland zurückentwickelt und nur den leeren Namen bewahrt[145]), während in Brandenburg sie später nur noch Elendsgilde heißt und deren Pflichten erfüllt.

In jedem Falle ist ein tiefgreifender Unterschied zwischen Kalanden und Elenden festzustellen. Während die Kalande grundsätzlich Priestergenossenschaften sind, die das Bindeglied zwischen den Geistlichen einer Diözese bilden und unter einem Dekan stehen, Laien nur in zweiter Linie heranziehen, sind die Elendenbruderschaften eher religiöse Laienvereine mit ganz bestimmten Zwecken, bei denen aber die Geistlichkeit naturgemäß auch eine gewisse Rolle spielte.

Wir sind am Ende der Darstellung des askanischen Zeitalters. Die überaus dürftige Überlieferung hat uns kaum gestattet, die Grundlinien der Entwicklung städtischer Verfassung, des gewerblichen und kirchlichen Lebens zu schildern. Noch mehr würden die Quellen versagen, wollten wir versuchen, einen Schattenriß des Bürgerlebens in Brandenburg zu entwerfen. Ein einziger Überrest bürgerlicher Kunstübung zeigt uns, wie sehr wir beklagen müssen, daß fast alle Spuren dieser schlichten Kultur verschollen sind. In dem Innenraum eines aus dem Mittelalter stammenden Hauses, dessen nach dem Katharinenkirchplatz zu liegende Rückseite durch ihre gotischen Zierformen jedem alten Brandenburger wohl bekannt ist, in einem Raum, der zuletzt als Waschküche benutzt wurde, wurden vor einigen Jahren merkwürdige eingeritzte Zeichnungen entdeckt, die nach eingehender Untersuchung sich als Wandschmuck eines Patrizierhauses des 13. Jahrhunderts auswiesen. Es sind Putzritzzeichnungen romanischen Stils und weltlichen Gegenstandes, für unsere an derartigen Überresten völlig arme Mark eine ungeheure Seltenheit.

Die Ritzbilder stellen in sicher geführten Umrissen zwei thronende Fürsten dar, die reich gewandet und mit Zepter und Krone geschmückt auf einer Bank mit Rücklehne im Garten sitzen und die Hände erheben. Ein anderer leidlich erhaltener Teil stellt einen aus einem Wald heranreitenden Ritter dar, der mit stolzer Gebärde ein erbeutetes Kleinod den ihn Begrüßenden entgegenhält[146]). Man möchte in diesen Bildern, die in ihrem Stil unzweifelhaft auf die Mitte des 13. Jahrhunderts weisen, gern Darstellungen sehen, die in freier Weise die Eindrücke wiedergeben, die ein Brandenburger Bürger um 1241 von den großen vaterländischen Ereignissen empfing. Sieben Jahre haben die markgräflichen Brüder Johann und Otto gegen Feinde ringsum streiten müssen. Nun ist endlich Friede eingekehrt. Die feindlichen Fürsten reichen sich die Hand zur Versöhnung, und die siegreichen Krieger kehren zurück, von den Lieben in der Heimat jubelnd begrüßt. Ist unsere Deutung richtig, so spiegeln diese Bilder den seelischen Anteil des Brandenburger Bürgers an der großen Zeit, die das Askaniergeschlecht für das Land heraufgeführt hatte. Es ist dann ein tragischer Augenblick in unserer an gewaltigem Auf und Nieder so reichen Geschichte, da der Letzte dieses ruhmreichen Geschlechts früh ins Grab sank und ein Jahrhundert furchtbarster Heimsuchungen folgte.

DRITTES BUCH

DIE STÄDTE BRANDENBURG IN DER WITTELSBACHER UND LUXEMBURGER ZEIT

I. MÄRKISCHES ZWISCHENREICH HERRSCHAFT DER BAYERN BIS 1348

DER jähe Tod des Markgrafen Waldemar, der ihn mitten aus der Blüte eines tatenreichen Lebens und aus glänzender Machtfülle hinwegriß, hatte für die Mark Brandenburg und ihre einzelnen Glieder die verhängnisvollsten Folgen. Die Stadt, die immer noch als Hauptstadt der Mark Brandenburg galt, wenn auch Berlin durch seine günstigere Lage im Mittelpunkt des Landes ihr bereits ihren Rang abgelaufen hatte, die Stadt, die in rechtlicher Beziehung die Stellung einer Mutterstadt aller märkischen Gemeinden behauptete, sah den Boden unter ihren Füßen schwinden, wenn das Reich zerfiel, das die Tatkraft und die staatsmännische Größe der askanischen Fürsten zusammengebracht hatte. Und diese verhängnisvolle Folge hatte in der Tat das Abscheiden des großen Waldemar, des mächtigsten Fürsten des deutschen Nordostens. Von dem ruhmvollen Herrschergeschlechte, das die stolze Bahn zum Gipfel seiner Macht so rasch durchmessen hatte, das so reich an Zahl männlicher Sprossen war, daß ihrer neunzehn einst auf dem Markgrafenberge zu Rathenow klagen konnten, das weite Land werde kaum imstande sein, ihnen allen standesgemäßen Unterhalt zu gewähren, war nun nur ein unmündiger, schwacher Abkömmling, Heinrich II. von Landsberg, übrig, dessen unzweifelhaftes Erbrecht kein Nachbar recht achten wollte[147]). „Wie die Wüstengeier über ein gefallenes Tier", so stürzten sich die habgierigen Fürsten der angrenzenden Gebiete auf das brandenburgische Land und suchten jeder von der Beute einen Fetzen zu erhaschen.

Herzog Heinrich von Schlesien-Jauer teilte die Oberlausitz mit dem Könige Johann von Böhmen, der zugleich Lebus und Frankfurt beanspruchte. Die Herzöge von Glogau nahmen Sagan, Krossen und anderes. Die Witwe Waldemars, Agnes, brachte ihrem neuen Gemahl, Otto von Braunschweig, den sie schon nach vier Monaten erwählte, um ihr bedrohtes Leibgedinge zu behaupten, die Altmark und andere mittelmärkische Gebiete als ihr Wittum zu. Heinrich von Mecklenburg griff sofort in die Priegnitz und Uckermark über, geriet aber darüber in Streit mit dem Stettiner Pommernherzog. Der Herzog von Pommern-Wolgast und der polnische König bemächtigten sich hinterpommerscher und neumärkischer Landesteile. Der Erzbischof von Magdeburg machte seine alte Lehenshoheit über gewisse Gebiete der Mark, darunter auch die Neustadt Brandenburg, wieder geltend. Der Herzog Rudolf von Sachsen hatte wenigstens das Recht für sich, wenn er die Vormundschaft über die Witwe Waldemars und nach ihrer Wiederverheiratung über den letzten Askanier, den unmündigen Heinrich von Landsberg, in Anspruch nahm. Denn er war der nächste männliche Verwandte des Geschlechts. Er erschien denn auch sogleich in der Mittelmark und Niederlausitz, um seine Rechte wahrzunehmen. Am 14. Oktober 1319 verhandelte er in der Altstadt Brandenburg mit den Bürgern dieser Stadt. Sie versprachen ihm Anerkennung seiner Vormundschaftsrechte, die sich hier nur auf den jungen Markgrafen beziehen konnten[148]), und er verhieß ihnen dagegen, alle Freiheiten und Vorrechte zu bestätigen, die sie durch Handfesten oder Zeugnis alter Leute beweisen könnten. Für die märkischen Stadtgemeinden waren in jenen ernsten, sorgenvollen Tagen wichtige Entscheidungen zu fällen, und wie die Dinge lagen, mußten sie ihre Beschlüsse ganz selbständig fassen. Bei dem Zwiespalt des Reiches, das durch den Kampf zweier Könige zerrissen war, war es vergeblich, auf einen Richterspruch des Reichsoberhaupts zu harren, und andererseits drohte die Gefahr, daß die Mark gänzlich zerstückelt würde. So treten bei den Bürgern zwei Gesichtspunkte in den beherrschenden Vordergrund. Der eine, nur einen Regenten anzuerkennen, dessen Rechtsanspruch unbestreitbar sei, und der andere, daß, wenn irgend möglich, die Einheit und das dauernde Zusammenbleiben der größeren Heimatslandschaft gesichert werde. In diesem Sinne ließ sich die Stadt Rathenow schon am 18. September 1319 von Waldemars Witwe verbriefen[149]), daß sie nach Agnes Tode nicht von den Nachbarstädten Brandenburg und Nauen getrennt werde. Überhaupt brachte die Not der Zeit die Städte der Mittelmark, Brandenburg, Berlin-Cöln und Frankfurt nebst allen kleineren und der Niederlausitz, dazu, am 24. August 1321 zu einem Landfriedensbündnis zusammenzutreten. Aus dem Wortlaute des Bundesvertrages spricht ebenso laut der feste Wille der Städte, zusammenzuhalten und dadurch die Einheit des Landes zu schirmen, als ein starkes Wohlwollen für den sächsischen Herzog, den sie ihren Herren nennen. Für den Fall, daß der Herzog Rudolf frühzeitig verstürbe und sie damit an seine unmündigen Söhne fielen, wollen sie nur nach gemeinem Rat der Städte einem andern Fürsten zur Vormundschaft huldigen. Wenn aber einige unter ihnen sind, die dem Herzog Rudolf zu einer ewigen Huldigung gehuldigt haben, so wollen sie nicht dagegen sein, sondern es im Gegenteil billigen und fördern[150]). Der Herzog war inzwischen nicht mehr als Vormund des jungen Heinrich ihr Regent, denn dieser war bereits im Sommer 1320 gestorben. Er stand vielmehr jetzt zur Mittelmark und Niederlausitz in dem Verhältnisse des Erbansprüche Erhebenden als nächster männlicher Verwandter der erloschenen Brandenburger Askanier, wie er sich denn gelegentlich ausdrücklich als Erben der Brandenburger Markgrafen bezeichnet[151]). Und die verbündeten Stadtgemeinden der Mittelmark und der Niederlausitz sind offenbar sehr geneigt, Herzog Rudolf als ihren endgültigen Landesherren zu begrüßen, da er sich ihrer Angelegenheiten tatkräftig und sorgsam annimmt. Man hat die Gültigkeit dieses Bündnisvertrages bezweifelt, da nur zwei Siegel, die der Städte Berlin und Cöln, angehängt seien, aber in dem Text der Urkunde ist ausdrücklich bemerkt, daß, wenn die Siegel einiger Städte dem Briefe nicht angefügt würden, die Sache darum doch weitergehen solle[152]).

Um die Städte Brandenburg hat sich Herzog Rudolf in jenen Tagen besonders bemüht; denn in den argen Zwistigkeiten, die damals zwischen Altstadt und Neustadt ausgebrochen waren, tat er einen Schiedsspruch, der allerdings nicht zu einer vollen Einigung führte. Erst nach Jahr und Tag gelang es Ratmannen der Nachbarstädte, die feindlichen Schwestern zusammenzuführen und ihren Streit zu schlichten, der über die Märkte, die gemeinsame Lehmgrube, die freie Durchfahrt der Bürger durch die Nachbarstadt u. a. ging. Wenn an diesem Tage 1321 Ratsherren aus Berlin, Cöln, Frankfurt, Straußberg, Spandau, Nauen, Cöpenik und Rathenow in Brandenburg zusammentraten, so läßt sich schwer glauben, daß diese Vertreter von 10 Städten aus allen Teilen der Mittelmark nach Brandenburg gekommen wären, lediglich um zwischen den beiden streitenden Stadtgemeinden Frieden zu stiften. Da die genannten Städte samt und sonders zu denen gehören, die am 24. August 1321 in Berlin sich verbündet hatten, dieselben Städte auch wiederum auf einer Bundestagung in Berlin vom 21. Dezember 1323 erscheinen, so darf man annehmen, daß auch am Allerseelentage 1321 eine (schwächer besuchte oder im engeren Ausschuß tagende) Bundestagung in Brandenburg stattgefunden hat, über deren Beschlüsse freilich nichts überliefert ist. Wenn nun dieses Städtebündnis auch dazu dienen mochte, in diesen unsicheren Tagen des Übergangs die ärgsten Friedensbrüche durch Selbsthilfe gemeinsam zu verfolgen, so war es doch nicht mächtig genug, um auf den Thronwechsel der märkischen Lande einen bestimmenden Einfluß zu üben. Solange der Kampf um die deutsche Krone unentschieden hin und her wogte, mußten und konnten die Städte freilich dringende Fragen entscheiden, die sonst zur unbezweifelten Befugnis des Landesherrn gehörten. So einigten sich die Städte Brandenburg und Berlin am 13. August 1322 über Münzverhältnisse beider Gemeinden und trafen Maßnahmen, die den gefährdeten Handelsverkehr gesunden lassen sollten[153]). Aber die Schlacht von Mühldorf, in der der Habsburger Friedrich in die Ge-

fangenschaft seines Gegners, Ludwigs des Bayern, geriet, entschied auch über das Schicksal der Marken und gab ihnen einen neuen Herrn.
Ludwig der Bayer, der bisher durch den Daseinskampf mit seinem Widersacher an jeder Betätigung seiner Königsrechte verhindert worden war, ergriff im gehobenen Siegesgefühl nun erst das Zepter und plante sogleich wie seine Vorgänger eine Stärkung seiner Hausmacht durch Landerwerb, die ja in der Tat bei der Schwäche des Kaisertums das einzige Mittel war, dem Beherrscher des Deutschen Reiches wieder Bewegungsfreiheit und gebietendes Ansehen zu verschaffen. So entschloß er sich alsbald, die Erledigung der Brandenburger Markgrafschaft zu benutzen, um das Lehen für sein Haus einzuziehen und so den Wittelsbachern eine mächtige Stellung in Norddeutschland zu schaffen. In umsichtiger und groß angelegter Weise bereitete er mit Hilfe seines diplomatisch gewandten Beraters Berthold von Henneberg diesen Plan durch allerlei Verträge und Familienverbindungen mit Nachbarfürsten des Gebietes vor und wußte dann auf dem Reichstage zu Nürnberg die Fürsten zur Billigung seiner Absicht zu gewinnen, die Mark Brandenburg seinem ältesten, damals erst achtjährigen Sohne Ludwig zu übertragen. Unter dem Eindrucke des glänzenden Sieges von Mühldorf, der das Aufsteigen eines kraftvollen Königtums erhoffen ließ, mußte das Gestirn Rudolfs von Sachsen freilich erbleichen, um so mehr, als seine Parteinahme für den Habsburger Friedrich keine Aussicht auf Verständigung mit dem deutschen König offen ließ. So hat sich denn der Rat der Altstadt Brandenburg unter so stark veränderten Verhältnissen, wie es scheint, ohne sich mit den anderen mittelmärkischen Städten ins Einvernehmen zu setzen, entschlossen, selbständig den Weg zum deutschen König zu suchen, dessen Name in den brandenburgischen Marken seit langem fast schon ein leerer Schall geworden war. Nachdem Ende März oder Anfang April auf dem Nürnberger Reichstage König Ludwig seinem Erstgeborenen die Mark Brandenburg und die Erzkämmererwürde übertragen hatte, erschienen schon Ende Mai Abgesandte der Altstadt Brandenburg bei ihm in der Umgegend von Bamberg, um sich der Gunst der neuen Herrschaft zu versichern. Der König belohnte die neuen zur Huldigung bereiten Untertanen seines Sohnes mit einem Gnadenbriefe, in dem er ihnen auf ihren Wunsch erlaubte, zwei oder drei Juden zur Förderung ihres Gemeinwesens aufzunehmen[154]). Das dienstfertige Entgegenkommen der Stadt, nach der die Markgrafschaft ihren Namen trug und in der gewissermaßen die Erzkämmererwürde des Reiches wurzelte[155]), mußte natürlich dem Herrscher von großem Werte sein, ebenso wie die Hilfsbereitschaft der Magdeburger Bürger, die gleichzeitig am Hofe erschienen und einen Rückhalt gegen den streitlustigen Erzbischof Burchard der Elbstadt in Aussicht stellten, der damals die alte Lehens-

hoheit des Erzstiftes über die Allodien der Askanier benutzte, um Teile der Mark an sich zu reißen. Wie es scheint, haben die Gesandten beider Städte Ludwig auch weiterhin auf seinem Zuge von Nürnberg gegen Norden nach Arnstadt begleitet, wo er fast den ganzen August hindurch verweilte, um durch weitere Verhandlungen seinem Sohn den Weg in die neue Herrschaft zu ebnen. Dort verlieh er der Altstadt eine auf dem Damme zwischen beiden Städten gelegene Mühle und bestätigte ihr das oberste Gericht auf dem in der Nähe der Stadt gelegenen Beetzsee[156]). Obwohl dies selbständige Vorangehen der Altstadt Brandenburg dem Bündnisvertrage vom August 1321 nicht ganz entsprach, insofern jener die Verpflichtung aussprach, daß die mittelmärkischen Städte nur nach gemeinem Rate sich an einen anderen Herrn als Rudolf von Sachsen anschließen sollten, so scheint dies die Beziehungen von Brandenburg zu den anderen Gemeinden nicht getrübt zu haben. In der Tat konnte man auch wohl einer Stadt zur Zeit, wo eine anerkannte Herrschaft im Lande fehlte, nicht wohl verwehren, ihr Recht beim deutschen Könige zu suchen. Der Städtebund der mittelmärkischen und niederlausitzischen Städte trat im Dezember 1323 aufs neue in Berlin zusammen, und auch beide Städte Brandenburg beteiligten sich daran, erscheinen sogar an der Spitze der Teilnehmer. Wir haben in den Aufforderungen an Kyritz und Stendal, dieser Einigung beizutreten, einige Nachrichten über den Inhalt der dort gefaßten Beschlüsse. Da ist es nun bezeichnend, daß der Name Rudolfs von Sachsen in diesen Schriftstücken nicht mehr erwähnt wird, obwohl er fast gleichzeitig in Spandau für das dortige Nonnenkloster urkundet[157]). Man zieht den Fall in Erwägung, daß ein mächtiger Fürst eine der Städte mit Waffengewalt bedrohen könnte, und nimmt in Aussicht, daß alsdann die übrigen sich bemühen sollen, den Herrn durch Vorstellungen davon abzubringen. Es wog offenbar die Furcht vor, es möchte zu blutigen Kämpfen zwischen den verschiedenen Thronbewerbern kommen, und man wollte die Stimmen des Bundes in die Wagschale werfen, um eine friedliche Einigung zu befördern und sich den Verpflichtungen gegen die bisher in der Mark auftretenden Gewalthaber zu entziehen. Das ist ja dann in der Tat gelungen. Der König Ludwig hat allerdings die umfassenden Unterhandlungen und Maßregeln zur Besitzergreifung der Mark nicht selbst zu Ende geführt, wie er anfangs wollte. Ein gewisser unsteter Sinn, der ihn von einer Unternehmung zur anderen trieb, und der sogleich heraufziehende furchtbare Kampf mit dem übermütigen Papst Johann XXII. hinderte ihn daran. Aber sein trefflicher Berater Berthold von Henneberg, dem die Vormundschaft über den achtjährigen Königssohn übertragen wurde, verstand es, seinem Schutzbefohlenen allmählich die Wege zu ebnen. Zunächst gewann man die Witwe Waldemars, Agnes, und ihren Gemahl, Otto von Braunschweig, dadurch, daß man ihnen die Altmark, den Hauptteil von der Markgräfin Agnes Leibgedinge, für ihre Lebenszeit überließ und dafür das Versprechen der Unterstützung gegen den Erzbischof von Magdeburg und den Herzog Rudolf von Sachsen eintauschte[158]). So stand die Altmark dem neuen Herrn offen, von wo aus mit der Mittelmark Anfang des Jahres 1324 Fühlung gesucht wurde. Als erste mittelmärkische Städte vollzogen oder befestigten ihren Anschluß in Stendal die beiden Städte Brandenburg. Voran ging wiederum die Altstadt. Schon am 29. Januar 1324 mußte ihr der junge Markgraf in Stendal eine vorläufige, allgemeine Versicherung erteilen, alle von seinem königlichen Vater gegebenen Begnadigungen zu bestätigen[159]). An demselben Tage erscheint auch schon der Sohn Bertholds von Henneberg, Graf Heinrich von Henneberg, als Hauptmann der brandenburgischen Lande in der Altstadt Brandenburg und verleiht der Stadt die bisher zum Schloß und Land Alt-Plaue gehörige Heide, wodurch der Grund zu dem schönen Waldbesitz der Gemeinde gelegt wird[160]). Vier Tage später bestätigt Markgraf Ludwig den Bürgern der Altstadt unter rühmender Hervorhebung ihrer Hingebung und Treue und unter Erwähnung der geleisteten Huldigung alle Vorrechte, mit denen sie von dem früheren Markgrafen begnadigt worden seien (2. Februar 1324)[161]). Der geschäftige Eifer der Altstädter mag die größere Nachbarstadt ebenfalls in Bewegung gesetzt haben. Und während der Schwester jenseits der Havel nur die allgemeine Bestätigung ihrer früher verliehenen Vorrechte gegeben worden war, brachte sie gewitzigt gleich den großen Gnadenbrief Markgraf Johanns vom Jahre 1315 nach Stendal mit, der dann wörtlich wiederholt, aber nach erfolgter Huldigung noch durch mehrere neue Punkte erweitert wurde. Der junge Markgraf sicherte den Bürgern, die Lehensgüter besaßen, zu, daß sie ihren Lehenserben gegen eine Lehensware von drei Fertones für jedes Ackerstück wieder verliehen werden sollten, und den Besitzern von Erbgütern wurde der weitere Besitz derselben frei von Bede und Herrendiensten zugestanden[162]). Ja am gleichen Tage schenkte Markgraf Ludwig der Neustadt auch noch das Dorf Klein-Kreutz mit der Hohen Warte und überließ ihr die vor dem (neustädtischen) Mühlentore gelegenen markgräflichen Mühlen gegen einen jährlichen Zins und die Verpflichtung, den Mühlendamm in gutem baulichen Zustand zu erhalten. Diese wertvolle Verleihung trieb nun wieder die Altstadt an, den neuen Landesherrn um eine gleiche Gunst zu bitten, und ihrem Drängen willfahrend, verlieh Ludwig ihr, als er bald darauf am 23. Februar Brandenburg besuchte, unter Hervorhebung der alten Ehrenstellung der Stadt als Sitz des Erzkämmerers und des Bistums und mit Erwähnung des für das ganze Land zuständigen Schöppenstuhls die zwischen Altstadt und Burg gelegenen Mühlen samt dem dahinführenden alten Damme,

zu dessen Instandhaltung die Bauern der umliegenden Dörfer verpflichtet waren, außerdem aber auch die Gewässer der Unterhavel, nämlich den Beetzsee und seine nördliche Fortsetzung bis zu den Dörfern Bagow und Riewend, die Gewässer unterhalb bis zum Plauer Wasser, d. h. die Unterhavel mit der östlichen Hälfte des heutigen Plauer Sees, ein großes Fischereigebiet, das für die Bürgerschaft von großem Werte geworden ist[163]).
Durch alle diese Gunstbezeigungen mag der wittelsbachische Königssohn eine feste Stütze in den Havelstädten gewonnen und die Partei stark vermindert haben, die dort etwa noch zu Herzog Rudolf von Sachsen hielt. Gleichzeitig wurden auch die Städte Nauen und Rathenow durch Schenkungen und Begnadigungen für die wittelsbachische Partei gewonnen, Gemeinden, die schon im Anfange des Zwischenreichs den lebhaften Wunsch geäußert hatten, nicht von ihrem Vorort Brandenburg getrennt zu werden[164]). In diesem westlichen Teile der Mittelmark hatten die Wittelsbacher mit zwei mächtigen Gegnern zu rechnen, dem Erzbischof Burchard von Magdeburg und dem Herzog Rudolf von Sachsen. Der erstgenannte Kirchenfürst, ein überaus streitsüchtiger und machtgieriger Prälat, hatte die alten Ansprüche des Erzstiftes auf Lehensoberhoheit in zahlreichen Gebieten der Mittelmark erhoben, darunter die auf die Zauche und die Neustadt Brandenburg. Mit Unterhandlungen war ihm gegenüber nichts zu erreichen. Aber er hatte durch seine Herrschsucht sich genug Feinde in seiner nächsten Nachbarschaft und gerade in der Magdeburger Bürgerschaft erweckt, so daß es den Wittelsbachern an Bundesgenossen nicht fehlte. Mit dem Herzog Otto von Braunschweig, dem Brandenburger Domkapitel und anderen Herren und Städten im Bunde gelang es, ihn im Herbst 1324 zum Frieden zu zwingen. Schon vorher aber hatte man einen empfindlichen Schlag gegen ihn geführt, indem König Ludwig der Neustadt am 26. Juni 1324 das Recht zusicherte, daß sie von keinem geistlichen oder weltlichen Großen, sondern nur vom Heiligen Römischen Reich selbst zu Lehen gehen sollte. Damit wollte man das alte Lehnsverhältnis der Neustadt zum Erzstift Magdeburg dauernd zerreißen. Freilich nahm am Ende der langen Streitigkeiten mit dem Erzstift Markgraf Ludwig im Jahre 1336 doch schließcich von ihm die märkischen Besitzungen zum Lehen. Aber zunächst sah Erzbischof Burchard seine Beute in der Mittelmark seinen Händen entgleiten, mußte seinen Gegner vom Banne lösen, und als er sich im nächsten Jahre von neuem erhob, geriet er in die Gewalt der Magdeburger und fand im Kerker ein blutiges Ende[165]). War dieser Gegner unschädlich geworden, so konnte mit Rudolf von Sachsen ein Friedenszustand nur nach langwierigen Verhandlungen und unter großen Opfern erzielt werden, die aber wenigstens die Hauptmasse des askanischen

Erbes retteten. Erst im Jahre 1328 kam diese Einigung mit Rudolf zustande, der sich bis dahin in den südlichen Teilen der Mark behauptet hatte und nun für seine Ansprüche durch zwölfjährigen Pfandbesitz der Niederlausitz und der Städte Beelitz, Brietzen, Görzke (zwischen Ziesar und Wiesenburg), Fürstenwalde und Beeskow entschädigt wurde. In der Hoffnung, diese Gebiete dauernd behalten zu können, da Ludwig wohl durch Geldmangel verhindert werden würde, sie einzulösen, war Rudolf seitdem lange eine kräftige Stütze und ein treuer Helfer der Wittelsbacher in der Mark. Als es aber Ludwig doch gelang, nach Ablauf der Zeit die bedeutende Einlösungssumme aufzubringen, mußte Herzog Rudolf die Lausitz und die übrigen Städte wieder herausgeben, und seitdem bebte wohl ein bitterer Groll gegen Wittelsbach in der Seele des sächsischen Herzogs, der sich später in der Aufstellung des falschen Waldemar entlud.
Doch diese Ausführungen weisen schon weit voraus in die späteren politischen Entwicklungen. Wir müssen zunächst wieder zurückkehren zu den Anfängen der Regierung des Knaben Ludwig in der Mark. Es war überaus verhängnisvoll für seine Herrschaft und für das Land, daß im Augenblick seines Einzugs der furchtbare Streit zwischen Papst Johann XXII. und dem König Ludwig ausbrach, der alsbald die Mark und ihre Bewohner in die verheerenden Wogen dieses gehässigen Kampfes mit hineinriß. Gerade damals im März 1324 verhängte jener siebzigjährige, hinfällige, kahlköpfige Greis, ein von wildem Hasse gegen das deutsche Kaisertum erfüllter Südfranzose, den Bann über Ludwig, der unberechtigterweise die Rechte des König- und Kaisertums ausgeübt, Lehenseide entgegengenommen und die Mark Brandenburg seinem Erstgeborenen übergeben habe. Von „dem offenkundigen Übeltäter, dem Feinde Gottes und der Kirche und dem verstockten Verbrecher und seinem Sohn" abzufallen, hetzte er Vasallen und Gemeinden der Markgrafschaft auf und rief die Nachbarfürsten, vor allem den Polenkönig Wladislav Lokietek auf, in die Mark einzufallen. Der Pole folgte in frommem Eifer dem Rufe des Heiligen Vaters und suchte mit seinen wilden, teilweise heidnischen Horden, Polen, Litauern und Kumanen, die Mark mit entsetzlichem Raubzuge heim. Plündernd und brennend drangen die feindlichen Scharen in das Land vor, entsetzliche Greuel verübend, die noch lange im Munde des Volkes fortlebten. Aber die Brandenburger Bürger beider Städte, an die der Papst selbst eine aufwiegelnde Bulle erlassen hatte, ließen sich nicht von den Wittelsbachern abwendig machen, zogen vielmehr im Bunde mit den Berlinern aus, trieben die Barbaren aus dem Lande und zerstörten auf ihrem Zuge das Schloß Göritz und die Stiftskirche des päpstlich gesinnten Bischofs Stephan, der die Feinde ins Land gerufen hatte. Dafür traf sie dann der Bannstrahl und

das Interdikt des Lebuser Kirchenfürsten, dem sie lange Jahre trotzten. Erst im Jahre 1335 wurden sie vom Banne des Bischofs gelöst[166]). Davon aber ist wohl noch das päpstliche Interdikt zu scheiden, das alle Anhänger des Kaisers Ludwig und seines Sohnes traf und das die Kurie mit allen ihr zu Gebote stehenden Mitteln zur Geltung zu bringen suchte. Mit Verkündigung des Interdikts wurden, abgesehen von einzelnen Ausnahmen, öffentlicher Gottesdienst und kirchliches Begräbnis, Empfang und Spendung der Sakramente aufgehoben. Allzu schwer werden die Brandenburger Bürger nicht darunter gelitten haben, denn einerseits wird der Markgraf nicht gelitten haben, daß die Brandenburger Geistlichkeit die Befehle des Papstes und des Lebuser Bischofs befolgte, andererseits hielten die Franziskanermönche in der Altstadt, wohl wie die meisten deutschen Minderbrüder, zum Kaiser und seinem Sohne und werden willig alle gottesdienstlichen Handlungen vollzogen haben, die man von ihnen verlangte. Zwar konnte bei einem Wahlstreit um den Bischofsstuhl der Markgraf seinen Bewerber nicht durchsetzen, da ihm die päpstliche Bestätigung nicht zuteil wurde, aber der vom Papste begünstigte Bewerber mußte schließlich, um seinen Sprengel zu gewinnen, sich dem Markgrafen nähern und sich auch dem Kaiser unterwerfen. Die Städte Brandenburg scheinen lange Zeit eifrige Anhänger des jungen Markgrafen und seiner Regierung gewesen zu sein und sich seiner Gunst erfreut zu haben. Als der Markgraf Ludwig im Jahre 1333 mündig gesprochen worden war, kamen einige Jahre des Friedens, in denen die Stellung des Wittelsbachers in der Mark sich immer mehr festigte und er daran denken konnte, die verpfändete Lausitz zurückzukaufen. Dazu waren große Summen nötig, die die Untertanen aufbringen mußten. Wie hiermit wohl die Abfassung des neumärkischen Landbuches in Verbindung zu bringen ist, das die zur Verfügung stehenden Landeseinkünfte feststellen sollte, so stehen vielleicht damit auch Begnadigungen der Neustadt im Zusammenhang, die gewiß von ihr teuer erkauft wurden. Der Markgraf legte (am 9. Juni 1335) bei seiner persönlichen Anwesenheit in Brandenburg der Neustadt das Recht bei, fünf Juden zu halten und verfügte, daß in einem Umkreis von drei Meilen kein Malz bereitet und kein Bier gebraut, sowie kein Gewandschnitt geübt werde, es sei denn von Angehörigen der Brandenburger Gewandschneidergilde[167]). Danach mußten alle Krüge der Umgegend ihr Bier aus Brandenburg beziehen. Es sind das Vorrechte, die den Umlauf flüssigen Kapitals und die wirtschaftliche Herrschaft der Stadt über das Land sichern sollten, wovon wir in der Darstellung des inneren Lebens der Städte noch näher zu handeln haben werden.

Aber trotz aller Begnadigungen, die den Brandenburger Bürgern zufielen, erweiterte sich doch allmählich die Kluft zwischen dem bayerischen Markgrafen und dem Lande. Wenn auch Ludwig der Ältere tapfer und mit anerkennenswerter Tüchtigkeit seine Rechte gegen äußere und innere Feinde zu wahren suchte, so blieb er doch in den Marken ein Fremder, der, ohnehin oft abwesend, mit seiner süddeutschen Art die Niederdeutschen abstieß und durch Bevorzugung bayerischer Vasallen Anstoß erregte. Eine arge Verfehlung der Wittelsbacher raubte ihnen alle Achtung im Reiche und in der Mark und weckte Todfeindschaft bei den böhmischen Luxemburgern. Margarete Maultasch, die Erbin der Grafschaft Tirol, nach einem Bergschloß daselbst so genannt, war mit dem Sohne des Böhmenkönigs Johann vermählt. Das von ungezügelten Leidenschaften beherrschte Weib mißachtete seinen Gemahl und fand Gefallen an dem jungen, männlich schönen Wittelsbacher, dem Brandenburger Ludwig, der vielen Frauen gefährlich wurde. Um das schöne Land Tirol, das Einfallstor nach Italien, an sein Haus zu bringen, schied der Kaiser, ohne Rücksicht auf Anstand und kirchliches Recht, aus eigener Machtvollkommenheit das Weib von seinem Gatten und vermählte es mit seinem Sohne. Dieser häßliche Handel, der eine offenbare Doppelehe guthieß, wandte die Gemüter des deutschen und des märkischen Volkes von dem Wittelsbacher Kaiser und seinem Erstgeborenen ab; nun erreichten die päpstlichen Fluchbullen mit den furchtbaren Verwünschungen der Hölle ihr Ziel; jetzt erst ward er allenthalben als ein wahrer und unheilbarer Ketzer angesehen. Die Aussicht auf immer stärkere Lasten brachte im September 1345 auf einem allgemeinen Landtage in Berlin Ritterschaften und Stände dazu, sich gegen den Markgrafen und die von ihm geforderten unerträglichen Abgaben drohend zu vereinigen und von ihm die Entlassung der verhaßten, von ihm ins Land gebrachten Fremdlinge zu fordern[168]). Und zugleich begann das tiefgekränkte Haus Luxemburg mit List und Gewalt seinen Kampf gegen das Haus Bayern. Karl, der Sohn König Johanns von Böhmen, der infolge seiner französischen Erziehung Papst und Frankreich genehm war, streckte seine Hand nach dem kaiserlichen Diadem aus und wurde wirklich 1346 von den Kurfürsten, die Ludwigs Charakterlosigkeit und politische Unklugheit ihm entfremdet hatte, zum römischen Könige gewählt. Der Tod befreite ihn bald genug von seinem Gegner, dem Kaiser Ludwig; aber die Feindschaft zwischen den Häusern Luxemburg und Bayern blieb und wurde für den Markgrafen und sein brandenburgisches Land überaus verhängnisvoll. Die Gegenkönige, die er dem Böhmen zu erwecken suchte, wußte der reiche Luxemburger durch volle Spenden bald zum Verzicht zu bringen. Und bald bedrohte den Wittelsbacher in Brandenburg eine gleiche dringende Gefahr.

II. DIE WIRREN DES FALSCHEN WALDEMAR

ENN die Bewohner der Mark die einstige Ruhe und Ordnung in ihrem Lande, den Glanz der Macht und des immer höher gestiegenen Ansehens ihrer Fürsten aus dem anhaltischen Hause, zumal unter Waldemar mit ihrem Schicksale unter dem Wittelsbacher Ludwig verglichen, so fanden sie jetzt die Grenzen verheert, das Land verkleinert, teilweise verpfändet und von raubgierigen Nachbarn bedroht, ihren Seelenfrieden ununterbrochen beunruhigt durch kirchliche Bannflüche. Ihr Landesherr war ihnen innerlich fremd geblieben. Ein ihm freilich übelwollender Chronist berichtet, er habe, als ihm das Land 1348 verlorenging, ausgerufen: „Längst machte mir Sorge, wie ich dem brandenburgischen Volke und dieser traurigen Gegend auf schickliche Weise den Rücken wenden könnte. Jetzt brauche ich mich, Gott sei Dank, nicht weiter darum zu kümmern." Gewiß ist das stark übertrieben, und der tapfere Ludwig hat den besten Gegenbeweis geliefert, indem er durch jahrelangen zähen Kampf das Land seinem Geschlecht wiedereroberte. Aber ein Körnlein Wahrheit liegt doch darin, insofern, als mehr dynastisches Pflichtgefühl als innere Zuneigung ihn zu diesem tapferen Ringen getrieben, und er das wiedergewonnene, ihm doch unwirtlich erscheinende Land sogleich für immer verlassen hat. Bei solcher Gesinnung darf man sich nicht wundern, wenn die Märker an ihren wirklich glücklicheren Zustand unter den Askaniern mit erhöhter Sehnsucht dachten, zumal das Vergangene in der Erinnerung in verklärtem Licht erscheint. Als deshalb sich nach und nach ein dumpfes Gerücht verbreitete, Markgraf Waldemar, der große Askanier, lebe noch, wurde das von vielen im märkischen Volke freudig aufgenommen und wie eine Erlösung begrüßt. Ein greiser Pilger tauchte am Hofe des Magdeburger Erzbischofs Otto auf und erklärte, er sei der angeblich vor achtundzwanzig Jahren verstorbene Markgraf Waldemar. Er habe einst wegen der Vermählung mit seiner zu ihm in verbotenem Verwandtschaftsgrade stehenden Base Gewissensbisse gefühlt, sich krank und tot gestellt, die Leiche eines anderen Mannes als die seinige im Kloster Chorin begraben lassen, sei dann zur Buße durch die Länder gepilgert und komme nun zurück, um sein Land von dem jetzigen Elend zu retten. Obgleich der Erzbischof den Markgrafen Waldemar nie gesehen hatte, ließ er sich rasch und leicht überzeugen, daß der Pilger derjenige sei, für den er sich ausgab, redete ihm selbst zu, sein Land zurückzufordern und verband sich mit dem anhaltischen Fürsten, um die Mark für das askanische Haus zurückzuerobern. Der geheimnisvolle Alte kündete nun den Märkern seine Wiederkehr an und fand bei vielen Städten ein rasches und freudiges Willkommen. Das Volk, auf bessere Tage hoffend, mag vielfach gern an das Wunder geglaubt haben, und die Geistlichkeit bereitete ihm mit Kreuzen und Fahnen einen feierlichen Einzug in die Städte. Allen voran ging mit dem Übergang zum neuen Herrn die Altstadt Brandenburg. Wie sie einst, als König Ludwig seinem Erstgeborenen die Mark als erledigtes Reichslehen verlieh, als erste sich dem Königssohn unterworfen hatte, gab sie jetzt den anderen Gemeinden das Zeichen zum Abfall von den Wittelsbachern. Bei den ersten Nachrichten von dem Auftreten des Pilgers vereinigte sich die Stadt Brandenburg mit den benachbarten Gemeinden Rathenow und Nauen zu dem Übereinkommen, bei einem und demselben Herrn zu bleiben und in den bevorstehenden Gefahren Glück und Not miteinander zu teilen. Ein solcher Vertrag verkündet den Entschluß, die alte Herrschaft zu verlassen. Und diesem Bündnis der drei havelländischen Gemeinden ging vom 11. August 1348 ein ganz ähnliches der Städte der Uckermark, Prenzlau, Pasewalk, Angermünde und Templin, voran, das gemeinsames Handeln und Kämpfen vorschrieb[169]).

Am 15. August erscheint dann das erste Lebenszeichen des wiedererstandenen Waldemar. Es ist eine Schenkung für die Altstadt Brandenburg, der er Wiesen und Äcker bei Plaue verschreibt. Und schon zwei Tage später fertigt Waldemar einen großen Gnadenbrief für dieselbe Gemeinde aus, dessen Inhalt außerordentlich merkwürdig anmutet. Er enthält so schwerwiegende Bestimmungen, daß allein durch ihn dem wiedergekehrten Herrscher Fesseln angelegt werden, wie sie bisher kein Fürst zu tragen hatte. Daß zunächst der Pilger alle Handfesten und Briefe bestätigt, die die Vorgänger gegeben haben, ist ja selbstverständlich. Die weiteren Punkte aber eröffnen den Blick auf die bitteren Erfahrungen, die die Untertanen unter der Regierung des Wittelsbachers gemacht hatten, und die tiefe Unzufriedenheit, die sie dazu trieb, sich dem geheimnisvollen Ankömmling in die Arme zu werfen. Zunächst beziehen sich eine Reihe von Sätzen auf Übergriffe fürstlicher Vasallen, gegen die durch kräftige Maßregeln Schutz verlangt wird. Wenn einer der Mannen oder Burgherren mit anderen in Unfrieden lebt, sich am Recht nicht genügen lassen will und den Gegner vergewaltigt, so soll man ihn gerichtlich verfolgen und, wenn nötig, in allen Städten verfesten (friedlos machen) und nicht eher wieder hausen und speisen, bis er sich zum Frieden bequemt, und der Fürst soll

dazu Hilfe leisten. Gegen die Überlastung der Städte durch Beherbergung des fürstlichen Kriegsgefolges verwahren sich die Städte und behalten sich ausdrücklich das Recht vor, ein Übermaß in dieser Hinsicht abzulehnen. Frevel oder Gewalttaten der Ritter, die sie in der Stadt verüben, sollen nach Stadtrecht gerichtet werden. Neue Burgen und Festen im Lande dürfen nur mit Rat der Städte gebaut werden, und die, so seit dem Fortgang Waldemars inzwischen neu errichtet sind, will der Fürst brechen. Aus diesen Punkten spricht der Unmut über die Übergriffe der Fremdlinge, die im Gefolge des Wittelsbachers sich befanden, und deren Entfernung die Landstände wiederholt gefordert hatten[170]). Um sich gegen solche Friedensbrüche und schwere Belastungen zu schützen, war man wiederholt zu Städtebündnissen zusammengetreten, und so verlangte man nun vom Fürsten, er solle Vereinigungen der Städte untereinander, durch die sie gemeinschaftlich jeder Vergewaltigung Widerstand leisten könnten, ausdrücklich gestatten und befördern, ja ihnen sogar das Recht zusprechen, einen anderen Fürsten zu wählen, wenn ihnen nicht ihr Recht wird. So ließen sich die Bürger das Recht bewaffneter Bündnisse und des Widerstandes feierlich und auf ewig verbriefen. Erregen diese Bestimmungen schwere Bedenken, insofern sie jeden festen Zusammenhang des Staats aufzulösen geeignet sind, so erscheint wenigstens der Punkt, der an der Spitze aller dieser Klauseln steht, erfreulicher, daß der Fürst sich verpflichten soll, die Länder nicht zu trennen oder zu teilen. Das spricht doch für ein starkes Staatsbewußtsein, das in dem Bürgertum lebte und eine Zerstückelung des Heimatlandes verhüten wollte. Diese Gefahr zu beschwören, war allerdings alle Veranlassung; denn wenn der Pilger ohne eigenes Heer in das Land einzog, geleitet von den Ritterscharen dreier Fürstentümer, des Magdeburger Erzbischofs, der Herzöge von Sachsen und der Grafen von Anhalt, so war allerdings die Möglichkeit sehr naheliegend, daß die Mark der Zerstückelung anheimfiel.
Wir haben im Vorhergehenden immer von den Forderungen der Stadt an Waldemar gesprochen. Es ist ja in der Tat klar, daß solche Zusicherungen der Fürst nicht von selber, in einem Rausche der Freigebigkeit bewilligt hat, sondern daß sie ihm abgerungen worden sind. Das wird noch deutlicher, wenn wir feststellen, daß der ganze Text dieser Bestimmungen in sieben Urkunden wiederkehrt, die Waldemar acht Städten der Altmark, Mittelmark, Uckermark und Priegnitz ausstellte[171]). Es ergibt sich daraus unzweifelhaft, daß dem fürstlichen Pilger ein einheitlicher Wille gegenübertrat, der diese Forderungen vorher in gemeinsamen Beratungen geformt hatte. Und wenn diese Folgerung richtig ist, so entsteht der Verdacht, daß die Führer der märkischen Städte Mitwisser und Mitschuldige, vielleicht Mitanstifter des

Trugspiels gewesen sind, das in jenen Tagen zum Unheil des märkischen Landes begann. Zeitgenossen haben dies mit aller Entschiedenheit behauptet. Der Mönch Heinrich von Herford, der dem bayerischen Ludwig sehr übel gesinnt ist und ihm die ärgsten Bedrückungen der Märker zum Vorwurf macht, schreibt im Anschluß daran: Jene seufzen unter dem Drucke seiner Gewaltherrschaft wie unter einer schweren Last, und zur Knechtschaft verurteilt, schmachten sie nach Freiheit. Die bedeutenderen Städte unter ihnen verschwören sich, um die Freiheit wiederzugewinnen und ziehen zu ihrer Verschwörung mehrere der Mark benachbarte Fürsten und Herren hinzu. Sie gewinnen einen Bauern, einen Menschen von niedrigster Herkunft, erklären, er sei der Markgraf Waldemar, der schon vor dreißig Jahren verstorben war, verbreiten die Nachricht, er sei von einer langen Büßerwanderung zurückgekehrt, jubeln ihm wie dem wahren, aus langer Verbannung heimgekommenen Markgrafen zu und leisten ihm in allem Gehorsam[172]).
Andere Zeitgenossen haben ja in erster Linie Herzog Rudolf von Sachsen, den Älteren, als Anstifter des Schelmenstücks beschuldigt. Am härtesten klagt ihn an der süddeutsche Minnesänger Leupold von Hornberg, der in seinem Liede vom falschen Waldemar erzählt, wie er im Walde ein verführerisches Weib gefunden habe, das sich Frau Ehre genannt und mit schmeichlerischen Worten ihn habe dazu verführen wollen, im Gesange Waldemar zu preisen. Er aber singt entrüstet:

Auf dieser Welt der Unehre
Wollt' ich nicht, ich wäre
Ein König, ein Kaiser, der da lüge,
Oder ein Fürste, der da trüge,
Wie der von Trügesachsen,
Dem solch ein Schalk erwachsen
Wär' aus einer Klause gar:
Fahr hin mit deinem Waldemar!

Wenn er auch in diesen Worten sichtlich auf die Mitschuld des Kaisers Karl IV. hindeutet, mit Hinblick auf den er auch in den Schlußversen seines Gedichts den Heiligen Vater anfleht, er möge geben

Ein Oberhaupt der Christenheit,
Das übe allzeit Redlichkeit[173]),

so wälzt er doch die Hauptschuld auf den alten Sachsenherzog. Wenn man aber das willige Entgegenkommen betrachtet, das der Pilger in der Altmark, der Priegnitz und im Havelland fand, andererseits beachtet, wie ihm überall ein fertiges Formular vorgelegt wurde, das er nur zu unterzeichnen hatte, so drängt sich allerdings der Gedanke auf, daß eine gegen die Bayern gerichtete Verschwörung der märkischen Stadtgemeinden bestand, die sich mit den drei Nachbarfürsten, dem Herzog Rudolf von Sachsen, dem Erzbischof von Magdeburg und dem anhaltischen Grafen im geheimen in Verbindung gesetzt hatten, um den verhaßten Wittelsbacher zu entthronen und die Askanier wieder zu Landesherren zu bekommen. Die Menge des Volkes mochte die wundersame Mär glauben. Die Rückkehr eines längst tot geglaubten Fürsten nach Jahrzehnten aus dem heiligen Lande war nicht etwas so Unerhörtes. War doch Herzog Heinrich von Mecklenburg nach sechsundzwanzigjähriger Abwesenheit, als man längst an seiner Wiederkehr verzweifelt hatte, von seiner Pilgerfahrt zurückgekommen und hatte den verlassenen Thron wieder eingenommen. Aber für die wenigen Wissenden war der angebliche heimkehrende Markgraf Waldemar wohl nur eine Puppe, die bald genug hinter seinen Drahtziehern, den Nachbarfürsten, die mit gewappneter Macht einzogen, zurückgetreten ist. Bemerkenswert aber ist es, daß die Städteverschwörung, die wir vorauszusetzen guten Grund haben, keineswegs die ganze Mark umfaßte, sondern nur bestimmte Teile derselben, zumal solche, die nachbarliche Beziehungen zu Sachsen und Anhalt hatten. Es hielten sogleich zu Waldemar Altmark und Priegnitz, die Uckermark und die havelländischen Städte, wogegen Spandau, Berlin und Kölln sich abwartend verhielten, letztere Städte sogar mit Gewalt eingenommen werden mußten. Das Land Lebus, abgesehen von dem bayernfeindlichen Bischof Apetzko, der seiner Gesinnung wegen meist seinen Bischofssitz meiden mußte, und die Neumark samt der mächtigen Oderstadt Frankfurt blieben auf der Seite der Wittelsbacher. — Wenn also eine solche Städteverschwörung bestand, in der Brandenburg eine führende Rolle gespielt haben mag, so war jedenfalls nur ein kleiner Teil der Mittelmark ursprünglich daran beteiligt. Erst durch das Bündnis mit dem Herzog Barnim von Pommern, Stettin und den mecklenburger Herren Albrecht und Johann wurde Waldemar und seine Helfer stark genug, um sich auch Berlins zu bemächtigen. Frohlockend hatten sie König Karl IV. ihre ersten leicht errungenen Erfolge mitgeteilt, und dieser, der in Ludwig von Brandenburg den gefährlichsten Gegner seines Königtums sah, nahm mit hoher Befriedigung davon Kenntnis, daß „der erlauchte Markgraf von Brandenburg, Waldemar“, bis Ende August schon 25 märkische Städte eingenommen hätte, und stellte in Aussicht, daß er sogleich mit großer Heeresmacht in der Mark erscheinen werde, um die Sache zu glücklichem Ende zu bringen. Wie er in diesem Schreiben [174]) sofort für den Pilger Partei nahm, wie er schon früher Besitzstücke der Mark an die sächsischen und mecklenburgischen Nachbarn unter Verletzung des Reichsrechts vergeben hatte [175]), so schritt er auf dieser Bahn weiter. Er erfüllte das Versprechen, das er der waldemarschen Partei gegeben hatte, sogleich und vereinigte sich schon Ende September im Land Lebus bei Heinersdorf zwischen Müncheberg und Fürstenwalde mit Waldemar und seinen Helfern. Hier wurde in großer verdächtiger Eile eine Art Untersuchung über die Echtheit Waldemars angestellt, d. h. erklärte Feinde Ludwigs, die durch die Anerkennung des Thronbewerbers nur gewinnen konnten, wie die von Sachsen, von Anhalt, von Mecklenburg, gaben an, daß nach der Erklärung anderer, die nicht genannt wurden, Waldemar der tot geglaubte Markgraf sei. Eine eidliche Erhärtung ihrer Aussage unterblieb übrigens. Daraufhin belehnte Karl Waldemar mit der Mark Brandenburg und der Lausitz am 2. Oktober 1348, ohne daß vorher Ludwig ausdrücklich der Mark verlustig erklärt wurde[176]). Die Landesstände, Geistliche, Adel, Bürger und Bauern wurden angewiesen, Waldemar als dem rechten Markgrafen zu huldigen und gehorsam zu sein[177]). Für den Fall von Waldemars kinderlosem Tode aber sollten die Lande den Herzögen Rudolf d. J. und Otto von Sachsen und den Grafen Albrecht und Waldemar von Anhalt zufallen. Karl aber ließ sich für seine königliche Hilfe sogleich wieder die Lausitz abtreten. Wir haben keinerlei Nachrichten über den Eindruck dieser Ereignisse, über die Stimmung jener Tage in beiden Städten Brandenburg. Jahrbücher und Urkunden lassen uns völlig im Stiche. Wir wissen nur, daß Brandenburg, nachdem es, allen anderen märkischen Städten voran, sich auf die Seite des zurückgekehrten Waldemar gestellt hatte, bis zuletzt bei ihm ausgehalten hat. Was die Ratmannen und Bürger dazu getrieben hat, wir erfahren es nicht, aber wir dürfen annehmen, es war ebenso tiefe Unzufriedenheit mit den bestehenden Zuständen, Erbitterung über eine langjährige Mißregierung wie Hinneigung zu den askanischen Nachbarfürsten, mit denen man dauernd wieder vereinigt zu werden hoffte. Daß die Führer der städtischen Politik an die Echtheit des Pilgers glaubten, möchten wir fast bezweifeln, aber um den Preis, wieder unter ein Herrscherhaus zu kommen, das die Eigenart und die Bedürfnisse der Märker verstand, mochten sie den Betrug gutgeheißen und befördert haben. Nur daß dieses ganze feingesponnene Ränkespiel die große Gefahr nahebrachte, daß das märkische Land auseinandergerissen wurde. Denn es standen hinter Waldemar nicht ein, sondern eine Mehrzahl von Thronbewerbern, die voraussichtlich alle einen reichen Anteil an der Beute beanspruchen würden, sobald sie geborgen war. Und bis dahin tobte der Kampf aller gegen alle in der Mark, der nach dem Berichte der Chroniken der Nachbargebiete das unglückliche Land auf das furchtbarste verheerte. So leicht, wie die Anhänger Waldemars und der deutsche König es erwarteten, war die Mark nicht gewonnen. Vor den starken Mauern des bayerntreuen Frankfurt brach sich der Ansturm der Angreifer, nachdem Markgraf Ludwig, der endlich in das schwer bedrohte Land zurückgekehrt war, sich mit seinem Heere in die Stadt geworfen hatte. Die Neumark hielten die dort einflußreichen Adelsgeschlechter der Wedel und von Osten bei den Wittelsbachern fest. Als die Belagerung Frankfurts nicht sogleich zum Ziele führte, verließ König Karl die Mark und überließ das Weitere seinen Bundesgenossen, die nicht untätig blieben, die erlittene Schlappe auszuwetzen. Sie benutzten eine neue Abwesenheit Ludwigs, der nach dem Westen eilte, um die Königswahl Günthers von Schwarzburg gegen Karl zustande zu bringen, dazu, sich in den bisher gewonnenen Gebieten festzusetzen und die Früchte der bisherigen Werbung zu ernten. Daß es ihnen zunächst gelang, die bisher erreichten Erfolge nicht nur zu behaupten, sondern noch zu erweitern, verdankten sie vor allem den Städten, die, wie es scheint unter Führung der Brandenburger, ihr Schicksal tatkräftig selbst in die Hand nahmen. Einmütig in der Abwendung von den Wittelsbachern traten die Stadtgemeinden der Altmark, der Priegnitz, der Uckermark und der neuen oder Mittelmark, fünfunddreißig an der Zahl, am 26. Januar 1349 in Spandau zusammen und erklärten, daß sie einig geworden seien, bei ihrem rechten Erbherren Markgraf Waldemar zu bleiben, daß sie aber die Einheit des Landes auch gegen den Willen des Fürsten aufrechterhalten wollten. Stürbe Waldemar ohne rechte Erben, so wollten sie von neuem zusammenkommen, sei es in Brandenburg oder in Stendal, in Perleberg oder Berlin oder Prenzlau, um dann mit ganzer Eintracht bei einem Herrn zu bleiben, „dar uns ere unn recht anwiset". Die Stellung der Namen der urkundenden Städte, wo die Havelländischen unter Brandenburgs Vortritt an der Spitze erscheinen, dann die der Priegnitz, der Altmark, der Uckermark und ganz zuletzt Berlin, Cöln und Spandau mit den ihnen zugehörigen kleineren Städten, läßt darauf schließen, daß die erstgenannten Gruppen, die ja von vornherein Waldemar zugefallen waren, schon früher miteinander verbündet waren, die Städte des Barnim und Teltow aber sich ihnen erst später und zögernd angeschlossen hatten[178]). Die Verhandlungen dieses umfassenden Städtebündnisses werden dann fortgesetzt auf der großen Tagung vom 6. April, die ebenfalls in Spandau stattfand und ungefähr die gleichen Städte vereinigte. Hier handelte es sich vor allem um die Festsetzung der Erbfolge nach Markgraf Waldemars Tode. Die genannten Städte geloben mit Zustimmung des Markgrafen Waldemar, nach seinem Tode und auch bei seinem Leben keinen anderen Herrn anzunehmen, als die Fürsten Albrecht und Waldemar von Anhalt, Grafen zu Askanien. Sollte ein anderer Fürst besseres Recht an der Mark beweisen, so muß er erst den Anhaltern ihre Kosten und Schaden ersetzen, den sie bei dem Krieg um die Mark aufgewendet haben. Auch wollen die Städte den Herren von Anhalt und ihren Erben treulich raten und helfen in all ihren Nöten. Als Zeugen sind in dieser Urkunde, deren Urschrift sich noch heute, mit neunundzwanzig Siegeln versehen, im Gesamtarchiv in Dessau befindet, Herzog Rudolf von Sachsen der Jüngere, Graf Ulrich von Lindow und viele Edle der Mark genannt. Es ist also hier die praktische Folgerung aus der Forderung der waldemarisch gesinnten märkischen Städte gezogen, daß das märkische Land auch nach dem Tode des zurückgekehrten Waldemar nicht zerstückelt werden darf, sondern bei einem Herrn bleiben soll. Deshalb ist hier von Ansprüchen der sächsischen Herzöge keine Rede, sondern es sind nur die Grafen von Anhalt als alleinige Erben des Landes genannt. Und in einem Briefe vom selben Tage und Ort versprachen die Anhaltiner den genannten Städten dafür den Schutz aller ihrer Rechte und ausdrücklich die Unteilbarkeit des Landes[179]). Gegen diese den Städten gemachten Versprechungen verstießen aber die zwischen den Fürsten getroffenen Abmachungen. Denn wenn auch in erster Linie die Länder des Fürstentums Anhalt und der Grafschaft Askanien zur Entschädigung für die sächsischen Fürsten ausersehen waren, so war in gewissen Fällen auch eine Befriedigung aus angrenzenden märkischen Gebieten in Aussicht genommen. Und der angebliche Waldemar bestimmte, daß die Altmark und Sandow, die dem Magdeburger Erzbischofe für die Kriegskosten verpfändet wurden, nach seinem erblosen Tode ganz an das Erzstift fallen sollten. Ja selbst den mecklenburger Herren wurde von der Mark für ihren Beistand alles verschrieben, was sie gewonnen hätten und noch erwerben würden[180]). So ruhte der Vertrag zwischen den märkischen Städten und den Anhalter Fürsten auf der Grundlage von Täuschung und Lüge und mußte früher oder später auseinanderbrechen. Die Rolle, die der angebliche Markgraf Waldemar bei diesen Verhandlungen spielte[181]), ist eine besonders unwürdige. Es gibt keinen stärkeren Beweis gegen seine Echtheit, als der Umstand, daß er das Aufteilen der Mark durch seine Bundesgenossen guthieß. Der echte Waldemar hatte einst in den drangsalvollen Jahren mit höchstem Aufgebot zäher Tatkraft seine Lande gegen gewaltigste Übermacht zusammengehalten und war der ärgsten Not mit heldenhafter Kühnheit und unbeugsamem Trotze begegnet. Wer möchte glauben, daß sich dieser stolze Held in einen solchen verächtlichen Schwächling verwandeln konnte, der willenlos die Zerstörung seiner eigenen Schöpfung geschehen ließ!? Dieser kläglichen Truggestalt gegenüber erhebt sich sein Gegner, Ludwig der Ältere, zu achtunggebietender Höhe, der den Kampf um das ungeliebte Land um seiner Mannes- und Fürstenehre willen mannhaft aufnahm und ihn mit Kraft und Ausdauer bald durch Schwerthieb, bald durch klug lavierende Verhandlungen zu einem glücklichen Ende führte. Zunächst mußte er dem gefährlichsten Gegner, Karl IV., gegenüber, den die

Königskrone schmückte, einen Schritt entgegentun. Da der von ihm aufgestellte Gegenkönig Günther von Schwarzburg einem frühen Ende entgegensiechte, versprach er Karl die Reichskleinodien auszuliefern und erkannte ihn als König an. Dafür bestätigte dieser ihn in allen seinen Besitzungen außer der Mark und gab ihm wohl unbestimmte und zweideutige Friedensversicherungen. Wenn nun Ludwig auf Grund solcher unbestimmten Versprechungen sich zur Hoffnung berechtigt glaubte, Karl werde ihm nun auch zur Wiedergewinnung der Mark behilflich sein, so erlebte er zunächst eine herbe Enttäuschung. Er kam zwar durch den Hinweis auf seine Aussöhnung mit dem Könige mit einem Teile der märkischen Städte, unter denen die Städte Brandenburg und die der Altmark und Priegnitz wohl nicht vertreten waren, in Unterhandlungen, die aber bald abgebrochen wurden, weil Karl kühl erklärte, daß er nach wie vor nur Waldemar als rechtmäßigen Markgrafen von Brandenburg anerkenne[182]). So begann der Kampf von neuem, aber unter günstigeren Umständen für die Wittelsbacher als bisher, denn die zweideutige Haltung des Reichsoberhauptes brachte unter die Anhänger des Pilgers Schwanken und Unsicherheit. Streitbare Bundesgenossen kamen Ludwig zu Hilfe, wie der König von Dänemark, die Pommernherzöge und die Braunschweiger. In dem märkischen Städtebunde löste der Abfall die Reihen, und trotz wechselnden Kriegsglücks traten wichtige Glieder, wie Spandau, der havelländische Adel und der Graf von Lindow zu Ludwig über. So konnten bei Erschöpfung der Gegner der Wittelsbacher unter günstigeren Aussichten die Unterhandlungen von neuem beginnen, und zwar führte er sie geschickt nach zwei Seiten, mit Waldemar und seinen Genossen und zugleich mit Karl. Es kam Ludwig jetzt sehr zustatten, daß der schlaue Luxemburger fürchtete, bei einem unmittelbaren Vergleich zwischen beiden Parteien das Nachsehen zu haben. Außerdem erkannte er klar, daß der Bayer doch nicht zu beseitigen sei, er somit die Politik des Hinhaltens aufgeben müsse. So kam also Ludwig zuerst am 2. Februar 1350 in Spremberg mit der askanischen Partei zusammen, wo man übereinkam, die Entscheidung in dem märkischen Streite dem schwedischen König Magnus zu übertragen. Als dann Ludwig weiter nach Bautzen zog, wo er mit König Karl zusammentraf, lehnte dieser und das von ihm eingesetzte Schiedsgericht entrüstet die Einmischung eines fremden Herrschers in diese Frage des Reichs ab und nahmen selbst die Entscheidung darüber in die Hand. Die Untersuchung über die Echtheit Waldemars wurde von neuem eingeleitet, ebenso einseitig und parteiisch wie früher, nur in der entgegengesetzten Richtung. Eine Anzahl von fürstlichen und ritterlichen Zeugen wollten schwören, daß jener Waldemar eher der falsche als der echte sei[183]). Ein Reichstag zu Nürnberg im April brachte die endgültige Entscheidung,

die Waldemar das Fürstentum absprach, seinen Helfern die Nachfolge in der Mark nahm und das Land aufforderte, sich Ludwig und seinen Brüdern wieder zu unterwerfen[184]). Aber die Aufforderungen und Drohungen des Königs gegen die märkischen Städte, an deren Spitze wieder Alt- und Neustadt Brandenburg genannt werden, waren vergeblich. Die sächsischen und auch anhaltischen Fürsten versammelten sich mit dem Erzbischofe von Magdeburg in Brandenburg und traten dort mit den märkischen Städten in erneute Verhandlungen. Sie beschlossen, von den meisten von ihnen die Erbhuldigung für sich einzuholen, verzichteten aber offenbar infolge ausdrücklichen Verlangens der Städte auf eine Teilung der Mark und ließen sich deshalb gemeinsam huldigen. Feierlich versprachen sie den ihnen anhängenden Gemeinden Unteilbarkeit der Lande und Beistand gegen jeden anderen Herrn. Gleichzeitig richteten diese Städte an Karl, ihrem lieben gnädigen Herrn, ein Bittschreiben, das recht klug den Herrscher daran erinnert, er habe sie doch selbst in Frankfurt und in Wittenberg an die sächsischen und anhaltischen Fürsten mit Mund und Briefen gewiesen; sie wollten also nur sein königliches Gebot erfüllen und bäten ihn deshalb, er möchte sie bei Waldemar und seinen Nachfolgern lassen, da sie sonst an seiner Gnade zweifeln müßten. Als erste vollzog die Huldigung und schrieb einen solchen Brief die Altstadt Brandenburg am 19. April, dem am folgenden Tage die Neustadt folgte. Die askanischen Fürsten setzten von da ihre Huldigungsfahrt nach Nauen, Rathenow, Görzke, dann unter Umgehung des feindlich gewordenen Spandau nach Berlin, Cöln, Köpenik, Strausberg, Bernau, Eberswalde, Prenzlau, Pasewalk, Angermünde, Templin fort, wo sie allenthalben gleichlautende Bittschreiben an den König richten ließen[185]). Inzwischen langte ein Schreiben Karls vom 1. Juni in der Mark an, das die Städte aufforderte, von ihrem Unglauben zu lassen und sich Ludwig anzuschließen, da er sonst die bayerischen Fürsten gegen die widerspenstigen Märker unterstützen müßte. Er hatte damit keinen anderen Erfolg als den, daß jene Schreiben nicht abgeschickt wurden, da man ihre Nutzlosigkeit einsah. Sie befinden sich noch heute sämtlich im Hausarchiv zu Dessau.
So mußten die Bayern den Widerstand mit Waffengewalt brechen. Und König Karl, der seine Mahnung in den Wind geschlagen sah, entschloß sich, ihnen wenigstens durch ernste moralische Maßregel Unterstützung zu leihen. Er belegte am 12. September 1350 eine Reihe von Städten, unter ihnen Brandenburg, mit der höchsten Strafe weltlicher Macht, mit der Reichsacht[185]). Aber auch dieser Strafe trotzte die Stadt unerschrocken noch fast fünf Jahre. War ja diese Waffe stumpf, solange kein streitbares Heer dahinter stand, und hinter ihren starken Mauern durften die beiden Städte getrost den Angriff der Gegner erwarten. Aber freilich, die Zeit arbeitete nicht für die As-

kanier, deren Macht zu entscheidenden Schlägen nicht genügte, sondern für die Wittelsbacher. Schon Ludwig der Ältere, der nur noch zwei Jahre seine Kräfte der Wiedergewinnung der Mark widmete, erreichte entscheidende Erfolge. Als er Weihnachten 1351 mit seinen Brüdern Ludwig dem Römer und Otto den Vertrag schloß, indem er auf die Mark Brandenburg verzichtete, um sich nach der bayerischen Heimat zurückzuziehen[187]), war nach mühevollen Kämpfen die ganze Altmark, die Priegnitz, die Herrschaft Ruppin, der Barnim und Teltow mit den wichtigen Städten Berlin und Spandau in der Hand der Wittelsbacher. Und auch im Havelland ging der Abfall vorwärts. Rathenow, das doch beim Erscheinen des Pilgers mit Brandenburg den Bund geschlossen hatte, sich niemals von der Schwesterstadt zu trennen, unterwarf sich den Bayern, und auch einflußreiche Edle der Landschaft, wie die Bredows, wendeten sich der stärkeren Partei zu. Der Brandenburger Bischof scheint im Bunde mit dem Havelberger lange eine bewaffnete Neutralität behauptet zu haben. Schon damals war an einen Sieg der Anhalter nicht mehr zu denken, und das Äußerste, was zu erwarten war, war ein Teilerfolg, der zu einer Trennung einzelner Gebietsteile der Mark hätte führen müssen. Trotzdem die furchtbare Verwirrung! Der männermordende und landverderbende Streit ging noch jahrelang weiter und wogte hin und her. Wiederholt scheint sich der Kampf in die Nähe von Brandenburg gezogen zu haben. Am 10. Juli 1352 erscheint Ludwig der Römer im Lager vor Nauen[188]), das sich ihm schon als Herrn unterwarf, und fünf Tage später liegt er bei Wachow oder Bagow, in drohender Nähe der Havelstadt. Auch im September des Jahres 1353 urkundet Ludwig im Felde vor Brandenburg[189]). Unsere Nachrichten aus erzählenden Quellen sind so unendlich dürftig, daß wir nichts Näheres über diese Kämpfe wissen. Nur so viel ist gewiß, die Tore Brandenburgs blieben ihm verschlossen. Erst im März 1355 wurde der Mark endlich der Friede zurückgegeben. Die letzten Gebiete, die noch die askanischen Banner hochhielten, die Uckermark und die Städte Brandenburg, mußten an Unterwerfung denken, nachdem Magdeburg und Sachsen endgültig den Kampfplatz verlassen hatten. In Prenzlau begannen die Verhandlungen, die zu einem Vertrage führten, in dem die Anhalter für sich und ihren Waldemar auf die Mark verzichteten und die Lande und Städte, die noch zu ihnen hielten, ihrer Huldigung und Eide zu entlassen versprachen[190]). Der Schlußauftritt des tränenreichen Schauspiels aber spielte sich am 9. März 1355 vor und in Brandenburg ab. Ehe den Bayern die Tore geöffnet wurden, ließ man sich von den Anhalter Fürsten einen Schutzbrief ausstellen, in dem sie geloben, sie vor jeder Vergewaltigung zu schirmen[191]). Dann zog der Wittelsbacher in die Stadt ein, die ihm so viele Jahre getrotzt hatte.

Nun wurde der Brief Waldemars verlesen, in dem er mit fürstlichem Anstand seine letzte Regierungshandlung ausübt. „Wir Waldemar“, heißt es darin, „von der Gnade Gottes Markgraf zu Brandenburg und zu Lausitz und zu Landsberg, des heiligen Reiches Erzkämmerer, bekennen, daß wir mit gutem Willen und vorbedachtem Mute die treuen Leute, die Ratmannen und Bürger gemeiniglich in beiden Städten zu Brandenburg und zu Görzke entlassen der Huldigung, die sie uns getan haben, danken ihnen mit Fleiße und weisen sie an den durchlauchtigsten Fürsten, Ludwig den Römer, Markgraf zu Brandenburg, und seinen Bruder Otto. Zu einem steten Zeugnis haben wir diesen Brief mit unserm Insiegel gegeben zu Dessau nach Gotts Geburt dreizehnhundert Jahr in dem fünf und fünfzigsten Jahre des Dienstages nach dem Sonntag Oculi in der Fasten“[192]). Damit trat der Trugwaldemar von dem politischen Schauplatz, auf dem er so viel Verwirrung gestiftet hatte, ab. Wenn er bis zu seinem Tode fürstlich gehalten am Dessauer Hofe gelebt hat, wenn er schließlich seine letzte Ruhe in der Fürstengruft gefunden hat, so beweist dies nichts für seine Echtheit, nur dafür, daß man den Betrug nicht eingestehen wollte. Was ihm so zahlreiche und langjährige Anhänger verschafft hat, war nicht der Eindruck seiner Persönlichkeit, er scheint vielmehr seiner Rolle durchaus nicht gewachsen gewesen zu sein, so daß er bald zur willenlosen Puppe herabsinkt. Auch den politisch denkenden Bürgern der Mark hat er wohl nur als das Mittel gegolten, die Erbansprüche des verehrten Askaniergeschlechts wiederaufleben zu lassen und das verhaßte Bayernregiment, das als Fremdherrschaft empfunden ward, abzuschütteln. Wäre der Streich geglückt, an dem die Stadthäupter der Städte Brandenburg wohl einen bedeutenden Anteil hatten, so wäre die Stellung dieser Doppelstadt wohl hoch gestiegen. Der Umstand, daß der märkische Städtebund schon früh sich spaltete und Brandenburg eine verlorene Sache bis zum letzten Ende nicht ohne Starrsinn verfocht, hat seinem Ansehen unter den Schwesterstädten gewiß stark geschadet. Bei dem völligen Versagen unserer Quellen ist es nicht möglich, die tieferen Beweggründe der leitenden Politiker zu erkennen. Wir dürfen höchstens annehmen, daß zahlreiche und innigere politische, gesellschaftliche und kulturelle Fäden, die von dem an der Südwestgrenze der Mark gelegenen Brandenburg nach dem benachbarten Anhalt, Sachsen und Magdeburg hinüberführen, sich in vielen Kunstbeziehungen spiegeln und sich in dem späteren Städtebündnis zwischen Brandenburg, Zerbst und Burg von neuem zeigen, die Stellungnahme der Havelstadt in jenen Tagen befördert haben.

Eine Nachwirkung der Wirren jener Tage war die erneute Verpfändung Brandenburgs an die Anhalter, die erst 1369 durch Einlösung ihr Ende fand.

III. DIE LETZTE ZEIT DER WITTELSBACHER

ER Übertritt der Städte Brandenburg zu den Bayern, der letzten Gemeinden, die noch zu den Anhaltern hielten, vollzog sich nicht durch Gewalt und Zwang, sondern durch friedliche Verhandlungen. So atmet der Brief Ludwigs des Römers, in dem er den Städten Brandenburg Besitz und Rechte bestätigt, Versöhnung und aufrichtige Friedensabsicht. Er will sie lassen „bei aller Gerechtigkeit, Freiheit und Gewohnheit, die sie haben von den alten Markgrafen zu Brandenburg von alten Zeiten und auch von seinem Bruder, dem Markgrafen Ludwig, bei Schöppenrecht, Ratesrecht, Schulzenrecht und bei allem Rechte, das sie haben und das die Städte bei ihnen zu holen gewohnt sind . . . Auch alle Ritter, Knappen und Bürger, die bei den Herren, die in diesem Kriege ihre Herren gewesen sind, bis auf den heutigen Tag in der vorgenannten Stadt Brandenburg geblieben sind, die sollen das Gut behalten, das sie vor dem Kriege gehabt haben, wenn sie es als das ihre erweisen können mit Briefen und mit guten Zeugnissen, und es soll ihnen für dieses Mal verliehen werden ohne Entgelt. Auch alle Zwietracht, aller Raub, Brand, Schade, Mord, alle Gewalttätigkeit, die während dieses Krieges stattgefunden, sollen gänzlich vergeben sein. — Auch alle Hölzer, Gewässer, Brüche, Weide und Heide und namentlich das Havelbruch, so sie das von alter Herren Zeit gehabt haben und das mit Gewohnheit und Briefen beweisen können, will er ihnen lassen und sie darin nicht kränken. Alle redlichen Briefe aus den Zeiten der alten Markgrafen oder denjenigen seines Bruders Ludwig will er ihnen erneuern ohne Entgelt. Auch will er sie nicht mit Einquartierungen belasten (vergesten), sondern geschähe es, daß er Heeresmacht mit sich führen müßte, so will er sie vor die Stadt legen, wo es nach dem Rate der Ratmannen sicher liegt“[193]).

Landesherr und Stadt hatten gewiß beide den aufrichtigen Wunsch nach endlichem Frieden nach soviel Greuel der Verwüstung. Aber die Wogen der Befeindung glätteten sich erst ganz allmählich. Es dauerte bei der furchtbaren Verwilderung der Geister lange, bis ein gewisser Zustand der Rechtssicherheit wiederkehrte, bis man das Raubgesindel, das in der Zeit des wütenden Parteikampfes überhand genommen hatte, zu Paaren treiben konnte. Noch im Dezember desselben Jahres mußte der König Karl IV. den Fürsten Albrecht von Anhalt mahnen, dem Markgrafen Ludwig den Römer zur Herstellung des Friedens behilflich zu sein, „wann in den Marken zu Brandenburg und zu Lausitz mangerley räuberische, schädliche und übeltätige Leute behauset sind und Unterschlupf haben, davon ihr Land und die Leute, die darinnen wohnen, merklich und schädlich verderbet sind und noch täglich verderben"[194]). Spätere Urkunden zeigen, daß das Räuberwesen im Lande sobald nicht auszurotten war.

Mit ungeheuren Opfern an Geld und Land hatten die Bayern die Kernlande der Mark wiedergewonnen, und so blieb ihre Lage überaus mißlich und schwierig. Die Macht der Stände, vor allem der adligen Großen, war gewaltig gestiegen, und in seiner trostlosen finanziellen Bedrängnis mußte Ludwig der Römer sich gefallen lassen, daß eine Regentschaft eingesetzt wurde, an deren Spitze der neumärkische Große Hasso von Wedel als Hofmeister für alle Teile der Mark und der Lausitz stand, dem für die einzelnen Landschaften ein ständischer Beirat von je vier Vasallen beigeordnet war[195]). Es ist bezeichnend, daß die Städte in diesem Rate des Landesverwesers keine Vertretung fanden[196]). Der Zwiespalt des Waldemarischen Krieges scheint die Städtebünde und ihre Macht auseinandergebrochen zu haben. Nur auf dem Gebiete des Münzwesens, das die Handelsinteressen der Städte unmittelbar berührte, vermochten sie ihre Wünsche dem Landesherrn gegenüber kräftig durchzusetzen wie die altmärkischen Städte[197]). Wenn Ludwig der Römer der Mark einige Jahre des Friedens brachte, seine ungeheure Verschuldung vermochte er nicht zu überwinden. So kam er, durch die Not und von dem Wunsch getrieben, sich der lästigen Bevormundung seiner Großen zu entziehen, mit seinem jüngeren Bruder Otto, der, seit 1360 mündig, an der Regierung teilnahm, auf den Gedanken einer merkwürdigen Machtentäußerung. Sie übertrugen auf einem Fürstentag in Tangermünde Ende 1361, der sich mit den trüben Verhältnissen der Mark beschäftigte, die Verwaltung ihres Landes auf drei Jahre dem Erzbischof Dietrich Kagelwit von Magdeburg, einem Märker von Geburt, der durch seine hohe Begabung als vertrauter Rat Kaiser Karls IV. eine glänzende Laufbahn gemacht hatte. Alle diese gewagten Aushilfen zeigen nur, wie unhaltbar die Stellung der bayerischen Markgrafen durch die Kriegsnöte geworden war. Und schon stand der kühle Rechner bereit, der, ihre Bedrängnis ausnutzend, sie beerben wollte. Der Luxemburger auf dem Kaiserthron ist allezeit ein gut kalkulierender Kaufmann gewesen, ein kluger Schachspieler, der die Schwächen seiner Gegner erspäht und ihnen ihren Besitz abzulisten weiß. Er erkennt, daß selbst der Sieg mehr kostet, als er Gewinn bringt. Daher weicht er dem gefährlichen

Waffenspiele möglichst aus und kommt unblutig durch schlaue Verhandlungen noch glücklicher zum Ziele als andere durch das Schwert. Davon zeugt sein langes Ringen um die Mark mit den Wittelsbachern. Es war ihm ganz recht, daß der letzte Anlauf der Askanier zur Wiedergewinnung der Mark, den er anfänglich begünstigt hatte, scheiterte. Blieb doch nun freie Bahn für seine alsbald einsetzenden Bemühungen, die Mark Brandenburg seinem eigenen Hause zuzuwenden. Die Zwistigkeiten unter den Söhnen Kaiser Ludwigs gaben ihm leichtes Spiel. Vor allem kam ihm der leidenschaftliche Eigennutz Ludwigs des Römers zustatten, der gegen die bestehenden Hausverträge nach dem niederländischen Erbe griff und so die Einigkeit im Hause Wittelsbach zerstörte. Aus blinder Wut über die Feindseligkeit der Brüder, die die Brandenburger nun vom oberbayerischen Erbe ausschlossen, gab er den Einflüsterungen Kaiser Karls ein williges Ohr und schloß mit dem Hause Luxemburg 1363 eine Erbverbrüderung, nach der, im Falle er und Otto ohne männliche Nachkommenschaft stürben, die Mark Karl und seinen Erben zufallen sollte[198]). Als dann Ludwig der Römer im besten Mannesalter kinderlos starb, stand die brandenburgische Linie des Hauses Wittelsbach auf den beiden Augen des etwa zwanzigjährigen Otto. Der letzte bayerische Markgraf von Brandenburg ist von der Geschichte mit wenig billiger Ungunst behandelt worden. Seine bayerischen Landsleute, nicht seine märkischen Untertanen, haben ihm — nach Jahrhunderten — den Beinamen des Faulen angehängt, weil eine Mär von einem Liebesverhältnis des aus der Mark Zurückgekehrten zu einer schönen Müllerin erzählte und diese Buhlschaft mit leichtsinnigem Verkauf der Mark in Verbindung brachte[199]). Die geschichtliche Wirklichkeit ist ganz anders. Karl IV. hatte den jungen Wittelsbacher an sich gezogen und ihn zuerst für seine Tochter Elisabeth bestimmt, später aber dieses Verlöbnis aufgelöst und dem jungen unerfahrenen Markgrafen die Hand seiner viel älteren Tochter Katharina aufgeschwatzt, die in erster zwölfjähriger Ehe mit dem Herzog von Österreich kinderlos geblieben war. Es kam, wie es der gemütvolle Schwiegervater wünschte. Auch Otto erlebte mit ihr keine Vaterfreuden. Der Kaiser aber konnte als einstweiligen Gewinn die Niederlausitz buchen, die ihm der allezeit in Geldnot steckende Schwiegersohn verkaufen mußte. Wohin der Kaiser zielte, merkten aber nun allmählich die zahlreichen und wachsamen Gegner des Hauses Luxemburg. Die Verwandten in der bayerischen Heimat söhnten sich mit Otto aus. Auch ihm gingen nun die Augen auf, nachdem er sich lange von der scheinbar väterlichen Fürsorge Karls hatte einschläfern lassen und ihm vertrauensvoll auf sechs Jahre die Regierung der Mark übertragen hatte. Von allen Seiten gewarnt, rafft er sich zu ernster Tatkraft empor. Um seines Landes selbst wieder Herr zu werden, veräußerte er das Münzrecht in der Altmark und in dem Berliner Münzbezirk an die Städte, damit die Städte Brandenburg und Görzke, die sich im Pfandbesitz der Anhalter befanden, eingelöst werden konnten[200]). Als dann Karl im Vertrauen auf die bisherige Fügsamkeit des Jünglings die sofortige Abtretung der Mark von ihm verlangte, dieser aber das Ansinnen entschieden ablehnte, kam es zum Bruch. Otto widerrief die geschlossenen Verträge und ließ die Märker seinem Neffen Friedrich, der zu seinem Beistande aus Bayern herbeigekommen war, die Erbhuldigung leisten. Durch den Bund des Kaisers mit den Erbfeinden der Mark, den Pommern und Mecklenburgern, auf das äußerste gereizt, trat er dem habgierigen Schwiegervater mit den Waffen in der Hand tapfer entgegen und durfte hoffen, mit dem Beistande des Polenkönigs des Gegners Herr zu werden. In der Tat schloß der Kaiser, wie immer den offenen Waffengang scheuend, nach kurzem Raubzug einen Waffenstillstand. Aber die Zwischenzeit benutzte er, um den Polenfürsten auf seine Seite zu bringen, und als er 1373 seinen Einfall wiederholte, stand Markgraf Otto einer Übermacht gegenüber, der er nicht widerstehen konnte. So entsagte er der Herrschaft gegen eine reichliche Abfindung[201]), und Kaiser Karl stand an seinem Ziele, das darauf hinausging, ein großes Ostreich zu schaffen, das mit den großen Handelsplätzen Prag, Breslau, Tangermünde ein umfassendes Verkehrsgebiet von der Donau bis zur Ostsee bilden sollte. Die Beziehungen, die die Städte Brandenburg mit den letzten Wittelsbachern verbanden, sind sehr locker gewesen. Nur wenige Regierungshandlungen der Fürsten für die Städte sind zu verzeichnen. Wie es scheint, hat keiner derselben die Städte Brandenburg nach ihrer Unterwerfung von 1355 wieder betreten. Vielleicht hängt dies damit zusammen, daß sie bis etwa 1370 den Anhaltern verpfändet waren, vielleicht auch damit, daß die Hauptstraßen zwischen West und Ost des märkischen Gebiets, Altmark und Neumark das an der magdeburgischen Grenze liegende Brandenburg seitab liegen ließen.

IV. ZEIT DER LUXEMBURGER / KURZER FRIEDE UND LANGE VERWIRRUNG

DIE kurze Zeit, in der Kaiser Karl IV. über die Mark herrschte, die er mit so verwerflichen Mitteln erworben hatte, ist dem Geschlechte des nachfolgenden Menschenalters als ein glückliches Eiland des Friedens erschienen. Jener Brandenburger Volkssänger, der den Burggrafen Friedrich als Retter des Landes begrüßte, erinnert sich des kaiserlichen Luxemburgers als des letzten, der die Räuber zu Paaren trieb.

Seit uns der Kaiser ganz entschwand,
Blieb ohne Trost das arme Land,
Und nie ward uns ein Fürst gesandt,
Der die Räuber hat erschrecket[202]).

In der Tat ist er daran gegangen, den verwilderten Adel und die raubgierigen Nachbarn in Schranken zu halten. Rasch half er wenigstens den schreiendsten Mißbräuchen ab. Er ließ die Wegelagerer, die man erwischte, an den Landstraßen aufhängen, stellte die zerrüttete Rechtspflege wieder her, auch wenn er damit bei den Vasallen Unzufriedenheit erregte[203]). Er hob den Handel, dessen besonderer Freund er war, indem er die Schiffahrt auf Elbe und Oder erleichterte. Diese beiden Flüsse, die die Natur selbst zu Handelsstraßen geschaffen hat, ersah er sich als die Lebensadern seines großen Reiches aus, das von der Donau bis fast zur Ost- und Nordsee reichte. Für den einen Weg war Frankfurt a. d. O. der Hauptstapelplatz, für den anderen sollte es Tangermünde sein. Hier, an einem von den brandenburgischen Markgrafen längst bevorzugten Sitze, hielt sich Karl am liebsten auf und verewigte sich dort durch glänzende Bauten. Die märkischen Städte, unter ihnen neben Stendal, Salzwedel, Berlin, Frankfurt auch wohl schon Brandenburg, waren tätige Mitglieder der Hansa geworden, jenes mächtigen Bundes norddeutscher Städte, der seinen Einfluß über die ganze Nordküste Deutschlands erstreckte. Mit ihr, besonders mit dem Haupte derselben, dem stolzen Lübeck, knüpfte auch der Kaiser den freundschaftlichsten Verkehr an. Wie reckten die Lübecker die Köpfe, als er ihren Rat mit dem Ehrentitel der Herren begrüßte. Ein Handelsbund sollte Deutschland, zunächst den Osten, unter luxemburgischem Zepter, vereinigen. Deshalb war sein Traum, die Mark mit Böhmen auf ewige Zeiten zu vereinen, und der Gedanke fand in der Mark willige

Aufnahme. Auf einem großen Landtage zu Guben, wo Vertreter des Adels und der Städte sowohl aus Böhmen als auch aus der Mark anwesend waren, ward dann diese Vereinigung zum Beschluß erhoben und erhielt die Bestätigung des Kaisers wie seines Sohnes Wenzel. Von neununddreißig märkischen Städten sind gleichlautende Urkunden ausgestellt worden, in denen sie dieser Erbeinigung zustimmen. Eine Abschrift der Ausfertigung der Altstadt Brandenburg, die ja bei solchen Gelegenheiten an der Spitze der märkischen Stadtgemeinden zu erscheinen pflegt, hat sich im Wiener Gesamtarchiv erhalten. Wahrscheinlich sind Ratmannen der Stadt auf dem Landtage in Guben gegenwärtig gewesen. In der erwähnten Urkunde bekennt die Altstadt, daß sie Kaiser Karls, ihres lieben gnädigen Herrn, Sohne Wenzel, dem Könige von Böhmen und dessen Brüdern und für den Fall des Todes derselben dem Markgrafen Johann von Mähren, des Kaisers Bruder, gehuldigt habe. „Da nun," so heißt es dann, „der Kaiser insonderheit in Betracht genommen hat, wie er die Mark zu Brandenburg mit ihren Landen, Städten und Leuten, die vormals lange Zeit mit mannigfachen Kriegen verderbet und beschädigt sind, in ewigen Frieden und Seligkeit versetzen möchte, und besonders das in Gnaden vergönnt hat, daß die Mark von den Ländern Karls, dem Königreiche Böhmen, der Markgrafschaft Lausitz, den schlesischen Herzogtümern Breslau, Schweidnitz und Jauer und diese Lande wieder von der Mark beständigen Schutz, Hülfe und Rat haben mögen, so geloben und schwören wir, daß wir ewiglich bei dem Königreiche Böhmen bleiben wollen, und wir sollen und wollen uns davon nimmer scheiden und scheiden lassen in keinerlei Weise"[204]). Aus dem Wortlaut dieser Urkunde, die in gleichem Text von allen märkischen Städten ausgestellt worden ist, wird sich für die Feststellung der politischen Ansichten der Brandenburger Bürger nicht allzuviel gewinnen lassen. Das Schriftstück ist, wie schon die hochdeutsche Sprache zeigt, in der kaiserlichen Kanzlei aufgesetzt worden, wenn auch eine Mitwirkung der städtischen Vertreter bei der Festsetzung des Wortlauts als möglich gedacht werden kann. Daß die Städte der Mark die Vereinigung ihres durch jahrzehntelange Wirren arg zerrütteten Landes mit dem Reiche eines mächtigen und durch Staatsweisheit hervorragenden Herrschers als heilsam begrüßten, ist verständlich, und die Macht der geistig überlegenen Persönlichkeit Karls, der in der kurzen Zeit seiner Regierung oft und längere Zeit in dem neu erworbenen Gebiete verweilt hat, mag manche inneren Bedenken der Ratmannen vorübergehend zum Schweigen gebracht haben. Diese Bedenken lagen vor allem in der Wahrscheinlichkeit, daß die Mark als Nebenland eines fremden größeren Reiches, das noch dazu halb slavisch war, in Gefahr geriet, der Spielball fremder Interessen zu werden, und die Folgen eines solchen Zustandes hatten die Märker doch eben erst unter der wittelsbachischen Herrschaft außerordentlich bitter empfunden und sich größtenteils dagegen mit Gewalt aufgelehnt, während dieser Zeit auch immer von neuem die Entfernung der Fremden oder „Gäste" aus dem Rate des Markgrafen gefordert. Eine dauernde Verbindung der Mark mit Böhmen würde in der Tat ihrer Geschichte eine ganz andere Richtung gegeben und ihre Selbständigkeit vernichtet, auch die unmerklich fortschreitende Eindeutschung des märkischen Landes gehemmt haben. Aber diese Gefahr wurde, kaum erschienen, schon wieder dadurch aufgehoben, daß die Mark nach dem frühen Tode des Kaisers als Abfindung an den jüngeren Sohn Sigismund fiel und somit schon damals von Böhmen getrennt wurde. — Karl IV. freilich hatte diese Erbeinigung sehr ernst genommen, wie er denn auch auf jenem Gubener Land- und Fürstentage mit bewundernswürdiger Umsicht eine große Zahl Landfriedensbündnisse mit Nachbarfürsten der Mark zur Sicherung ihrer Grenzen abzuschließen vermochte. Er träumte tatsächlich von einer innerlichen Verbindung der Teile seines großen Ostreiches und wollte diese Verschmelzung auch auf dem Gebiete der Geschichtsschreibung verwirklichen. Hochgebildet und darauf bedacht, sich in den Jahrbüchern der Geschichte den Nachruhm zu sichern, wollte er eine Chronik schreiben lassen, die die Geschicke Böhmens und Brandenburgs zusammen als eine Einheit schilderte. Er übergab daher einem mit der Geschichte Böhmens beschäftigten Priester Pulkawy von Tradenina eine damals noch erhaltene Chronik der brandenburgischen Markgrafen aus dem askanischen Hause, damit er sie in sein Werk hineinarbeitete. Der Tscheche hat sie dann, da ihm von seinem Auftraggeber etwas Unmögliches zugemutet wurde, in rein äußerlicher Weise seinem Buche eingefügt. Aber wir sind heute dankbar, daß sie auf diese Weise vor dem Untergange bewahrt worden ist. Für den größten Teil des 14. Jahrhunderts und leider gerade für das ganze ereignisreiche Zeitalter Kaiser Karls IV. entbehren wir ganz und gar zeitgenössischer Geschichtsschreibung, so daß eine zusammenhängende Darstellung außerordentlich schwierig und fast unmöglich ist[205]). Hätte Karl IV. länger gelebt, so würde der Mark wohl ein Ende ihrer Wirren und Bedrängnisse beschieden gewesen sein. Sein Landbuch, ein sorgfältiges Verzeichnis aller Einkünfte der Mark, sollte nur der Vorläufer umfassender Reformen sein. Da trat der Tod des Kaisers ein, und die Mark wurde wiederum einem furchtbaren Schicksal preisgegeben. Als Karl IV. 1378 starb, kam das Hauptland Böhmen nach dem Willen des Verstorbenen an Wenzel, die Mark an dessen jüngeren Bruder Sigismund. Dieser war noch ein Knabe von 10 Jahren, als er die Mark mit der Kurwürde erwarb. Wie er dann heranwuchs, zeigte er manche glänzenden Eigenschaften, die freilich mehr an den stolzen Urahn Heinrich VII. und den abenteuernden Johann als an den nüchternen Rechner und sorgsamen Landesvater Karl erinnerten. Ein stattlicher Ritter, ein blendender Weltmann, ein feingebildeter, witziger und geistreicher Redner, immer voll hochfliegender Pläne, die er leidenschaftlich ergriff, aber bald wieder fallen ließ: ohne stetigen, ruhigen Sinn, genußliebend bei schönen Frauen und gutem Weine, prächtig und verschwenderisch, hatte er wenig Lust und Geschick, ein verarmtes Land in geordneter, maßvoller Tätigkeit glücklich zu machen. Die reizlose, verwilderte Mark schien dem stürmischen Jüngling kein Feld, würdig seines Ehrgeizes. Ein großes Reich mit einer Königskrone, Polen oder Ungarn, am liebsten beide, erstrebte er. Durch Heirat wurde er 1387 auch wirklich König von Ungarn, und nun kümmerte er sich um Brandenburg noch viel weniger. Hatte er schon bisher die Mark fast nur betreten, um durch Steuern oder Verpfändungen Geld zusammenzubringen, so verpfändete er nun 1388 das ganze Kurfürstentum für 560000 Gulden an seinen Vetter Jobst von Mähren und verkaufte später gar die Neumark an den Deutschen Orden[206]). Als die Mark an den neuen Pfandbesitzer überging, war sie schon längst in dem Zustande voller innerer Auflösung, der durch Karls Walten wohl aufgehalten, aber nicht beseitigt worden war. Der neue Besitzer aber brachte die Märker aus dem Regen in die Traufe. Nicht als wenn Jobst oder Jodokus aller guten Gaben entbehrt hätte! Er war nicht ohne Sinn für Bildung und Gelehrsamkeit, nicht ohne Verständnis für wirtschaftliche Fragen, nicht ohne Geschick in der Kriegführung, und doch wurde er durch seine unruhige, von unlauterer Geldgier und krankhaftem Ehrgeiz getriebene Vielgeschäftigkeit seinen Ländern nur verhängnisvoll, da er fortwährend schnöden Gewinnes halber Geld- und Länderschacher trieb und niemals sich bemühte, das Erworbene nach edler Fürstenart zu pflegen, zu schützen und zu sichern. Vor allem auf seine Nebenländer wirkte sein unfruchtbares und habsüchtiges Treiben nur störend und zersetzend, weil sein ruheloses Ränkespinnen in Angelegenheiten seines Hauses und des Reiches ihm keine Zeit zu ernstem landesväterlichem Wirken ließ. Statt die entfremdeten markgräflichen Güter wieder in seine Hand zu bringen, häufte er die Verpfändungen der Landeseinkünfte immer weiter und steigerte durch seine Untätigkeit den Trotz der fehdelustigen Vasallen, die keine Richterhand über sich fühlten. Folge der ewigen Fehden war nicht nur Verödung, Armut und Seuche, sondern vor allem auch eine schreckliche Verwilderung der Sitten, die den Ritter wie den von Haus und Hof verjagten Bauern, den Bürger und selbst den geistlichen Stand ergriff. Überall auf dem Lande hausten wohlorganisierte Banden von Wegelagerern. Erschütternde Einzelheiten werden uns über diese Dinge in dem der Stadt Brandenburg benachbarten Havellande berichtet. In dem unweit der Stadt Nauen belegenen

Dorfe Schlaberndorf, dem Stammsitze eines heute noch blühenden Adelsgeschlechtes, hatte sich eine Räuberbande der Kirche bemächtigt, in der seit alter Zeit her die verstorbenen Familienglieder derer von Schlaberndorf ihre Ruhestätte fanden. Die Kirche wurde von den Strauchdieben in eine Feste verwandelt, von der aus sie das Dorf plünderten, die Einwohner verjagten und Streifzüge in die Umgegend unternahmen. Als die Herren von Schlaberndorf vergeblich versucht hatten, ihren Stammsitz und ihre Familiengruft zu retten, schenkten sie schließlich die Kirche dem Bischof von Brandenburg, der mit seinen geistlichen Waffen wohl schließlich das Gotteshaus von den Räubern reinigte, aber die gänzliche Verödung des Ortes nicht hindern konnte[208]). Selbst die Städte waren vor Freveltaten wegelagernder Banden nicht sicher und warnten einander oft vor Verdächtigen, die die Ortschaften mit boshaft angelegten Feuersbrünsten bedrohten. Immerhin waren die Städte in diesem Zeitraum gänzlicher Herrscherlosigkeit noch die Säulen der wankenden Staatsordnung. Sie regierten nach Art der Freistaaten sich selbst und suchten durch Verbindungen untereinander die mangelhaft schirmende Staatsgewalt zu ersetzen oder zu ergänzen. So schlossen die mittelmärkischen Städte, 21 an der Zahl, an ihrer Spitze beide Städte Brandenburg und Berlin und Kölln (Havelland, Barnim, Lebus und Teltow), an unserer lieben Frauen Tage Lichtweihung (2. Februar) 1393 ein Bündnis auf drei Jahre gegen alle Ruhestörer und Straßenräuber und zur Aufrechterhaltung des von den Fürsten geschlossenen Landfriedens. Jedem, der Straßenraub übt und wer einen solchen hauset, speist oder ihm behilflich ist, wollen sie insgesamt feind sein, ihn gemeinsam verfolgen und ihn in keiner Stadt leiden, es sei denn, daß er im Gefolge eines Fürsten in eine Stadt käme und von jenem für ihn Geleit begehrt wird. In diesem Falle soll es erlaubt sein, ihn drei Tage zu beherbergen. Für die gemeinsame Kriegsführung zur Aufrechterhaltung des Landfriedens wird bestimmt, welche Zahl von Kriegern die einzelnen Städte zu stellen haben. An der Spitze stehen hier Berlin und Kölln, die zusammen acht Gewappnete (Wepener) und vier Schützen aufbringen, und Frankfurt a. d. O. mit der gleichen Zahl; gleich dahinter kommen die beiden Städte Brandenburg, die acht Gewappnete und drei Schützen stellen; Nauen, Spandau, Bernau, Strausberg, Drossen und Treuenbrietzen folgen mit drei Gewappneten und zwei Schützen, Rathenow mit drei Gewappneten und einem Schützen; Müncheberg, Fürstenwalde, Wriezen, Mittenwalde und Beelitz stellen zwei Gewappnete und einen Schützen, und endlich machen den Beschluß Alt-Landsberg, Potsdam und Oderberg mit einem Gewappneten und einem Schützen[209]).

Im Sommer 1388 nahm Jobst die Huldigung der Märker auf einer Rundreise durch das Land entgegen. Am 8. September zog er in Brandenburg ein und bestätigte die Vorrechte der Städte. Der Gnadenbrief der Altstadt ist uns erhalten[210]). Das einzige Interesse des neuen Landesherrn war schon damals, die Steuerkraft des Territoriums ungestört auszunutzen, und nach diesem Gesichtspunkt traf er in einer auch für Brandenburg wichtigen Angelegenheit die Entscheidung. In den vorhergehenden Jahren waren heftige Kämpfe um die Westgrenze der Mark gegen das Erzstift Magdeburg ausgefochten worden, die in unserer Gegend etwa der heutigen Grenze gegen die Provinz Sachsen entspricht. Die wichtigste und bedeutendste Feste im Westen der Mittelmark, eine gute Meile von Brandenburg entfernt, war Plaue, das den Übergang über die Havel nach Westen verteidigte. Es war sonderbarerweise noch unter den Askaniern ein Lehen des Magdeburger Erzstiftes geworden und seitdem fast stets in magdeburgischen Händen geblieben. Der einsichtige Karl IV. hatte Plaue für Brandenburg zurückzuerobern versucht, und als Sigmund gleichgültiger dachte, hatte der wackere Lippold von Bredow, der die Hauptmannschaft der Mittelmark bekleidete, sich der Burg bemächtigt und sich damit das Verdienst erworben, das Grenzschloß für die Mark zu retten. Jobst, der keinen Strauß mit dem Erzstift haben wollte, entzog Lippold das Amt des mittelmärkischen Hauptmanns, ohne ihn doch aus Plaue zu verdrängen. Aber der Tscheche Botho von Chastolowitz, den Jobst als Hauptmann an seine Stelle setzte, konnte wegen des ihm entgegengebrachten allgemeinen Mißtrauens keinen festen Fuß fassen, und bald mußte Jobst Lippold von Bredow wieder in seine Vertrauensstellung einsetzen. Wenn dieser nun auch mannhaft an der Spitze der mittelmärkischen Bürger gegen Magdeburg gekämpft hat, so hat doch gerade diese feindselige Stellung des Hauptmanns gegen das Erzbistum der Mark und zumal der Stadt Brandenburg schweren Schaden gebracht. Bei einem Sturm auf das Städtchen Milow, den Lippold mit Edeln und Bürgern von Brandenburg unternahm, fiel bei dem ersten Schusse der Büchse, die sie über die Havel gebracht hatten, ein Funke ins Pulverfaß, und es entstand eine solche Verwirrung im Kriegshaufen, daß ein plötzlicher Überfall des Grafen von Barby, der diesen Augenblick benutzte, Lippold selbst und drei vornehme Brandenburger Bürger, Fritz von Prützke, einen Ratmann der Neustadt[211]), Hans Schulte und Claus Niemann in Gefangenschaft brachte, aus der der Hauptmann erst nach vier Jahren gelöst wurde. Jahrelang tobte eine wilde Fehde zwischen dem Erzstifte und der Mark, und selbst Rathenow wurde durch nachlässige Bewachung wie durch Verräterei eine Beute des Erzbischofs und hatte unsägliche Leiden zu erdulden, wurde auch 1396 erst durch Vermittlung König Wenzels Jobst wieder ausgeliefert[212]). Unter diesen Umständen war es nicht nur eine Finanzoperation, wenn Jobst seinem Schwager Wilhelm dem Einäugigen von Meißen die ganze Alt- und Mittelmark verpfändete und ihn zu seinem bevollmächtigten Mitregenten einsetzte. Die Mark bedurfte während der jahrelangen Abwesenheit ihres Inhabers eines redlichen Helfers und Friedensrichters, der, mit fürstlichem Ansehen, einigermaßen Ordnung im Lande hielt[213]). In der Tat hat Wilhelm mehrere Jahre lang der Mark schätzbare Dienste als Diplomat und als Statthalter geleistet, aber die vielseitige Politik dieses klugen Fürsten, der nicht umsonst bei dem Meister politischer Ränke, Karl IV. in die Schule gegangen war, wandte sich doch bald einem größeren Schauplatze zu, und als 1401 im Kampfe zwischen König Ruprecht und dem der deutschen Krone beraubten Wenzel in Böhmen ihm im Norden des Nachbarlandes reiche Beute winkte, kümmerte er sich nur wenig noch um die Mark[214]). Inzwischen hatte die Fehde zwischen den Magdeburger Mannen und Bürgern und der Mark andererseits jahrelang fortgeflammt, bis es endlich 1399 auf der Bischofsburg Ziesar zu einem hoffnungsvollen Friedensschluß kam. Aber eine Anzahl magdeburgischer Vasallen, wie Ludwig von Neuendorf auf Altenplathow, Kuno von Wulffen auf Grabow, Werner Kracht auf Parchen, nahm den dort vereinbarten Frieden nicht an und setzte mit anderen Stegreifrittern die Fehde gegen die verhaßten Städte Brandenburg fort und verheerte die Dörfer vor der Altstadt. Die im Kriegswesen noch wenig geübten Brandenburger Bürger verfolgten die Feinde unglücklich und gerieten am Marzahner Berge in einen Hinterhalt, wo dann mehr als sechzehn angesehene Bürger, unter ihnen Johann Bensdorf, ein Ratmann und zwei Brüder Roch aus dem Geschlechte der Brandenburger Schultheißen, in Gefangenschaft fielen. Bald aber folgte ein Rachezug der Brandenburger im Bunde mit Wichard von Rochow auf Golzow ins Magdeburger Land, der 36 Ritter in der Märker Gewalt brachte und zur Befreiung der Gefangenen half[215]). Damals legte Lippold von Bredow, alt geworden und des langen Kampfes müde, von neuem seine Hauptmannschaft nieder und übergab die Burg Plaue seinem Schwiegersohn Hans von Quitzow, der seitdem von dort aus die Geißel der Verwüstung in gleicher Weise gegen Magdeburg und Brandenburg schwang. Wenn bisher die Prignitz, die Heimat des machtvoll aufstrebenden Adelsgeschlechts der Quitzows, der Hauptschauplatz ihrer erfolgreichen Beutezüge gewesen war, in denen sie gewaltigen Reichtum zusammenraubten und reiche Geldsummen aus den Lösegeldern ihrer Gefangenen erzielten, so erweiterte sich jetzt der Umkreis der Unternehmungen der beiden Brüder Dietrich und Hans von Quitzow fast über die ganze Mittelmark zwischen Elbe und Oder. Sie verbanden sich bald (schon 1399) mit dem Grafen Ulrich von Lindow-Ruppin und mecklenburgischen Vasallen und suchten mit ihnen das Havelland und den Barnim mit ihren Angriffen und Plünderungen heim, zu gleicher Zeit, als die Brandenburger jene Fehden gegen die Magdeburger Stiftsvasallen führten. Schon damals scheint sich der neue Schloßherr von Plaue den Neustadt-Brandenburgern ziemlich unbequem gemacht zu haben. Darauf deutet ein undatierter Brief Johanns von Quitzow an die Innungsmeister und Vierwerke der Neustadt, der sich im Brandenburger Stadtarchiv erhalten hat. In diesem beschwert er sich bei den Zünften über den Rat, weil dieser die Kirche des wüsten Dorfes Groben oder Gräben habe niederreißen lassen, auf die er, der Quitzow, Anspruch erhob. Das genannte Dorf lebt in dem Namen des Forsthauses und der Kolonie Wendgräben im neustädtischen Walde noch fort. Man sucht die Stätte, wo dies vergangene Dorf einst lag, jenseits der Buckaubrücke, rechts von der alten Straße nach Magdeburg, wo eine alte Karte einen Kirchberg verzeichnet und sich noch Ziegelsteine in der Erde finden. Hier in der wüsten Dorfstelle, in der verfallenen Kirche unweit der Straße nach Sachsen und Anhalt, hatte sich Hans von Quitzow offenbar alsbald festgesetzt, um nicht nur von seiner Feste Plaue aus die neuere Magdeburger Straße mit dem Havelübergang bei Plaue, sondern auch den Heerweg nach Zerbst, Dessau und Leipzig zu beherrschen und zu sperren. Die Neustädter aber, denen die wüste Dorfstätte Groben von dem Statthalter Wilhelm von Meißen zugesprochen worden war, mit der ausdrücklichen Erlaubnis, dort eine Landwehr zum Schutze ihres Gebietes zu erbauen[216]), wollten sich natürlich den freien Durchzug nicht beeinträchtigen lassen, zogen unverzagt hinaus und legten die Kirche nieder, um die unerträgliche Sperre zu beseitigen. Darüber beklagt sich nun der Quitzow bei den Neustädter Gewerken und sucht einen inneren Zwiespalt in dieser Gemeinde zu erregen und zu seinem Vorteil auszunutzen. In einem sehr friedfertigen Tone versichert er, seine Bereitwilligkeit bewiesen zu haben, die Streitfrage über Gräben durch vier Schiedsrichter entscheiden zu lassen. Es sei ihm nicht gelungen, den Neustädter Rat zu bewegen, sich dem Schiedsspruche zu unterwerfen. Vergebens sei er viermal in die alte Stadt geritten, ohne etwas auszurichten. Endlich hätte der Gegenpart trotzig erklärt, er würde nur eine Entscheidung annehmen, die ihm wohl behagte. Ob nun Quitzow mit diesem Briefe, in dem er die gekränkte Unschuld spielt, etwas erreicht hat, wissen wir nicht; vermutlich haben die Vierwerke die Gefahr nicht verkannt, die ihrer Stadt von dem gewalttätigen Nachbar drohte. Er aber hat dann diese Schlappe der Neustadt nicht vergessen[217]). Das Treiben der Quitzows wurde für Brandenburg bald noch bedrohlicher, als diese mit Magdeburg in Freundschaft traten und vom Erzbischof die Burg Sandow an der Elbe in Pfand bekamen. Wie wenig nachbarliche Gesinnung Johann von Quitzow, der Schwiegersohn des verdienstvollen ehemaligen Hauptmanns der Mittelmark, Lippold von Bredow, den Brandenburgern erwies, erfuhren sie bald, da er den Neustädtern im Juli 1401, mit den Magdeburgischen vereint, 300 Schweine raubte und ihre Bürger, die er vor den Toren und auf der Havel fand, nach Plaue gefangen wegführte. Noch furchtbarere Tage erlebte dann der Barnim, als die Quitzows, die Grafen von Lindow und die Herzöge von Pommern-Stettin und -Wolgast im Herbst 1402 seine Ortschaften weithin verwüsteten, die unglückliche Stadt Strausberg östlich von Berlin mit feurigen Pfeilen in Brand schossen, die Mauern erstürmten und die entsetzten Einwohner niedermachten oder vertrieben. Die Stadt sank infolgedessen auf ein Drittel ihrer Einwohnerzahl herab. In diesen Tagen der Hoffnungslosigkeit, da Jobst seine Untertanen aus der Ferne mit leeren Vertröstungen hinhielt, erwies sich der Herzog Johann von Mecklenburg-Stargard, der schon in den letzten Jahren den Schutz der Prignitz übernommen hatte, nun als ein hilfreicher Mann der Tat für die ganze Mark. Im Verein mit den Bürgern von Spandau gelang es ihm, Dietrich von Quitzow auf einem seiner Raubzüge in der Nähe des Thürberges bei Trebbin, vier Meilen südwestlich von Berlin, gefangenzunehmen und damit einen gefährlichen Ruhestörer auf einige Zeit unschädlich zu machen. Welche Freude diese Kunde von diesem Ereignisse auch allenthalben in der Mark verbreiten mochte, sie forderte zugleich die Quitzows und ihre Verbündeten, die magdeburgischen Stiftsvasallen, heraus und schuf so neue Bedrängnis. Die Mächtigsten von diesen, Hasso von Steinfurt, Busso von Alvensleben, Jordanus von Alsleben, Johann Treskow und andere fielen im November 1402 mit einer großen Schar von Gewappneten, wie der Brandenburger Chronist Engelbert Wusterwitz erzählt, in das Havelland ein und nahmen ihren Weg gerade auf Spandau zu, hinter dessen Mauern wahrscheinlich Dietrich von Quitzow als Gefangener bewahrt wurde. Sie waren bereits bis zum Dorfe Tremmen (bei Nauen) vorgedrungen, halbwegs zwischen Brandenburg und Spandau, als ihnen eine Schar von brandenburgischem und mecklenburgischem Kriegsvolk, vor allem Mannen und Bürger von Brandenburg, unter der Führung von des Herzogs Johann Marschall, Heinrich von Manteufel, entgegentrat, darunter auch das Aufgebot der Alt- und Neustadt Brandenburg. Die Feinde zogen sich vor diesen Scharen wieder rückwärts der Havel zu, wurden aber von ihnen am Wernitzwalde, nördlich von Pritzerbe an der alten Heerstraße von Brandenburg nach Rathenow, eingeholt. Hier entspann sich ein erbitterter Kampf[218]). Von der Mannschaft des Havellandes fochten mit Johann von Schlieben auf Friesack und Johann Zicker auf Hohennauen, sowie Henning von Stechow, die vermutlich von Rathenow her den Magdeburgern auf ihrem Rückzuge über die erwähnte Straße den Weg verlegten. In dem heißen Strauß blieb einer der wackersten Vorkämpfer, Henning von Stechow, auf der Walstatt. Schließlich blieb den Brandenburgern der Sieg. Mehr als 60 Gewappnete wurden gefangen, und, wie Wusterwitz berichtet, „mit ihren Waffen, Harnischen und Pferden in die neue Stadt Brandenburg mit Triumph geführt.“ Die Bürger waren durch das lange Kriegselend und den frechen Friedensbruch so erbittert, daß sie Busso von Alvensleben, den gefangenen Feldhauptmann, zum Tode verurteilten und hinrichteten, obwohl er 1000 Schock Groschen für seine Befreiung bot.

Unter dem Eindruck so männlicher Taten erneuerten die märkischen in Berlin versammelten Stände den Herzögen von Mecklenburg-Stargard, den Brüdern Johann und Ulrich nicht nur den Schutzvertrag für die Prignitz, sondern übergaben ihnen auch die Verteidigung des ganzen Kurlandes für den Fall eines Krieges[219]). Freilich mußten die Märker mit den eigenen Leibern vor dem Riß stehen, denn Raub und Mord dauerte fort, und auch die ummauerten Städte hatten durch das Daniederliegen des Handels schwer zu leiden, denn der Zinsfuß stieg in jenen Jahren in der Gegend des Havellandes von 8 bis auf $12^1/_2$%. Insbesondere hatten die Städte Brandenburg die unmittelbare Nachbarschaft des auf Plaue hausenden Johann von Quitzow schwer zu empfinden, da er vor Begierde brannte, das Unglück seines Bruders an den Brandenburgern zu rächen. List sollte ihm den Weg in die wohlverwahrten Mauern der Altstadt bahnen. In der Nacht des 8. März 1403 erschien er in aller Stille mit mehreren Vasallen des Erzbischofs von Magdeburg, darunter Ludwig von Neuendorf, Johann von Treskow und anderen vor der Altstadt. In der Nikolaikirche vor dem Tore, dem alten Gotteshause von Luckenberg, das in der Zeit der wilden Fehden wüst geworden war, versteckte er einen Teil seiner Mannschaften, und am Morgen machte er einen Scheinangriff auf das Luckenberger (jetzt Plauer) Tor, um die Bürger in das Freie zu locken und sie dann von den in der Kirche versteckten Rittern überfallen zu lassen. Dieser Plan wurde aber von den Bürgern durchschaut oder ihnen verraten. Der bibelfeste Wusterwitz sagt darüber: „Der Rat und die Bürger haben den Braten gerochen, und ist Ahitophels Rat zunichte geworden und das Geschoß Jonathä hinter sich gegangen und die Schießenden selber verwundet.“ Ruhig wiesen die Altstädter den Angriff von ihren Mauern zurück, ohne den Feinden nachzusetzen. Inzwischen aber hatten sie Boten an den im Kloster Lehnin weilenden Herzog Johann von Stargard und an Wichard von Rochow auf Golzow gesandt und um Hilfe gebeten. Beide eilten mit Mannschaften herbei und überwältigten, nun mit den Bürgern vereint, den Feind. Johann von Quitzow entkam zwar glücklich nach Plaue, aber 40 Ritter vornehmen Standes, darunter die obengenannten Mannen, fielen in die Hände der Sieger, wurden noch vor dem Mittagbrot in die Stadt gebracht und den Altstädtern zur Bewahrung übergeben. „Da sahen die alten und neuen Gefangenen einander mit betrübtem und wehklagendem Angesicht an.“ Ludwig von Neuendorf bot ein Lösegeld von 1000 Schock böhmischer Groschen und andere entsprechend hohe Summen, und so erhielten sie ihre Freiheit gegen das Ehrenwort, sich wieder als Gefangene zu stellen, wenn sie nicht zahlen könnten. Sie blieben dann aber teilweise die Summen schuldig[220]), wurden durch Schmäh- und Scheltbriefe nach Brauch der Zeit vergeblich an ihr Wort gemahnt, und schließlich ward ihr Bild in Brandenburg öffentlich an den Pranger geschlagen. Sie waren dort tanzend abgebildet, einer hinter dem anderen einherschreitend. Allen hatte man blaue Hände gegeben, als Eidbrüchigen, von denen der Volksmund wußte, daß ihnen die Schwurhand verdorrte. Als Vortänzer schritt Ludwig von Neuendorf voran, den Kopf mit einem weißen Hute bedeckt, den eine rote Schnur umgab, eine Tracht, wie sie der Henker zu jener Zeit trug[221]).

In diesen wilden Kämpfen trat eine kurze Ruhepause ein, weil ein benachbarter Fürst als Vermittler einen Frieden zwischen der Mark und Magdeburg zustande brachte. Der Graf Günther von Schwarzburg, der seinen Sohn auf den Erzstuhl von Magdeburg bringen wollte, brauchte dazu das Wohlwollen der Luxemburger und vermittelte ein friedliches Einvernehmen zwischen den Nachbarländern. Jobst übertrug ihm zum Danke die Hauptmannschaft der Altmark und der Mittelmark, ohne Rücksicht auf die Verdienste Johanns von Mecklenburg zu nehmen, dem er selbst die Kosten seiner Statthalterschaft nicht ersetzte, den er aber später doch wieder mit Aufträgen zu des Landes Sicherheit versah. Dietrich von Quitzow, der seitdem wieder freigekommen war, suchte den Schwarzburgern das Statthalteramt zu verleiden, indem er sie bei dem Übergange über die Elbe überfiel und ihnen wenigstens das Gepäck raubte. Es war eben im eigensten Interesse des Quitzowschen Geschlechts, daß ein erfolgreiches Walten des Schwarzburgers in der Mark und ein Hand in Hand arbeiten seiner Familie mit den Märkern gestört wurde. Denn Friede zwischen Brandenburg und Magdeburg konnte den verwegenen Stegreifrittern Plaue kosten, indem es als Friedenspreis dem Erzstift geopfert wurde. Inzwischen wurde der Barnim auch weiterhin von den Pommern, die Bötzow, das heutige Oranienburg und Strausberg besetzt hatten, so furchtbar bedrängt und Berlins Handel so gelähmt, daß die Stadt, um ihrer Not entledigt zu werden, Errettung vom Satan durch der Teufel Obersten suchte. Sie verband sich samt den Städten ihrer Sprache und Frankfurt mit den Quitzows, von denen sie wirksamen Schutz gegen die Pommern hoffte, und die in der Tat, indem sie ihre bisherigen Bundesgenossen verließen, die Pommern aus Strausberg und Bötzow vertrieben[222]). Aber dieser umstürzlerische Schritt, dem

ärgsten der Straßenräuber eigenmächtig den Schutz der Mittelmark anzuvertrauen, fand die Billigung des Havellandes und der Zauche nicht. Brandenburg und der Abt Heinrich Stich von Lehnin, einer der trefflichsten märkischen Kirchenfürsten jener Zeit, dessen Kloster ausgedehnte Wasserrechte auf den Plauer Gewässern besaß, fühlten sich zu unmittelbar von den Quitzows bedroht, als daß sie sie als ihre Schirmherren hätten anerkennen mögen. Und bald sollte das Überhandnehmen ihrer Macht auch der Stadt Berlin überaus unbequem werden, als sie die markgräflichen Schlösser Saarmund bei Potsdam und Köpenick besetzten und so Berlins wichtigste südliche Handelsstraßen zu Lande und zu Wasser sperrten. Wie bedrohlich inzwischen der Quitzows Macht geworden war, zeigte ein neuer Gewaltstreich im November 1407, der zugleich eine offene Tat des Ungehorsams gegen Markgraf Jobst war. Als der Herzog Johann von Mecklenburg auf Jobsts Geheiß nach Berlin reiste, nahmen sie ihn in der Nähe von Liebenwalde gefangen, obwohl sie ihm selbst freies Geleit durch ihr Machtbereich zugesichert hatten, führten ihn auf das Schloß Plaue und hielten ihn hier monatelang in harter Gefangenschaft. Wie es scheint, bestimmte sie dabei nicht die Begierde, ein hohes Lösegeld zu erpressen, sondern neben dem alten Groll gegen den siegreichen Gegner vor allem die Absicht, Jobst zu hindern, Johann zum Hauptmann der Mittelmark wieder einzusetzen, und der Wunsch, den Herzog für längere Zeit politisch unschädlich zu machen. Denn von ihm war wohl zu erwarten, daß er den Quitzows nach Möglichkeit strenge Schranken setzen würde.
Vergeblich versuchten seine Anhänger, auch der Markgraf Jobst selbst, die Freilassung des Herzogs zu erwirken. Schließlich verfielen seine Angehörigen und Freunde darauf, einen Plan zu heimlicher Flucht des Gefangenen zu ersinnen, der mit großer Geschicklichkeit vorbereitet und ins Werk gesetzt wurde, aber dessen Gelingen durch unberechenbare Zufälle scheiterte. Vor allem war in der nahen Neustadt Brandenburg viel Teilnahme für den hohen Gefangenen in Plaue. Die Bürgerschaft war ihm von Herzen dankbar für die tatkräftige Hilfe in der Schlacht am Wernitzwalde und seine mannhafte Bekämpfung der Friedensbrecher. So ließen sie es sich nicht nehmen, ihn in seinem Gefängnisse mit Lebensmitteln zu versorgen und gewannen durch ihre Boten ein Mittel, geheime Verbindungen im Schlosse anzuknüpfen und den Herzog durch einen Bäckerknecht von dem Rettungsplane zu unterrichten. Die Ausführung war auf den 2. Februar (Mariä Reinigung), einen kirchlichen Festtag, dessen Feier voraussichtlich die Wachtmannschaft der Burg zerstreuen würde, festgesetzt. Der Herzog sollte im Dunkel der Nacht die Mauer übersteigen, die während des sehr kalten Winters[228]) zugefrorene Havel überschreiten und bei einem Gehölze von einer aus Brandenburg abgesandten

Reiterschar erwartet und nach der Stadt geleitet werden. Auch die Gemahlin Johanns, eine litauische Prinzessin, war in den Plan eingeweiht und hielt sich zu der Zeit des Anschlags in Brandenburg auf, stand in eifrigen Beratungen mit den Stadthäuptern der Neustadt und machte sogar einen Besuch in der Stadt Plaue. Aber bei der Ausführung des Plans war noch eine besondere Schwierigkeit zu überwinden. Der Weg von der Neustadt nach Plaue und umgekehrt ging durch die Altstadt. Würde der Rat der Altstadt willig die Tore öffnen und den Flüchtigen einlassen, da dies doch die gefährliche Feindschaft Johanns von Quitzow eintragen mußte, die die Altstädter, wenn irgend möglich, gern vermieden? Es schien den Neustädtern besser, eine List zu brauchen. So sprach denn am Vorabend des 2. Februar, als der altstädtische Bürgermeister Klaus Schlunck auf dem Walle einige Weiden fällen ließ, der neustädtische Ratsherr Klaus Plinde bei ihm vor und teilte ihm in aufgeregter Besorgnis mit, daß die Altstädter, wie er durch Landbewohner vernommen habe, von einem feindlichen Angriffe bedroht seien und der neustädtische Rat ihnen gern gegen die Feinde Hilfe leisten wolle. Man solle am Abend bewaffnete Reiter als Wachtposten auf den Weg nach Plaue senden, damit sich der Feind nicht unbemerkt nähern könne. Klaus Schlunck wunderte sich zwar sehr über die ganz ungewohnte Hilfsbereitschaft der Nachbarn, die sonst in ewigen Streitigkeiten mit ihnen lebten, aber nahm doch das Anerbieten arglos an[224]). Am Abend zogen Neustädter und Altstädter einträchtig die Straße nach Plaue entlang, wo nun nach dem Plane der Neustädter der flüchtige Herzog Johann aufgenommen werden sollte. Aber der Gefangene, der glücklich Mauer und Havel überschritten hatte, verfehlte die richtige Stelle der Zusammenkunft mit seinen Rettern. Leicht gekleidet und barfuß, von der Kälte der eisigen Nacht erstarrt, verzweifelte er schließlich an der Flucht und legte sich in dem Gebüsche erschöpft nieder. Zu fernerem Unglück hatte man das Entweichen des Herzogs im Plauer Schlosse bald bemerkt, und der ergrimmte Hans von Quitzow sandte sogleich einen Reitertrupp auf den Weg zur Stadt, machte sich inzwischen selbst mit Dienern, Jägern und Hunden auf, die Fährte des Flüchtigen in der Umgebung ausfindig zu machen. Als der Herzog die Rüden bellen hörte und heranspringen sah, ging er den Suchenden entgegen und lieferte sich ihnen selber aus. Die Reiter Quitzows aber stießen auf die Brandenburger, mit denen sich ein heftiger Kampf entwickelte, an dem schließlich auch der Schloßherr teilnahm, und der schwere Verluste kostete. Natürlich herrschte in der Altstadt große Entrüstung, als man erfuhr, daß in jener Nacht Johann von Mecklenburg hatte befreit werden sollen und der Quitzower nun ergrimmt Altstädter und Neustädter zugleich des feindlichen Angriffs bezichtigte. Die Neustädter leugneten zunächst alle Beteiligung ab. Als aber Johann von Quitzow, um den Streit zu enden, einen Reinigungseid von den Bürgern forderte, leisteten ihn wohl die Altstädter, die Neustädter aber weigerten sich und mußten ihre Gefangenen darum erst von Quitzow durch ein hohes Lösegeld freikaufen. Zwischen Altstadt und Neustadt aber brachen darüber die ärgsten Mißhelligkeiten aus. Die Neustädter, die mit der Schuld, wenn es eine war, auch den größeren Schaden hatten, verdächtigten in ihrem Unmute die Altstädter als geheime Anhänger Johanns von Quitzow, und sie hatten damit nicht so ganz unrecht, als die Altstädter dem Schloßherrn von Plaue, mit dem sie wieder im Frieden waren, Speise zuführten. Alle alten Streitfragen zwischen den Gemeinden erwachten von neuem und erbitterten so die Gemüter, daß die Städte ihre Haveltore am Gründonnerstag (13. April) 1408 gegeneinander sperrten und niemanden ohne Erlaubnisschein passieren ließen, ein Blockadezustand, der über sieben Monate dauerte, und, wie es scheint, schließlich durch die persönliche Dazwischenkunft des Markgrafen Jobst, der Ende November in die Mark kam, aufgehoben wurde[225]). Aber die Beziehungen zwischen beiden Städten blieben seitdem über ein Jahrzehnt lang außerordentlich gespannt. Der Herzog Johann von Mecklenburg wurde bald darauf von den Quitzows nach Bötzow geführt, wo er sicherer aufgehoben schien, und schmachtete dort weiter unter Dietrichs strenger Aufsicht im Kerker. Sein trauriges Schicksal erregte weithin rege Teilnahme und Empörung unter den norddeutschen Fürsten, aber niemand wagte für ihn einzutreten. In der Mark wurde es zunächst von Bemühungen um seine Befreiung still; denn neue Gefahren von außen drohten; und hier bewiesen sich einmal die Brüder Quitzow als kraftvolle und siegreiche Führer gegen räuberische Feinde. Als magdeburgische und selbst altmärkische Vasallen unter der Führung Kunos von Wulffen in das Havelland einfielen und namentlich die Besitzungen des Brandenburger Bischofs Hennings von Bredow, seines Verwandten, verwüsteten[226]), eilte Johann von Quitzow dem bedrängten Lande zu Hilfe, besiegte und tötete Kuno von Wulffen bei Gloina in der Nähe von Görzke, in welchem Kampfe er durch einen Lanzenstich ein Auge einbüßte. Bald darauf wurde er auf einem Streifzuge gegen Ulrich von Mecklenburg-Stargard bei Lychen gefangen und erlitt so das Schicksal seines gleichnamigen mecklenburgischen Gegners. Dietrich aber, sein Bruder, fand gleich darauf Gelegenheit, wiederum dem Bischof Henning, seinem Vetter, beizuspringen und so an der märkischen Westgrenze eine rühmliche Tat zu vollbringen. Er kam dem bedrängten Kirchenfürsten, der in seiner eigenen Residenz Ziesar von den rachegierigen Magdeburgern bedroht wurde, zu Hilfe und besiegte mit ihm die Feinde bei dem Dorfe Glienicke in der Nähe von Ziesar glänzend an der Spitze eines Kriegsvolkes, unter dem sich auch Bürger von Brandenburg befanden. Ein Bürger der Neustadt Brandenburg, Heinrich Winter, eroberte in dem ruhmreichen Kampfe, in dem 100 Feinde gefangen genommen wurden, eine Fahne, die zum Andenken an diesen Sieg lange in der Katharinenkirche aufbewahrt wurde[227]). Gleich darauf, Ende November 1408, erschien Markgraf Jobst nach vierjähriger Frist wieder in der Mark. Er kam aus der Niederlausitz, wo er streng gegen das Raubritterwesen eingeschritten war. Man hätte nun ein gleiches Auftreten von ihm in der Mark erwarten dürfen. Aber hier lagen die Verhältnisse anders. Die Quitzows, die sich zahlreiche Gewalttaten hatten zuschulden kommen lassen, waren andererseits doch auch als tapfere Beschützer der Mark nach außen aufgetreten. Außerdem besaßen sie eine zu ausgedehnte und weitreichende Macht an Burgen, Kriegsvölkern und Geld, als daß der gesinnungslose und stets geldbedürftige Jobst es mit ihnen hätte verderben wollen. Dem Luxemburger war es bei diesem seinem letzten Aufenthalte vor allem darum zu tun, möglichst große Geldsummen aus dem erschöpften Lande herauszupressen. Er stellte deshalb an die Stände der Mittel- und Altmark das Ansinnen, eine besondere Lehenssteuer aufzubringen und begründete seine Forderung mit der Erklärung, er bedürfe des Geldes zur Einlösung verpfändeter Schlösser und Güter. Diese Beteuerung, ausgesprochen in einem Augenblicke, wo Jobst in der ganzen Mark die Verpfändungen in großem Stile betrieb, mußte den Ständen wie ein Hohn erscheinen, aber doch gelang es ihm, die Mehrheit zu gewinnen. Nur die Räte der Neustadt Brandenburg, Brietzen und Beelitz weigerten sich, die Abgabe zu bewilligen, indem sie darauf hinwiesen, daß Jobst schon 1403 eine solche Bede zum Zwecke, Schlösser und versetzte Städte wieder einzulösen, auferlegt hätte, aber mit dem Gelde nach Mähren gegangen sei und die Mark in ihrer Not gelassen hätte. Sie erklärten sich jedoch zugleich bereit, auch ihren Anteil, der für die Neustadt 250 Schock böhmischer Groschen betragen sollte, zuzuschießen, wenn man mit der Einlösung der verpfändeten Schlösser Ernst machte. Es gelang aber den Räten Jobsts doch, die Brandenburger zu überreden, sich zur Zahlung zu bequemen. Der Neustadt wurde das Dorf Päwesin nebst Zudam verschrieben, wofür sie freilich noch 200 Schock zu zahlen hatte[228]). In ähnlicher Weise veräußerte Jobst allenthalben wertvolle Besitzstücke, um Geld dafür einzuheimsen. Das Verhängnisvollste von alledem war, daß er den Quitzows die Städte Strausberg, Rathenow und Friesack gegen stattliche Summen verpfändete. Es schien, als wenn diese Gewaltigen die Kurlande auskaufen wollten. Den Quitzows diente es aber doch schließlich zum Nachteil, daß sie sich in ihren gesetzlosen Fehden durch die Anwesenheit des Landesherren gar nicht stören ließen. Von allen Seiten, aus Sachsen, Pommern und der Neumark kamen Klagen über ihre

Raubzüge, und es fiel besonders ins Gewicht, daß der treffliche, allgemein geachtete Abt Heinrich Stich von Lehnin, bei dem Jobst im Februar 1409 verweilte, wie er auch Brandenburg besuchte, sich über Johann von Quitzows Übergriffe beschwerte, die dem Kloster das althergebrachte Recht auf die Fischerei im Plauer Wasser verkürzten. Schließlich erkannte Jobst, daß er bei solcher Stimmung des Landes den Quitzows die Hauptmannschaft der Mark nicht geben dürfe und setzte vielmehr den greisen Pommernherzog von Stettin, Svantibor, und Kaspar Gans von Putlitz (für die Altmark) ein. Aber gerade dies erbitterte die trotzigen Gewalthaber, und nach dem Abzuge Jobsts auf Nimmerwiedersehen vergewaltigten sie die märkischen Städte um so willkürlicher. Von dem Landesherrn glaubten sie nichts mehr fürchten zu müssen; so wollten sie nun ihre territoriale Gewalt gründen ohne Rücksicht auf den Markgrafen. Im Havellande besaßen sie nun die Schlösser Plaue, Rathenow und Friesack, in Barnim Bötzow, Strausberg und Köpenick, und Saarmund diente ihnen als Pforte aus dem einen Gebiet in das andere. So fühlten sie sich als Herren des Landes; niemand wagte offenen Widerstand, und Städte und Klöster, die ihre Mauern schützten, wurden durch Drohungen eingeschüchtert. Dies Verfahren wandte Dietrich namentlich in seinem Streite mit der Stadt Berlin um den Besitz des Schlosses Köpenick, das Berlin von Jobst im Pfandbesitz erworben hatte, und um eine Lösegeldsumme an. Da er auf gerichtlichem Wege nicht zum Ziele kam, brauchte er schließlich offene Gewalt, führte die Herden der Berliner vom Stadttor weg nach Bötzow und schlug ihre Bürger, wie Niklas Wyns, in eiserne Fußfesseln! In diesem Augenblick, wo ein Mächtiger in der Mark sich ungestraft über Recht und Gesetz hinwegsetzte und nun unabsehbare Wirrnisse bevorstanden, starb Jobst, dem Reiche, dessen Krone er trug, ohne Anerkennung zu finden, und der Mark zum Glück, die unter ihm der völligen Auflösung entgegengetrieben war[22]).

VIERTES BUCH

ÄUSSERE SCHICKSALE DER STÄDTE BRANDENBURG UNTER DEN ERSTEN HOHENZOLLERN

I. ANKUNFT UND ERSTE ERFOLGE DES BURGGRAFEN FRIEDRICH

N seine zeitgeschichtlichen, tagebuchartigen Aufzeichnungen trägt der neustädtische Stadtschreiber Engelbert Wusterwitz 1410, als Markgraf Jobst die Mark nach erfolgreicher Schröpfung, aber ohne den Wirren des Landes abgeholfen zu haben, verlassen hatte, bekümmert eines Tages ein: O Schande, o Unseligkeit Herrn Jodoci, Markgrafen zu Brandenburg, der sich solcher Dinge nicht annimmt und die Mark in ihrer Gerechtigkeit zu beschützen solchen Anläufern und Beschädigern sich nicht widersetzet.— O du unfleißiger Fürst, warum bedenkst du nicht, daß der nicht muß fliehen Mühe und Arbeit, der die Gloria der Tugend begehret? — Wollte Gott, daß itzund einer der streitbaren Markgrafen wieder aufstünde, die zu ihren Zeiten die Mark Brandenburg getreulich und seliglich regieret, die nicht allein in der Mark gestritten, sondern auch in fremden Ländern ihre Pferde angebunden und große Dinge getan. Itzund aber findt mans ganz anders. Darum, ihr Märker, brechet aus in eure bittern Thränen; denn es ist euch keine Hoffnung gelassen, daß euch Markgraf Jodocus von der Unterdrückung und Beschwerung der Quitzowe sollte erlösen. Es ist auch itzund kein Weg dazu, wo nicht Gott sonderlich durch seine grundlose Gnade und Güte Hilfe und Rat schaffet. Für unsere Augen ists mit menschlicher Hilfe aus![230])

Diese verzweifelte Klage entströmt den Lippen des Brandenburger Stadtchronisten zu einer Zeit, die man nicht mit Unrecht als Blüteperiode des Städtewesens in der Mark angesehen hat. Durchmustert man die Vorrechte der Städte Brandenburg in diesen Tagen, so war ihre Stellung wohl einer Reichsstadt zu vergleichen, und sie hatten es verstanden, eine große Reihe von Freiheiten zu erwerben. In allen Städten und Märkten der Mark Brandenburg genossen die Brandenburger Kaufleute Zollfreiheit. Aus den Marktgerechtigkeiten war ihnen längst ein eigenes Stadtrecht erblüht und das stolze Vorrecht gewährt worden, daß der Bürger innerhalb seiner Mauern Recht fand und nur vom Stadtschultheißen gerichtet wurde. Und darüber hinaus: Die Brandenburger Schöppen waren die Hüter der Rechtsgewohnheiten des ganzen Landes geworden, und von fern und nah, aus Stadt und Land holte man ihre Rechtsbelehrung. Selbständig schaltete der Rat über die Stadtverwaltung und übte auf allen Gebieten Polizei aus eigenem Recht. Er regelte das Gewerbsleben, bildete und überwachte die Handwerksinnungen und beherrschte meilenweit die ländliche Umgebung wirtschaftlich durch das Recht der Bannmeile. Von Leistungen an den Staat hatte sich die Stadt immer mehr freizumachen verstanden. Auch Kriegsdienste leisteten sie nur, sofern es sich um Verfechtung und Schutz ihrer eigenen Interessen handelte. Sie hatten sich das Recht zusichern lassen, keine neuen Burgen in ihrer Nachbarschaft zu dulden. Auch waren sie von der Pflicht entbunden worden, fürstliches Kriegsvolk in ihren Mauern aufnehmen zu müssen. Die Gesamtheit der Städte hatte neben Geistlichkeit und Adel des Landes eine gewichtige Stimme in der Landesverwaltung, und außerdem taten sich die Städte zu weitumfassenden Bündnissen zusammen, um den Landfrieden mit gewaffneter Hand aufrechtzuhalten. Selbst das Recht hatte sich die Stadt Brandenburg, wie andere, verbriefen lassen, gegen Vergewaltigung des Landesherrn Widerstand zu leisten und in solchem Falle sich einem anderen Fürsten zuzuwenden. Und doch dieser fassungslose Notschrei nach einem tatkräftigen, mächtigen und gerechten Herrn und Richter, der dem Lande wieder Frieden und Recht, Wohlfahrt und Gedeihen schafft. Alle die Rechte und Freiheiten der einzelnen Gemeinden reichten nicht aus, um Ordnung und Glück des großen Ganzen zu sichern. Wie die beiden Städte fortgesetzt miteinander stritten und sich in nachbarlichen Zänkereien verzehrten, so ging das Land am tödlichen Kampf aller gegen alle zugrunde, und nur ein Machthaber, der Tatkraft besaß, aber doch ein sittliches Gebot über sich anerkannte, vermochte Heilung und Rettung zu bringen, indem er Frieden gebot und erzwang. Und ein solcher Mann kam, vergleichbar den alten Markgrafen, wie sie Engelbert Wusterwitz zurücksehnte, aber auch willens, die Hoheitsrechte, wie sie ein Markgraf im Koloniallande hatte, wieder auszuüben. Der König Sigismund von Ungarn, der jetzt zugleich die Kaiserkrone trug, erhielt durch den Tod seines Vetters die Mark wiederum zurück. Aus dem trostlosen Zustande dieses Landes, wie es die Vernachlässigung durch Jobst gezeitigt hatte, schöpfte er endlich die ernste Erfahrung, daß dem gänzlich herabgekommenen Staatswesen mit neuen Mitteln aufgeholfen werden müsse. So hörte er nicht nur die Klagen der märkischen Städte, deren Abgeordnete er in Ofen empfing, mit offenem Ohre an[231]), sondern zog sofort wirksame Mittel in Erwägung, der märkischen Herrscherlosigkeit ein Ende zu machen. Vor allem sprach er die Absicht aus, alle verpfändeten markgräflichen Besitzungen einzulösen und wieder in eigene Verwaltung zu nehmen. Zugleich aber erkannte er, daß es ihm selbst unter der Last der kaiserlichen Geschäfte noch weniger als bisher möglich sein werde, für das verwaiste Land zu sorgen. Ein so verwildertes Gebiet wieder in Ordnung zu bringen, dazu bedurfte es eines klugen und starken Verwalters, der sich ganz dieser Arbeit hingab. Als solcher erschien ihm sein Freund, der Burggraf Friedrich VI. von Nürnberg aus dem Geschlechte der Hohenzollern, das sein hohes vom Kaiser übertragenes Amt seit Jahrhunderten mit Klugheit, Tapferkeit und Wirtschaftlichkeit geführt und im Reichsdienste sich gewandt und treu bewiesen hatte. Daß Sigismund von einem Teile der Kurfürsten zum Kaiser gewählt und schließlich von allen Parteien anerkannt wurde, verdankte er vor allem der geschickten Diplomatie seines Beraters Friedrich, der, nur mäßig begütert — er besaß von der zollerischen Hausmacht nur Ansbach —, um emporzukommen, in den Dienst des glänzenden Ungarnkönigs getreten war. Man durfte von Friedrich erwarten, daß er auch einer schwierigen, staatsmännischen Aufgabe gewachsen sein würde. Für seine Zeit hochgebildet und im Besitze reicher politischer Erfahrungen, alltags besonnen und gemäßigt, aber in ernster Lage entschlossen und tapfer, freigebig, aber zugleich wirtschaftlich und von Verschwendungssucht frei, seine fürstliche Würde wahrend, aber doch dem geringen Manne gegenüber leutselig und schlicht, so schien er zu hohen Dingen berufen. Natürlich fehlte es ihm nicht an vorwärtsdrängendem Ehrgeiz, und kaum hätte er die unendlich dornenvolle Aufgabe, die ganz verwahrloste Mark zu ordnen, auf sich genommen, wenn ihn nicht die Kurfürstenwürde, die damit verbunden war, gelockt hätte. Aber es ist doch zu betonen, daß er sich als der Hüter strenger Gerechtigkeit fühlte und nichts sein wollte als „Gottes schlichter Amtmann zum Fürstentum".

Dieser Mann wurde nun von Sigismund in Anbetracht „seiner mannigfaltigen Dienste und Werke" und „im Vertrauen auf seine Vernunft" zum obersten Hauptmann und Verweser der Mark Brandenburg mit allen Rechten und Pflichten, wie ein jeglicher wahrer Markgraf sie ausüben würde, ernannt und ihm 100000 ungarische Goldgulden, die bald auf 150000 erhöht wurden, als Lohn und Ersatz für die Mühe und die Kosten verheißen, die er würde aufwenden müssen, um die Mark aus dem „krieglichen und verderblichen Wesen" zu erretten. Er setzte ihn also in den Pfandbesitz der Mark ein und stellte ihm, da die Rückzahlung der hohen Summe sehr unwahrscheinlich war, den dauernden Besitz des Kurlandes in Aussicht, das er aber erst durch hingebungsvolles Wirken erwerben sollte[232]). Zunächst sandte der Burggraf, der noch durch dringende Reichsgeschäfte an Sigismunds Hoflager gefesselt wurde, 1411 als seinen Unterhauptmann Wend von Ileburg, einen Lausitzer Edelmann, in das Land, der die Huldigung für ihn als Pfandbesitzer entgegennehmen, die Landesregierung führen und mit der Einlösung der Schlösser einen Anfang machen sollte. Aber die Bande des Gehorsams waren in der Mark zu sehr gelockert, als daß ein Sendbote ohne eigene Machtvollkommenheit Anerkennung finden konnte. Die Stände weigerten sich, ihn als Stellvertreter des Landesverwesers aufzunehmen, und Wend mußte bald an dem Erfolge seiner Sendung verzweifeln. Schlimmer als je vorher sah es in den märkischen Landen aus. — Da machte sich Burggraf Friedrich im Sommer 1412 nach der Mark auf. Man hat lange auf Grund einer in Blankenburg ausgestellten Urkunde vom 16. Juni 1412, in der der Graf von Regenstein das Dorf Dobberkow vom Burggrafen zu Lehen nimmt, angenommen, Friedrich sei an diesem Tage in Blankenburg gewesen und habe von dort unmittelbar seinen Weg nach Brandenburg genommen, wo er am 22. Juni erscheint. Aber dieser Lehensbrief kann keineswegs als ein Beweis für den Aufenthalt Burggraf Friedrichs in Blankenburg gelten, um so weniger, als sich mehrere bisher nicht beachtete andere Zeugnisse finden, die den Weg des Burggrafen in die Mark im allgemeinen festzustellen ermöglichen. Am 8. Juni ist nach einer Urkunde Friedrich noch in Hof in Bayern, d. h. in burggräflichem Gebiet, am 12. Juni ist er in Leipzig bezeugt, und nach der gleichzeitigen Zerbster Chronik Peter Beckers ist er auf dem Wege nach der Mark durch Wittenberg gezogen, um sich mit dem Herzog Rudolf von Sachsen zu befreunden, dessen Tochter Barbara mit seinem ältesten Sohne verlobt worden war. Diese Nachricht wird dadurch bestätigt, daß nach anderen Quellen Friedrich mit Rudolfs freiem Geleit und in seiner Begleitung nach Brandenburg kam. Das Wahrscheinlichste ist danach der gerade Weg über Belzig und Golzow. Dagegen führt man an, Wichard von Rochow auf Golzow sei ein Gegner Friedrichs gewesen. Deshalb habe er diesen Ort vermeiden müssen. Aber es wird dabei unbeachtet gelassen, daß er mit einem großen Gefolge sächsischer und fränkischer Ritter reiste und deshalb keinen Grund hatte, um Golzow einen Bogen zu machen. Nur wenig weiter ist zudem der Weg über Brück, zwei Meilen östlich von Golzow, der als Straße von Sachsen nach Brandenburg für jene Zeit ebenfalls bezeugt ist. An sich ist es natürlich auch möglich, daß er den großen Umweg über Wiesenburg, Görzke, Ziesar nach Brandenburg gemacht hat, etwa um den in Ziesar wohnenden Bischof Henning von Bredow aufzusuchen und für sich zu gewinnen, an dessen Gesinnung er wegen seiner Verwandtschaft mit den Quitzows vorläufig Zweifel hegen mußte. Aber auch in diesem sehr wohl denkbaren Falle würde man als den Punkt, wo Burggraf Friedrich den märkischen Boden betrat, wohl nicht die Grenze der neustädtisch-brandenburgischen Heide am Radkrug ansehen müssen, wo der Besitzer des Ritterguts Gränert einen Hohenzollerndenkstein errichtet hat, sondern vielmehr das Städtchen Görzke, das später zum Herzogtum Magdeburg kam, damals aber noch zur Mark gehörte[233]).

Am 21. oder 22. Juni zog die stattliche Schar, bei der sich auch die Grafen von

Schwarzburg, die Verwandten des Magdeburger Erzbischofs, befanden, in Brandenburg, der alten Hauptstadt der märkischen Lande, ein. Wenn wir aus des Brandenburger Stadtschreibers Chronik auf die Stimmung der Bürger schließen, so werden sie ihn gewiß mit Freuden begrüßt haben. Hatten sie doch unter der Quitzowzeit besonders schwer gelitten. Hierher nach der Neustadt berief Friedrich auf den 10. Juli eine Versammlung der Stände. Daß er dafür nicht Berlin wählte, das sich doch schon damals zum eigentlichen Vorort der märkischen Lande entwickelt hatte, hatte seinen besonderen Grund. Gleich im Anfang hatten Sigismund und Friedrich die Sonderinteressen Berlins verletzen müssen. Es lag seit langer Zeit mit Dietrich Quitzow im Streit über den Besitz des markgräflichen Schlosses Köpenick, und wenn nun Sigismund die allgemeine Bestimmung getroffen hatte, die verpfändeten landesherrlichen Schlösser sollten eingelöst werden, so traf Berlin damit der erste Verlust der neuen Regierung. Diese wichtige Stadt trotzalledem zu gewinnen, eilte er bald dorthin, und es gelang ihm nach längeren Unterhandlungen wirklich, die Huldigung zu erreichen. Darauf begab er sich nach Spandau und kehrte über Nauen nach Brandenburg zurück. Am 10. Juli wurde der Landtag in der Neustadt Brandenburg eröffnet. Er brachte zunächst eine schmerzliche Enttäuschung; denn nur aus dem Teltow, dem Lande Lebus und Sternberg hatten sich die Edelleute eingefunden, mit ihnen die Abgeordneten der meisten Städte und der Bischöfe von Brandenburg, Havelberg und Lebus. Nicht erschienen war dagegen der Adel aus dem nahen Havellande, dem Barnim, dem Glien, der Prignitz und der Altmark. Als Vertreter der letzten beiden Landschaften war nur Kaspar Gans von Putlitz gekommen, der aber lediglich eine Abschrift der königlichen Vollmacht verlangte und die Huldigung vorläufig verweigerte. Die vertrauengewinnende und bedeutende Persönlichkeit des Burggrafen blieb indessen nicht ohne Eindruck, und auf seiner Rundreise durch das Land gewann er immer neue Anhänger, zumal unter den Städten, denen er mit kluger Uneigennützigkeit die Privilegien unentgeltlich bestätigte. Aber schon drohte eine ernste Gefahr. Von dem havelländischen Adel aufgehetzt, fielen die Söhne des Pommernherzogs ins Land, um sich mit den aufsässigen Edelleuten des Havellandes zu vereinigen. Auf dem Kremmer Damm, den nördlichen Thermopylen der Havellandschaft, schlug er die Gegner zurück, wenn auch das edle Blut des Grafen von Hohenlohe dabei floß. Der glückliche Waffengang machte die Städte der Altmark und der Prignitz zur Verständigung geneigt, und auch der Adel spaltete sich, und Fahnenflucht verbreitete sich unter den Genossen der Quitzows. So erschienen April 1413 die Häupter der dem neuen Herrn bisher Trotzenden, die Quitzows und Putlitz' in Berlin, um zu huldigen. Sie mußten einige Schlösser herausgeben, behielten aber

Friesack, Plaue und Beuthen. Als der Burggraf bald darauf gegen das Raubschloß Trebbin zog, um es dem aufsässigen Maltitz abzunehmen, leisteten ihm die Quitzows, Rochows und Bredows gehorsame Heeresfolge. Aber die Unterwerfung war nur scheinbar: Die Stegreifritter konnten ihre Burgmannschaften nur durch fortgesetzte Beutezüge willig erhalten, und das Entgegenkommen des neuen Herrn reizte ihren Übermut. Aus dem Feldlager hinweg machten die Quitzows und ihre Genossen wilde Plünderungszüge in das Magdeburgische und sprachen so fast unter den Augen des Burggrafen dem beschworenen Landfrieden Hohn. Da erkannte Friedrich, daß ihm der entscheidende Kampf nicht erspart bleibe. Umsichtig knüpfte er mit den benachbarten Fürsten Verbindungen an und sicherte die Nordgrenze der Mark durch Friedensbündnisse mit Pommern und Mecklenburg. Dann verband er sich zu gemeinsamem Kampfe gegen die Friedensbrecher mit dem Erzbischof von Magdeburg, dem Herzog Rudolf von Sachsen und den Äbten von Zinna und Lehnin. Schon vor Beginn des Kampfes fiel Kaspar Gans zu Putlitz auf einem Raubzuge gegen den Bischof von Brandenburg diesem in die Hände und ward in Ziesar gefangen gesetzt. Dann wurden zu gleicher Zeit im Februar 1414 die Burgen der Gegner berannt, wobei ihm die damals als Belagerungsgeschütze eben in Aufnahme gekommenen großen Donnerbüchsen, die mit Pulver geladen wurden und Steinkugeln schossen, vortreffliche Dienste leisteten, namentlich eine besonders große Büchse, die ihm vom Landgrafen Friedrich von Thüringen geliehen war und die die märkischen Bauern, denen die Fortschaffung oblag, wegen der Schwerbeweglichkeit die „faule Grete" zu nennen pflegten. Rathenow fiel zuerst, da die Bürgerschaft ihre Sache von den Quitzows trennte. Sie sandten heimlich einige Ratsherren nach der Freundesstadt Brandenburg, die freudig die Vermittlung übernahm[24]). Bei Nacht zog der neustädtische Bürgermeister Hans von Bensdorf mit ihnen nach Berlin zum Burggrafen, wo sie sich ihm unterwarfen und ihm versprachen, die Tore zu öffnen. So gewann er die Stadt ohne Mühe und nahm ihre Huldigung entgegen. Dann zog man vor Friesack, das sonst von allen Seiten durch Sumpf unzugänglich war, aber in der Winterkälte bei gefrorenem Boden den Angreifern keine großen Schwierigkeiten bereitete. Dietrich ließ die Burg bald in heimlicher Flucht im Stiche. Am längsten trotzte dem Angriff die Burg Plaue, aber auch hier erwies sich das neue schwere Geschütz mit seinen gewaltigen Steinkugeln dem Ritterschwert überlegen. Johann von Quitzow wurde auf der Flucht ergriffen und beugte sich schließlich der Gewalt des Siegers. Dietrich starb als Geächteter in der Fremde.
Die Niederwerfung der Quitzows durch fürstliche Macht hat eine über das Landschaftliche hinausgehende politische Bedeutung. Der Stern der Vasallen erbleichte vor der Fürstengewalt. An Stelle verhängnisvollster Herrscherlosig-

keit brachte sich eine gesetzmäßige Macht wieder zur Geltung, die das Land allmählich dem modernen Staate entgegenführte, in dem nur die Landesherrschaft allein das Schwert der Gerechtigkeit führt. Bei dieser naturnotwendigen Entwicklung war auch das Gestirn der Städte dem Absteigen geweiht. Die Stadtgemeinden, die bisher politische und wirtschaftliche Mittelpunkte eines eigenen Gebietes gewesen waren, mußten sich allmählich dem Gesamtkörper des Landes eingliedern, über das der Fürst gebot. Doch haben wenige diese Entwicklung, die sich unaufhaltsam vollzog, im voraus überblickt. Verarmung und Kriegsnot taten dann das übrige, um die Städte der Herrschergewalt gegenüber wehrlos zu machen, die schließlich unumschränkt waltete und der selbständigen Entfaltung bürgerlicher Freiheit keinen Raum ließ. Erst die neuere Zeit hat dann die zur Überspannung gelangte Herrschergewalt in Schranken gebannt und ein System zur Geltung gebracht, das Volksfreiheit mit fester Staatsordnung zu vereinigen wußte. — Das sind Betrachtungen, die weit hinausführen über den schlichten Bericht der Zeitereignisse, der uns obliegt.

Über die Teilnahme der Brandenburger Bürger an dem Feldzuge des Burggrafen wird uns nichts berichtet. Doch ist bei ihrer Feindschaft gegen die Quitzows nicht daran zu zweifeln, daß sie unter den Belagerern der alten Feste Plaue nicht gefehlt haben. Jedenfalls ist das Lob des siegreichen Friedensbringers Friedrich am hellsten in der Stadt Brandenburg erklungen. Der spröde, wortkarge Märker wird beredt, um dieses neuen Herrn und Helden Ruhm zu verkünden, und nach langer Frist hat die Geschichte Brandenburgs wieder von einem Chronisten und gar von einem Sänger zu berichten. In den Mauern der Neustadt hat Engelbert Wusterwitz, ein Rechtsgelehrter in kirchlichen und städtischen Diensten, seine lebensvolle Chronik der Mark geschrieben nicht ohne Groll und Eifer, aber so, daß man den Herzschlag des Vaterlandsfreundes vernimmt. In den Mauern Brandenburgs hat auch Niklas Uppschlacht jenes schöne niederdeutsche Volkslied gesungen, das den Sieger im Kampfe gegen die Quitzows verherrlicht. Anfang und Schluß des Gedichts gibt die Stimmung wieder, in der die Brandenburger Bürger die neue Friedenszeit begrüßten.

Der große Schöpfer mildiglich
Der Mark zum Troste sicherlich
Hat geben Markgraf Friederich,
Den edlen Fürsten lobesamen.
Er ist ein Fürste, hoch und wert.
Ob Laie er, ob wohlgelehrt,
Die preisen alle seinen Namen.

Fürwahr mit Fug rühmt man ihn schon.
Gott selbst auf seinem höchsten Thron
Und Jesus Christ, sein lieber Sohn,
Den Fürsten hat erwecket.
Seit uns der Kaiser ganz entschwand,
Blieb ohne Trost das arme Land,
Und nie ward uns ein Fürst gesandt,
Der die Räuber hat erschrecket.
Wie Friedrich nun die Frechen schlägt,
Die frech sich wider ihn geregt,
Wie Kuckuckspack der Kranich fegt,
Der auf sie stößt geschwinde.

— — — — — — — — — — —

— — — — — — — — — — —

Der Dichter schildert dann anschaulich den siegreichen Kampf des Burggrafen mit den Quitzows und schließt dann mit dem Gebet:

Ach großer Gott! Der Fürste gut,
Allzeit bleib' er in deiner Hut'.
Durch dein viel heil'ges, teures Blut!
Er schafft uns guten Frieden.
Dazu sein edle Frauen zart,
Daß Engel sein um sie geschart,
So sind sie beide wohlbewahrt
Hier und im Himmel droben.

— — — — — — — — — — —

Der uns diesen Reigen sang,
Niclas Upslacht ist er genannt,
Zu Brandenburg ist er wohlbekannt,
Er preist den Fürsten mit Fleiße[225]).

II. FRIEDRICH I. ALS KURFÜRST UND DIE STÄDTE BRANDENBURG

IE Tage, an denen die Raubritterburgen der Quitzows niedergebrochen wurden und an denen die Herrlichkeit dieser gewalttätigen Friedensbrecher ein wenig rühmliches Ende nahm, waren für die märkische Bevölkerung und insbesondere für die Stadt Brandenburg Festzeiten, in denen man aufatmete und einer besseren Zeit des Friedens und der Ordnung entgegensah. Im Bunde mit den Nachbarmächten und unter Zusammenfassung der heimischen Kräfte war es Friedrich gelungen, die gesetzlose Gewalttat niederzuzwingen. Am 30. März 1414 konnte der Burggraf auf einem allgemeinen Landtage zu Tangermünde Gericht über die Aufrührer halten und eine Landfriedensordnung verkünden, die wieder den Grund zu geordneten Zuständen legen sollte. Das Hausen und Hegen von Friedbrechern wurde darin als ein strafwürdiges Verbrechen erklärt und als solches geahndet. Alle Stände des Landes verpflichteten sich zu Abwehr und Verfolgung der Räuber und zur gegenseitiger Hilfeleistung gegen jeden Friedensbruch. Die bewaffneten Gefolge, auch die Söldner der Städte, wurden unter amtliche Aufsicht gestellt; wer dergleichen halten wollte, mußte binnen Monatsfrist dem Landeshauptmann eine Liste der in seinem Dienste stehenden bewaffneten Leute einreichen und wurde für deren Verhalten verantwortlich gemacht. Um den Beschädigten zu ihrem Recht zu verhelfen und die Friedensbrecher zu strafen, wurde die zum Teil ganz abgekommene Abhaltung der ordentlichen Hof- und Landgerichte in den verschiedenen Teilen des Landes wieder angeordnet. Schon vorher (Februar 1413) war ihm seine Gemahlin aus bayerischem Stamme, „die schöne Else", wie sie das Volk nannte, aus dem Frankenlande in die Mark nachgefolgt. Herzog Rudolf von Sachsen hatte als Verwandter sie ritterlich bis ins Kloster Lehnin begleitet, von wo sie Friedrich, der sich damals in Brandenburg aufhielt, abholte. Beide waren dann mit fürstlicher Zierlichkeit, wie Wusterwitz sagt, in die Stadt eingezogen, die den Burggrafen zuerst so freudig aufgenommen hatte und jetzt dem fürstlichen Paar gewiß einen festlichen Empfang bereitete. Ihren dauernden Aufenthalt nahmen die Landesherren freilich in Berlin, das die alte Hauptstadt Brandenburg bereits überflügelt hatte und Sitz der Landesregierung wurde, oder in dem am anmutigen Elb-

strom gelegenen Schloß Tangermünde. Während der Abwesenheit ihres Gemahls übernahm Elisabeth unter dem Beistande Johann von Waldows, des neuen Brandenburger Bischofs, die Landesregierung, die freilich bald durch Sorgen getrübt wurde[236]). Der graue Alltag, der auf den Siegesjubel folgte, blieb für Fürst und Volk nicht aus. Um das Fehdewesen von Grund aus zu beseitigen, dazu mußte der neue Herr seine ganze Kraft dem Lande dauernd weihen können, mit wachsamem Auge die Beziehungen zu den Nachbarfürsten regeln und jede Gesetzesverletzung der Untertanen unnachsichtlich verfolgen. Eben die wichtigen Dienste, durch die sich Friedrich dem Reichsoberhaupt unentbehrlich machte, für die er als Lohn Markgrafschaft und Kurwürde gewann, entzogen ihn immer wieder dem Lande, so daß es noch lange dauerte, bis ein wirklicher Friedenszustand in die Mark einkehrte. Über den Besitz der Burg Plaue, die Brandenburger und Magdeburger gemeinsam belagert und eingenommen hatten, kam es zu langwierigem Streite mit dem Erzstifte, das seine Vasallen im westlichen Grenzgebiet der Mark, der Umgegend der Städte Brandenburg, rauben ließ und schließlich sogar den gefangenen Hans von Quitzow in Freiheit setzte und gegen die Märker hetzte. Schon während der Belagerung von Plaue hatten Magdeburgische Mannen, die zu den Einschließungstruppen gehörten, Hans von Schierstädt, Hans von Treskow, Wiprecht von Barby, der Versuchung zum Raube im Umlande nicht widerstehen können. Sie hatten einen Streifzug in die havelländischen Dörfer Butzow und Ketzür unternommen, trieben den Bauern ihre Pferde und ihr sämtliches Vieh weg, drangen sogar in Friedhof und Kirche von Butzow ein, wohin die Bewohner ihre Habe geflüchtet hatten, schlugen den Leuten ihre hier geborgenen Kisten und Kasten auf und nahmen selbst die Chorröcke der Geistlichen mit fort[237]).
Über die Folgezeit gibt uns eine lange Schadenliste des Markgrafen, die er dem Erzstifte im Jahre 1420 aufstellt, eine erschreckende Übersicht von Fehden und Friedensbrüchen, die mit kurzen Unterbrechungen die Zeit bis 1420 erfüllen. Gleich nach dem Abzuge des Burggrafen Friedrich gen Konstanz zeigte der geächtete Dietrich von Quitzow der Mark wieder seine Macht, indem er das Städtchen Nauen, das gerade mit dem geernteten Korn seine Scheuern gefüllt hatte, ausbrannte. Das Gerücht ging, die Mordbrenner seien von der Gattin Hans von Quitzows und seinem Hauptmann Götze Predöhl mit Geld gedungen worden, in Abwesenheit des Markgrafen die Mark allenthalben anzuzünden und auszubrennen[238]). Aber jetzt ließen sich die Städte nicht mehr einschüchtern und traten selbst den Friedensstörern kraftvoll entgegen. Es gelang, vier der Bösewichte zu fangen, und in Brandenburg ereilte sie der Arm der Gerechtigkeit, wo sie auf das Rad geflochten wurden. Da sie

auf Agnes von Quitzow als Mitwisserin bekannt hatten, ward diese Frau aus dem Lande getrieben und flüchtete nach Magdeburg, aber auch die dortigen Bürger wollten Friedrich zu Liebe sie nicht in ihrer Stadt dulden[239]). Seitdem ruhte zwischen Brandenburg und Magdeburg die Fehde selten. Sie flammte heftiger auf, als Kaspar Gans von Putlitz einen Einfall ins Magdeburgische unternahm und dem Erzbischof Sandow an der Elbe entriß. Raubgesellschaften suchten das platte Land der Mark heim, überfielen die Dörfer, führten Hunderte von Schafen, Schweinen und Rindvieh, die Brandenburger Bürgern gehörten, hinweg und brandschatzten die Kaufleute, deren sie auf der Landstraße zwischen Brandenburg und Rathenow habhaft wurden. Selbst bis in die Nähe der Städte Brandenburg wagten sie sich vor; in der Brandenburger Heide, im Rehagen, überfiel Arnd Cläger, ein besonders gefürchteter Raubgeselle, den wohlausgerüsteten Stadtwächter, der dort auf Vorposten stand, nahm ihm Pferd, Harnisch, Armbrust, Messer und Rock weg und erschlug seinen Kameraden. Am Kläterpott, ganz in der Nähe der Stadt[240]), erbeuteten sie ein andermal zwei Pferde. — Auch die Altstadt und ihre Dörfer Radewege und Brielow wurden heimgesucht. Der schon genannte Arnd Cläger versuchte mit seinen Gesellen 1416 die Stadt zu überrumpeln und schoß wenigstens Feuer hinein und machte sich daran, der Stadt Plankenzäune anzuzünden. Natürlich hielten sich die Brandenburger mit Gewalt dafür schadlos und zahlten Raub und Verwüstung mit gleicher Münze heim[241]). Endlich kam es 1420 mit Magdeburg zum Frieden. Doch fehlte noch manches, daß die Beutezüge in die Mark ganz ihr Ende gefunden hätten. Wie nach wildem Sturm die See, auch wenn das Ungewitter sich beruhigt hat, noch lange fortwogt, so kam auch das Land nach den Kriegsstürmen der Quitzowzeit nur ganz allmählich zur Ruhe. Der Stolz der Märker konnte sich an dem steigenden Ansehen des Landesherrn und den auf ihn gelegten immer höheren Würden bei jeder Wiederkehr erfreuen. 1415 brachte der Burggraf die Markgrafschaft heim, dann die Kur- und Erzkämmerer würde, endlich das hohe Amt der Reichsverweserschaft, und seitdem raunte man sogar davon, daß ihm in der Zukunft die Kaiserkrone beschieden sein werde. Aber mit diesem hohen Aufstieg mehrten sich die Sorgen und die Schar der Neider. Mancherlei Veräußerungen von Renten und nutzbaren Rechten an Brandenburger Bürger gegen Leihung von größeren Summen zeigen die Geldansprüche, die die Landesverwaltung an den Fürsten stellte[242]). Im Jahre 1419 und in den folgenden Jahren drohte den märkischen Landen eine schlimme Gefahr durch ein großes nordisches Bündnis, an dem außer Mecklenburg und Pommern auch Polen beteiligt war. Zuerst gelang es Friedrich, durch überraschende Schnelligkeit der Feinde Herr zu werden, an der unteren Elbe die Grenzfesten zu nehmen und in der Uckermark bei Angermünde einen großen Sieg zu gewinnen, wobei ihm wie die havelländischen und altmärkischen Vasallen, so wohl auch städtische Aufgebote Hilfe geleistet haben. Es fehlt uns darüber freilich an Nachrichten, erst aus dem Jahre 1424 ist uns ein Aufgebotsbrief des jungen Markgrafen Johann erhalten, in dem er die Brandenburger Bürger zur Heeresleistung auffordert. In diesen Jahren umwölkt sich der politische Himmel für Kurfürst Friedrich immer mehr: die hohe Gunst, in der er bei dem Kaiser Sigismund stand, geht ihm verloren und verwandelt sich zeitweilig in unverhüllte Feindschaft, umfassende Bündnispläne, durch die er eine neue Stellung zu gewinnen sucht, scheitern völlig, wie auch seine Kriegsunternehmungen im Norden der Mark, und schließlich verläßt Friedrich verstimmt und müde das Land, wo er zur Zeit nur Mißerfolge zu sehen glaubte. Er hinterließ bei den Märkern ein dankbares Gedenken und genoß auch weiterhin bei ihnen ein ehrendes Vertrauen, das sein Vertreter, sein ältester Sohn Johann, der seitdem die Landesverwaltung führte, weniger zu gewinnen verstand.

Je empfindlicher die Städte unter der Friedlosigkeit und der Unsicherheit der Straßen gelitten hatten, mit um so größerem Eifer hatten sie sich um den geschart, der kraftvoll und planmäßig die Macht der gewalttätigen Friedensstörer brach. Wie Frankfurt a. d. O. die gewaltige Summe von 538½ Schock Groschen auf die Heerfahrt gegen die Quitzows aufwandte[243]), so waren die Brandenburger stolz darauf, daß sie Hans von Quitzow, als er bei Plaue die Seinen flüchtig verließ, im Havelgestrüpp aufgespürt und dem Fürsten ausgeliefert hatten. Voll Vertrauen wählte Brandenburg schon 1412 den Burggrafen zum Schiedsrichter in ihrem Streite mit dem Domkapitel. Und er bewährte sich in solchen Fällen als wohlwollender und gerechter Richter. Den Streit der Neustadt Brandenburg mit dem dortigen Domstift — es handelte sich um Acker und Brücher, Ziegelerde und Weideplätze — entschied er 1416 in folgender Weise: Der Acker soll von keiner Partei gepflügt und bearbeitet werden, sondern gemeine Weide sein und bleiben. Die Weiden sollen gemeinsam benutzt, die Ziegelerde geteilt und die Grenze zwischen beiden Teilen genau festgesetzt werden. Doch möge, wenn ein Teil den andern um Ziegelerde bittet, dieser verträglich sein und seinem Wunsche willfahren[244]). Friedrich war frei von dem Hochmut seiner Standesgenossen und unterwarf sich in Streitfragen, die zwischen ihm und Edelleuten zu schlichten waren, willig dem Urteile von Städten[245]).

Er billigte den Ausspruch Kaiser Sigismunds: Das Reich sind die Städte. Er sah in den Bürgern den Kern des deutschen Volkes und suchte in ihnen die Stütze seines Regiments. Auf dem Reichstage sprach er gegen die übermäßige Höhe der Geleitszölle, die dem fahrenden Kaufmann so beschwerlich war[246]). Als späterhin in den Hussitenkriegen das zuchtlose Reichsheer die Städte an Böhmens Nordrand zu plündern begehrte, da war er es, der dem beutegierigen Kriegsvolke entgegentrat und, wie das Volkslied von ihm rühmte, die Städte rettete[247]).

„Uns ist das nicht bevolhen worden,
Daß wir das statvolk sollen morden.“

Der glänzendste Beweis dafür, daß die Politik Friedrichs den Städten willkommen war, ist ihr Eintreten für ihn in seinen Streitigkeiten mit Ludwig von Bayern, in denen dieser durch verleumderische Scheltbriefe die märkischen Städte gegen ihn zur Empörung aufzustacheln suchte und sein Bild in den häßlichsten Farben ausmalte. Die märkischen Städte, unter ihnen auch Brandenburg, gaben ihm darauf eine bündige, unzweideutige Antwort. Sie setzten Friedrich von dem hinterhaltigen Treiben seines Gegners in Kenntnis und zeigten ihm die Briefe, die der Herzog ihnen geschrieben hatte. Der Markgraf dankte ihnen dafür. Er schrieb dem Bayern, daß all solche Aufhetzungen bei den „frommen“ Brandenburger Städten vergeblich sein würden. Voll Stolz weist er auf seine Politik den Untertanen gegenüber hin; allerdings habe er andere Grundsätze als Ludwig von Bayern. Nie habe er gewissenlos Land und Leute verpfändet, nie seinen Untertanen beschwerliche Lasten auferlegt wie Ludwig, über den seine Landsleute täglich Klage führen müßten. Was er zu des Landes Notdurft gebraucht habe, habe er erbeten und darum auch erlangt. Er hoffe, daß die Mark ihn gern als Herrn habe. Alte Freiheiten, altes Herkommen habe er stets geachtet und nie wie Ludwig gehandelt, der von den Bürgern Ingolstadts ihre Gnadenbriefe unter dem Vorwande, sie bestätigen zu wollen, verlangt und diese dann vernichtet habe[248]). Friedrich durfte sich auf seine Handlungen berufen und konnte sich auf seine Städte verlassen. Er hatte in ihnen die Stütze seines Regiments gesehen, und zu seinen Grundsätzen stimmte seine milde und nachsichtige Persönlichkeit, die jedem Zwiespalt aus dem Wege ging, solange er nicht unvermeidbar war. Manches änderte sich, als an die Stelle des im ganzen Reiche hochgeachteten Vaters der noch unerfahrene Sohn trat, dem es schwer werden mußte, eine gleiche Machtstellung zu behaupten. 1427 gelang es ihm allerdings, einen Streit in der Neustadt Brandenburg zwischen Rat und Bürgerschaft gütlich zu schlichten, indem er entschied, 16 Männer aus Gewerken und Gemeinde sollten 4 Jahre lang zur Rechnungslegung herangezogen werden. Aber bald scheint er dabei größeren Schwierigkeiten begegnet zu sein. Er mußte zum Beispiel 1428 der Stadt Brandenburg gegenüber seine Forderung, acht Gewappnete zu schicken, mehrmals wiederholen, ehe sie beachtet wurde[249]). Seine Ansprüche an die Kriegsleistungen der Stadt waren aber mitunter auch sehr

erheblich. Er verlangt z. B. 1424 von beiden Städten dreißig Gewappnete zu Roß und hundert gewappnete Schützen auf Wagen, fast das Vierfache von dem, was der märkische Städtebund von 1393 als Kontingent der beiden Städte festgesetzt hatte[250]). Als dann im Sommer 1428 zur Bekämpfung der drohenden Hussitengefahr eine allgemeine Reichssteuer vom Reichstage bewilligt worden war und auf einem märkischen Landtage die Stände aufgefordert wurden, für diese heilige Sache Opfer zu bringen und an den Kämpfen gegen die Hussiten teilzunehmen, erklärten die märkischen Gemeinden, sie seien zu entlegen, um sich daran zu beteiligen. Und als in Brandenburg der Bischof Kirchenstrafen verhängte, weil man dort den Ketzerschoß verweigert hatte, kam es zur offenen Empörung, die, wie es scheint, keine Sühne fand. Es scheint sogar die Werbung für hussitische Glaubensansichten in der Havelstadt nicht ohne Erfolg geblieben zu sein, denn der Rat von Brandenburg warnt in der gleichen Zeit, Streitigkeiten auf die Spitze zu treiben, da infolge der ketzerischen Neigungen in der Stadt die Achtung vor der Geistlichkeit nicht sehr groß sei[251]). Markgraf Johann wagte es nicht, diesen Sturm mit Gewaltmaßregeln zu unterdrücken; er wich ihm aus und verließ auf kurze Zeit das Land. In derselben Zeit entwickelte sich ein ernster Konflikt des Markgrafen mit der Stadt Frankfurt, der zu einer Klage Johanns über sie bei den Landständen und vor dem Hofgericht in Tangermünde führte. Frankfurt ließ sich die landrechtliche Vorladung außerhalb ihrer Stadt nicht gefallen, erwirkte einen Rechtsspruch des Magdeburger Schöppenstuhls, der die Vorladung nach Sachsenrecht für rechtswidrig erklärte[252]). So weigerte sich die Stadt, vor dem Hofgericht zu erscheinen, setzte sich in nähere Verbindung mit Berlin und mit Brandenburg, mit denen sie über eine Berufung an den „alten Markgrafen" beriet. Johann war demgegenüber so erbittert, daß er Kriegsvorbereitungen traf. Wie schließlich der Streit ausgelaufen ist, läßt sich nicht ermitteln, jedenfalls hat der Markgraf Entscheidendes gegen Frankfurt nicht ausgerichtet, und noch 1431 (1. Februar) haben sich die beiden Städte Brandenburg, Berlin-Kölln und Frankfurt zu einem Städtebunde vereinigt, der vor allem die gemeinsame Verteidigung ihrer alten Freiheiten ins Auge faßte, insbesondere des Vorrechts, nur in der eigenen Stadt zu Recht zu stehen. Sie verabredeten auch, alljährlich wieder zusammenzukommen, und zwar im ersten Jahre in Brandenburg, im zweiten in Berlin-Kölln, im dritten in Frankfurt und weiterhin in der gleichen Reihenfolge. Der Landesherrschaft war in dem ganzen Vertrage mit keinem Worte gedacht, dagegen ward geplant, den Anschluß der Ritterschaft und ein Bündnis mit ihr zu erlangen[253]).
Vermutlich war dieser Bund nur eine erneute Besiegelung der Bundesbrüderschaft, die die drei Städte in der Frankfurter Angelegenheit betätigt

hatten, und der der Markgraf Johann wohl hatte weichen müssen. So standen die größeren mittelmärkischen Städte dem Statthalter gegenüber geeint und gerüstet da. Und in derselben Zeit sehen wir sie in engerer Verbindung mit den Hansestädten, von denen sie Unterstützung ihrer Freiheiten erwarten durften. Am 24. Februar 1434 erwidert Frankfurt a. d. O. auf eine Einladung der in Lübeck versammelten Hansestädte zu einer Tagfahrt in Lübeck, daß es mit den Brandenburgern und Berlinern zusammenkommen und gemeinsam mit diesen die Einladung beantworten würde. Diese Zusammenkunft hat auch im März dieses Jahres stattgefunden und den Beschluß gezeitigt, den Hansetag zu beschicken. Johann vermochte dem städtischen Widerstande nicht zu wehren. Vergeblich zieht er von Ort zu Ort und gibt den kleineren Städten Gnadenbeweise. Schließlich verläßt er die Mark und überläßt die Statthalterschaft und die Anwartschaft auf die Nachfolge im Lande seinem jüngeren Bruder Friedrich.

III. BEFESTIGUNG DER LANDESHOHEIT UNTER FRIEDRICH II.

EINEM Nachfolger in der Regentschaft hinterließ Johann der Alchimist eine nicht sehr beneidenswerte Erbschaft. Vor allem erscheint die Haltung der märkischen Städte ihrem Fürsten gegenüber geradezu drohend und feindselig. Es ist uns aus jenen Tagen ein Vertragsentwurf erhalten, den die altmärkischen Städte denen der Mittelmark vorlegten und der Anzeichen enthält, daß er aus längeren Beratungen mit diesen hervorgegangen ist[234]). Der Zeit nach wird er etwa in das Jahr 1438 zu legen sein, da er einen Artikel aus dem altmärkischen Städtebündnis vom Jahre 1436 (Riedel A., 6, 120) wörtlich entlehnt und die bevorstehende Erbhuldigung ihres Herrn zu Lebzeiten oder nach dem Tode des alten Markgrafen erwähnt. Der Vertragsentwurf wirft ein grelles Schlaglicht auf die Stimmung jener Tage in den alt- und mittelmärkischen Städten. Er enthält allerdings am Schlusse eine Klausel, wonach, wenn einer der Artikel gegen das Reich oder gegen den gnädigen Herrn Markgrafen gerichtet wäre, so daß man sich mit Ehre und Recht nicht dazu verbinden könne, er unverbindlich sein solle. Im übrigen ist der ganze Bundesvertrag deutlich gegen etwaige Übergriffe der Landesherrschaft gerichtet und wendet sich nur nebenher gegen aufrührerische Bewegungen der Gewerke oder gegen Versuche, die westfälischen Femgerichte auf märkischem Gebiete zur Geltung zu bringen. Altmärkische und mittelmärkische Städte[235]) wollen ihre alten Freiheiten und ihre Verfassung in gemeinsamer Front nach oben und unten verteidigen. Dieser Bund soll als feste Mauer gegen jeden Versuch der Vergewaltigung wirken. Eine Landbede soll dem Markgrafen nur mit Zustimmung der Räte aller Städte in beiden Marken bewilligt werden, ebenso soll ihm Heeresfolge außer der Mark nur mit Zustimmung aller geleistet werden; nur zur Beschirmung des heimischen Bodens darf jeder von sich aus dem Landesherrn behilflich sein. Mit besonderem Nachdrucke trifft der Städtebund Vorsorge für den Fall, daß jemand aus den Städten vom Markgrafen durch sein Hofgericht belangt würde, ohne dazu geladen und gehört zu werden. In solchem Falle soll die Gesamtheit der Städte für den Geschädigten eintreten und gemeinsam Widerstand leisten. Insbesondere verwahrt sich der Städtebund gegen die Zumutung, daß etwa die Städte der

Altmark auf die Schöffenbank berufen werden könnten, um gegen die mittelmärkischen Städte zu richten, oder umgekehrt. Tritt eine Verletzung der alten Privilegien und Vorrechte einer Stadt ein, so soll man die gefährdete Stadt nicht preisgeben, sondern es sollen alle für einen stehen in gemeinsamer Tagung, wozu jeder auf eigene Kosten kommen soll, und in Kriegshilfe, wozu jede Landschaft 30 Gewappnete stellen soll. Das Mißtrauen gegen die Landesherrschaft spricht sich darin am stärksten aus, daß bestimmt wird, wenn der Landesherr bei des alten Herrn Leben oder nach seinem Tode die Erbhuldigung fordere, sie ihm nur einmütig unter Zustimmung beider Marken geleistet werden solle. Hinter diese tiefgreifenden Artikel treten die kurzen Bestimmungen über Abwehr der Zunftunruhen durch gerichtliches Verfahren oder Gewalt oder der Femgerichte oder des Raubwesens völlig in den Hintergrund. Man sieht, die Städte standen dicht davor, sich zu gewaffnetem Widerstand gegen jede Beeinträchtigung ihrer Freiheiten, wie sie sich in der Wittelsbacher und Luxemburger Zeit entwickelt hatten, fest zusammenzuschließen. Gingen sie auf diesem Wege fort, so wäre im Falle des Gelingens eine städtische Eidgenossenschaft entstanden, die der Fürstenmacht eine feste Mauer entgegengestellt hätte. Es war die Aristokratie der städtischen Räte, die ebenso nach oben wie nach unten ihre Stellung behaupten wollten, im Vertrauen auf die Unterstützung der Hansestädte, mit denen sie gerade damals in enger und steter Verbindung standen. Aber der letzte Schritt wurde nicht getan, der Bundesvertrag nicht geschlossen, geschweige denn ausgeführt. Und damit ging der günstige Augenblick vorüber, der Norddeutschland zu einer Eidgenossenschaft von Städterepubliken hätte machen können. Der neue Statthalter kam. Überall stieß der junge Fürst zunächst auf Widerstand, Verweigerung der Anerkennung, Mißtrauen. Allein er verlor den Mut nicht. Mit schonender Milde behandelte er, von Ort zu Ort ziehend, die mißtrauischen, aufgeregten Bürger. Bald beruhigten sich denn auch die gärenden Gemüter, und selbst die Städte der Altmark, von denen die Bewegung gegen Friedrich ausgegangen war, und die sich verschworen hatten, dem neuen Statthalter nichts zu bewilligen, übernahmen schon Ende 1437 eine Bürgschaft für eine Anleihe von 300 Gulden, die Friedrich für seine Schwester in Lüneburg aufgenommen hatte. Bald darauf leisteten sie ihm sogar gegen den Lauenburger Herzog willig Heeresfolge. Über das Verhalten der Städte Brandenburg in dieser Zeit fehlt es uns an Nachrichten. Aber es ist kein Zweifel, daß Brandenburg sich ebenfalls dem neuen Herrn willig fügte. Als der alte Kurfürst am 20. September 1440 die Augen geschlossen hatte, ging die Huldigung, soweit wir sehen, ohne Hindernis vor sich. Am 5. Oktober, 14 Tage nach dem Abscheiden des Vaters, berief der neue Kurfürst die Altstadt Brandenburg zur Erbhuldigungsleistung nach Berlin,

die dann am Bricciustage mit allen übrigen Ständen der Mark erfolgte. Der Huldigungseid ist uns noch erhalten und die Nachricht überliefert, daß die Privilegien erst nach der abgelegten Huldigung bestätigt wurden[256]). Bald zeigte es sich indessen, daß der neue Landesherr nicht gewillt war, den städtischen Gemeinden die alten stolzen Gerechtsame zu lassen. Er ging dabei wohlbedacht nicht gegen alle Städte vor, sondern er packte die Sache bei der Stadt an, in deren Mauern er mit Vorliebe verweilte und die der tatsächliche Vorort des Landes geworden war. Hier empfand er die Verweigerung des Öffnungsrechts, die Beschränkung der Größe seines Gefolges durch die Stadtbehörden besonders demütigend, hier wollte er Hausherr, nicht geduldeter Gast sein. Ein Zwist zwischen dem Rat und den Vierwerken, denen sich die Gemeinde anschloß, spielte ihm das Amt des Schiedsrichters in die Hände, das er in der Gesinnung ausnutzte, die ihn den Städten gegenüber erfüllte und wegen der er in allen niederdeutschen Städten gefürchtet und verhaßt war. Wir wissen über die Vorgänge im einzelnen nichts, aber die Tatsache steht fest, daß er, ohne Waffengewalt zu brauchen, ohne ein Gericht zu bestellen, nachdem ihm die Schlüssel aller Stadttore ausgehändigt worden waren, schon im Frühjahr 1442 als Schiedsrichter zwischen Rat und Gemeinde, als Landesherr gemessene Befehle erteilen und die Berlin-Köllner Stadtverfassung nach seinem Willen so ordnen konnte, daß die bisher vereinigten Räte getrennt wurden, vorzugsweise Männer aus den Vierwerken und der Gemeinde in den Rat kamen und die Ratswahl in beiden Städten an die kurfürstliche Bestätigung gebunden wurde. Zugleich erklärt er die bisherigen Bündnisse, die der Rat mit anderen Städten geschlossen habe, für nichtig und abgetan und setzt fest, daß zu allen künftigen Städteeinigungen die Zustimmung des Landesherrn erforderlich sei[257]). Mit einem Federstrich ist die Stadtfreiheit der mächtigsten Gemeinde der Mark vernichtet und die Verbindung mit den übrigen niederdeutschen Städten zerrissen. Allerdings mußte der Kurfürst im Jahre 1448 noch einen Aufstand der Spreestädte niederwerfen, aber auch hier genügte, wie es scheint, die drohende Haltung seiner Truppen, um die Durchfühung eines ordentlichen Ständegerichtsverfahrens zu ermöglichen, und die Bestrafung ging nicht über die Aberkennung der Lehen und Verbannung aus den Hauptstädten für die Hauptschuldigen hinaus. Dieser Erfolg ist der mit Mäßigung verbundenen Festigkeit Friedrichs II., sowie dem Kleinmut, dem Mangel an Zusammenhalt in den übrigen märkischen Städten zu verdanken.
Zunächst mag die Demütigung Berlin-Köllns im Jahre 1442 bedrohliche Aufregung unter den märkischen Bürgern hervorgerufen haben. Denn wenn im Anfang des Jahres 1443 ein großer Fürstentag in der Prignitz tagte, den Friedrich II. berufen haben mag und der sich gewiß gegen die Städtebünde

richtete, so wird diese Versammlung natürlich ihre triftigen Gründe gehabt haben. Um Mariä Lichtmeß (1443) zog der überaus hansefeindliche Dänenkönig Christoph von Bayern, wie es schien als frommer Pilgrim, aber mit einem Gefolge von 80 Pferden, durch Lübeck zum Wunderblut nach Wilsnack, das zu gleicher Zeit eine merkwürdige Anziehungskraft auf andere norddeutsche Fürsten übte. Kurfürst Friedrich II. von Brandenburg, Herzog Heinrich von Mecklenburg, drei braunschweigische Fürsten erschienen dort, wohl nicht, um gemeinsam zu beten. Man raunte, sie wollten dort Verabredungen zur gewaltsamen Niederwerfung ihrer Landstädte treffen, und ihr Bündnis sei vorläufig nur durch das Ausbleiben des Herzogs Adolf von Schleswig-Holstein zu Wasser geworden. Wie sehr die Hansestädte und die ganze Welt der norddeutschen Gemeinden die drohende Gefahr begriffen, zeigen Versammlungen des Jahres und ihre Beschlüsse, bei denen auch die Stadt Brandenburg beteiligt ist. Ein Lüneburger Städtetag vom 16. Juli 1443[256]) beriet über ein festes Bündnis zum Schutze der städtischen Selbständigkeit, zur Aufrechterhaltung der Verfassung gegen innere Feinde und zum gegenseitigen Beistand gegen die Fürsten. Am 30. August desselben Jahres ward der hier besprochene Entwurf zu Lübeck zum Beschluß erhoben. Dem Bunde wurde, gemäß dem Lüneburger Plan, eine festere Organisation gegeben. Die Städte Lübeck, Hamburg und Magdeburg beurkunden als Häupter der drei Drittel der nachgeschriebenen Städte der deutschen Hansa durch ihre Sendboten, zu Lübeck zu einer Tagung versammelt, daß die nachbenannten Städte sich von Michaelis ab auf drei Jahre verbunden haben, die Straße zu schützen, dem Raube zu wehren, im Falle eines Angriffs seitens der Fürsten und Herren einander mit bewaffneter Macht beizustehen, Erhebungen gegen die Räte in den Städten nötigenfalls mit Gewalt zu dämpfen und ihren Bund gemeinsam gegen jeden zu verteidigen. Zu dem Behufe haben die Städte der vorberührten „Tohopesate“ (Verbündnisses) sich in drei Drittel geteilt. Im ersten sind Lübeck, die wendischen Seestädte (Wismar, Rostock, Stralsund usw.), pomersche und mittelmärkische Städte, unter denen Frankfurt, Berlin und Brandenburg-Alt- und Neustadt namentlich aufgeführt sind. Zum zweiten Drittel gehören Hamburg, niedersächsische und fünf altmärkische Städte, zum dritten Magdeburg und die Städte des Harzgebietes sowie des südlichen Niedersachsens. Wir sehen, es ist dies ein Bündnis, das nicht alle Hansestädte, sondern nur eine bestimmte Gruppe in Niedersachsen, Mecklenburg, Pommern und der Mark umfaßt, ein Bund im Bunde, der aber ausdrücklich auf der gemeinsamen Mitgliedschaft der Hansa beruhte. Die Frage ist nun, ob die genannten märkischen Gemeinden, insbesondere Brandenburg, auf den betreffenden Tagungen durch Gesandtschaften ihrer Räte vertreten waren. Die altmärkischen Städte hatten sich an dem Lüneburger Tage nicht beteiligen können, weil der Kurfürst zur selben Zeit in der Altmark weilte und sie unter seinen Augen seine Gebote nicht übertreten konnten[259]). Sie schrieben daher diese Versammlung „großen Einfalls wegen, der ihnen begegnet sei", ab, erklärten sich aber zur Haltung ihnen annehmbarer Beschlüsse bereit[260]). An den Lübecker Tagen haben sie sich aber vielleicht unmittelbar beteiligt. Wenigstens erklärt Stendal, seine Ratsherren nicht zu einem um dieselbe Zeit vom Kurfürsten nach Frankfurt a. d. O. berufenen allgemeinen märkischen Landtage senden zu können[261]), vermutlich, weil sie sich zur Zeit an der Trave befanden. Die Städte der Mittelmark waren auf dem Lübecker Tage allerdings nicht vertreten gewesen, aber Lübeck hatte vorher Umfrage gehalten und sich um ihre Zustimmung bemüht; am 25. Juni hatte es die Städte, über die es die Aufsicht üben sollte, zu einer Vorbesprechung nach Stralsund geladen[262]). Es verlangte gar nicht, daß sie ihre Ratsherren zu der Versammlung senden sollten. Es stellte ihnen anheim, entweder ihre Schreiber statt der Ratsmitglieder zu schicken, was weniger auffallen konnte, oder aber ihre Vollmacht an andere Städte zu übertragen. Das letztere wird wohl geschehen sein, und so finden wir neben Berlin und Frankfurt auch Brandenburg in der Matrikel vertreten. Das große Entgegenkommen, das Lübeck den märkischen Gemeinden durch Entbindung von dem Besuche der Bundestagungen erwies, zeigt, wie großen Wert man in den hansischen Kreisen darauf legte, sich die märkischen Städte zu erhalten. Hatte doch ihr Bund in der kurzen Zeit seines Bestehens eine große Rührigkeit und vielversprechenden Eifer an den Tag gelegt. Auch auf der großen hansischen Versammlung vom 10. Juni 1447[263]), woselbst eine neue Einteilung des Bundes in vier Viertel beschlossen wurde, sind die märkischen Städte teils durch eigene Sendboten, teils durch Vollmachten vertreten. Auch hier wird jeder einzelnen Stadt kräftiger Schutz zugesichert für den Fall, daß sie durch Fehde oder Kränkung ihrer alten Rechte bedrückt würde, oder wegen Teilnahme an dieser Vereinigung, die übrigens geheim bleiben sollte, in Ungelegenheiten käme. Aber solche Bundessatzungen und schriftliche Zusicherungen waren papierene Mauern, die die Entschlußkraft eines Fürsten, der wußte, was er wollte, umblies. Die märkischen Städte kannten die Machtstellung ihres Herrn allzu wohl. Solange es ging, mochte man sich von den hansischen Bündnissen nicht ausschließen, deren Vorteile gerade Brandenburg als junges Mitglied wohl zu schätzen wußte, aber zu einer Erhebung gegen den gewaltigen Landesherrn mochte man keine Hand bieten. Frankfurts Kaufmannsaristokratie hielt sich klüglich zurück, und Brandenburg, das sich das ganze Jahrhundert hindurch der Leitung vorsichtiger und diplomatisch

gewandter Ratsherren erfreuen durfte, war sogar bemüht, durch allerlei Gefälligkeiten dem Kurfürsten seine Ergebenheit zu beweisen.
So konnte der Kurfürst die Altstädter am Donnerstage nach (Mariä) Himmelfahrt (16. August 1442) ersuchen, ihm zum Vorspann drei starke Wagenpferde mit gutem Sielenzeug nach Trebbin zu schicken, von wo seine Gemahlin Katharina zu ihrer Mutter ins meißnische Land mit ihrem Gesinde und Gerät fahren wollte[264]). Und einige Zeit darauf finden wir die neustädtischen Ratmannen in eifriger Unterhandlung mit dem kurfürstlichen Küchenmeister Ulrich Zeuschel, beflissen, gute Mauersteine für den Bau der Zwingburg in Kölln zu liefern, (18. Juni 1444)[265]). Auch die Stiftung des Schwanenordens, die Kurfürst Friedrich gleich bei seinem Regierungsantritt am 29. September 1440 vollzogen hatte, mag ihn öfter nach Brandenburg geführt und engere Beziehungen zu den Bürgern der Havelstädte geknüpft haben. Wie sein Vater am Tage der glücklichen Heimkehr seiner beiden Söhne Johann und Albrecht von ihrer Pilgerfahrt nach dem Heiligen Lande das Kloster auf dem Berge bei Brandenburg neben der etwas verfallenen Marienkirche gestiftet hatte, um der alten Wallfahrtsstätte, die durch das Wunderblut von Wilsnack und andere Wallfahrtsorte in den Schatten gestellt worden war, neuen Glanz zu verleihen, schuf er dem neu gegründeten Ritterorden, der den märkischen Adel zu friedlichem, frommen und streng sittlichem Leben vereinigen sollte, in der Leonhards- oder Schwanenordenskapelle, die an die Marienkirche angebaut wurde, ein würdiges Heim, das der von fast schwärmerischer Frömmigkeit erfüllte Stifter gewiß öfter aufgesucht hat[266]). Wenn aber der Kurfürst mit den Eisenzähnen den Brandenburgern einmal eine finstere Miene zeigte, so wußte der ehrbare Rat Mittel, seine Gnade wiederzugewinnen. In den meisten märkischen Städten gab es damals Mißhelligkeiten wegen der Juden, die die Markgrafen wegen ihres nicht immer auf redliche Weise erworbenen Geldes vorzüglich als gut fließende Erwerbsquelle ansahen und abwechselnd begnadigten und wiederum beraubten und verjagten. Die Städte waren mit der Plünderung der ihnen verhaßten Ebräer meist durchaus einverstanden, aber durchaus nicht, wenn der Kurfürst den Austreibungsbefehl zurücknahm und sie wieder aufnahm. Ein solcher Zwiespalt wegen der Juden scheint auch in Brandenburg bestanden zu haben, und die ihnen drohende Ungnade scheint der einflußreiche Kanzler und Bischof von Lebus, Friedrich Sesselmann, beschworen zu haben, dem sie dafür reiche Geschenke versprochen hatten. Da aber der Rat mit der Erfüllung seiner Verheißungen säumig war, so erinnerte der Kanzler die Stadthäupter an ihre Zusage, wollte er doch gerade eine Romreise antreten. Es ist nicht mehr festzustellen, welcher Tatbestand bei dieser Fürsprache Sesselmanns in Sachen der Juden zugrunde liegt, ob die Brandenburger für oder gegen die Wieder-

aufnahme der 1446 vertriebenen Juden eingetreten sind. Nach dem Verhalten Stendals zu gleicher Zeit, das hartnäckig den Juden die Rückkehr in ihre Stadt verweigern wollte, ist als wahrscheinlich anzunehmen, daß auch Brandenburg die Juden nicht wieder aufnehmen wollte[267]). In bezug auf Judenfeindschaft haben die Fürsten und die Bürger jener Tage sich nichts vorzuwerfen. Die ersten Hohenzollern in der Mark scheinen ursprünglich die Absicht gehegt zu haben, die Lage der Juden zu bessern, aber bald genug haben sie nicht anders als die meisten Fürsten jener Zeit, der unmenschlichen Auffassung des spätesten Mittelalters gemäß, die Ebräer lediglich als einen Gegenstand der Finanzspekulation angesehen, die man eine Zeitlang dulden und selbst begünstigen und dann, wenn sie genügend reich geworden, ausrauben und vernichten könne. So rechtfertigt Kurfürst Friedrich II. seine wechselnde Politik der Judenschaft gegenüber, sie zu verfolgen und dann wieder aufzunehmen, mit den nüchternen Worten: Herkommen ist, daß sie (die Regierung) Joden eyn und aus in ire lande und Stete zyen und widder weggetriben hat lassen[268]). Und noch unbefangener bringt sein Bruder Albrecht Achilles das unbeschränkte Willkürrecht des Herrschers über Gut und Leben der Juden auf eine sozusagen staatsrechtliche Formel: So ein jeder Römischer König oder Kayser gekrönet wird, mag er den Juden allenthalben im rich all ir gut nehmen, darzu ir leben und sie tötten bis auf eine Anzal, die lützel (klein) sein soll[269]). Solchen allgemein verbreiteten barbarischen Rechtsauffassungen gegenüber verhallte vereinzelt und ungehört die menschliche, seinerzeit vorauseilende Mahnung des edlen, hochgebildeten Brandenburger Bischofs Stephan Bodeker, der mit Rücksicht auf die Judenverfolgung Friedrichs II. erklärt: „Schlecht handeln die Fürsten, die die Juden aus Habgier, ohne Verhör, ohne jede gerechte Ursache ihrer Güter berauben, sie erwürgen oder ins Gefängnis werfen, und selbst wenn die entrissenen Güter durch Wucher erworben waren, sind die Fürsten zum vollen Ersatz verpflichtet[270]). Die Judenpolitik der Fürsten in jenem Zeitalter ist eben nur ein Streit mit den Städten um die Judeneinkünfte, durchweg von nackten Finanzrücksichten diktiert, und erklärt sich nur aus diesen Beweggründen bis zum Hostienschändungsprozeß von 1510. Es ist dies nur ein Punkt in dem planmäßigen Bestreben des Landesherrn, die Städte aus unabhängigen Republiken in dienende Glieder eines Staatsganzen zu verwandeln, sie einzufügen in ein straff geordnetes System der Landesverwaltung. Namentlich im Gerichtswesen sucht er die Oberhoheit des Landesherrn wieder zur Geltung zu bringen. Sie war in der Tat vollständig verlorengegangen; denn noch im Jahre 1483 mußte bezeichnenderweise eine kurfürstliche Entscheidung erlassen werden, um einem Einwohner der Stadt Brandenburg, die Zitation ihrer Bürger vor auswärtige

Gerichte abwies, die Appellation an den Landesherrn zu ermöglichen[271]). Die alten herkömmlichen Befugnisse der Stadtgerichte werden geachtet; aber er scheut sich nicht, in die Prozesse einzugreifen. Bei wichtigen Rechtshändeln wird mitunter sogar Vertagung der Sache und Verschiebung auf eine dem Kurfürsten gelegene Zeit verlangt[272]). Friedrich will wohl die städtischen Gerichte nicht schmälern; er will nur eine Stätte schaffen, an die sich jeder wenden könne, dem anderswo der Rechtsschutz verweigert worden, und an die jeder, der mit dem Ausspruche niederer Gerichtshöfe unzufrieden sei, seine Berufung richten könne[273]). Daß aber die Brandenburger Schöffen, die selbst den Stolz hatten, den märkischen Oberhof zu bilden, diese Eingriffe sehr übel empfinden mußten, ist wohl verständlich.

Sodann verlangte Friedrich II. von den Städten Leistungen, während sie bisher eigentlich jedes Opfer für die Allgemeinheit abgelehnt hatten. Daß er in Brandenburg sich länger als vorübergehend aufgehalten habe, ist uns nicht bekannt. Wie er aber mit Vorliebe in Städten verweilte und sie auch gern zu Versammlungsorten von Fürstentagen machte, so ist auch Brandenburg zu solchem Zwecke benutzt worden. So wurde am 7. Dezember 1440 in Brandenburg ein Bündnis des Kurfürsten mit dem Bischof von Halberstadt und den Städten Magdeburg, Halberstadt, Quedlinburg und Aschersleben geschlossen, das gegen die Herzöge von Sachsen gerichtet war[274]). Allerdings war in diesem Falle die Stadt wohl deshalb gewählt worden, weil Friedrich im Begriff war, von dort aus einen kriegerischen Vorstoß in das sächsische Land zu unternehmen. Denn schon am nächsten Tage richtet er von Treuenbrietzen aus die Aufforderung an den Rat beider Städte, ihm gegen Sachsen Hilfe zu leisten[275]). Im allgemeinen lag Brandenburg zu nahe an der Grenze von Sachsen und Magdeburg, als daß es auf der Durchreise vom Kurfürsten nicht häufig berührt worden wäre. Er verlangte öfter von den Städten, zu Reisen oder Botschaften Pferde zu stellen, wie wir dies für Brandenburg bereits belegt gefunden haben. Noch drückender mußte es für sie sein, wenn er sie veranlaßte, große Bürgschaften für ihn zu übernehmen oder ihm Gelder vorzustrecken. So lieh die Neustadt 1446 2089 fl. zum Pommernkriege her, wofür ihr der Kurfürst die Urbede und Zolleinkünfte daselbst und in der Umgebung verpfändete[276]).

Die häufigen Kriege, die Friedrich führte, um die Mark in ihren alten Grenzen herzustellen, bedingten auch die Übernahme zahlreicher militärischer Dienstleistungen, zu denen die Städte jetzt in steigendem Maße herangezogen wurden. Solche Forderungen wurden an die Städte Brandenburg 1440, 1450, 1454 und 1470 gestellt und gewiß auch erfüllt[277]). Anfangs werden die Aufgebote sorgfältig und ausführlich begründet und sind in überaus freund-

lichem Tone gehalten. Allmählich werden sie kürzer und mehr als etwas Selbstverständliches behandelt. Als aber der Ausgang der Pommernkriege (1469) ihn besorgt machte, da richtete er an das allzeit getreue Brandenburg die flehentliche Bitte, „daß ir mit den kleineren Städten zu ewer gesprech gehorende Uns wollet auszrichten 100 schock groschen brandenburgischer währung . . . Lasset uns vor dis mal in unszen nöthen gar nicht unterliegen. Wir sein dessen sehr nothdürftig . . . dafür wir euch dancken und wollen solches in Gnaden zu erkennen nicht vergessen. Auch lassen wir euch wissen, daß wir eine starke Wagenburg haben von Unsern reisigen Zeuge und guten gewapneten Männern, alsz wir unser lebtage jemals gehabt haben, wir wollen der sachen bald ein ende schaffen, ob Gott will. Schicket uns je eher je lieber das Geldt mit ewern eigenen Bottschafft hieher, wir verlassen uns gäntzlich darauff."
Dieser Brief mit seinen eingehenden Mitteilungen ist ein lebhafter Beweis des Vertrauens, das Friedrich der alten Havelstadt entgegenbrachte[278]).
In diesen Kriegen erlitten die Städte natürlich auch allerlei Verluste. So werden uns in dem sächsischen Verzeichnisse märkischer Gefangener von 1450 auch Brandenburger Bürger genannt.
Wie die Brandenburger Bischöfe unter den Hohenzollern aus unabhängigen Kirchenfürsten zu abhängigen Beamten geworden sind, die dem Kurfürsten als Räte und Kanzler Dienste tun, so zog Friedrich II. auch die Mitglieder der Gemeindekörperschaften, deren diplomatische Befähigung er schätzte, vielfach zu Landesgeschäften heran und beauftragte sie mit Botschaften oder vertraulichen Sendungen.
Als Friedrich II. eine Pilgerfahrt nach dem Heiligen Lande antrat, wurde neben Vertretern der Prälaten, des hohen Adels und Ritterschaft unter den Räten der vier Hauptstädte der Mittelmark an erster Stelle ein Ratmann der beiden Städte Brandenburg zum Mitglied des Regentschaftsrates bestellt. Das vielfache Eingreifen des Kurfürsten in die inneren Verhältnisse der Stadt hat ihre wirtschaftliche Blüte und ihren Wohlstand nicht geschmälert. Noch immer ist Brandenburg wie andere Städte, auch einzelne ihrer Bürger, reich genug, dem Kurfürsten bedeutende Geldsummen vorzustrecken, ihm Kronrechte abzukaufen und stattlichen Grundbesitz zu gewinnen. So erwarben beide Brandenburg damals das oberste Gericht (1458) und die Neustadt pfandweise Geldhebungen aus den dortigen Mühlen (1463)[279]). Und durch die Gunst des Kurfürsten, der der alten Stadt gern entgegenkommt, weil er von ihr keinen unbeugsamen Widerstand zu erwarten hat, der z. B. ihren Ratsherren das Recht des Gewandschnittes verleiht[280]) und ihr manche andere Gnadenbeweise gibt, gelingt es den Städten Brandenburg, ihr Schifflein sicher durch die Fährlichkeiten hindurchzusteuern und die alten Begnadigungen sich zu erhalten.

IV. BRANDENBURG UNTER ALBRECHT, JOHANN UND JOACHIM I.

LS sich Friedrich II. im Jahre 1470 infolge des Scheiterns seiner Kämpfe gegen Pommern mißmutig nach Franken zurückzog und die Regierung der Mark seinem Bruder Albrecht überließ, durfte er sich den Städten gegenüber starker Erfolge rühmen. Seit dem einen Schlag, den er gegen Berlin-Kölln führte[291]), hatte er allen Städten die Lust genommen, ihm entgegenzutreten, und man braucht nur das Verhalten der Städte Brandenburg zur Zeit der Hussitenkriege und des Statthalters Johann des Alchimisten mit dem späteren zu vergleichen, um das Ergebnis der zähen, folgerichtigen und doch vorsichtigen Städtepolitik des Friedrich Eisenzahn zu ermessen. Der zweite Hohenzollernkurfürst in der Mark wird von seinem jüngeren, glänzenderen Bruder Albrecht Achilles durch persönliche Eigenschaften in den Schatten gestellt dessen begeistertes Lob als Kriegshelden und vielgewandten Staatsmannes einer der bedeutendsten Päpste, Pius II. (Aeneas Sylvius Piccolomini), immer von neuem sang. Aber dieser große Blender, der durch seine sprudelnde Lebendigkeit, seinen derben Humor, durch seine fesselnde Redegabe, seinen fortreißenden Optimismus, seine sieghafte Kühnheit einen gewaltigen Einfluß auf die Menschen ausübte, wurde doch in bezug auf dauernde Erfolge von dem ernsten, schwärmerisch frommen, folgerichtig und bedächtig handelnden Friedrich übertroffen. Es zeigt sich das insbesondere bei der Vergleichung der Regierungen beider in der Mark. Albrecht hat nicht in dem Maße in der Mark dauernd verweilt wie sein Vorgänger. Er war alt und bequem geworden und noch mehr als früher geneigt, die Sachen rosig anzusehen, um nicht zu hartem Eingreifen genötigt zu sein. So tritt er, der nach dem Urteil des Pfalzgrafen, der ihn gut kannte, einst „aller großen Kriege und Aufruhre ... zwischen Fürsten und Städten ... Ursacher, Hetzer und Jäger" gewesen war, den Städten der Mark, die ihre alten Rechte mit Zähigkeit verfochten, zumal den altmärkischen, mit großer Vorsicht entgegen und schlug ihnen gegenüber eine unstet wechselnde Politik ein, die sie ermutigte, ihm kräftigeren Widerstand zu leisten als vorher und die schon erreichten Erfolge seines Vorgängers untergrub und in Frage stellte. Wenn er sich immer nur vorübergehend in der Mark aufgehalten hat, so lag das nicht, wie man früher wohl geglaubt hat, an einer Abneigung gegen das unwirtliche, reizlose Land. Im Gegenteil preist er das Land, das groß wie ein Königreich sei und für allezeit dem Hause Hohenzollern eine Heimstätte sein werde. Die bescheidenen Annehmlichkeiten des Lebens im nordischen Lande weiß er wohl zu schätzen, das Jagen und Reiten und das Tanzen mit den schönen Frauen von Berlin[282]). Aber gerade sein heiterer, lebensfroher Sinn sah die Dinge zu wenig ernst an, so daß manche Errungenschaft des fürstlichen Ansehens unter ihm verlorenging. Die Städte Brandenburg erfreuten sich auch unter ihm einer besonderen Bevorzugung. Die Ratmannen wußten jeden ernsteren Zwiespalt mit der stolzen Herrschaft geschickt zu vermeiden. Sie verzichteten zwar nicht darauf, in den Zoll- und Bedefragen und bei Kriegsaufgeboten ihren entgegengesetzten städtischen Standpunkt geltend zu machen. So weigerten sie sich bei Albrechts Regierungsantritt, die zweihundert zur Verteidigung der pommerschen Grenze bestimmten kurfürstlichen Trabanten in Garz weiter zu unterhalten und ließen sich erst durch eindringliche Vorstellungen des Kurfürsten dazu bewegen. Und als dann auf Grund kaiserlicher Begnadigung der neue Tonnenzoll auf Heringe, Honig, Wein, Schmalz, Tee eingeführt werden sollte, verurteilte Brandenburg im ständischen Gericht zwar die zollverweigernden altmärkischen Städte, pochte aber für sich selbst auf seine alte Zollfreiheit, die doch für diese Abgabe außer Betracht blieb, und setzte es mit Hilfe von Beeinflussung kurfürstlicher Beamten wirklich durch, daß der Hauptmann von Golzow ihm keinen Zöllner schickte. Auch in der Heeresfolge erwiesen sich die Havelstädte mitunter schwierig und erklärten bei erhöhten Steuerforderungen gelegentlich auf dem Landtage, sie bereuten, was sie bisher für die Heerfahrten getan. Aber zum äußersten ließen sie es doch nie kommen. Sie besaßen in der Umgebung des Markgrafen stets hilfsbereite Freunde, die zu ihren Gunsten wirkten. Wie sie einst den mächtigen Kanzler Friedrich Sesselmann, Bischof von Lebus, durch Geschenke zu gewinnen verstanden hatten, so überließ jetzt der Neustädter Rat dem einflußreichen Ritter Georg von Waldenfels, dem das benachbarte Schloß Plaue gehörte, sein Rathaus für die Abhaltung der Hochzeit seiner Tochter und bewillkommte bei dieser Gelegenheit auch den Markgrafen und Statthalter Johann, der als Hochzeitsgast erschien, trug auch zur Bewirtung der vornehmen Gäste bei[283]). Auch sonst knüpften sich mancherlei Beziehungen verwandtschaftlicher und freundschaftlicher Art zwischen den Ratsfamilien und namhaften Mitgliedern des Adels oder des Beamtentums. Balthasar von Schlieben ersucht sie um ihre Büchsen (A 11, 418), ein Herr von Bredow und die Grafen von Lindow bitten sie um Entsendung von Sendboten zu einem Rechtstage (A. 7, 171). Den Wunsch nach freistädtischer Ungebundenheit, die gewiß auch in den Brandenburgern lebten, wußte der ehrbare Rat in sein Inneres zurückzudrängen, wo doch in der Altmark damals noch ein streitbarer Widerstand hervortritt. Das alte Bündnis mit den nichtmärkischen Nachbarstädten Burg und Zerbst wird lockerer und allmählich bedeutungslos. Der Verkehr mit den märkischen Hauptstädten scheint eingeschlafen zu sein. Die Beziehungen zu der Hansa werden spärlicher. Allerdings sind die märkischen Städte ein Gegenstand lebhaftester Sorge für die führenden Hansestädte. So suchte Lübeck 1458 den neugewählten Böhmenkönig Georg Podiebrad durch große Geldsummen zu einem Kriege gegen die Mark zu bewegen, in der Hoffnung, dadurch und durch eigenes Eingreifen die märkische Städtefreiheit zur Förderung seiner Wohlfahrt wiederherzustellen[283a]). Aber der Widerhall solcher Bestrebungen in der Mark ist schwach. Zwar bleibt Brandenburg gleich anderen märkischen Städten noch auf der Liste der zur Hansa gerechneten Städte, aber beteiligt sich an den Bundesversammlungen nur, insofern es der Landesherr zuläßt. So entschuldigen Alt- und Neustadt Brandenburg ihr Ausbleiben auf einem Hansetage im Mai 1476 mit Hindernissen, die von ihren Landesherren herkämen[284]). Und doch war gerade in jenen Tagen (1475 und 1476) wiederum ein großes engeres Bündnis zwischen den niederdeutschen Hansestädten neu geplant, das nach seinem ersten Entwurf neben den mecklenburgischen und niedersächsischen auch den Zusammentritt der pommerschen und märkischen Städte in Aussicht nahm und dabei eine bestimmte Zahl von Gewaffneten der Städte Brandenburg (5) wie auch Berlin (6) und Frankfurt (7) auferlegte. Aber das 1476 in Bremen zum Schutze gegen Vergewaltigung der Landesfürsten bestimmte, zustande kommende Bündnis der Seestädte läßt dann doch die märkischen Städte draußen, weil sie offenbar gegen den Willen ihres Landesfürsten nicht teilnehmen durften[285]). Selbst das Verständnis für den im ganzen deutschen Lande waltenden Gegensatz zwischen Fürsten und Städten erlischt in der Havelstadt. Als Herzog Albrecht von Bayern 1486 die freie Stadt Regensburg eingenommen hatte, erregte der Vorfall allenthalben das peinlichste Aufsehen. Der Rat der dem Reiche entrissenen Stadt bemühte sich, seine verräterische Lässigkeit, die die Gewalttat begünstigt hatte, in ausführlichen Rundschreiben zu entschuldigen. Seine Boten erregten indes überall nur Unwillen, gerieten in Gefahr getötet oder mißhandelt zu werden und brachten in jedem Falle nur Äußerungen der allerorten gegen ihre Auftraggeber herrschenden Erbitterung heim. In Brandenburg hörte man den Bericht gleichmütig an, nahm ihn lediglich zur Kenntnis, dankte für die Benachrichtigung und beschenkte den Boten[286]). Wenn daher die Brandenburger Stadthäupter der Landesherrschaft einmal entgegentraten, so handelte es sich nicht um Machtfragen, sondern um streitige Besitztitel oder schwierigere Rechtsfragen, bei denen der Kurfürst seinem Sohn Johann eine schonende Behandlung

Brandenburgs empfiehlt, da es sich um die Hauptstadt handle. Er riet ihm in einem solchen Falle, wenn eine gütliche Schlichtung erfolglos bliebe, mit Zuziehung geistlicher und weltlicher Räte in eigener Person ein mildes Urteil zu sprechen, damit die Brandenburger guten Willen behalten[287]).
Dieser Rücksichtnahme des Kurfürsten auf die „Hauptstadt" entsprachen allerdings auf der anderen Seite auch die Kriegsleistungen, die er in seinen pommerschen und schlesischen Kriegen von den Brandenburger Bürgern beanspruchte. Die Gemeinden stellten Truppen, lieferten Geschütze, Wagen usw., bewachten Gefangene, erkundeten Nachrichten über den Anmarsch der Feinde oder verlegten ihnen mit der Bürgermiliz den Weg. Die Städte haben hierbei auch große Verluste erlitten. So wird ausdrücklich erwähnt, daß der Feldhauptmann des Königs, Mathias (Corvinus) von Ungarn, in dem siegreichen Gefechte bei Mittenwalde (9. Dezember 1478) 80 reiche Bürger von Brandenburg und einigen Nachbarstädten gefangengenommen hat[288]). Aus dieser Angabe ergibt sich zugleich, daß das Brandenburger Aufgebot keineswegs aus Söldnern, sondern aus wohlhabenden Bürgern bestand. Im Anfange desselben Jahres geriet Brandenburg durch den glücklichen Handstreich des Herzogs von Sagan gegen Belitz (27. April) und die sich anschließenden Streifzüge in unmittelbare Gefahr. Am 2. Mai schreiben Bürgermeister und Rat der Brandenburger Neustadt nach Zerbst, sie müßten den Pfingstjahrmarkt in diesem Jahr absagen; es sei unmöglich, ihn abzuhalten[289]). Bald aber zogen die Brandenburger unter Führung Markgraf Johanns aus gegen den böhmischen Freibeuter des Piastenherzogs Jan Kuk und schossen das Städtchen Belitz in Brand, das der wilde Gegner überrumpelt hatte. Ein uns von dem Brandenburger Stadtschreiber, Rektor und Geschichtsschreiber Zacharias Garz aufbewahrtes niederdeutsches Volkslied erzählt im Bänkelsängerton von diesem Kriegszug[290]).

Wollt ihr hören ein neues Gedicht,
Das zu Belitz ist ausgericht't,
Zu Belitz an der Auen.
Jan Kuk bedrohte manch Mündlein rot,
Manch Mägdlein und manche Frauen.
Auf einen Dienstag es geschah,
Daß man Jan Kuk da einreiten sah.
Die Landsknecht' vom Wagen sprangen,
Die Tore sie ließen vermauern.
Es währt eine Weile, die war nicht lang,
Die Botschaft nun nach Brandenburg kam
Zu unsern weisen Herren.

„Ihr weise Herren von Brandenburg,
Wollt uns doch Hilfe gewähren."
Es währt eine Weile, die war nicht lang,
Die Botschaft nach Berlin auch kam
Zu unseren gnädigen Herren.
„Gnädige Herren von Berlin!
Wollt uns doch Hilfe gewähren!"
Auf einen Donnerstag das geschah,
Daß man einen roten Hahn fliegen sah
Zu Belitz über die Mauern.
Jan Kuk wohl aus dem Fenster sah.
Sein Hochmut brachte ihm Trauern[291]).

So verherrlicht der Volkssänger die Befreiung von Belitz durch den Markgrafen und die Brandenburger Bürger. Hier tritt schon der junge Markgraf Johann in den Vordergrund, der die Mark lange Jahre als Statthalter seines Vaters zu verwalten hatte und 1486, nach dem Tode Albrechts, die selbständige Regierung antrat. Er ist in vielen Beziehungen mehr seinem Oheim Friedrich als seinem Vater Albrecht zu vergleichen. Durch den Vater absichtlich zurückgehalten von dem Treiben der großen Welt und von den glänzenden Fürstenhöfen, hat Johann wie der Oheim sein Streben in erster Linie der inneren Ordnung des Landes und der Befestigung seiner Herrschaft gewidmet, während er äußere Verwicklungen geflissentlich vermied. Diese zielbewußte Zusammenfassung seiner Tätigkeit nach einer Richtung sicherte ihm dem Adel wie den Städten gegenüber den Erfolg, den er dauernd für die Landesherrschaft erzielt hat. Wie er schon zu Lebzeiten seines Vaters 1482 in der Prignitz 15 Raubburgen gebrochen hatte, so hat er als Landesherr den Widerstand der altmärkischen Städte, die sich der Einführung der Bierziese widersetzten, gewaltsam niedergebrochen, ihren bewaffneten Widerstand besiegt, in hartem Vorgehen gegen ihre Freiheit alle ihre alten Vorrechte aufgehoben und sie dauernd von sich abhängig gemacht. Brandenburg ist auch diesmal von einem offenen Konflikt mit dem Kurfürsten verschont geblieben, da es, wenn auch widerwillig, der neuen Steuer zugestimmt hatte. Aber daß die altmärkischen Vorgänge als ein weithin leuchtendes Warnungszeichen die Machtstellung des Kurfürsten gewaltig steigern mußten, ist natürlich. Wir finden dafür einen Beweis in der Urkunde, durch die Johann 1490 den Vergleich zwischen Rat und Gewerken der Neustadt bestätigt, der bedenklichen inneren Streitigkeiten ein Ende machen sollte. Wichtig erscheint uns weniger der sachliche Inhalt des Schriftstückes als der ganze Ton desselben.

Wir haben früher gesehen, daß unter der Regierung des ersten Hohenzollern die angefochtene Amtsgewalt des Rates vom Kurfürsten, gegen den Versuch der Gewerke mitzuregieren, gestützt worden war, daß man aber einem aus den Vierwerken und der Gemeinde hervorgegangenen Ausschuß Einfluß auf den Stadthaushalt gestattete. Der Bürgerschaft genügte aber offenbar diese Einrichtung nicht, vielmehr hielten die Vierwerke gegen den Willen des Rates Versammlungen ab, trafen Verabredungen und zogen sogar die Werkmeister und Gewerke der Altstadt hinzu, um mit ihnen gemeinsam vorzugehen. Sie müssen einen ernstlichen Schlag gegen die Stadtbehörden beabsichtigt haben, um die außer Übung gekommenen Bursprachen, d. h. Versammlungen der gesamten Bürgerschaft, wieder ins Leben zu rufen, haben sich aber schließlich zu gütlichen Verhandlungen mit dem Rate verstanden, die zu einer Einigung führten. Der Kurfürst brauchte mithin auf diesen Vergleich nur das Siegel zu drücken und ihn zu bestätigen. Er verordnete demgemäß, daß, wenn eine Bursprache gehalten werde, dazu nur die Vierwerke und die aus den gemeinen Bürgern erkorenen 40 Mann entboten werden sollten, daß aber fortan die Vierwerke nicht die Macht haben sollten, die Bürger ohne Erlaubnis des Rats auf das Rathaus oder woandershin zu berufen. Im Falle des Ungehorsams sollen sie dem Markgrafen 60 und dem Rate 40 Gulden zahlen. Denn, heißt es am Schluß, wir wollen nicht gestatten, daß die Gemarken über unsere Räte in Städten regieren und walten (handeln) sollen, sondern wollen sie als unsere Räte, wie es billig ist, bei Billigung ihrer Regierung schirmen und handhaben. Der Landesherr hält also seine schirmende Hand über das Ansehen der städtischen Behörden und duldet nicht Erhebungen der Menge gegen sie, aber indem er dies tut, bezeichnet er ausdrücklich die Ratmannen als seine Räte, d. h. als kurfürstliche Beamte, die ihre Amtswürde lediglich von ihm empfangen. Wurde mit dieser Auffassung Ernst gemacht, so war die freie Ratswahl, die den Brandenburgern bisher geblieben war, nur noch eine leere Form[202]). Die märkischen Städte waren eben alle aus freien Gemeinden Fürstenstädte geworden. Leider wissen wir über den Zusammenhang der Vorgänge, die zu diesem Vergleiche führten, gar nichts. Überhaupt scheint unter der Regierung Johanns eine gewisse Stockung in der Entwicklung der Städte eingetreten zu sein und Johann sich um diese Dinge wenig gekümmert zu haben. Nur so läßt sich erklären, daß unter seinem Sohn und Nachfolger Joachim I. zahlreiche Mißstände in den Verhältnissen der Städte zutage traten und daß Joachim eine vielseitige Reformtätigkeit auf diesem Gebiete begann. Diese außerordentlich lebhafte Tätigkeit Joachims auf dem Gebiete städtischer Verfassungsänderungen ist aber an Brandenburg fast spurlos vorübergegangen. Abgesehen von einem Vergleich, den Joachim 1502 zwischen Rat und Bürgerschaft der Neustadt schließt und der die Beteiligung der

30 Männer aus den Gewerken und der Gemeinde an der Stadtverwaltung regelt[293]), ist ein tieferer Eingriff des reformfreudigen Kurfürsten in der Verfassung der Städte Brandenburg kaum zu bemerken. Vielmehr ist die allgemeine städtische Polizeiordnung Joachims von 1515[294]) ohne jeden Einfluß auf Brandenburg geblieben[295]). Es haben nämlich die beiden Städte, anscheinend ohne den Landesherrn zu befragen oder von ihm gehindert zu sein, Änderungen in ihrer Verfassung vorgenommen[296]). Trotzdem fehlt es an einzelnen Eingriffen der kurfürstlichen Regierung in die Stadtverwaltung keineswegs, z. B. in der Regelung der militärischen Verfassung durch Anstellung eines Musterers, in der Feuerpolizei und in Religionssachen, wo Joachim I. den Arm des Gesetzes der alten Kirche lieh. Bei alledem aber blieb den Städten Brandenburg auch jetzt noch äußerlich ihre bevorzugte Stellung als Hauptstadt des Landes erhalten, ja wurde sogar feierlich festgelegt. Im Jahre 1521 bestimmte Joachim den Rang der märkischen Städte durch folgende Verordnung. Im Felde sollen zunächst dem markgräflichen Hauptbanner auf der rechten Seite die Bürger aus der Altstadt Brandenburg stehen, an diese sich anschließen die aus der Neustadt. Dann erst sollen die Köllner, Berliner und die Bewohner der übrigen märkischen Städte folgen. Ein gleiches Ehrenrecht behaupten die Brandenburger auf dem Landtage. Denn sobald die Städte der Alt-, Mittel- und Neumark versammelt sind, so wird für das Gehen, Stehen und Sitzen folgende Rangordnung festgesetzt, falls die Versammlung diesseits der Elbe stattfindet. In der Mitte befindet sich der Bürgermeister der Altstadt, rechts von ihm der aus der Neustadt, links der von Stendal. Findet die Versammlung aber jenseits der Elbe statt, so hat Stendal den Vorzug vor Brandenburg[297]).

Hat Joachim so die alten Ehrenrechte der Havelstädte neu festgelegt, so ist durch seine Begünstigung auch dem alten Brandenburger Schöppenstuhl eine neue erweiterte Befugnis gegeben und seine höchste äußere Blüte heraufgeführt worden. Es geschah dies durch den bedeutsamen Erlaß der märkischen Landeskonstitution Joachims I., der sogenannten Joachimika, die vor allem dem benachbarten Sachsen und Magdeburg gegenüber das besondere Brandenburgische Recht in seiner Eigentümlichkeit betonen und aufrechterhalten sollte. Besonders lieb und eingewurzelt war den Märkern im Erbrecht die eheliche Halbteilung, die in diesem Erlaß aufs neue eingeschärft wurde. Im übrigen aber neigten Fürst und Stände den fremden Rechten, dem römischen (Kaiser-)Recht und dem kanonischen oder geistlichen (im Gegensatz zum Sachsenrecht) zu, und durch dessen Beförderung glaubte Joachim ebenso sein Herrenrecht zu erweitern, wie den Einfluß der sächsischen Nachbarlandschaften Kursachsen und Magdeburg abzuschütteln. In diesem Sinne wurden die kleineren Oberhöfe des Inlandes und die größeren der Nachbarstaaten beiseite geschoben und der Brandenburger Schöppenstuhl als ein der kurfürstlichen Autorität unterstellter Landeszentraloberhof in den Vordergrund gestellt, der für diesen Zweck besonders geeignet schien, weil er von alters her das märkische Erb- und Güterrecht kundig gehandhabt hatte.

Der Schöppenstuhl, neu belebt durch die Joachimika, erstreckte nun seine Tätigkeit auf Rechtsbelehrungen über Erbfälle und das ganze Strafrecht. Jedes Todesurteil wie jedes Urteil auf Zulassung der Folter in der Mark hatte von Brandenburg auszugehen, wodurch allein die außerordentliche Bedeutung des Brandenburger Schöppenstuhls sichtbar wird[296]). So standen die beiden Städte Brandenburg in den letzten Jahren Joachims I. in altem befestigtem Ansehen. Sie waren zwar aus freien, ganz selbständigen Gemeinden zu Fürstenstädten geworden und hatten insofern vor den übrigen märkischen Gemeinden nichts voraus. Aber sie hatten durch geschickte Diplomatie und rechtzeitige Fügsamkeit die freie Ratswahl und die meisten ihrer alten Vorrechte behauptet. Der Vorrang vor allen übrigen Städten der Mark war ihnen erneut zuerkannt worden, und der altehrwürdige Schöppenstuhl hatte erweiterte Befugnisse und eine umfassende Wirksamkeit gewonnen, wie nie vorher. Der Wohlstand der Kaufmannschaft, die Blüte von Handel und Gewerbe war im ganzen noch ungeschmälert, so daß die Stadt am Ende dieses Zeitalters noch eine ungetrübte Freude an ihrem Gedeihen haben konnte. Wir wollen nun einen Blick auf die inneren Zustände Brandenburgs werfen, wie sie sich vom Ausgang der askanischen Herrschaft bis zur Schwelle der Glaubenserneuerung entwickelt haben.

FÜNFTES BUCH

INNERE ENTWICKLUNG DER STÄDTE BRANDENBURG VOM AUSGANG DER ASKANIERZEIT BIS ZUR GLAUBENSERNEUERUNG

I. ENTWICKLUNG DES STÄDTISCHEN GRUNDBESITZES

IR haben gesehen, daß die Feldmark der Altstadt Brandenburg sich bereits in der askanischen Zeit zu der Ausdehnung erweiterte, die sie noch heute hat. Nur ihr Waldbesitz ist während des 14. Jahrhunderts noch stark vergrößert worden. Hier hat die Altstadt Boden gewonnen auf Kosten der Herrschaft Plaue und des Domkapitels. Die Altstadt hatte zwar durch die Eingemeindung von Luckenberg ausreichenden Feldbesitz, aber abgesehen davon, daß die Brandenburger Bürger mit den Hintersassen des Domstifts gemeinsam das Recht besaßen, aus dem damals noch viel ausgedehnteren freien Havelbruch Holz zu holen, fehlte es der Gemeinde an einem nahe und bequem gelegenen Walde. Zudem konnten die Altstädter infolge öfter eintretender Feindseligkeit der Neustädter Nachbarn, die den Weg durch ihre Stadt sperrten, die Holzung des Havelbruches vielfach nicht benutzen[299]). Infolgedessen hat die Stadt schon früh ihre Blicke auf die Görnesche (Gördensche) Heide gelenkt, die aber mit dem Dorf Görne schon seit der Wiederherstellung des Bischofssitzes Brandenburg und der Rückkehr des Domkapitels dorthin im Besitze des Domstifts sich befand. Das Dorf Görne, das nicht mit der gleichnamigen, den Bredows auf Friesack gehörigen, südwestlich von Friesack im Kreise Westhavelland liegenden Dorfschaft verwechselt werden darf, lag ursprünglich am Ufer des Bohnenländer Sees, der früher seinen Namen nach dem Dorfe führte und Görne oder Gördensee hieß[300]). Er war seit 1161 Eigentum des Domkapitals und erscheint seitdem als solches in allen Gnadenbriefen des Stifts bis 1234. Die Altstadt muß aber im Laufe der Zeit gewisse Rechte daran erworben haben, denn im Jahre 1307 schlichtet Markgraf Otto IV. mit dem Pfeil im Einverständnis mit seinem Neffen, dem jungen Waldemar, einen Streit, der zwischen dem Domstift und den Bürgern der Altstadt Brandenburg über den Besitz dieser Heide entstanden war, indem er vier seiner Räte, Conrad von Redern, dem Marschall Otto, dem Küchenmeister Brösicke und dem Vogt Mathias von Bredow, den Schiedsspruch in dieser Sache übertrug. Sie teilten auf Grund des Augenscheins die Heide in der Art, daß die dem Hofe Görne zunächst liegende Hälfte dem Domstift, die der Altstadt benachbarte Hälfte dagegen den Bürgern zugesprochen wurde, und suchten allem Zwist für die Folgezeit dadurch vorzubeugen, daß sie die Grenze durch Hügel und Steine bezeichneten. Schon damals war das Dorf Görne wie so manche andere im 13. Jahrhundert wüst geworden, und es war von der Ansiedlung nur ein Wirtschaftshof übriggeblieben. Der Waldbesitz der Altstadt mehrte sich dann bald in erwünschter Weise, als 1324 der neue Landesherr Markgraf Ludwig der Bayer der Gemeinde die Plauesche Heide zusprach, die im Südwesten an das schon gewonnene Waldgebiet angrenzte[301]). Die in dieser Urkunde getroffene Grenzbestimmung war etwas unklar, so daß in einem zweiten Gnadenbriefe die Abgrenzung genauer gegeben werden mußte. Sie geschah in der Art, daß der Besitz (westlich) bis zum Kuhdamm, dann in nördlicher Richtung bis zu den Feldmarken der Dörfer Briest und Tieckow, östlich bis zur Grenze von Görne reichen und die Grenze endlich bis an die Havel laufen sollte[302]). Die wirrenvolle Zeit des unglückseligen Kirchenstreits scheint die Geldverhältnisse der Brandenburger Domkirche in arge Verwirrung gebracht zu haben, so daß sie bald darauf infolge großer Schuldenlast, wegen der sie bei Christen und Juden hatte borgen müssen, sich genötigt sah, den Hof Görne mit dem Überrest der dazugehörigen Heide 1336 für 180 Mark Silbers an die Altstadt zu verkaufen. Diesem Kaufvertrag scheinen heftige Streitigkeiten vorausgegangen zu sein, denn der Bischof Ludwig von Neuendorf sah sich am selben Tage veranlaßt, den Altstädter Bürgern die gewalttätigen Beleidigungen, die sie Dompropst und Domherrn im Gördenwalde zugefügt hätten, mildiglich zu verzeihen[303]). Die Altstadt war damit in den Besitz fast des ganzen Raums gelangt, den noch gegenwärtig die altstädtische Heide umfaßt. Nur die Äcker, Wiesen und Weiden fehlten ihr noch, die sich von der Quenzbrücke längs der Havel bis gegen Briest hin erstrecken, das Gebiet des Gutes Plauerhof, das die Stadt Ende des 18. Jahrhunderts erworben, später aber wieder veräußert hat. Dieses Gelände hat die Altstadt bei der ersten sich bietenden günstigen Gelegenheit erworben, und sie fand sich, als der wiedererstandene Waldemar in Brandenburg erschien und allen Grund hatte, das willige Entgegenkommen der Havelstadt zu belohnen. Eine letzte Abrundung dieses Waldbesitzes ist im Jahre 1434 dadurch erfolgt, daß das Angefälle des im Quenzsee, südwestlich von der Quenzbrücke gelegenen Falkenbergswerders 1434 dem Brandenburger Rat vom Lehensherrn, dem edlen Ritter Gebhard von Plothow, zugesprochen wurde. Kulturgeschichtlich merkwürdig ist, daß die für dieses Lehen zu leistende Lehenware, d. h. die vom Lehensinhaber bei einer Neubelehnung im Falle des Todes des Lehensherrn oder des Belehnten zu leistende Abgabe bis dahin ein Ohm Wein und eine Tonne Met betrug, seit 1453 auf ein braunes Leydisch Laken und ein halbes Fuder Gubenschen Weines festgesetzt wurde[304]). Es ergibt sich daraus wohl, daß in der Mitte des 15. Jahr-

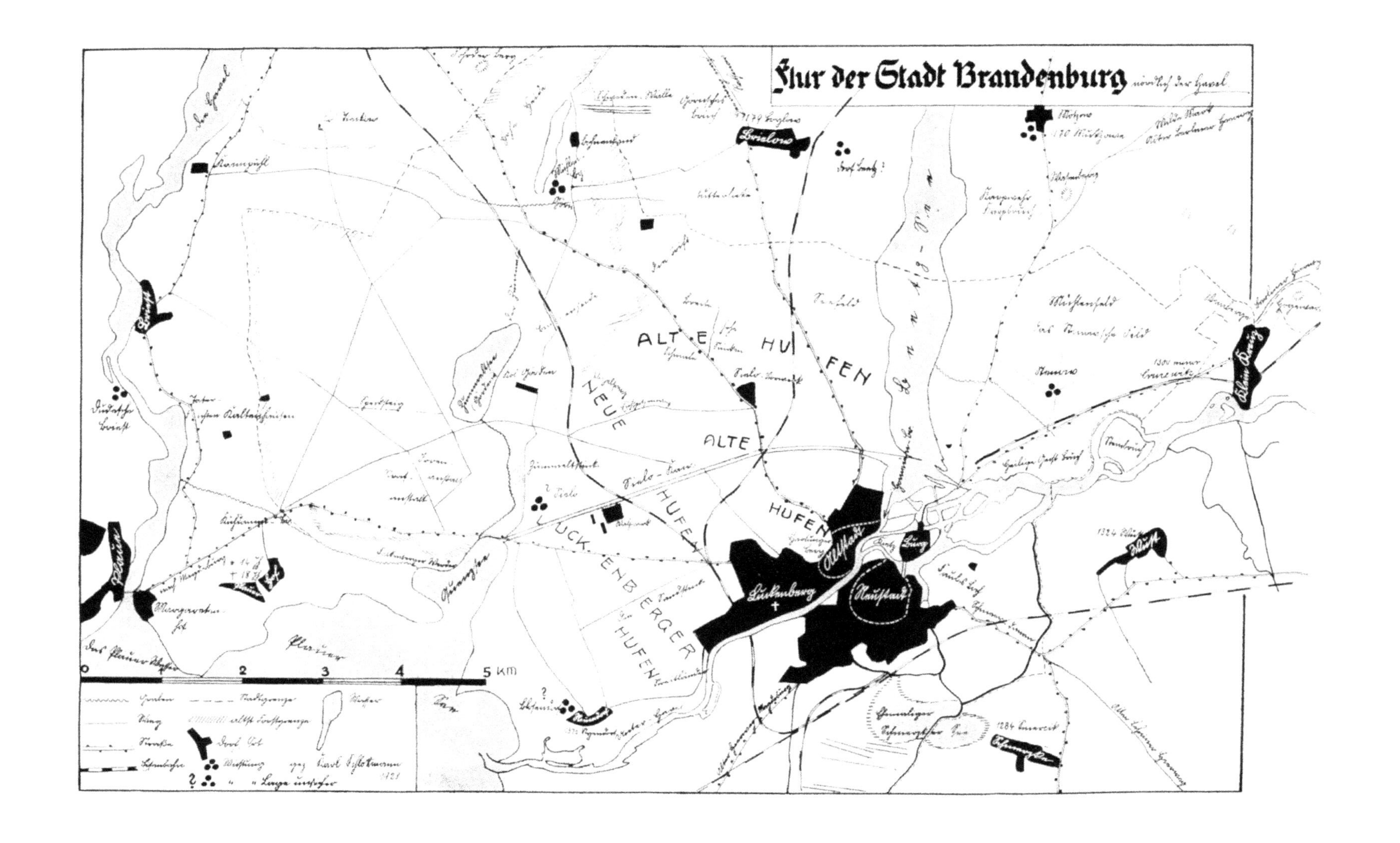
Flur der Stadt Brandenburg
ALTE HUFEN
NEUE HUFEN
ALTE HUFEN
LUCKENBERGER HUFEN
0 2 3 4 5 KM

hunderts Met als Getränk abgekommen war, weshalb man es durch ein Stück feineres, ausländisches Tuch ersetzte.
In noch viel weitergehender Weise hat die Neustadt im Laufe des Mittelalters ihren Grundbesitz ausgedehnt. Es liegt das vornehmlich daran, daß die größere Gemeinde von vornherein ein ringsum durch bestehende (wendische) Dörfer eng eingeschlossenes, räumlich beschränktes Feld erhielt, in dem nur von Gemeinweide, aber nicht von Hufenschlag die Rede ist. Die Stadt mag zunächst nur von Kaufleuten und nicht voll besetzt gewesen sein; allmählich mit der Ausfüllung der noch vorhandenen Lücken in der Bevölkerung durch Bewohner, die nicht mehr ausschließlich Gewerbe und Handel trieben, zeigte es sich deutlicher als in den ersten Honigwochen der Besiedelung, daß Ackerland für die Bürger unentbehrlich war. So kam es auch hier zur Aufsaugung mehrerer benachbarter Dörfer, deren Höfe allmählich in den Besitz von Bürgern übergingen und deren Bewohner schließlich in die Städte abwanderten. Daß eine sehr starke Abwanderung der märkischen, insbesondere havelländischen und zauchischen Landbevölkerung in die Stadt stattgefunden hat, lehren uns die Familiennamen der Stadtbewohner, die nur ausnahmsweise auf eine Einwanderung aus dem Westen Deutschlands und weiterer Ferne hindeuten, wie Friese oder Sozat (-Soest, S. 81), Westfale (S. 70), Holste (S. 76), dagegen in großer Menge Dorfnamen aus der nächsten Nachbarschaft wiedergeben[305]). Wir haben schon oben (S. 68 u. 69) von der Erwerbung der Dorfflur Planow erzählt. Als sie erkauft wurde, hatte sie noch einen Pfarrer, den sie noch längere Zeit behielt. Aber im Laufe eines Jahrhunderts war das Dorf verlassen, vermutlich auf die Art, daß die Bewohner in die Stadt zogen, oder Bürger die Bauernhöfe und das dazugehörige Land auskauften. Endlich erwies sich der Boden zum Acker als zu unfruchtbar und wurde zur Heide geschlagen. In ähnlicher Weise hat sich die ganze neustädtische Forst gebildet. Die Neustadt Brandenburger Feldmark mag ursprünglich bis zur Plane, deren Unterlauf später durch Geradelegung verändert worden ist, oder nicht viel weiter gereicht haben. Dieser Rehhagen, jetzt der Laubbestand nördlich von der Paukrierbrücke, wurde etwa folgendermaßen begrenzt: Im Südosten und Osten zog sich gegen die Reckahner Feldmark eine breite Niederung hin, die im 15. Jahrhundert die Werftlake hieß und später durch den Sandfuhrtgraben entwässert wurde, und die die östliche Begrenzung des Rehhagens gegen die Feldmarken von Reckahn, Göttin und Neustadt Brandenburg bildete. Nach Westen reichte der Hagen vermutlich bis zur anhaltischen Heerstraße, die durch die Heide führt. Er reichte aber als Wald bedeutend weiter in die Nähe der Stadt als heutzutage. Denn eine Anzahl von Flurnamen deuten noch heute auf ehemaligen Waldbestand, und ältere Karten

bestätigen die Vermutung, die auch durch die Beschaffenheit des Bodens (kiesiger Sand) gestützt wird. Auf der ältesten Karte des Stadtarchivs von 1563 reicht der Krugwald nordostwärts über Klimkeits Heim bis zur Eichspitzbrücke, die noch jetzt diesen Namen hat und über die Plane zur Göttiner Straße führt. Bis hierher sendete der Eichwald also seine letzten Spitzen. Daneben aber liegt auf der Karte noch westlich der Eichhorst. An den alten Rehhagen in dieser Gegend erinnert auch noch der Name des Feldes zwischen Neumanns Vorwerk und dem heutigen Krugwalde, der immer noch als Hagen bezeichnet wird. 1784 hieß der Teil des Feldes von Klimkeits Heim, der an den jetzigen Krugpark grenzt, aber noch diesseits auf der rechten Seite des Sandfurtgrabens liegt, Bürgers Fichten. Und von hier aus nach der Krugstraße erstreckt sich die Hagenbreite[306]).

Wie weit das ursprüngliche Weichbild der Neustadt gegangen ist, läßt sich heute leider nicht mehr feststellen, da in dem Gnadenbrief von 1315, der sich darauf bezieht, eine faßbare Grenzangabe nicht gegeben wird. Nur das steht fest, daß gegen Ende des 14. Jahrhunderts die Stadtmark erheblich nach Westen und Südwesten erweitert wurde durch die Erwerbung der Dörfer Schmölln, Wendgräben und Görisgräben. Die Feldflur von Schmölln reichte wahrscheinlich etwa vom Ostufer des Plauer Sees, südlich der Havelmündung, eine Strecke nach Osten. Der noch jetzt vorhandene Name Dornbuschacker deutet auf eine unbebaute Grenzfläche (südwestlich Klimkeits Heim, wo sich jetzt der Arbeiterturnplatz befindet, rechts und links der alten Magdeburger Heerstraße, nördlich vom Sandfurtgraben). Die Schmöllner Feldflur beengte daher den Grundbesitz der Neustadt nach dieser Seite sehr erheblich. Im Jahre 1388 erkaufte die Stadtgemeinde von der Familie Alvensleben die Dorfstätte zu Schmölln, das also nach dieser Bezeichnung damals schon wüst lag, mit Äckern, Weiden, Wiesen, Holz, Gewässern samt dem obersten und untersten Gerichte zu einem rechten Erblehen. Der Preis, den sie dafür bezahlt hat, ist in der Urkunde nicht angegeben. Gegen diesen Verkauf aber hatte die Familie Carpzow Einspruch erhoben, die ebenfalls behauptete, ein Eigentumsrecht daran zu besitzen, war aber von dem markgräflichen Hofrichter Friedrich Dequede damit abgewiesen worden[307]). Die Stadt ließ sich dann im Jahre 1409 das Eigentum an Schmölln vom Markgrafen von neuem bestätigen.

Acht Jahre nach dem Kaufe von Schmölln machte die Neustadt eine neue wichtige Erwerbung. Der Markgraf Wilhelm der Einäugige von Meißen, der damals an des Markgrafen Jobst Statt die Mark Brandenburg verwaltete, verlieh ihr 1396 die Dorfstätte Groben mit allem Nutzen und Zugehörungen mit Ausnahme des Gerichts und der Hofedienste, die er dem Landesherrn für den Fall vorbehielt, daß das wüste Dorf wieder aufgebaut werden würde. Der ausdrücklich ausgesprochene Zweck dieser Schenkung oder besser des Kaufs, — denn wir dürfen nicht zweifeln, daß die Stadt diese Erwerbung mit ihrem guten Gelde bezahlt hat — war der, „um der mancherlei Gebrechen des Landes und der lieben getreuen Bürger der Neustadt willen“ daselbst eine Landwehr zum Schutze des Landes und der Stadt zu bauen, hinter der unter günstigen Umständen das verlassene Dorf wieder erstehen sollte[308]). Der Umstand, daß in dieser Urkunde das in Frage stehende Dorf Groben genannt wird und daß auch sonst in zeitgenössischen Schriftstücken der Name Groben neben Wendgräben und Görisgräben vorkommt, nötigt uns, vorsichtig zu untersuchen, um in jedem Falle die Bedeutung des Wortes nach Maßgabe der Umstände festzustellen. Die Festlegung der in dem vorerwähnten Gnadenbriefe gemeinten Ortschaft wird uns zunächst dadurch erleichtert, daß zwei Jahre später (1398) Markgraf Jobst die Schenkung der Dorfstätte mit genau demselben Wortlaut wiederholt, nur daß er den Ort nicht Groben, sondern Juriensgroben, d. h. Görisgräben, nennt[309]). Danach kann kein Zweifel obwalten, daß hier also Görisgräben gemeint ist, und es liegt kein Grund vor anzunehmen, daß dieser Ort, der später jahrhundertelang die hinterste Schäferei oder das hinterste Vorwerk (der Neustadt) hieß, etwa an einer anderen Stelle wieder aufgebaut worden ist. Auch die Landwehr, die in dieser Urkunde erwähnt wird, sind wir noch heute in der Lage nachzuweisen. Unter solchen Landwehren versteht man ja Grenzwälle, -gräben oder -hecken, die die Gemarkung einer Stadt, eines Dorfes oder eines ganzen Landes gegen Angriffe der Nachbarn schützen sollten. Die Blütezeit der deutschen Landwehren ist die Zeit der wilden Fehden im 14. und 15. Jahrhundert, und wenn wir uns erinnern, welche erbitterten Kämpfe zwischen Magdeburg und Brandenburg um 1400 tobten, so ist das Bedürfnis einer Landwehr Brandenburgs dem südwestlichen Nachbar gegenüber vollständig erklärt. Natürlich ist nur in seltenen Fällen die Feldmark einer Stadtgemeinde von einer solchen Befestigung vollständig umzogen worden, wie es von Frankfurt a. M., Rothenburg o. d. Tauber und Aachen bekannt ist. In den meisten Fällen begnügte man sich damit, da, wo eine belebte Heerstraße in das Stadtgebiet eintrat, eine Sperrvorrichtung und Befestigung anzulegen oder, wo natürliche Grenzen, wie Sümpfe, Seen, Flüsse, eine Unterbrechung erfuhren, dem Mangel der Natur durch Schaffung künstlicher Hindernisse abzuhelfen. Eine solche Landwehr im letzten Sinne hat man in der Nähe von Görisgräben geschaffen, um die Lücke zwischen dem freien Havelbruch, das seinen westlichen Ausläufer bis an die Temnitz oder den Sandfurtgraben entsendet, und dem Viener Luch, das von Westen her sich bis hierher fortsetzt, auszufüllen. Allerdings hat man, unter der Voraussetzung, daß Görisgräben an der alten Stelle geblieben ist, die Landwehr nicht, von Brandenburg

aus, hinter der Dorfstätte, wie ursprünglich in Aussicht genommen war, sondern davor angelegt. Denn auf einer alten Karte von 1685 ist die Landwehr als Verbindung zwischen der Neuen Mühle und der Paukrierbrücke eingezeichnet. Indessen ist die Abänderung aus Gründen der technischen Zweckmäßigkeit leicht verständlich.
Aus dem vorhergehenden ergibt sich, daß die Erwerbung von Görisgräben weniger als zweckmäßige Kapitalsanlage der sehr wohlhabenden neustädtischen Gemeinde anzusehen ist, als vielmehr eine aus Rücksichten der Stadtverteidigung gebotene Maßregel. Nachdem die Stadt mit der Aneignung von Planow und Schmölln einmal die Linie der Plane und der Temnitz (Sandfurtgraben) überschritten hatte, mußte sie darauf bedacht sein, bis an die Buckau vorzudringen, um auf diese Weise eine neue brauchbare Verteidigungslinie zu erlangen. So führte denn die Erwerbung von Görisgräben folgerichtig auch zum Kauf von Wendgräben, dem Schwesterdorf an der Buckau. Wie auch sonst öfter, bahnten Käufe oder ähnliche Erwerbungen reicher Brandenburger Patrizier der Stadt den Weg in diese Ortschaft. So wird das Dorf Wendgräben schon 1396 von dem Lehensinhaber Albrecht von Sandau an die beiden Brandenburger Bürger Ebel Klevesadel und Peter Mahlenzien verliehen[310]), und im Jahre 1421 erwirbt der Neustädter Bürger Mathias von Grüningen das Schulzenamt in Wendgräben von Heidenreich von Werder[311]). Und auch die Neue Mühle, die schon 1396 als zu Wendgräben gehörig erwähnt wird, hatte die Neustadt erworben und als Erblehen an einen Müller vergeben. So war dem Übergang der Ortschaft an die Neustadt wirksam vorgearbeitet, und in den nun folgenden friedlicheren Zeiten ließ sich 1438 das Erzstift Magdeburg, das bisher die Grundherrschaft dieses Dorfes besessen hatte, herbei, das damals schon wüst liegende Wendgräben für 400 rheinische Gulden zu verkaufen[312]). Es war dies das Ende langer Streitigkeiten über die Mühlengerechtigkeit der Neuen Mühle und die Befestigungen, die die Neustadt dort gegen den Magdeburger Erzbischof errichtet hatte. Jetzt gab der Kirchenfürst seine Zustimmung dazu, daß die schon vorhandenen Mühlentürme — deren einer noch heute vorhanden ist — stehen blieben und auch eine Landwehr nach Belieben weiter ausgebaut wurde. Nur eine Burg durfte dort nicht errichtet werden, es sei denn, daß es zu einem förmlichen Kriege zwischen dem Erzstift und der Mark käme. Über die ehemalige Lage der Ortschaft Wendgräben, die ihren Platz mehrfach gewechselt hat, sind noch einige Worte erforderlich. Die alte Dorfstätte ist nicht an der Stelle zu suchen, an der jetzt der Name Wendgräben noch haftet. Jenseits der Hohen (Buckau-) Brücke, mitten in der neustädtischen Heide, unweit des Fußweges nach den Buchen, zwischen der alten Magdeburger Straße und dem Landwege nach

Flur der
Neustadt
Brandenburg
REHAGEN
HAGEN

Gränert und Kirchmöser, ist auf einer alten Karte des 18. Jahrhunderts ein Kirchberg verzeichnet, auf dem man noch vor einem halben Jahrhundert Mauersteine im Boden gefunden hat. Dort hat jedenfalls einst die Kirche des alten Wendgräben und das Dorf selbst gestanden[314]). Die Lage der Ortschaft in der Nähe der Magdeburger Heerstraße, die durch die Brandenburger Heide führte, brachte es mit sich, daß der Platz eine gewisse Rolle in den Grenzfehden um 1400 spielte. Wenn Hans von Quitzow dem Neustädter Rat vorwirft, er habe sich gewaltsam der Kirche von Groben bemächtigt, auf die er selbst Anspruch erhob[315]), so ist unzweifelhaft damit die erwähnte Kirche im alten Wendgräben gemeint, die den Zugang zum Brandenburger Stadtgebiet beherrschte und eben darum den Bürgern wie ihrem Feinde gleich wertvoll war. Man bezeichnete damals jedenfalls beide Ortschaften, Wendgräben und Jürgensgräben, mit dem Namen Groben und fügte nur im Bedürfnisfalle, um Mißverständnisse zu verhüten, die unterscheidende Vorsilbe hinzu. Später ist dann das vordere Vorwerk, wie Wendgräben später hieß, diesseits der Buckau südlich von der Heerstraße aufgebaut worden, hat dann als Forsthaus dem neustädtischen Förster gedient und ist jetzt das Rieselgutshaus geworden. Friedrich der Große hat südlich davon mitten im Walde die Kolonie Wendgräben angelegt, die den alten Namen weiter trägt[316]). Eine letzte Abrundung hat die neustädtische Feldmark dadurch erfahren, daß die Neustadt im Jahre 1454 von Dietrich von Rochow Duster-Reckahne erkaufte. Wir werden sehen, daß der Rat dieser Erwerbung einen besonderen Wert beimaß, weil sie längeren Streitigkeiten ein Ende machte[317]). Seitdem kann diese Entwicklung auf lange Zeit als abgeschlossen gelten.
Hieran schließt sich die Darstellung der Erwerbung der Gewässer und der damit verbundenen Fischereirechte. Für die Altstadt sind grundlegend die Urkunden von 1308 und 1324 über Erwerbung des Beetz- und Riewendtsees und der Unterhavel bis zum Fluß Wazmok (= Buckau) und dem Plauer Wasser (dem westlichen Teile des heutigen Plauer Sees)[318]). Die Neustadt erhält 1315 die Fischerei havelab- und aufwärts bis zur Vurstede (einer Feuerstätte auf einer Havelinsel auf gerader Linie zwischen Weseram und Götz)[319]), Rechte neustädtischer Wehrherren auf der Unterhavel, der Kuhmarkschen, der Gathmarkschen und der Schmöllner Wehrherren[320]). Vielfache Streitigkeiten der Altstäder und der Neustädter über diese Fischereirechte (z. B. 1420) werden erwähnt, die schließlich der Schiedsspruch von 1511 entscheidet. Er bestimmt, daß die Unterhavel von Alt- und Neustädtern gemeinsam befischt werden soll, von den Neustädtern allein havelabwärts bis zum Kläterpott, d. h. bis zum Unterlauf der Plane. Außerdem trat auf dem östlichen Teile des Plauer Sees, d. h. dem Breitlings- und Quenzsee, eine Teilung der

alt- und neustädtischen Großgarnfischereibezirke ein[321]). Mit dem Domkapitel war die Fischerei auf der Oberhavel vielfach streitig, wobei das Domkapitel durch Fälschung von Urkunden seine Stellung zu verbessern suchte. Eine besonders rührige Tätigkeit auf diesem Gebiet entfaltet der Dompropst Henzo von Gersdorf am Ende des 14. Jahrhunderts[322]). Schließlich wird entschieden, daß Neustädter und Domkietzer in der Oberhavel vom Mühlendamm bis zur Vurstede neben einander fischen sollen.

Mit der Gewässernutzung hängt die Erwerbung der markgräflichen Mühlen zusammen, die der Landesherr, dem das Mühlenregal zustand, an die Städte gegen einen Pachtzins veräußerte. Es ist das zunächst die Mühle zwischen beiden Städten, die die Altstadt 1323 erwarb, alsdann die ganze Reihe der Mühlen, die sich auf dem Mühlendamm befinden, der die Ober- und die Unterhavel scheidet, zunächst die beiden großen Mühlen zwischen Neustadt und Dom, die Markgraf Ludwig 1324 der Neustadt überließ[323]). Dann folgen jenseits des Doms nach dem Grillendamm und der Altstadt zu eine ganze Anzahl Altstädtischer Mühlen, die Burgmühle, die Krakauer Mühle, die Altstädter Schneidemühle, die Tuchmacherwalkmühle und die Schuster- und Gerber-Lohmühle. Die dem Landesherrn gehörigen von diesen Mühlen erwarb die Altstadt ebenfalls 1324[324]). — Zu erwähnen sind dann noch die neustädtische Schneidemühle vor dem Steintor, für die indessen keine Nachrichten aus dem Mittelalter vorhanden sind, und die Neue Mühle an der Buckau, die zu der Gemarkung von Wendgräben gehört und mit diesem Dorf erst im 15. Jahrhundert in den Besitz der Stadt kommt, die sie dann als Erblehen verpachtet[325]). (Vertrag vom Jahre 1470).

Hierher gehört eine Übersicht über die damals erworbenen Kämmereidörfer. Die ersten Erwerbungen der Altstadt, Luckenberg und Blosendorf, sind bereits erwähnt und kommen hier nicht in Betracht, da sie zur Feldmark gezogen worden sind. Ebenso ist des Kaufes von Brielow 1290 bereits gedacht. Diese Erwerbung war mit der Befreiung von der Arbeit am alten Damm verbunden, zu dessen Ausbesserung 39 Dörfer der Brandenburger Umgebung verpflichtet waren. Über die Erwerbung von Neuendorf besteht insofern eine unsichere Überlieferung, als sich keine Schenkungsurkunde findet und es fraglich erscheint, ob Neuendorf und Blosendorf gleichzusetzen sind. Jedenfalls sind um 1420 die Neuendorfer Bauern Untertanen der Altstadt[326]). Im Jahre 1409 erwirbt die Altstadt das Dorf Radewege und kauft auch in den folgenden Jahrzehnten noch einige Ansprüche auf die Ortschaft ab[327]). An dieser Stelle ist auch der Erwerbung des (altstädtischen) Wendkietzes zu gedenken, insofern die Kietzer gleich den Dorfbewohnern kein Stadtrecht genießen, sondern zu allerlei Diensten und Abgaben verpflichtet sind.

Die Neustadt hat ebenfalls in dieser Hinsicht wichtige Erwerbungen gemacht. Abgesehen von den früher erwähnten, zur Feldmark geschlagenen wüsten Dörfern erwarb die Neustadt im Jahre 1324 das Dorf Klein-Kreutz (Kruzewitz) vom Markgrafen unter Befreiung von Bede und Diensten[328]). Über den Anfall des Eigentums des Dorfes Wust ist keine förmliche Schenkungsurkunde vorhanden. Wir besitzen nur einen Gnadenbrief des Markgrafen Ludwig des Römers, in dem er dem neustädtischen Heiligengeistspital Einkünfte der Ortschaft sowie das oberste und niederste Gericht darin überträgt. Am Ende des Mittelalters erscheint Wust als neustädtisches Kämmereidorf[329]). Im Jahre 1406 verlieh Markgraf Jobst der Neustadt das Angefälle des Dorfes Prützke, das damals der junge von Prützke noch besaß. Die Familie von Prützke war in Brandenburg ansässig und erscheint im Rate der Stadt. Offenbar flackerte damals die Lebensflamme des jungen Prützke schon matt, und man erwartete von ihm keinen Erben, denn der Markgraf sprach der Stadt im Falle seines Todes die Ortschaft zu und gab ihr das Recht, schon jetzt dem jungen Prützke das Dorf als Lehen zu verleihen[330]). Im Jahre 1409 endlich verkaufte Markgraf Jobst das Dorf Päwesin und die wüste Feldmark Zudam, die an den Landesherrn zurückgefallen waren, der Neustadt gegen 200 Schock Groschen[331]). Zudam lag ehedem zwischen Päwesin und Lünow am Seeufer. Die Kämmereidörfer waren den Städten wertvoll durch die Hand- und Spanndienste und die meist in Naturalien bestehenden Abgaben (Rauchhühner, Fleischzehnten) der Bauern. Indessen fehlen für das Mittelalter hierüber die näheren Angaben. Einzelne wohlhabende Bürger erwarben auch daselbst Bauernhöfe, die sie verpachteten. Überhaupt waren sowohl die Städte im ganzen, als auch einzelne Bürger, die meist im Rate saßen, äußerst wohlhabend, so daß beide häufig Geldgeber der Landesherren wurden.

Abgesehen von den aufgeführten Gütern hatten die Brandenburger auch noch ein Mitbenutzungsrecht an benachbarten Wald- und Weidegeländen. So stand den Bürgern der Alt- und Neustadt das Recht zu, aus dem freien Havelbruch Holz zu holen. Das Havelbruch, das keineswegs, wie sein Name vermuten lassen kann, mit der Havel in Verbindung steht, vielmehr deshalb wohl so heißt, weil es die Südgrenze des slavischen Gaues Heveldun bildet, erstreckte sich in alter Zeit in einem breiten Streifen von Görisgräben und Reckahn östlich bis Königswusterhausen hin und bot im Mittelalter wohl einen fast unerschöpflichen Reichtum von Holzung. Später führte diese Nutzung noch zu vielfachen Streitigkeiten mit den Rochows, bis dann im 18. Jahrhundert es endlich zu einer friedlichen Ablösung der Gerechtsame und Auseinandersetzung kam[332]).

II. STREITIGKEITEN ÜBER BESITZ- UND NUTZUNGSRECHTE

DAS zielbewußte Vorgehen beider Städte, das sie anwandten, um ihren Grundbesitz nach allen Seiten zu mehren und sich so eine gebietende Stellung in ihrer Landschaft zu sichern, erregt unsere Bewunderung. Aber in beschämendem Gegensatz zu dieser groß gedachten Ausdehnungspolitik steht die kleinliche Eifersucht, die zwischen den beiden unmittelbar benachbarten Stadtgemeinden herrschte, und die zum guten Teile diesen klug und zäh erstrebten Machtaufschwung lähmte. Der immer wiederkehrende Zwist zwischen den beiden Schwestern am Havelstrande spielt eine verhängnisvolle Rolle in der Stadtgeschichte. Schon früh muß er begonnen haben, vielleicht eher, als urkundliche Nachrichten uns davon erzählen. Es ist jedenfalls bedeutsam, daß beide Städte ursprünglich eine engere Verbindung mit der Burg Brandenburg hatten, als untereinander. Wie schon früher bemerkt, deutet darauf die doppelte Bezeichnung für die Tore, die zur Nachbarstadt führen: Neues Tor. Diese Ausgänge zum Hauptarme der Havel, der beide Gemeinden voneinander scheidet, sind also jünger als die übrigen Stadttore. Aus diesem Grunde schon ist nicht anzunehmen, wie Schillmann früher glaubte, daß die beiden Städte in früherer Zeit eine gemeinsame Verwaltung und ein einziges Rathaus über dem Strome gehabt haben. Es ist dies eigentlich schon dadurch ausgeschlossen, daß die Städte durch die Teilung der Mark in der Mitte des 13. Jahrhunderts für zwei Menschenalter an verschiedene Landesherren kamen. Natürlich hatten die beiden Gemeinden viel Gemeinsames. Die eigenartige Beschaffenheit des Geländes bringt es mit sich, daß die Grenzen der beiden Weichbilder vielfach ineinander greifen und ein täglicher wechselseitiger Verkehr unvermeidlich ist. Auch sind von Anfang an ideale Güter, wie das Brandenburger Recht, als Muster und Vorbild der später erwachsenen märkischen Städteverfassungen beiden Städten gemeinsam und konnten nur in engem Zusammenwirken zur Geltung gebracht werden. Und dennoch strebten die kommunalen Geschwister schon früh auseinander, und sobald die urkundlichen Nachrichten gesprächiger werden, hören wir von Zwist und Mißhelligkeiten zwischen beiden, der nur durch auswärtige Schiedsrichter geschlichtet werden kann. Gleich nach dem Aussterben des anhaltischen Fürstengeschlechts sehen wir einen offenen Streit zwischen beiden Städten ausbrechen, der, wie es scheint, 1320 sogar zu blutigen Auftritten vor der Mühle (zwischen beiden Städten) geführt hat. Wenigstens bestimmt ein Punkt des endlich geschlossenen Vergleichs, daß der „Krieg vor der Mühle" vergeben und vergessen sein solle[382]). Der Wochenmarkt, der wohl von alters her abwechselnd in beiden Städten gehalten wurde, hatte zu Mißhelligkeiten Veranlassung gegeben, namentlich in bezug auf den Fischverkauf, der in den Havelstädten natürlich von je eine besondere Rolle spielte. Herzog Rudolf von Sachsen, der, wie wir sahen, während des Zwischenreichs zwischen Askaniern und Wittelsbachern in der Mark Regierungsrechte und -pflichten ausübte, waltete mit Ratmannen aus Berlin, Spandau, Rathenow und Nauen des Schiedsrichteramtes. Es wurde im Jahre 1321 bestimmt, daß der Fischmarkt mit den Wochenmärkten vereinigt und in Altstadt und Neustadt dem Wochenmarkt folgen sollte, daß aber in der Woche (außerhalb der Markttage) der Fischmarkt zwischen beiden Städten auf dem Steinwege abgehalten werden sollte. Der Wochenmarkt sollte in beiden Städten in gleicher Weise abgehalten werden, wie von alters her auf den Kaufhäusern[383]), soweit sie schon errichtet waren, auf den Fleisch- und Brotscharnen, überall an den altgewohnten Stätten. Die feindselige Erbitterung der beiden Gemeinden hatte sich infolge der Streitigkeiten so gesteigert, daß eine jede der anderen den Anteil an gemeinsamem Besitz oder Verkehr verweigerte. Wenn die Altstädter Holz aus dem freien Havelbruch holen wollten, so sperrten ihnen die Neustädter die Durchfahrt durch ihre Stadt. Umgekehrt suchten die Altstädter den Brüdern jenseits der Havel den Zugang zur Lehmgrube am Marienberge zu wehren, die sie gemeinsam zu benutzen pflegten. Und ebenso wachten die rechts der Havel eifersüchtig darüber, daß der Anteil der links des Stromes Wohnenden an den vielbegehrten Weingärten am Abhange des Harlunger Berges sich nicht vergrößerte, und forderten von den Besitzern höhere Schösse. In allen diesen Punkten wurde nun ein billiger Ausgleich festgesetzt, freier Verkehr und freie Mitbenutzung der örtlichen Vorteile, gleichmäßige Besteuerung der Weingärten nach dem Werte. In bezug auf die Handwerkergilden wurde ebenfalls für beide Städte gleiches Recht und Zusammenhalten verkündet. Wer von der Gilde der einen Stadt ausgestoßen war, durfte in der der anderen nicht aufgenommen werden. So schienen die Gegensätze ausgeglichen. Aber das Ansehen des benachbarten Fürsten reichte nicht so weit, daß sich die Streitenden dauernd beruhigt hätten, vielmehr mußte nicht viel später als nach einem Jahre (im November 1321) noch einmal ein Städtetag, beschickt von Berlin, Kölln, Frankfurt, Strausberg, Spandau, Nauen, Köpenick und Rathenow, im Weißen Kloster zu Brandenburg (d. h. im Prämonstratenserstift auf der Burg)[384]) zusammentreten, um endgültig Frieden zu stiften. Die vorher angeführten Bestimmungen wurden damals meist bestätigt oder ergänzt. Die Altstädter behaupteten sich im Besitze eines Jahrmarktes am Michaelistage, der ihnen wiederum bestritten worden war. Die Gewandschneidergilde, d. h. die Innung der Tuchhändler, wurde als für beide Städte gemeinsam festgesetzt. Allen Einwohnern, es sei Jude oder Christ, stellte man den Übergang aus der einen Gemeinde in die andere nach Erledigung der auf ihm lastenden Verpflichtungen frei, und wiederum wurde bestimmt, daß jeder Bürger der einen Stadt durch die andere fahren dürfe, es sei, aus welchem Tore er wolle, und wenn die Altstädter die Schleuse (Flutrinne) der Neustädter benutzen wollten, so sollte sie ihnen unter den gleichen Bedingungen wie jenen offen stehen. Eine gerichtliche Beschlagnahme (vroninge) der Weingärten sollte in Zukunft unzulässig sein, da „kein Rauch daraus geht"[385]). Ein kurzes Menschenalter scheint seitdem besseres Einvernehmen zwischen beiden Städten geherrscht zu haben. Aber im Jahre 1342 wurde eine neue Schiedsversammlung über die alten Streitpunkte nötig. Ratmannen von Berlin, Kölln und Spandau tagten erst auf dem Rathause zwischen Berlin und Kölln und dann gerade in der Mitte der alten Heerstraße zwischen Berlin und Brandenburg in der Kirche des havelländischen Dorfes Dyrotz und entschieden über den alten Streitpunkt der Wochenmärkte, daß sie einander darin nicht hindern sollten. Schon 1321 war bestimmt worden, daß der St. Moritztag (22. September) für beide Städte ein freier Wochenmarkttag sein solle. Aber der Ort des Fischmarktes an diesem Tage war wieder strittig geworden. Da bestimmten denn die Schiedsleute in der Woche vier Fleischtage, Sonntag, Montag, Dienstag und Donnerstag, und drei Fischtage, Mittwoch, Freitag und Sonnabend, den kirchlichen Vorschriften entsprechend, nach denen insbesondere Mittwoch und Freitag als Buß- und Fasttage empfohlen wurden. Fiele nun der Moritztag auf einen Fleischtag, so sollte der Markt in beiden Städten gleich gehalten werden, fiele er aber auf einen Fischtag, so soll der Markt in derjenigen Stadt gehalten werden, der an dem betreffenden Tage der Fischmarkt zukommt. In der Folge scheint das Verhältnis eine Zeitlang wieder freundlicher gewesen zu sein, wenigstens treten während der Wirren des falschen Waldemar die beiden Städte nach außen einig auf. Auch die böse letzte Zeit der Luxemburger hat die Städte öfter zu gemeinsamem vaterländischen Kampfe zusammengeführt, aber daneben auch einen heftigen Zwiespalt gezeitigt. Im Laufe dieser Fehden, die große Ansprüche an die Wehrkraft und die Kasse der Bürgerschaften stellten, erwies es sich als notwendig, die Kriegsleistungen beider Gemeinden gegeneinander der Größe und Bevölkerungszahl entsprechend abzustufen. So kam es 1398 zu einem Vertrage zwischen beiden

Gemeinden, in dem man sich über die Aufbringung der Truppen, die Bestreitung der Kriegskosten und die Verteilung der Beute bei Heereszügen einigte. Es wurde dabei das Verhältnis von 2 zu 1 zugrunde gelegt, das uns schon im Jahre 1321 begegnet, wo man die Bestimmung getroffen hatte, daß bei gemeinsamem Ankauf einer neuen Lehmgrube die Neustädter zwei Drittel, die Altstädter ein Drittel zahlen sollten. Dieser Vertrag setzte natürlich voraus, daß die beiden Städte bei ihren Kriegsunternehmungen die gleiche Linie der Politik verfolgten und die gleiche Stellung dem jedesmaligen Gegner gegenüber einnahmen. Wenn dies nicht der Fall war und auch nicht sein konnte, wenn der Gegensatz der leitenden Persönlichkeiten und der zwingenden Interessen die Räte beider Städte verschiedene Wege einschlagen ließ, so konnte es an Reibungsstoff nicht fehlen. Und in der Tat scheint der Geist des Neustädter Rats in den ersten Jahrzehnten des 15. Jahrhunderts ein unruhiger und vorwärtsdringender gewesen zu sein, denn die Altstädter beschweren sich 1420 ausdrücklich über den damals regierenden Rat in der Nachbarstadt, der im Gegensatz zu dem früheren sich immer wieder den Brüdern jenseits der Havel gegenüber feindselig bewiese[336]). Gerade in der wilden Zeit der Quitzows mußte der Interessengegensatz zwischen beiden Gemeinden stärker hervortreten, da die Altstadt, die den räuberischen Zugriffen des Plauer Schloßherrn Hans von Quitzow unmittelbarer ausgesetzt war, dazu neigte, eine vorsichtigere Politik zu treiben, während die Neustadt von vorn herein in engerer Verbindung mit den Hauptgegnern der Quitzows stand und vor offenem Kampfe nicht zurückschreckte. Diese heftige Gegnerschaft gegen die Quitzows tritt ja auch deutlich in der Chronik des Neustädter Stadtschreibers Engelbrecht Wusterwitz hervor und spiegelt die Stimmung des neustädtischen Rats wider. Wir haben schon gesehen, wie dieses Verhältnis die Neustädter dazu brachte, bei dem Versuch, den märkischen Statthalter Johann von Mecklenburg aus seinem Burgverlies im Schloß Plaue zu befreien, die Bundeshilfe der Altstädter zu erschleichen, die dann, wider ihren Willen in den Kampf gegen ihren gefährlichen Nachbar hineingezogen, alles taten, um ihm gegenüber ihre Unschuld zu erweisen und ihre Sache von der der Nachbarstadt zu trennen. Um so heftiger war die Erbitterung der arg bloßgestellten Neustädter gegen die Nachbarn, und seit jenem Tage herrschte ein schroffes Zerwürfnis zwischen beiden Städten, das sich innerhalb von anderthalb Jahrzehnten fast bis zur Unerträglichkeit steigerte, weil eben das enge Zusammenleben mißtrauischen und übelwollenden Nachbarn tausend Gelegenheiten schuf, einander durch tägliche Nadelstiche und gröbere Püffe weh zu tun. Natürlich zog bei diesen Zwistigkeiten die kleinere Gemeinde der größeren Schwester gegenüber meist den kürzeren. Im Jahre 1420 wandten sich beide

Städte klagend an den Kurfürsten Friedrich und trugen ihre Beschwerden vor. Zunächst betraf der Streit einen Punkt, der bis zur Vereinigung der Städte immer ein Zankapfel geblieben ist: die Wochenmärkte. Nach den alten Verträgen sollten die Handwerker, wie wir sahen, auf den Märkten beider Städte ihre Waren feilhalten dürfen. Die neustädtischen Gewandschneider, Schuhmacher und Bäcker aber wollten diesen Vorteil genießen, ohne das geforderte Stättegeld zu zahlen. Dagegen trieben sie die altstädtischen Handwerker von ihrem Markte, zerbrachen den Bäckern die Wecken und warfen das Brot in den Schmutz, obwohl das Gebäck untadelig war. Insbesondere klagten die Altstädter, daß die Neustädter ihnen auf alle Weise die Abhaltung ihres Jahrmarkts auf Mariä Geburt (8. September) verhindern wollten. In der bösen Zeit der Quitzowfehden hätten sie ihnen zuerst zugeredet, den Jahrmarkt abzusagen oder ihn vor den Toren abzuhalten. Der letztere Rat ist wohl so zu verstehen, daß der Jahrmarkt zwischen beide Städte verlegt werden sollte, wo er, obwohl außerhalb der beiderseitigen Tore gelegen, doch eine gewisse Sicherheit geboten hätte, wo aber die Neustädter als auf neutralem Boden vielleicht ein besseres Geschäft zu machen hoffen durften. Als aber die befragten Innungen der Altstadt den Jahrmarkt unter allen Umständen aufrechterhalten und gern auf den Mauern und auf der Straße Wache tun wollten, die Altstadt infolgedessen den Markt ansagte, wiesen die Neustädter alle Fremden, die zum altstädtischen Jahrmarkt gekommen waren, aus ihrer Stadt und verboten ihren Handwerkern, ihn zu besuchen, so daß die zahlreichen Ankömmlinge aus der Mittel-, Alt- und Neumark aufs schwerste dadurch geschädigt wurden.

In das gleiche Gebiet gehört, wenn die Neustädter den Altstädtern den Verkauf von Waren, wie Hopfen und Kohlen, verweigern. Durch die Sperrung des Brennstoffes kam es dahin, daß die Stadtpferde unbeschlagen blieben und die Mühlen leer standen, weil es dem Stadtschmied an Kohlen[337]) fehlte. Es muß der Altstadt damals in ihrem Walde an Kohlenmeilern gefehlt haben, denn erst die Erlaubnis des Brandenburger Bischofs, in seinen Wäldern Kohlen zu brennen, half ihnen aus ihrer Verlegenheit. Als der Stadtschmied schließlich hatte Kohlen brennen lassen und sie durch die Neustadt über die Brücke bringen wollte, hinderten ihn die Nachbarn daran, so daß er sein Gespann zunächst dort stehenlassen und es in nächtlicher Heimlichkeit fortholen mußte, weshalb sie ihn noch mit gerichtlicher Verfolgung bedrohten. Die Lage der Städte brachte es mit sich, daß sie vielerlei Einrichtungen und Besitztümer gemeinsam benutzen mußten: so das Havelbruch und andere Rohrbrüche, die von der Altstadt aus nur durch die Neustadt zu erreichen waren. Aus dem Havelbruch holten die Bürger ihr Holz, aus dem Breiten

Bruch (südlich der Neustadt) die Fischer des Kietzes die Weidengerten zum Flechten ihrer Fischkörbe. Die Neustädter aber sperrten ihnen den Zugang und drohten, wäre es Ratmann oder Bürger, so wollten sie ihnen den Kopf abhauen. An der Flutrinne, die, wie wir wissen, damals weit draußen vor den Toren im Flutgraben lag, forderten sie gegen den Vertrag ungewohnte Abgaben. Aber auch die Neustädter hatten manche Beschwerde zu führen. Wenn ihre Ackerbürger nach dem Mühlenfeld hinausfuhren, der alten Feldmark des wüsten Dorfes Stenow zu, die zwischen Beetzsee, Mötzow und Klein-Kreutz liegt, zogen die Altstädter die Brücke an der Krakower Mühle auf und sperrten sie so von der Heimkehr zum Feierabend aus. Auch über die Schadhaftigkeit der Brücken und Dämme auf dem altstädtischen Mühlendamm beschwerten sich die Bewohner der Neustadt. Die Altstädter weigerten sich, den Damm in der Ausdehnung auszubessern, in der dies die Nachbarn von ihnen verlangten, und bestritten ihre Verpflichtung dazu. Hier auf dem Mühlendamm, wo die beiden Städte südlich und nördlich von der Dominsel ihre Mühlenanlagen hatten, griffen die Machtgebiete beider Städte ineinander, und es war hier eine besondere Gelegenheit, einander weh zu tun. Wollte man in Frieden leben, so mußte man einander eben mit gutem Willen entgegenkommen. Was die Instandhaltung der Dämme anbetrifft, so waren ja von alters her etwa 40 havelländische Dörfer auf beiden Seiten des Beetzsees zur Ausbesserung der Brandenburger Dämme (Grillendamm und Mühlendamm) verpflichtet, eine Verpflichtung, die so schlecht eingehalten wurde und so schwer zu erzwingen war, daß bald den verpflichteten Dörfern ein nach ihrer Hufenzahl bemessenes Dammgeld auferlegt wurde. Wenn nun die Neustädter von den Altstädtern verlangten, sie sollten ein Dammstück ausbessern, das dem altstädtischen Kämmereidorf Brielow zukam, so konnten die Angegriffenen sich darauf berufen, daß der Gnadenbrief der Markgrafen Ottos IV. und Konrads von 1290 über den Besitz des Dorfes Brielow sie ausdrücklich von dem Dienst zu der Instandhaltung des Dammes befreite. Und so bestimmte denn auch der Vergleich von 1423, daß die Altstadt nur ein Dammstück für das bei Nauen gelegene Dorf Niekammer instand halten müßte, im übrigen die Pflicht der Ausbesserung den Neustädtern allein obläge, für die Radeweger Hufen der Rat der Altstadt aber das Dammgeld bezahlen sollte. Der Streit über die Mühlenbrücke, der sich daran entzündete, daß infolge des verfallenen Geländers das vom Felde zurückkehrende Vieh sich in das Wasser drängte, scheint sich dadurch geschlichtet zu haben, daß die Altstädter wie vor alters den Unterbau der Brücke, die Neustädter aber das Geländer in Würden erhalten mußten[309]).

Eine weitere Quelle fortdauernder Mißhelligkeiten waren die Fischerei-

rechte. Die Altstadt erklärte im Streit von 1420 auf Grund ihrer Fürstenbriefe die Havel vom Riewendt- und Beetzsee abwärts bis an das Plauer Wasser (den östlichen Teil des heutigen Plauer Sees) für ihr freies Eigentum. Demgegenüber übten die neustädtischen Fischer und die Bauern der Kuhmark[340]) (eines Feldbezirks auf dem linken Ufer der Unterhavel, später fälschlich Kurmark genannt) und von Schmölln eine gewisse Fischerei auf den Wiesen der Unterhavel aus, die die Altstädter durch Beschlagnahme der Geräte gewaltsam zu hindern suchten. Frieden gebot dann der Vergleich von 1423, wonach die Neuendorfer Bauern von Neuendorf, von Schmölln, die Fischer der Kuhmark und der Gathmark sowie die Kietzer beider Städte nebeneinander fischen und Reusen stellen durften abwärts bis zum Wehre bei Neuendorf, auch die Kuhmarkschen auf dem Eise mit der Sense Rohr schneiden wie vor alters.
Wenn aber die Neuendorfer Bauern als altstädtische Untertanen auf das neustädtische Gebiet jenseits des altstädtischen, späteren Breitlingssees übergriffen, indem sie auf dem Wosmick (oder Wazmok), „des heiligen Geistes Hegewasser“, flakten und fischten[341]), so war damit ein neuer Streitpunkt gegeben. Mit dem Wosmick ist vermutlich der Unterlauf der Buckau gemeint, dessen Fischerei also eine Gerechtsame des neustädtischen Heiligengeistspittels gewesen sein muß[342]). Wenn in dem Vergleich von 1423 über diesen Punkt keine Entscheidung getroffen ist, so ist aus dem Schweigen der Urkunde hiervon und der Begrenzung der Bauernfischerei durch das Neuendorfer Wehr wohl zu entnehmen, daß der Übergriff der Neuendorfer als solcher zurückgewiesen ist. Ebenso waren Gewässer bei dem neustädtischen Dorfe Päwesin streitig, was daraus erklärlich ist, daß den Altstädtern die Gewässer des Beetz- und Riewendtsees gehörten und sie, um in den Riewendtsee zu gelangen, den Päwesiner Dorfgraben oder Streng passieren mußten. Der Vergleich von 1423 schuf auch hier einen Ausgleich, der die Fischerei auf dem Bauernwasser bei Päwesin zwischen den Altstädtern und den Bauern teilte und den Bürgern die freie Durchfahrt nach ihren Gewässern sicherte. Auch in bezug auf allerlei Fischwehre, die die früheren Gerechtsame beeinträchtigten, mußte der Streit geschlichtet werden. Nicht minder gaben die Mühlen fortdauernd Anlaß zu peinlichen Reibungen, da sich die Altstadt durch die Anlage neuer Mühlen auf dem neustädtischen Mühlendamm, einer Walk- und einer Sägemühle, in der Ausnutzung der Wasserkraft beeinträchtigt fühlte. Doch werden die Altstädter sich in diese Neuerung wohl haben fügen müssen, denn in dem Schiedsspruch ist von Beseitigung dieser Anlage keine Rede.
Schließlich betraf der häusliche Krieg der feindlichen Schwestern auch den edlen Gerstensaft. Die Altstadt verbot ihren Ratsdörfern, fremdes Bier zu kaufen und traf damit auch das des Nachbars; ja man beschuldigte sie sogar,

sie hätte ihren Bürgern untersagt, in die Neustadt zu Biere zu gehen, was sie freilich höchlichst bestreitet. (Da wir doch und unsere Bürger in ihre Stadt zu Biere gehn, wenn es uns behagt)[343]). Wir sahen schon, zweieinhalb Jahre dauerte es, bis durch den Schiedsspruch des Altstädters Jaspar Landin und des Neustädters Arnold Adam eine Einigung zustande kam. Sie bestimmte das Selbstverständliche, daß die Bürger der einen Stadt in der anderen freien Verkehr zugesichert erhielten, und daß die Einwohner beider Gemeinden in den Rohrbrüchern vor der Neustadt frei rohren konnten, wogegen der Kauf von Weingärten am Marienberge den Neustädtern ungehindert sein und ihnen die Benutzung der altstädtischen Lehmgrube gegen eine billige Gebühr gestattet werden sollte. Auch wurde festgesetzt, daß die Altstädter bei ihrem Kietze eine Zugbrücke halten sollten, deren Weite die Durchfahrt eines Korn- oder Lehmschiffes ermöglichte. Es ist dies die später sogenannte Homeienbrücke, deren so altertümlich anmutender Name merkwürdigerweise erst sehr spät auftaucht. Die Bezeichnung ist gewiß schon mittelalterlich, aber zufällig uns aus alter Zeit nicht erhalten. Gegenüber älteren, sehr künstlichen Erklärungen des Wortes ist eine einfache und einleuchtende Erklärung zu geben, wenn man beachtet, daß das Wort in der Form: homeye, hameide in einer ganzen Reihe niederdeutscher Städte von Aachen bis Elbing erscheint und überall das gleiche bedeutet. Es ist immer ein Gatter vor dem Tore oder oft auch ein Vor- oder Außentor zur Sperrung eines Grabens oder Flußlaufes. Einen solchen Zweck hat die Homeie in Brandenburg auch zu erfüllen gehabt; es war gewiß ein vor dem altstädtischen Mühlentor gelegenes Außentor, das die Brücke am Eingang des Beetzsees zu schützen hatte[344]). Im Laufe des 15. Jahrhunderts scheinen die Beziehungen der beiden Schwesterstädte sich etwas friedlicher gestaltet zu haben. Vielleicht hatte man doch erkannt, wie beschämend ein solcher jahrzehntelanger Zwist um Kleinigkeiten in den Augen des neuen Landesherrn wirken mußte. Wir hören eine Zeitlang nichts von Zänkereien und dürfen einen leidlichen Friedenszustand vermuten. Als 1473 die altstädtische Brauergilde aufgerichtet und damit eine Luxusordnung über den Aufwand bei Hochzeiten, Kindelbieren usw. verbunden wird, gestattet man 30 Paare einzuladen, wobei neben anderen bestimmt genannten Personengruppen auch fremde Gäste nicht angerechnet werden. Neustädter aber sollen nicht als Fremde gelten, woraus immerhin angenommen werden kann, daß man die Leute jenseits der Havel nicht mehr ganz als „utländisches Pack“ ansah. Aber es kam doch immer wieder zu Übergriffen und Klagen, und wiederholt mußte der Kurfürst Joachim I. eingreifen, damit die Altstadt nicht über ihr Vermögen zu Leistungen herangezogen werde, sondern es bei der althergebrachten Verteilung der Lasten bleibe. Der alte Zwist über die Fischerei erneuerte sich, da ja der Fischfang im alten Brandenburg ein wichtiger Erwerbszweig war. Schon in der Mitte des 15. Jahrhunderts war der Streit um die Fischerei der Päwesiner Bauern von neuem ausgebrochen, die ihnen von der Altstadt als der Inhaberin der Gewässer abgesprochen wurde. Es wurde nun festgesetzt, daß die Bauern von Päwesin und Czudam die althergebrachte kleine Fischerei auf den altstädtischen Gewässern ausüben durften, aber das Flaken und das Fischen mit dem großen Garn sollte ihnen verboten sein. Da die Altstadt aber wie vor alters dem Besitzer des Dorfes, Heinrich Hoppenrade, eine Pacht von zwei Pfund Pfennigen jährlich dafür zahlen mußte, so darf man annehmen, daß bei diesem Teile des Seengebietes, das auch das Bauernwasser von Päwesin und Bagow genannt wird, das Eigentumsrecht des Dorfes anerkannt wurde. Für das Glienecke, den östlichen Teil des Riewendtsees, wurde dieses Eigentumsrecht ausdrücklich festgesetzt. Im Anfange des 16. Jahrhunderts aber begannen dann wieder hartnäckige Streitigkeiten zwischen beiden Städten. Die Neustadt muß der Altstadt das Recht, einen Wochenmarkt zu halten, neuerdings bestritten oder durch kleinliche Gegenmaßregeln beeinträchtigt haben, denn während schon fast zwei Jahrhunderte früher (1320) als alter Brauch bestätigt wird, daß der Wochenmarkt abwechselnd in jeder der beiden Städte gehalten werden soll, verleiht jetzt 1509 der Kurfürst Joachim der Altstadt wie als etwas Neues, bisher nicht Besessenes einen dritten brandenburgischen Wochenmarkt, der den zwei in der Neustadt bestehenden Wochenmärkten gegenübergestellt wird. Es wird dabei ausdrücklich bestimmt, daß, wenn in der einen Stadt Wochenmarkt ist, niemand in der anderen kaufen, verkaufen oder feilhalten darf. Zwei Jahre später, 1511, mußte durch Schiedsrichter und wiederum 1516, durch den Kurfürsten selbst das Abhalten dieses Wochenmarktes in der Altstadt erneut eingeschärft werden. So hartnäckig suchte die größere Schwester der kleineren den Platz an der Sonne zu versagen. Der Vertrag, der im Jahre 1511, Dienstag nach Egidii (2. Sept.), durch die Vermittlung des Bischofs Hieronymus Skultetus von Brandenburg, des Brandenburger Dompropstes Friedrich Britzke, des Ritters Hans von Rochow auf Golzow, Bertrams von Bredow auf Bredow und des Sekretärs Dechanten Thomas Krull in Kölln an der Spree als gekorener Schiedsrichter zustande kam, regelt zum größten Teil Besitzstreitigkeiten, Wiesen und Fischereirechte betreffend, zwischen Altstadt und Neustadt[345]). Da der Havelstrom im ganzen eine klare Grenze zwischen den beiden Gemeindegebieten zieht, so konnte es sich bei diesen Zwistigkeiten nur um Gelände handeln, bei dem diese Scheidungslinie aus irgend einem Grunde versagt. So waren Wiesen in der Gegend des Jakobsgrabens streitig, die sich im Bette der alten Havel und auf beiden Seiten derselben gebildet hatten. Da lautete denn der Schiedsspruch dahin, daß die Wiesen in der Gegend des Jakobsgrabens, soweit sie im Besitze des Neustädter Bürgers Schumann seien, bis zu einer gewissen Linie der Neustadt zustehen und ihr Pacht bringen sollten, daß dagegen die Wiesen, die jenseits dieser Linie neu zugewachsen seien, der Altstadt zukämen, offenbar, weil sie auf der rechten Seite des alten Havellaufes lagen. Ähnlich lag es mit einigen Gärten und Wiesen zwischen beiden Städten, deren Besitztitel zwischen Altstadt und Neustadt streitig waren und worüber ebenfalls ein Schiedsspruch erforderlich wurde. Im übrigen gab die Fischerei Anlaß zu vielen Mißhelligkeiten zwischen den Einwohnern beider Gemeinden. Man hat den Eindruck, daß überall unter den Fischereiberechtigten der Drang bestand, das Gewerbe einträglicher zu machen. Allenthalben entstehen neue Wehre, und die alten werden erweitert und verbessert, wodurch sich der Nachbar in seiner Gerechtsame beeinträchtigt fühlt. Aus den übrigen Punkten, die Entscheidungen darüber treffen, ob einige neue Korbgatter an den Wehren zulässig sind, sei nur hervorgehoben, daß in der Unterhavel Altstädter und Neustädter Fischer nebeneinander die Fischereigerechtigkeit bis zum Klätterpott ausüben. Die Bestimmung dieser Örtlichkeit hat in alter und neuer Zeit manche Schwierigkeit gemacht, da der Name an zwei verschiedenen Stellen haftet, erstens an einem Vortor, das vor dem Steintor gelegen ist, bei der sogenannten Försterbrücke, die den Jakobsgraben überspannt, wo in früherer Zeit ein Torhaus an der St. Jakobskapelle den Eingang in die Vorstadt bewachte und der neustädtische Waldhüter stationiert war, um etwaige Walddiebstähle zu verhindern, und zweitens an einer Wiese jenseits der Plane, die ihren Namen nach der Wiesenpflanze Klappertopf hatte und zum Dienstland des Försters gehörte[346]). Die zweitgenannte Örtlichkeit ist es wohl, die in den ältesten Erwähnungen (1423 und 1511) gemeint ist, und so ergibt sich daraus, daß Altstädter und Neuster Fischer die Unterhavel abwärts bis zur unteren Plane, also etwa annähernd bis zum Gemünde, in gemeinsamer Koppelfischerei fischen durften. So schwer aber wurde es den Nachbargemeinden, friedlich auf dem Heimatboden nebeneinander zu leben, daß schon 1516 der Kurfürst Joachim von neuem als Schiedsrichter eintreten und die Bestimmungen des Vertrags von 1511 einschärfen und ergänzen mußte.

Ein wichtiges Anliegen der Altstädter scheint es noch gewesen zu sein, daß sie auf ihrem Mühlendamm bei der Burgmühle Platz fanden, um ihr Brennholz dort auszuwaschen und es dann auf dem Mühlendamm der Neustädter einige Tage niederzulegen, ehe sie es abfuhren. Den vom Acker und der Hütung mit ihrem Vieh heimkehrenden Neustädter Bürgern mochte dadurch öfter der Durchzug versperrt worden sein. Nachdem man in früherer

Verhandlung den Altstädtern 4 Tage Frist für die Holzabfuhr bewilligt hatte, stellte es sich heraus, daß diese Zeit zu kurz abgemessen war und die Besetzung des altstädtischen Mühlendammes mit Brennholz noch immer Schwierigkeiten hervorrief. Es wurde deshalb der Ausweg getroffen, daß man neben dem Damm im Strom eine Brücke für den Waschplatz errichten und die Lagerfrist des Holzes auf 6 Tage erhöhen sollte.
So sehen wir im Anfang des 16. Jahrhunderts hinein die Flammen der Streitlust zwischen beiden Städten wieder hoch auflodern, und auch in der großen Angelegenheit der Zeit, in der Glaubenserneuerung, gingen die beiden Städte nicht einmütig und in gleichem Zeitmaß voran, sondern die Altstadt folgte der Schwester erst zögernd.
Aber der Streit zwischen den beiden Gemeinden diesseits und jenseits der Havel war nicht der einzige, der immer wieder die Gemüter erregte. Wo Nachbarn irgendwo mit ihrem Gebiet an die Brandenburger Feldmarken stießen, da fehlte es niemals an feindlichen Zusammenstößen. Diejenige Macht, die da natürlich am meisten in Betracht kommt, ist das Brandenburger Domkapitel, das namentlich mit den Neustädtern immer wieder einen heftigen Strauß auszufechten hatte. Hierbei spielt nicht nur die unmittelbare Nachbarschaft und das Ineinandergreifen der Feldmarken, sondern auch das kirchliche Verhältnis und die geistliche Gerichtsbarkeit eine Rolle. In der altstädtischen und der neustädtischen Pfarrkirche besaß das Domkapitel das Patronat, und es kam vor, daß der ehemalige Pfarrer von St. Katharinen später den bischöflichen Krummstab führte.
So gingen denn die Streitigkeiten zwischen Bischof, Domkapitel und Stadtgemeinden ebenso oft aus Forderungen und eigenmächtigen Handlungen der geistlichen Rechtspflege als aus Besitzstörungen hervor. Schon 1346 erfolgte ein großer Zusammenstoß zwischen Bischof und Neustadt wegen eines Übergriffs der bischöflichen Gerichtsbarkeit. Ein Priester, der wegen eines unbekannten Vergehens von der kirchlichen Behörde verfolgt wurde, hatte eine Zuflucht auf dem Kirchhofe der Neustadt (wohl bei St. Katharinen) gesucht, der ihm nach dem geltenden kirchlichen Asylrecht Schutz bieten konnte. Der Hofmeister des Brandenburger Bischofs von Neindorf aber, Dietrich genannt, eilte ihm nach, riß ihn mit gezogenem Messer und Schwert aus dem heiligen Bezirk und suchte ihn im Einverständnis mit Dompropst und Domprior sowie der Brandenburger Pfarrherren auf einem Wagen aus der Stadt zu führen. Darob erhob sich ein gewaltiger Aufruhr in der Stadt, die Menschenmenge rottete sich zusammen, schloß eigenmächtig die Tore und bedrohte den Gewalttätigen mit gleicher Münze. Mit Mühe brachten die Stadtherren einen Sühnevertrag zustande, der der Gemeinde volle Ge-

nugtuung verschaffte. Der Priester wurde freigelassen, und alle an den Unruhen Beteiligten wie auch der Rat sollten gegen jede Verfolgung durch geistliche oder weltliche Gerichte geschützt sein. Ja, falls diese Zusage nicht gehalten werden würde, verspricht der Bischof, daß die Herren des Domkapitels samt den Pfarrern Einlager in Brandenburg halten müßten, bis dem Rat und der Stadtgemeinde genug getan werde. Schon hier zeigt sich die Machtstellung der Stadtgemeinde dem Domkapitel gegenüber. Eine Zeit, in der der Propst von Bernau der Wut des Berliner Volkes zum Opfer fiel, in der ganze Geschlechter des geistlichen Trostes entbehren mußten, mahnte die Geistlichkeit dazu, den Bogen nicht zu überspannen. In gleicher Weise zeigt sich der stolze Trotz und das wache Mißtrauen der Bürger gegen Geistlichkeit und Adel in einer Bestimmung des Vergleichs zwischen Domkapitel und Neustadt vom Jahre 1380, wo betreffs der Wahl von Schiedsrichtern ausdrücklich die Bestimmung getroffen wird, daß sie weder Fürsten noch Herren, noch Bischöfe, noch Äbte oder Pröpste, noch überhaupt Geistliche, aber auch nicht Juristen oder Ritter sein dürften. Freilich gelang es dem Domkapitel später, vom Papst Bonifacius IX. 1389 eine Entscheidung zu erzielen, die den inzwischen getanen Schiedsspruch dieser gewählten Schiedsrichter Henning Blankenfelds und Nicolaus Stakens, zweier neustädtischer Bürger, für unbillig erklärte und aufhob, auch ein neues Urteil dem Wittenberger Dompropst übertrug[347]).

Aber auch später wiederholten sich die Zwistigkeiten infolge gewaltsamen Vorgehens der Domherren und Überschreitung ihrer gerichtlichen Befugnisse. Die Akten über den Streit zwischen Dom und Neustadt im Jahre 1412, der in aller Ausführlichkeit vor den neuen Verwalter des märkischen Landes, den Burggrafen Friedrich gebracht wurde, zeigt uns mit dramatischer Anschaulichkeit das Aufeinanderprallen wilder Leidenschaft.

Zwei Brandenburger Domherren, Matthis Betke und Johann Grunenberg, dringen in die Stadt ein, betreten das Haus einer Brandenburger Bürgerin, Katharine Berlin, die kurz vorher gestorben war, brechen mit einer Axt eine verschlossene Kammer auf, bemächtigen sich der Leiche, ihrer Barschaft und ihres Hausrates und entführen alles nach der Burg unter Nichtachtung der Hoheit des städtischen Gerichts, das noch nicht einmal die Todesursache hatte feststellen können. Die streitbaren Bürger schafften sich alsbald für diese Gewalttat selbst Gerechtigkeit. Sie zogen unter der Anführung ihrer Bürgermeister und des Stadtrichters in großen bewaffneten Scharen am 10. Juni 1412 (Freitag vor Barnabe) vor Burg und Dom und forderten von den Friedensbrechern Rechenschaft. Sie schickten einen Knecht zu den Domherren hinein und ließen sie zur Verhandlung herausrufen. Der Prior erschien mit anderen

Stiftsherren und bejahte die Frage, ob die Gewalttat der beiden Domherren auf Geheiß des Propstes geschehen sei. Aber die Auslieferung der Übeltäter lehnte er ab, weil der Propst nicht zu Hause sei und weigerte sich auch, Genugtuung zu versprechen. Da stellten die Bürgermeister die Forderung, das Domkapitel solle die Schuldigen so lange einschließen, bis das Recht wiederhergestellt sei, und als auch dies verweigert wurde, drangen sie in das Kloster ein, besetzten es und zwangen die Dombehörde, ein Gemach anzuweisen, in dem die beiden Stiftsherren festgesetzt wurden, bis sie ihnen für ihre Gewalttat Genugtuung gegeben hätten.
Dieser Überfall der Burg fand etwa zehn Tage vor der Ankunft des Burggrafen statt, der ja dann innerhalb dreier Wochen zweimal auf dem Boden Brandenburgs weilte. Vielleicht hat in diesen Tagen die Fehde wegen des Leichenraubes geruht, weil die beschuldigten Domherren in ihrer Haft des Urteils harrten. Andere Streitigkeiten brachte das Domkapitel und die Neustadt doch schon damals vor den neuen Herrn, dem man kaum gehuldigt hatte. Denn es wird in der Klageschrift der Neustadt Brandenburg vom 30. Dezember 1412 ausdrücklich erwähnt, daß der Burggraf und seine Begleiter, die Herzöge von Sachsen und die Fürsten von Schwarzburg, einen Vergleich zwischen ihnen vermittelt hätten, in dem dem Domkapitel verboten wurde, Ziegelerde auf brandenburgischer Feldmark zu graben. Das Domkapitel beschuldigt den Rat der Neustadt später auch, sie hätten die Schlüssel von der Propstei, der Chorkammer, der Liberei und anderen Gemächern gefordert, seien mit Gewalt darin eingedrungen, hätten alle Kammern und Zellen durchsucht, alle Schlösser und Kisten geöffnet und den Inhalt beschlagnahmt. Es mag dies zu einer späteren Zeit geschehen sein, wo es sich herausstellte, daß die Gefangenen nicht der Verabredung nach in Haft gehalten wurden. Die Bürger haben damals auch den derzeitigen Dompropst Marquard zu dem Gelöbnis gezwungen, er werde die Gefangenen und die im Kloster mit Beschlag belegten Güter den Ratmannen nicht entziehen, sondern sie ihnen zu jeder Zeit wieder ausliefern. Wenn die Neustädter nach ihrem eigenen Geständnis sich zeitweise der ganzen Burg bemächtigt haben, so rechtfertigen sie das dem Burggrafen gegenüber mit der Besorgnis, es möge sich ein Feind in den Besitz des Klosters zum Schaden des Landes setzen. In der Tat hatte das Domkapitel die Vermittlung des mächtigen und dem Burggrafen feindlichen Schloßherrn von Plaue angerufen, und dieser folgte der Einladung nur zu gern. So mag wirklich die Neustadt die Burg besetzt haben, um den gefährlichen Nachbar zu verhindern, sich dort etwa festzusetzen. Denn sie beruft sich dem Burggrafen gegenüber darauf, das, worin sie etwa gefehlt hätte, sei nur geschehen, weil kein Herr oder Amtmann im Lande war,

der das Recht gesichert hätte. Hans von Quitzow kam in der Tat bald darauf in die Neustadt geritten und forderte die Ratsherren auf, in eine freundliche Besprechung mit dem Kapitel zu treten. Die Stadt ließ sich dazu bewegen, und das Ergebnis der Unterhandlung war, daß die Neustadt dem Kapitel die Burg zurückgab unter der Bedingung, daß der Propst sie mit den Herren Betke und Grunenberg wieder auslieferte, wenn man sich in einer bestimmten Zeit hinsichtlich der Streitigkeiten nicht geeinigt haben würde. Die Stadt war dabei die Betrogene und hatte zu bereuen, daß sie in die Falle gegangen. Denn der Propst lieferte die Angeklagten nicht aus, blieb im Besitze der Burg, und die Stadt konnte zu ihrem Rechte nicht gelangen. Wie dieser Streit wegen der gewaltsamen Fortführung der Erbschaft schließlich vom neuen Landesherrn, dem Markgrafen Friedrich, entschieden worden ist, darüber berichten unsere Quellen nichts. In bezug auf die übrigen streitigen Punkte, die damals ebenfalls zwischen Neustadt und Domkapitel schwebten, belehrt uns ein Schiedsspruch des Markgrafen Friedrich vom 21. Mai 1416[848]). Er trifft eine wohlabgemessene Entscheidung, die beiden Parteien gerecht wird. Das streitige Gelände soll als Acker von keiner Partei mehr benutzt, sondern für beide Teile als Gemeinweide gebraucht werden. Was zwischen den Grenzsteinen und der Neustadt an Ziegelerde und Bruch gelegen, soll der Stadt verbleiben, was davon aber zwischen Grenzsteinen und Graben liegt, soll Propst und Kapitel behalten. Bedarf die Stadt die Ziegelerde, die auf dem Gebiet des Domkapitels gewonnen wird, so mag der Rat Propst und Kapitel um Erlaubnis bitten, dort zu graben, und die Bitte soll dann nicht abgeschlagen werden. Diese Übereinkunft hat sich durch die Jahrhunderte lange erhalten. Sie ist in späteren Schiedssprüchen und kurfürstlichen Entscheidungen 1441, 1483 und 1525 aufs neue festgesetzt worden, etwa mit der genaueren Angabe, daß solcher Wunsch vier Wochen vorher angekündigt werden solle. Und noch weit in das 18. Jahrhundert hinein[849]) erscheint der Stadtsekretär in jedem Frühjahr bei dem Senior des Domkapitels, um „die alte Bitte“ wegen des Ziegelerdegrabens im Karpwehr und (seit 1525) der Hütung auf der wilden Mark auszusprechen, welche Förmlichkeit dann jedesmal von dem Domsyndikus zu registrieren zugesagt wird[850]). Anlaß zum Streit gaben zur Zeit der Ankunft des Burggrafen Friedrich auch zwei Gräben, die die Brandenburger Bürger im Karpbruche bei dem Wasenberge gezogen hatten, um so eine Landwehr gegen Norden herzustellen zur Befestigung der großen Heeresstraße, die hier über Spandau nach Berlin führte. Der Schiedsspruch von 1416 erkannte das Eigentumsrecht des Domkapitels an diesen Gräben, die auf seinem Gebiete gelegen waren, an, aber gab andererseits den Bürgern das Recht, die Befestigung zu errichten und zu erhalten, da sie zur Landesverteidigung diene.

Die Gegend, um die es sich hier handelte, gab auch später Veranlassung zu Erörterungen, die aber friedlich endigten. So verständigten sich die beiden Städte Brandenburg mit dem Domkapitel zur Besserung der Furten bei dem Wasenberge und durch die wilde Mark bei Mötzow. Hier ging damals die große Heerstraße von Brandenburg nach Spandau und Berlin, die die ältere Linie, die bei dem Dorfe Klein-Kreutz und Saaringen vorüberzog, allmählich verdrängte[351]). Die arge Beschaffenheit des Weges an verschiedenen sumpfigen Stellen machte es nötig, daß die beiden Städte Brandenburg und das Domkapitel sich über gemeinsame Maßregeln zur Wegebesserung einigten. Das Kapitel übernahm die Herstellung der nötigen Dämme am Wasenberge, während der neustädtische Rat sich verpflichtete, zwei Brücken bei Mötzow anzulegen; eine etwa noch nötige Brücke durch die wilde Mark wurde den Hofmeistern von Mötzow und Grabow auferlegt. Auch wurde zu dauernder Instandhaltung der Straße ein Klausner in ein Haus bei dem Wasenberge gesetzt, der die erforderlichen Wegearbeiten auszuführen hatte[352]).

Noch an einer anderen Stelle berührten sich die Gebiete der Neustadt und des Domkapitels. Seitdem 1387 das Domstift die Meierei Gränert mit dem dazugehörigen Waldgebiet und der Wüstung Derenthin erworben, die Neustadt aber bald darauf die Feldmarken von Görisgräben und Wendgräben erkauft hatte, grenzten auf eine weite Strecke die Gebiete beider Herrschaften aneinander, und schon die ursprüngliche Ungenauigkeit der gezogenen Grenzlinien mußte Streit entfachen. So ward es nötig, die Schlichtung des Zwistes gekorenen Schiedsrichtern, dem Propst Peter Hitte von Tangermünde, dem Domvikar Bartholomäus Lauwe zu Magdeburg und dem Berliner Bürgermeister Henning Stroband zu übertragen, die die Grenzen abschritten und durch Hügel und Wälle die Scheidelinie bezeichneten[353]). Es wurde freilich nötig, später, 1483, die betreffende Grenzlinie noch einmal zu prüfen und durch einen neuen Schiedsspruch noch genauer festzusetzen[354]).

Wie auf dem Lande, so griffen auch auf dem Wasser die Gerechtsame der Nachbarn ineinander, und es fehlte auch hier nicht an mancherlei Reibungen. Schon im 14. Jahrhundert (um 1380) hatten Schiedsrichter den etwa gleichen Anteil bestimmt, den Neustadt und Kapitel an der Fischerei auf der Emster hatten, dem Wasserlauf, der die Gewässer der Lehniner Seen dem Havelstrom zuführt[355]). Gerade damals hatte das Domkapitel nicht ohne Anwendung sehr bedenklicher Mittel seine Rechte auf den Gewässern der Oberhavel gewaltig erweitert, und die Nutzung dieses Stromgebietes durch die Hintersassen des Stifts, die slavischen Fischer der Domkietze, stieß nun hart mit den alten Rechten der Neustädter Fischer auf der Oberhavel zusammen. So regelte denn der Schiedsspruch von 1483 diese Verhältnisse. Danach sollten die

Neustädter Fischer und die Domkietzer miteinander flaken mit Weiden und engen Netzen, mit Balreusen und Pufert und mit Körben, und angeln nach dem Welse und mit Krafthamen bis zur Furstätte (Feuerstätte) und zur Deetzer Havel, deren Lage oben angegeben ist. Es war dies eine ähnliche Koppelfischerei, wie sie Alt- und Neustädter nebeneinander auf der Unterhavel übten. Der Schiedsspruch von 1483 enthält im übrigen eine ganze Reihe Bestimmungen über die Fischereipolizei von allgemeinerer Geltung und ist insofern für die ältere Geschichte des Fischereirechts besonders bedeutsam[356]). Auch noch später, zur Zeit des Kurfürsten Joachim I., waren Besitzrechte an Inseln, Wiesen und Brüchern in der Oberhavel zwischen Neustädtern und Kapitel streitig, und der Landesherr sorgte mit seinen Räten dafür, daß diese einzelnen Besitzstücke durch Pfähle abgesteckt und begrenzt wurden. Immerhin hat man das Gefühl, daß die gesteigerte Macht des Fürsten diese Gegensätze allmählich friedlich ordnete.

Die Beziehungen der Altstadt zum Domkapitel haben sich früher geregelt und sind dann dauernd günstiger geblieben.

In der Mitte des 14. Jahrhunderts hatte die Altstadt längere Zeit Zwistigkeit mit den Domherrn vor allem über die Fischerei auf dem Beetzsee, der ja der Gemeinde von alter Zeit her gehörte. Das Domkapitel besaß an dem Ostufer desselben das Karpfenwehr, gelegen unterhalb der Brücke, die man überschreiten muß, wenn man von der Neustadt nach Mötzow geht, schon seit dem Anfange des 13. Jahrhunderts. Dies Wehr war den Altstädtern ein Dorn im Auge. Sie hatten daher, um seinen Ertrag zu schädigen, ein anderes daneben gebaut. Dieses letzte überließ nun die Altstadt 1383 in einem Vertrage, den die altstädtischen Bürger Peter Schütte und Hoyer Danncker zustande brachten, dem Propste, der es benutzen sollte, wie es ihm gut dünkte, und die Gemeinde verspricht, daß ihre Fischer bei dem genannten Wehre in einer Entfernung von 26 Klafter nicht fischen und ihm auch sonst keinen Schaden zufügen sollten. Dafür verpflichtete sich das Kapitel, alljährlich zu Weihnachten 25 Schilling zu zahlen. Ein anderes Wehr stand an der Krakauer Brücke, die wir mit der später sogenannten Homeienbrücke gleichzusetzen haben; denn in Urkunden von 1204 und1217 wird von dem Armenhospital in Parduin gesagt, daß es in der Nähe der Krakauer Brücke liege. Mit dem Armenspital in Parduin kann aber nur das Heiligegeistspital der Altstadt gemeint sein, das noch heute an alter Stelle bei der Homeienbrücke liegt[357]). Auf dieses Wehr hatten Propst und Kapitel alte Rechte aus der Zeit, da das Domkapitel vorübergehend in der Gotthardtkirche gesessen hatte, also etwa 1140 bis 1165. Wir finden beide Wehre, das Karpfenwehr und das bei der Krakower Brücke, sowie die Gewässer (Lanken, lacunae), zu denen sie gehören, samt sonstigen Wasserrechten schon in einer Urkunde von 1204 genannt, wo sie der Markgraf Otto II. dem Domkapitel vereignet. In einer Zeit, wo das Domkapitel eben erst von Parduin nach der Dominsel übergesiedelt und die Altstadt eben erst entstanden war, waren diese Rechte des Domkapitels auf dem rechten Havelufer durchaus erklärlich. Sie mußten aber der Altstadt bei weiterer Entwicklung immer unbequemer werden, um so mehr, als sie seither den Besitz des Beetz- und Riewendtsees gewonnen hatte. Und so hat man denn hier verstanden, ehrlich und klar die Rechte beider Parteien abzugrenzen. Propst und Kapitel verzichteten auf das Gericht, das sie in der Heiligengeistlanke, einem Gewässer beim St. Spiritushospital am Beetzsee, beanspruchten, und begnügten sich mit dem Zins, den sie davon genossen. Auch überließen sie die zwei Züge im Beetzsee bei Mötzow, die kleine Fischerei im Riewendtsee u. a. den Altstädtern, behaupteten aber das Recht ihrer Tieckower Bauern auf Weide und Holzung in der Plauer Heide. So war wenigstens hier dauernd eine Quelle ärgerlichen Zanks zwischen den Nachbarn verstopft[358]). In der Zauche drüben waltete ein anderer Nachbar, auf dessen reichen Besitz und angesehene Stellung Rücksicht genommen werden mußte, das mächtige Kloster Lehnin, dessen Güter sich über die ganze Zauche ausbreiteten auf Grund zahlreicher markgräflicher Schenkungen und Käufe. Hier gab es namentlich zwischen der Neustadt Brandenburg und den Äbten mancherlei Reibungen, die Jahrzehnte dauerten und insbesondere einen großen Teil des 15. Jahrhunderts erfüllten. Auf dem Wege von Brandenburg nach Lehnin lag das Dorf Prützke, in dem ein gleichnamiges Geschlecht um 1370 blühte, aber dann rasch ausstarb. Noch im Jahre 1386 erschienen drei Brüder, Klaus, Ebel und Fritz von Prützke, die wegen eines an einem Lehniner Mönch verübten Totschlages eine ewige Lampe im Siechenhause des Klosters und ein steinernes Kreuz auf dem Damme am Borsebruche stifteten[359]). Dann aber, 1406, ist nur noch ein unmündiger Knabe als Gutsherr vorhanden, über den der Rat der Neustadt Brandenburg die Vormundschaft führt, und dessen Erbschaft sich die Stadt vom Markgrafen Jobst verschreiben läßt[360]). Als der letzte Sproß des Geschlechts dann im Sommer 1424 starb, glaubte die Neustadt eine neue ertragreiche Erwerbung gewonnen zu haben. Doch ergaben sich bald langwierige Streitigkeiten mit dem Kloster Lehnin. Bei dem Dorfe Prützke lag ein Waldgelände, das Borsebruch genannt, dessen Besitz dem Lehniner Kloster auf Grund einer Schenkung der askanischen Markgrafen Otto und Albrecht von 1273 zustand. Die eine Hälfte des Borsebruches hatten die Lehniner Mönche den Bauern von Prützke übertragen, die andere den Herren von Prützke zu Lehen gegeben. Nach dem Tode des letzten Prützke verfügte nun die Neustadt über die Hälfte des Borsebruchs, mit der die Prützkes belehnt gewesen waren, schlug Holz in dem Bruch und besetzte auch ein benachbartes, unbebautes Stück Feld, das aber nach Angabe der Lehniner Mönche zu dem Dorfe Netzen gehörte, womit sie 1252 von Markgraf Johann und Otto beschenkt worden waren. Sie hatten dort einen Hof Borsdorf beim Borsebruch angelegt, die Ansiedlung aber später infolge der unruhigen Kriegszeiten wüst liegen lassen. Als sich nun die landhungrige Neustadt des anscheinend herrenlosen Landes bemächtigte, erhob das Kloster lauten Einspruch. In Lehnin waltete damals der Abt Heinrich Stich, einer der bedeutendsten Kirchenfürsten jener Zeit, dessen diplomatische, kluge Gewandtheit von den Zeitgenossen gerühmt wird: Hochbetagt und friedlich gesinnt, namentlich der Neustadt Brandenburg gegenüber, mit der verbündet er manchen Strauß gegen die Quitzows ausgefochten hatte, wollte er die Besitzrechte seines Klosters in gütlichen Verhandlungen behaupten und suchte deshalb in persönlichen Besprechungen die Neustädter zur Anerkennung der Klosteransprüche zu bewegen. Auf seine Veranlassung wurden der neustädtische Pfarrer Borchstorf und der vielgewandte Stadtschreiber Engelbert Wusterwitz, der nach seiner Magdeburger Amtstätigkeit damals wieder in Brandenburg weilte, nach Lehnin geschickt, um die urkundlichen Rechtstitel des Klosters zu prüfen. Gegen die Rechtsbeständigkeit der Urkunden ließ sich nichts einwenden. Aber der Rat gab nur eine hinhaltende Antwort und ließ die Sache ruhen. Da begab sich der greise Kirchenfürst am Anfange des Jahres 1425 selbst nach Brandenburg ins Pfarrhaus, des Willens, den Zwist mit dem Rate beizulegen und bereit, etwa in bezug auf die Besitzrechte in und am Borsebruch nachzugeben gegen Einräumung eines Freihauses in der Stadt. Aber die Bürgermeister Arnold und Kammermann erklärten, daß die Sache so lange nicht entschieden werden könnte, als der zur Zeit tobende Streit zwischen Rat, Vierwerken und Gemeinde nicht beigelegt wäre. In der Tat erschütterte damals der innere Zwiespalt die Verhältnisse der Neustadt so sehr, daß an eine rechtsgültige Vereinbarung nicht gedacht werden konnte. Auch weiterhin gelang es der Vermittlung der genannten Männer nicht, die Sache vorwärtszutreiben. Als Mittwoch nach Pfingsten, am Tage der großen Prozession auf den Berg zum wundertätigen Marienbild in der Wallfahrtskirche der Abt Heinrich Stich wiederum erschien und an die Angelegenheit mahnte, war es noch immer die Zwietracht zwischen Rat und Gewerken, die den Abschluß einer Einigung verhinderte. Und in der Tat ist ja der innere städtische Zwist erst 1426 im August durch den Markgrafen Johann geschlichtet worden. Aber auch die Beseitigung dieses Hindernisses brachte die Sache nicht in Gang. Der neustädtische Sendbote Heinrich Berkholz, den der Rat auf Drängen des Abts endlich nach Lehnin sandte, brachte eine seltsam abweisende Antwort. Der Rat ließe bitten, die Angelegen-

heit ruhen zu lassen, denn wegen der Ketzerei gäbe es in Brandenburg niemanden, der dem geistlichen Stande wohlwollte oder ihm helfen möchte.
Man darf aus dieser merkwürdigen Wendung, die doch kaum nur als Vorwand oder Ausrede angenommen werden kann, wohl schließen, daß die hussitische Bewegung auch im märkischen Lande eine kirchenfeindliche Stimmung hervorgerufen hatte, die gerade das niedere Volk ergriffen zu haben scheint. Dieser Umstand und das bedeutende Ansehen der Brandenburger Gemeinde mag den alten Lehniner Abt abgehalten haben, den Zwist mit der Neustadt Brandenburg auf die Spitze zu treiben. Jedenfalls blieben die Streitfragen bis über den Tod Heinrich Stichs ungelöst, und seine Nachfolger hatten damit noch lange zu tun. Schon der Abt Ludolf, der von 1432 bis 1434 den Krummstab führte, mußte einen Schiedsspruch über die wüste Feldmark Möseritz veranlassen, der am 20. Juli 1433 erlassen wurde. Das Dorf Möseritz war im Jahre 1241 dem Kloster von den Markgrafen Johann und Otto gegeben worden. Indessen gehört es wohl zu jenen Ansiedlungen, die die Lehniner Mönche schon früh eingehen ließen, weil sie eine Neigung zum Großbetrieb hatten. Jedenfalls hat Möseritz am Ende des 14. Jahrhunderts, vielleicht schon ein Jahrhundert früher, wüst gelegen, und seine Feldmark ist vom Kloster den Wachower Bauern zur Bestellung überlassen worden, die sie aber bald wegen der unruhigen Kriegszeiten unbebaut gelassen haben. Dies benutzten nun die Päwesiner Bauern und der damalige Dorfherr Hoppenrade, um von dem Gelände Besitz zu ergreifen, ihr Vieh dort hüten zu lassen und Holz zu hauen.
Im Sommer 1433 entschieden Petrus Hitte, Mathis von Bredow, Sigmund von Knobelow und Heinrich Glienecke als Schiedsrichter den darüber zwischen dem Abt Ludolf und dem Neustädter Rate sowie den Päwesiner Dorfherren entstandenen Streit.[361]) Sie sprachen den Wachower Bauern zwar das Recht zu, das in diesem Jahr auf der Möseritzer Feldflur gesäte Korn abzuernten und für sich zu verwenden. Weiterhin aber sollen die Bauern die genannte Feldmark so lange nicht pflügen und besäen, bis eine endgültige Einigung darüber erfolgt ist, ausgenommen die Dorfstücke, die ihnen auch ferner zur Beackerung freistehen. Sind die Dorfstücke besät, so müssen die Päwesiner das Gras unterhalb der Stücke nach dem See zu unbehütet lassen; wenn sie aber brachliegen, dürfen die von Päwesin das Gras beweiden, wie sie auch sonst den nicht besäten Teil der Feldmark zu Weide und Holzung gebrauchen dürfen.
Wie sich aus dem Inhalt des Schiedsspruchs ergibt, war er nur eine vorläufige Entscheidung, die dem Zwist kein Ende machte, und in dem Lehniner Gedenkbuch, das der Abt Heinrich Stich 1419 angelegt hatte, finden wir

einen längeren Schriftsatz des Abts Johann V. aus dem Ende der dreißiger Jahre[362]), in dem die Streitsache über die Wüstung Möseritz ausführlich behandelt wird. In dieser Auseinandersetzung wird den Päwesinern (und damit den Neustädtern) jede Gerechtsame auf Hütung und Holzung in der Möseritzer Feldmark bestritten, noch weitergehend, als der vorerwähnte Schiedsspruch bestimmte. Im Jahre 1441 entschied der Schiedsspruch des Propstes Peter Klitzke von Brandenburg und des Magdeburger Domvikars Bartholomäus Lauwe den Streit. Die Entscheidung ist in der Urschrift nicht vorhanden, auch die Bestätigung des Kurfürsten Friedrichs II. von 1444 gibt seinen Inhalt nicht wieder, aber da man 1469 in einem neuen Vergleich auf die Bedingungen von 1441 zurückging, sie wiederholte und erneut anerkannte, so ist uns möglich, die damalige Entscheidung zu erkennen[363]). Danach wurde das volle Eigentumsrecht des Klosters an der wüsten Feldmark Möseritz ohne Einschränkung anerkannt, und die Wachower oder wem sonst die Lehniner Mönche ihr Recht übertrügen, sollten allein den Acker dieser Dorfmark bestellen dürfen. Den Päwesinern (oder Neustädtern) aber wurde das Viehhüten oder Reisighauen auf der Flur ohne Erlaubnis der Klosterherren verboten. Dafür sollen die Wachower Bauern wie vor alters die Pflicht übernehmen, den Zaun des Päwesiner Kirchhofes instand zu halten und der Bruder Kellner des Klosters soll dem Pfarrer daselbst (wohl als Zehnt für Möseritz) zu Weihnachten zwei Schock Groschen reichen[364]).

Ferner stritt das Kloster mit den Neustädtern um das Recht des Gewandschnitts und der Anfertigung von Schuhwaren, das ja im Umkreis von drei Meilen der Neustadt Brandenburg seit 1335 vorbehalten war. Ob die Neustädter den Mönchen dies ganz verwehren wollten, oder ob diese ihre Gerechtsame mißbraucht hatten, in ihrer Denkschrift nahmen sie jedenfalls nur das Recht in Anspruch, für den eigenen Bedarf Gewand zu machen und zu verschneiden und ebenso Schuhe herzustellen. Nur übrigbleibende Reste nahmen sie in Anspruch verkaufen zu dürfen, und diese Befugnis sprach ihnen auch der Vergleich von 1441 zu. In ähnlicher Weise war es zwischen beiden Parteien streitig, ob das Kloster und die ihm zugehörigen Dörfer malzen und brauen durften. Nach dem Gnadenbrief Markgraf Ludwigs des Älteren von 1335 war niemandem im Umkreise von drei Meilen um Brandenburg gestattet zu malzen und zu brauen und dadurch in das Stadtrecht einzugreifen. Das Kloster aber nahm auf Grund älterer Fürstenbriefe dies Recht für sich und die Krüger der Dörfer Rädel, Nahmitz, Deetz, Götz, Schmergow, Trechwitz, Damsdorf, Phöben und Töplitz in Anspruch[365]) und machte geltend, daß der Brief Ludwigs die Lehniner Rechte hätte ausdrücklich aufheben müssen, wenn sie davon getroffen werden sollten. Eine Entscheidung über diesen Streitpunkt ist uns nicht bekannt, da der Schiedsspruch von 1441 und spätere Urkunden keine Bestimmungen in dieser Hinsicht enthalten. Es ist aber wohl anzunehmen, daß das Kloster seine Gerechtsame behauptet hat. Auch in bezug auf den Fischzoll in Werder blieb der Abt siegreich. Es wurde festgestellt, daß der Flecken Werder von der Landesherrschaft dem Kloster mit dem Fischzoll früher vereignet sei, als die Neustädter das Vorrecht der allgemeinen Zollfreiheit in der Mark erhalten hätten. Deshalb behielt das Kloster das Recht, nach alter Gewohnheit von den Neustädtern in Werder den Zoll zu erheben, wenn sie dort Fische kauften[366]). Eine endgültige Einigung über die mancherlei Streitpunkte zwischen beiden Parteien erfolgte alsdann am 20. August 1469. Es hing diese freundschaftliche Wendung mit dem seit Jahrzehnten gehegten Wunsche des Abts zusammen, in der Stadt Brandenburg ein ständiges Absteigequartier zu erwerben. Auch darüber ist jahrelang verhandelt worden. Schon 1462 hatte der Kurfürst Friedrich II. für den Lehniner Abt, der ja sein Rat war, Haus und Hof, in der Neustadt bei dem Predigerkloster gelegen, von einem Bürger Valentin Lange erkauft und übertrug es ihm nach Zustimmung der Stadtgemeinde zu einer ewigen freien Herrenwohnung. In der Bestätigungsurkunde des Landesherrn wird bestimmt, daß etwaige Vergehen der Klosterdiener, die auf diesem Hofe begangen werden, dem Gerichte des Abts unterstehen; solche indessen, die dort von weltlichen Personen verübt werden, sollen der städtischen Gerichtsbarkeit verbleiben[367]). Wenige Monate später erfahren wir, daß Richter und Schöppen der Neustadt die Auflassung des Abthauses für 70 Schock Brandenburger Pfennige bezeugen[368]). Aber in den folgenden Jahren müssen neue Zwistigkeiten entstanden sein. Wenigstens wird es dem Lehniner Abt Arnold, der schließlich auf seine Würde verzichtete, um im Kloster Altenberg bei Köln ebenfalls als Abt eine hochgeachtete und angesehene Stellung einzunehmen, von seinem Nachfolger und seinen Gegnern als eine Schädigung des Klosters vorgeworfen, er habe das Borsebruch (südlich vom Rietzer See) den Prützker Bauern als Untertanen der Neustadt ohne Zustimmung des Klosterkonvents das Hütungsrecht bis zum Feste Walpurgis und die benachbarten Äcker abgetreten. Hat so das Borsebruch neben anderen Streitpunkten zu einem heftigen Zerwürfnis innerhalb der Klostergemeinschaft Veranlassung gegeben, so wurde doch endlich im Jahre 1469 auch darüber der Friede zwischen Neustadt und Lehnin hergestellt.

Die Nutzung des Borsebruchs wurde den Neustädtern und ihren Untertanen in Prützke übertragen, außerdem erhielten die Neustädter das Recht, jährlich zehn Prahme Ziegelerde aus Glindow zu holen. Dafür aber befreiten die Bürger den Abt von jeder städtischen Abgabe für sein Stadthaus, insbesondere von dem bisher geforderten einen Schock ewigen Zinses und den fünf Groschen, die an den Wachsetzer für die Wache zu zahlen waren. Seitdem war nach langer Fehde der Friede zwischen dem geistlichen Herrn und dem Neustädter Rate eingezogen und hat dann fortgedauert.

Besser war das Verhältnis der Städte Brandenburg zu der vor allem in der Zauche und im Havellande reich begüterten Familie von Rochow, deren Besitz sich um das Städtchen Golzow hinzog. Soweit wir über diese Dinge unterrichtet sind, waren die Beziehungen der Stadt zum südlichen Nachbar meist recht freundschaftliche. Als Wichard von Rochow im Bunde mit den Quitzows dem ersten Hohenzollern gewaffneten Widerstand geleistet und seine Burg Golzow hatte belagert werden müssen, verlor er zunächst seinen Besitz, wurde dann aber später begnadigt und erhielt sein Schloß zurück auf Fürbitte des Lehniner Abts und der Neustadt Brandenburg[369]). Umgekehrt gewährte Wichard von Rochow der Altstadt Brandenburg seine Vermittlung, um ihr einen erwünschten Vergleich mit Hans von Quitzow 1422 zustande zu bringen, der zugunsten der Altstadt damals auf die Ansprüche verzichtete, die er in Radewege zu haben glaubte[370]). Später sehen wir den Sohn Wichards, Dietrich, wiederholt in freundlichen Beziehungen zur Neustadt Brandenburg und ihren Bürgern. Die Vermögensumstände des Geschlechts scheinen damals nicht besonders günstig gewesen zu sein, denn wiederholt mußte sich Dietrich von Rochow zu Veräußerungen entschließen, an denen die Neustadt und der Bürger Hans Rauch daselbst beteiligt war[371]). Grenzstreitigkeiten zwischen Dietrich und der Neustadt über die Grenze zwischen der Feldmark Reckahn und dem Rehagen in der neustädtischen Heide wurden 1452 friedlich durch einen Schiedsspruch ausgeglichen[372]), den Hans Smedekin und Hans Rauch sprachen. Bald darauf verkaufte Dietrich als Lehensinhaber des Feldes von Reckahn (Dusterreckahn) diese Feldmark an die Neustadt, und dieses Geschäft schien beiden Beteiligten so günstig, daß es zwischen ihnen zu einem Freundschaftsbündnis kam, wie es uns zwischen Edelleuten und Bürgern kaum wieder begegnet. Beide Teile verpflichteten sich nicht nur, daß einer dem anderen raten und helfen sollte mit Leib und Gut gegen jedermann, sondern die Bürgermeister und Ratmannen der Neustadt verliehen allen Rochows für ewige Zeiten das Ehrenrecht, auf ihrer Stadt Rathaus zu kommen und an den Ratssitzungen teilzunehmen, wenn sie irgendein Anliegen haben würden, gleich anderen Mitgeschworenen des Rates[373]). Ganz ungetrübt ist dieses schöne Verhältnis freilich nicht geblieben. Ein Jahrzehnt später kam es zu scharfen Auseinandersetzungen zwischen Dietrich und dem Rate. Der Ritter hatte einen Zwist mit einem Neustädter Bürger Karstian Eggert, in dessen Verlauf er dessen Sohn gefangen setzte, und als er ihn gegen Bürgschaft freigegeben hatte, aufs neue seine Auslieferung verlangte. Indessen scheint diese Angelegenheit, in der der Kurfürst durch einen Urteilsspruch entschied, nicht zu weiteren Verwickelungen geführt zu haben[374]). Später scheint, wie erklärlich, die Benutzung des freien Havelbruchs durch Bischof, Domkapitel und beide Städte Brandenburg Streit mit den Rochows herbeigeführt zu haben, der durch Vergleiche in den Jahren 1529 und 1532 geschlichtet wurde. Die letzte dieser Entscheidungen wurde von Kurfürst Joachim I. in Gegenwart seines jüngeren Sohnes Hans (von Küstrin) zu Brandenburg getroffen, und es sind darin die Grenzen des freien Havelbruches genau angegeben. Diese Gerechtsame sollte noch Jahrhunderte hindurch zu Streitigkeiten Anlaß geben[375]).

Wie für die Neustädter die Nachbarschaft mit den Rochows auf Golzow, war für die Altstadt das Verhältnis zur Herrschaft Plaue bedeutsam. Wir haben schon oben bei der Behandlung der äußeren Geschichte der wechselvollen Ereignisse gedacht, welche die Beziehungen der Neustadt und der Altstadt zu Hans von Quitzow, dem damaligen Besitzer von Plaue, bezeichnen. Es ist daher an dieser Stelle nur noch ein Wort darüber zu sagen, wie die Altstadt zu den späteren Besitzern stand. Nachdem Plaue wechselnden Besitzern zugefallen war, ging es um 1460 in den Besitz des kurfürstlichen Kammermeisters Georg von Waldenfels über. Der Ort hatte für die Brandenburger ein besonderes Interesse, weil beim Übergang über die Havel daselbst ein Zoll von allen aus dem Havellande kommenden Fuhrwerken erhoben wurde, wovon die Städte Brandenburg auf Grund ihrer alten Zollfreiheit befreit waren. Dieser Zoll wurde um so wichtiger, als es seit 1433 von der Landesherrschaft allen Fuhrleuten, die aus dem Havellande kamen, streng untersagt war, einen anderen Weg nach Magdeburg zu nehmen, als den über Plaue. Diesen einträglichen Zoll ließ sich die Neustadt Brandenburg neben allen anderen Zöllen in Brandenburg und in ihrer Umgegend vom Kurfürsten Friedrich II. 1446 und 1458 verpfänden, wofür sie stattliche Vorschüsse zum Pommerschen Kriege geleistet hatte[376]). Als Georg von Waldenfels Plaue erworben hatte, mochte er es bitter empfinden, daß die mächtige Heide, die einst zum Plauer Schlosse gehört hatte, der Altstadt Brandenburg zugefallen war, und suchte er die Rechte der Brandenburger darauf zu bestreiten. Aber in der Entscheidung, die Markgraf Johann 1482 traf, fiel das Urteil im wesentlichen zugunsten der Stadt aus. Ihr Eigentum an der Plauer Heide wurde, wie schon von des Markgrafen Vater, Albrecht, bestätigt und durch Setzung von Grenzhügeln gesichert, anerkannt, aber den Briester Bauern, den Untertanen des Plauer Schloßherrn, die Bearbeitung ihres auf Brandenburger Gebiet gelegenen Ackers zugesprochen, ebenso den Plauer Bürgern das alte Wehr und Bruchwasser innerhalb der Brandenburger Grenze. Georg von Waldenfels und seine Erben sollten Trift und Viehweide in der altstädtischen Heide am Kuhdamm benutzen dürfen. Auch die Zollfreiheit der Brandenburger Bürger auf der Plauer Brücke wurde bei dieser Gelegenheit bestätigt. Später verweigerte der Plauer Schloßherr, der von jäher Gemütsart war und selbst den Kurfürsten Joachim beleidigte, den Brandenburgern von neuem das Recht, zollfrei über die Plauer Brücke zu fahren, aber er mußte auf markgräfliche Entscheidung seinen Widerspruch fallen lassen[377]).

III. DIE STÄDTISCHE BEVÖLKERUNG UND IHRE STÄNDE

ER Träger dieser umfassenden Besitzrechte war nun die Gesamtheit der Vollbürger, die Bürger im engeren Sinne, diejenigen Kreise, die für die Übernahme voller Pflichten auch ein nicht geringes Maß von Rechten eintauschten. Das Bürgerrecht (concivium) war der Adelsbrief der selbstbewußten Stadtgemeinde. Er wurde erworben durch die Zahlung von 3 Schilling und 4 Pfennigen und die Leistung des Bürgereides[378]), der ähnlich wie der Berliner gelautet haben mag: Ich will dem Rath getreu und gewar sein. Wenn mich der Rath verboth bei tag oder nacht, will ich gerne zum Rath kommen und ein gehorsam bürger sein, bei meinen treuen und eeren[379]). Außerdem mußte der neue Bürger sich verpflichten, in Jahr und Tag ein Haus in der Stadt zu erwerben. Die Söhne ansässiger Bürger ererbten das Bürgerrecht ohne weiteres, mußten aber natürlich, volljährig geworden, den Bürgereid leisten. War jemand wegen eines begangenen Verbrechens aus der Stadt geflohen, so durfte er nach Einigung mit dem Geschädigten von neuem durch Zahlung von 36 Schillingen das Bürgerrecht erwerben[380]). Alle Einwohner, die sich kein eigenes Haus erwerben konnten, waren auch nicht imstande, das Bürgerrecht zu erlangen; es waren das die Gesellen und Dienstboten, die bei ihren Meistern und Herrschaften hausten, und die sogenannten Budenleute, Tagelöhner und städtischen Arbeiter, die in kleineren Häusern an der Stadtmauer oder in Nebengassen wohnten. Über die niederen Rechte dieser Leute ist uns aus späterer Zeit durch eine noch vorhandene Budenordnung von 1655 reiche Aufklärung gegeben. Diese Satzung kann jedoch erst später besprochen werden, weil sie dem 17. Jahrhundert angehört. Unzweifelhaft aber gehen ihre Bestimmungen im wesentlichen schon in das Mittelalter zurück[381]). Wie die Budenleute, so waren auch die Kietzer, das sind die ursprünglich wendischen Bewohner des altstädtischen Wendkietzes und des neustädtischen Kietzes Woltiz (des jetzigen Mühlendammes zwischen Neustädtischem Mühlentor und Dom), die, abgeschlossen von den anderen, außerhalb der Stadtmauer wohnten und auch eigene Schulzen hatten und rechtlich etwa auf der Stufe der bäuerlichen Untertanen der Städte standen. Eine besondere, nicht gleichberechtigte Stellung nahmen auch die Juden unter der Bevölkerung der beiden Städte ein. Die Geschichte der Juden im deutschen Mittelalter zu schreiben, dieses Volkes, von dem die Kaiserchronik singt:

Sie sint in fremeden landen
Unz an den jungisten tac,
Das in niemen gehelfen ne mac,

ist eine lohnende und lehrreiche Aufgabe, die freilich furchtbare Nachtseiten des menschlichen Irrwahns enthüllt. Nirgends haben ihre Schicksale vielleicht rascher und wunderbarer gewechselt als in der Mark Brandenburg. Geduldet, beschützt, erbeten, verwünscht, bevorrechtet, gemartert und verfolgt, von neuem Wohlstand gewinnend, jetzt scheinbar ganz vernichtet, bald wieder zu kräftigem Leben aufsteigend, erregt dies Volk, das bis auf den heutigen Tag seine besondere Eigenart zäh behauptet, schon im Mittelalter unsere starke Aufmerksamkeit. Ihre Schicksale in der Stadt Brandenburg führen dreimal zu furchtbaren Heimsuchungen, deren letzte sie aus der Mark auf anderthalb Jahrhunderte vertreibt. Bekanntlich genossen sie ursprünglich als des deutschen Königs Hörige seinen Schutz und galten als seine „Kammerknechte". Wie die königlichen Regalien fast alle allmählich in den Besitz der deutschen Landesherren übergingen, so auch der Judenschutz, der keineswegs von menschlichen Rücksichten, sondern lediglich von Finanzspekulation ausging. Aus der schon oben angeführten Äußerung Albrechts Achilles ergibt sich die Auffassung fürstlicher Kreise über das Daseinsrecht der Juden im Reiche und die Tatsache, daß über diesen Fremdlingen allezeit das Schwert des Damokles hing, das Herrenwillkür oder Glaubenswut und Rassenhaß des Volkes auf sie herabfallen ließ. Ihre ursprüngliche rechtliche Lage in den Städten Brandenburg wie in der ganzen Mark war verhältnismäßig günstig. Man brauchte sie als Geldwechsler und Geldverleiher in dem rasch aufblühenden Handelsbetrieb, erbat einige Juden vom Fürsten, die Altstadt bekam 2 oder 3, die Neustadt 5 Juden. Sie hatten ein gewisses beschränktes Bürgerrecht, wie in Salzwedel, Berlin und Spandau, und indem sie sich (1335) bei dem christlichen Pfarrer für den auf ihren Häusern ruhenden Zehnten abfanden, durften sie ihren Glauben frei bekennen und ausüben, und Brandenburg ist, wie es scheint, die erste Stadt, in der eine Synagoge (1322) erwähnt wird. Indem ihre Zahl nun rasch wuchs, wurden auch bald allerlei Beschwerden über ihre unruhige Betriebsamkeit laut. Als Geldwechsler wußten sie sich eine besondere Erwerbsquelle zu verschaffen. Die Münzkunst lag in der Mark arg danieder, und die Pfennige, die man schlug, waren oft nicht von gleichem Gewicht. Man bezahlte zwar in Pfunden Pfennige, aber da nicht überall Wageschalen zur Hand waren, zählte man sich die Zahl, die ein Pfund ausmachte, zu, und bei einzelnen Pfennigen war ja nur nach dem Stück zu bezahlen. Da fingen die Juden an, die schweren und leichten Pfennige

zu sondern, die schweren nach dem Gewicht, die leichten nach der Zahl auszugeben, wobei der Vorteil augenscheinlich war. Mitunter, ehe noch scharfe Verbote dagegen erlassen waren, schlugen sie auch selbst Pfennige. Auch Zinsen wurden oft in ungewöhnlicher Höhe gefordert. Die sehr geldbedürftigen bayerischen Fürsten wußten die Juden durch außerordentliche Geldbeisteuern sich günstig zu stimmen, so daß Ludwig der Ältere 1344 einen Gnadenbrief für die neumärkischen Juden erließ, den er bald auf die des ganzen Landes ausdehnte, und der die rechtliche Stellung der Israeliten außerordentlich verbesserte. Freilich wollte der Fürst seine Befugnisse, die Rechte der Fremdlinge in jedem Augenblick nach reiner Willkür zu bessern oder zu mindern, ja ganz aufzuheben, keineswegs aufgeben, wie der Zusatz in einem seiner Gnadenbriefe zeigt, „bis wir für gut halten, diese Weisung zu widerrufen"[382]). Und jener entsetzliche Justizmord, den 1351 der markgräfliche Vogt Johannes von Wedel im Namen seines Herrn verübte, indem er alle Königsberger Juden verbrannte und sich für den Markgrafen ihrer Güter bemächtigte, ohne daß eine Schuld der Betroffenen angedeutet wird[383]), läßt darauf schließen, daß auch Ludwig, der gleichzeitig der bayerischen Juden Hab und Gut einziehen ließ, diesen Leuten gegenüber alles für erlaubt hielt.
Zu gleicher Zeit oder etwas früher muß in Brandenburg die Volkswut gegen die Juden losgebrochen sein und ihre blutigen Opfer gefordert haben. Denn es war ja die Zeit (1348/49), wo der Würgengel des schwarzen Todes durch die Lande schritt und die Gemüter der geängstigten Menschen verwirrte, so daß sie die Ebräer der Brunnenvergiftung beschuldigten und sie hinschlachteten. Unsere trümmerhafte Überlieferung der märkischen Geschichte schweigt über diese Dinge freilich fast ganz, und da die Pest die Mark, wie es scheint, ziemlich verschont hat, so mögen auch die Ausschreitungen gegen die Juden, von denen wir einiges hören, in gewissen Grenzen geblieben sein. Immerhin finden wir in israelitischen Märtyrerverzeichnissen jener Jahre ausdrücklich Brandenburg unter den Orten erwähnt, wo Todesopfer geblutet haben[384]). Jedenfalls aber müssen die Juden damals entweder nicht völlig vertrieben worden sein oder bald wieder festen Fuß gefaßt haben. Denn als der Brandenburger Bischof Dietrich von Schulenburg 1372 dem Pfarrherrn der Neustadt gestattete, eine von ihm geweihte Hostie in feierlicher Prozession in der Stadt umherzutragen, verordnete er, daß die Juden während dieses Umzuges in ihren Häusern eingeschlossen bleiben sollten, damit nicht bei der gläubigen Menge durch Verspottung der Feinde unseres gekreuzigten Herrn Aufruhr entstände[385]). Auch eine Verfügung seines Nachfolgers, Heinrich Bodendick, von 1406 weist auf den lebhaften Verkehr zwischen Juden und Christen in der Stadt Brandenburg hin. Er bedroht

darin diejenigen Christen mit dem Kirchenbann, die mit Juden zusammen wohnen, schmausen oder baden und solche zu ärztlicher Hilfeleistung rufen[386]). Es ergibt sich aus diesem Erlaß, daß die Juden Brandenburgs auch, wie anderswo vielfach, die Heilkunst ausübten. Jedenfalls werden durch das ganze 15. Jahrhundert in Brandenburger Stadtbüchern Juden genannt und Zins und Abgaben erwähnt, die sie der Stadt zu leisten hatten. Der Jude Meyer, wohl ein Pferdehändler, leistete diesen Zins in sehr eigenartiger Weise, indem er für den städtischen Marstall einen „redeliken“ Hengst und für sein Futter jährlich 7 Wispel Hafer liefern mußte[387]). Unter dem ersten hohenzollernschen Kurfürsten scheint ein den märkischen Juden freundlicher Wind geweht zu haben; sein Nachfolger, Friedrich II., hat bewußt von dem mittelalterlichen herkömmlichen Fürstenrecht Gebrauch gemacht, die Juden abwechselnd zu berauben und um ihrer Abgaben willen vorübergehend zu schützen. So folgte auf ursprüngliche Begünstigung jener harte Befehl von 1446, alle Juden der Mark gefangenzusetzen, dann zu vertreiben und ihnen ihre Güter zu nehmen. Bald darauf aber zwang er die Städte sehr gegen ihren Willen, die Vertriebenen wieder aufzunehmen. Wenn in jener Zeit der Kanzler Friedrich Sesselmann die Bürger daran erinnert, daß er ihnen die Gnade des Kurfürsten in der Judensache wieder verschafft habe, so ist es wahrscheinlich, daß auch der Brandenburger Rat sich wie der Stendaler und der anderer Städte gesträubt hat, den Juden wieder den Eintritt in die Stadt zu gewähren[388]).

Ich habe schon oben darauf hingewiesen, daß diese Judenverfolgung aus rein finanziellen Rücksichten eine herbe Verurteilung bei dem hochgebildeten Brandenburger Bischof Stephan Bodeker fand. Es ist dies freilich nur ein vorübergehender Silberschimmer am mittelalterlichen Firmament, das sonst dauernd von düstersten Wolken des Glaubenswahns überschattet wird.

Die Judengemeinden in beiden Städten Brandenburg haben sich dann bis in das erste Jahrzehnt des 16. Jahrhunderts erhalten. Es werden uns zahlreiche Juden in Stadtbüchern und Urkunden genannt, unter denen freilich auch ein steckbrieflich verfolgter Falschmünzer Moses nicht fehlt, dessen Signalement lautet: Grauer Rock, weiße Hose, weißer Mantel und weiße Kogel (Kapuze) mit rotem und grünem Besatz[389]). Der Verfolgte wird in Zerbst ergriffen und vor Gericht gestellt. Die Zahl der Juden in Brandenburg muß sich in der zweiten Hälfte des 15. Jahrhunderts vermehrt haben, denn im Jahre 1490 erwähnt ein Stadtbuch der Neustadt eine Judenstraße, die doch auf eine verhältnismäßig größere Anzahl jüdischer Familien schließen läßt. Den gleichen Schluß erlaubt eine Aufzeichnung im altstädtischen Ratsprotokollbuche aus den Jahren 1496/97, in der der Rat den Juden einen „Kiffer“, das heißt einen Begräbnisplatz, überläßt. In den nächsten Jahren erscheint auch ein Rabbiner namens Sloman an der Spitze der jüdischen Gemeinde. Aber schon brach jenes furchtbare Ereignis herein, das den größten Teil der in der Mark bevorrechteten Juden auf den Scheiterhaufen brachte, dem Rest aber die dauernde Verbannung eintrug. Es ist der grausige Hostienschändungsprozeß des Jahres 1510, der geboren ist aus der schwülen Stimmung des Landes gegen die reich und wohl auch übermütig gewordene Judenschaft. Schon seit Jahren bestürmten Geistliche, Ritterschaft und Städte den Kurfürsten, die Juden aus dem Lande zu treiben, wie es in Mecklenburg und im Erzstift Magdeburg geschehen war. Ob an den im Prozeß durch die Folter erzwungenen Aussagen etwas Wahres gewesen, ob abergläubische Verfehlungen der verachteten Ebräer vorgelegen haben, ist heute nicht mehr zu ermitteln. Unzweifelhaft aber ist der ganze Prozeß, der bald eine ungeheuerliche Ausdehnung gewann und auf dessen Gang Brandenburger Bürgermeister und Geistliche einen verhängnisvollen Einfluß geübt haben, ein Justizmord in großem Stile. Der junge Kurfürst, der bis dahin eine den Juden günstige Richtung verfolgt hatte, hat sich aus religiösen Antrieben, von dem Anstoß, den er an den furchtbaren Anschuldigungen nahm, bestimmen lassen, dem Rechtsgang seinen Lauf zu lassen und das Urteil zur Ausführung zu bringen. Die Stadt Brandenburg, die der Schauplatz der ersten Hostienschändung gewesen sein sollte, bewahrte noch lange die Erinnerung an dieses Ereignis. An der Stelle des eingerissenen Hauses des Juden Jakob, in dem der kirchenschänderische Greuel geschehen sein sollte, ließ der Bischof Hieronymus Skultetus eine Sühnekapelle errichten, an die noch heute die Kapellenstraße der Altstadt erinnert. Und noch bis in die Gegenwart werden in der Schatzkammer des Domes die Messer gezeigt, mit denen die Juden die Hostien geschändet hatten. Seitdem blieb die Judenschaft in größerer Zahl der Mark fern, und erst im letzten Drittel des 17. Jahrhunderts finden wieder Aufnahmen und Einwanderungen statt.

IV. ALLMÄHLICHE ENTWICKLUNG DER STADTVERFASSUNG

N einem früheren Abschnitt haben wir gesehen, wie die Stadtgemeinde durch die Verleihung eines besonderen Stadtrechts über die Stufe einer Dorfgemeinde hinauswuchs, wie sie die Fesseln der Bevormundung durch den Grundherrn und Landesherrn allmählich abstreifte und wie zunächst Stadtschulze und Schöffen neben der Stadtgerichtsbarkeit auch die Verwaltung der Gemeindeangelegenheiten in die Hand nahmen. In der Zeit, von der wir sprechen, vollzieht sich nun die Trennung zwischen Schöffen und Ratmannen. Während ursprünglich die Ratmannen nur als Gehilfen für die Verwaltung von den Schöffen herangezogen wurden, die noch einige Zeit auf beiden Gebieten im Gericht und in dem Stadtregiment tätig blieben, nehmen die Ratmannen nunmehr die Verwaltung allein in die Hand. Die förmliche Einrichtung des als oberstes Berufungsgericht für die Mark bevorrechteten Schöppenstuhls (seit 1315) mag eine solche Arbeitsvermehrung mit sich gebracht haben, daß die dauernde Vereinigung beider Körperschaften sich nicht mehr aufrechterhalten ließ. Im Jahre 1326 ist der letzte Fall aufzustellen, wo Schöffen und Ratmannen gemeinschaftlich auftreten, um eine Entscheidung zu treffen[390]). Seitdem greift gelegentlich die eine Körperschaft in das Gebiet der anderen über, grundsätzlich aber bleiben die Befugnisse getrennt. Die Zahl der Ratmannen allein betrug für jede Stadt zwölf wie in Magdeburg[391]). Eine vollständige Liste der Ratsherren ist uns in einer neustädtischen Urkunde des Jahres 1306 erhalten[392]). Ihre Namen sind verdeutscht folgende: Johann von Müncheberg, Rudolf Münzer, Konrad von der Heide, Seger von Gerptitz, Jakob von Burg, Nikolaus von Jüterbog, Nikolaus Jordans, Heinrich von Jerichow, Jakob Friese, Albert Huter (oder Hutmacher), Henning Johannsen, Nikolaus Nauen. Daß unter den Ratmannen ein Hutmacher sich findet, läßt wohl darauf schließen, daß die strenge Ausschließung der Handwerker aus dem Rat nicht ursprünglich war, worauf auch manch anderes Zeugnis hinweist. Die Amtsdauer des Rats war zuerst auf ein Jahr begrenzt. Bald aber wurde eingeführt, daß die Abtretenden selbst den neuen Rat zu wählen hatten. Nun stellten sich in kurzem Mängel des jährlichen Wechsels heraus. Viele Angelegenheiten, die die früheren Ratmänner in die Hand genommen und über die sie sich genau unterrichtet hatten, blieben nach dem Ratswechsel liegen, da die dazu nötige besondere Kenntnis fehlte, und so schien es zweckmäßig, die ehemaligen Ratsherren darüber zu Rate zu ziehen. Allmählich ging man dann dazu über, sie in allen wichtigeren Angelegenheiten zu befragen, so daß sie schließlich ein verfassungsmäßiger Teil des Rates wurden. Das ist die Entstehung des alten und neuen Rats[393]). Zuerst ließ man wenigstens einen Teil der alten Ratmannen noch ein weiteres Jahr im Amte und wählte nur für die anderen neue. Schließlich bestand der Ratswechsel nur darin, daß von den achtzehn Personen, den der alte und der neue Rat ausmachte, sechs in gewissermaßen halben Ruhestand als alter Rat traten, und die übrigen zwölf den „Sitzenden" Rat bildeten. Diese Ratswandelung wiederholte sich alle Jahre, so daß Ratswahlen nur noch in Sterbefällen oder bei Abgang wegen Krankheit und Altersschwäche stattfanden, im übrigen die gleichen Männer lebenslänglich ihr Amt behielten. Da außerdem bei Neuwahlen die Familien der Ratsherren in erster Linie berücksichtigt wurden, so führte eine kleine Zahl von Patriziergeschlechtern, meist Kaufleuten, das dauernde Regiment in der Stadt, und Außenstehende wurden streng ferngehalten. Im einzelnen läßt sich das aus den Listen der Ratmannen ersehen, von denen uns einige, namentlich aus der Neustadt, in Urkunden erhalten sind[394]). Ein Vergleich zwischen der Zusammensetzung der Ratskollegien in beiden Städten Brandenburg und in Berlin-Kölln zeigt manche Verschiedenheit. Insbesondere hat die Altstadt Brandenburg infolge ihres hohen Ansehens trotz ihrer Kleinheit die Zwölfzahl der Ratsherren lange bewahrt, während Kölln nur deren sechs besaß[395]). Die Wählbarkeit der Bürger in den Rat wird allmählich in beiden Orten eingeschränkt. Aber in Brandenburg ist die Zahl der Ratsfamilien viel größer als in Berlin. Hier lassen sich in der Zeit von 1307 bis 1442 nur 43 Ratsfamilien nachweisen, während in Brandenburg zwischen 1306 und 1455 61 Familien erscheinen. Unter diesen ist eine viermal, zwei dreimal, neun zweimal und der Rest nur einmal im Rate vertreten. Es scheint sich daraus zu ergeben, daß der Kreis der Ratsfamilien in Brandenburg weiter als in Berlin gezogen war und sich deshalb leichter gegen das Eindringen der Zünfte in den Rat wehren konnte. An der Spitze des Rats standen zwei Ratsmeister, die allerdings für Brandenburg erst 1344 bezeugt sind, deren Vorhandensein aber doch bedeutend früher angesetzt werden kann, da sie für Berlin, das von Brandenburg sein Stadtrecht erhalten hat, schon 1311 unter dem Namen der zwei gekorenen Alderleute und 1326 als Ratsmeister (magistri consulum) nachzuweisen sind[396]). 1376 ist ihr Titel in Brandenburg proconsules, 1388 Bürgermeister[397]). Sie wurden von den Ratsverwandten aus ihrer Mitte jährlich neu gewählt. Ihre Zahl betrug in der ersten Zeit zwei, so 1376 und 1391, im 15. Jahrhundert, als die Stadt noch weiter wuchs, wurde sie auf drei erhöht[398]). Einer von ihnen wird regierender Bürgermeister gewesen sein. Die vorher geschilderte Entwicklung des Rats, seiner Bestellung und seiner Gliederung zeigt uns einen Fortgang von der Demokratie zur Herrschaft der Wenigen[399]), ja durch das stärkere Hervortreten der Bürgermeister nähert sich die Verfassung selbst der Einherrschaft. Bedenkt man dabei, daß der Rat ursprünglich nur ein jährlich gewählter Gemeindeausschuß war und sich erst allmählich zu einer streng abgeschlossenen Körperschaft entwickelte, daß die Bürgerversammlung, das Burding, das wie in anderen niederdeutschen Gemeinden gewiß auch in Brandenburg nicht geringe Rechte hatte, seine Bedeutung neben dem Rat schon früh völlig verlor, so erkennt man diese fortdauernd wirkende Richtung der Verfassungsentwicklung noch deutlicher. Ursprünglich war der Rat nur das ausführende Werkzeug des Burdings und berief gewiß diese Bürgerversammlung häufig zur Entscheidung über wichtige Fragen. Aber auf diese Teilnahme der Bürgergemeinde weist auch in den älteren Urkunden nur der Umstand hin, daß die Gnadenbriefe der Markgrafen bis etwa 1324 an die Gesamtheit der Bürger gerichtet sind. Seitdem wenden sie sich meist nur noch an die Ratmannen, und so zeigt auch diese Veränderung das Zurücktreten der Gemeinde hinter den Rat oder die durch ihn regierenden Geschlechter. Auch in den älteren noch vorhandenen Urkunden Brandenburgs werden die Bürgersprachen überhaupt nicht erwähnt. Und wenn es ganz im Belieben des Rats stand, sie einzuberufen, so haben sie einen Einfluß auf die Entscheidung der regierenden Körperschaft von vornherein nicht gehabt. Andererseits haben auch die Zünfte niemals einen maßgebenden Einfluß auf die Stadtregierung gewonnen, sind höchstens einigermaßen in ihren Vertretungen zur Rechnungsabnahme herangezogen worden. Nur nach eigenem Gutdünken zogen sie zu wichtigeren Beratungen die nicht im regierenden Rat sitzenden sechs alten Ratmannen hinzu, vielleicht auch noch einmal eine Anzahl älterer erfahrener Leute aus der Bürgerschaft. Und doch haben die mittelalterlichen Ratmannen die steigenden Aufgaben der Verwaltung ihres Gemeinwesens, das in der Zeit der Fürstenohnmacht als fast ganz selbständiger Stadtstaat eine zielbewußte äußere Politik treiben und im Innern eine viel ausgedehntere Betätigung ihrer Leiter erforderte als heute, in überaus geschickter und kluger Weise erfüllt und ihre Stadt zuerst auf eine stattliche Machthöhe und zu glänzendem Wohlstande geführt, später der steigenden Fürstenmacht gegenüber lange auf achtunggebietender Höhe erhalten.

Das Amt der Ratmannen war ein Ehrenamt, für das sie kein Gehalt empfingen; daß sie daneben in der Regel noch einträgliche Kaufgeschäfte betrieben, beweist die Begnadigung des Kurfürsten Friedrich Eisenzahn vom Jahre 1456, durch die er den Ratsherren und Schöppen der Altstadt Brandenburg das

Recht verleiht, in der eigenen Stadt und allenthalben auf freien Jahrmärkten ellenweise Gewand zu schneiden. Die einzig in ihrer Art dastehende Bevorzugung des altstädtischen Rats hatte nur Sinn, wenn diese Körperschaft wesentlich aus Kaufleuten bestand. Es gehörte diese Gunst zu den mancherlei gelegentlichen Vermögensvorteilen, die ihnen als Entschädigung für ihre Arbeit und die durch Amtsreisen entstehende Zeitversäumnis zugesichert waren, als freiem Brennholz, Herrenfischen, Butter, Käse und auch Vieh aus Meierei und Schäferei, Getränkspenden des Stadtkellermeisters bei Ausschank von Wein, Met und Bier, und gelegentlichen Festschmäusen, für die das gesellige und lebenslustige Geschlecht der alten Zeit öfter triftige Gründe zu finden wußte. Vor allem mußte die Ratsversetzung durch ein üppiges Mahl gefeiert werden, für das man sich wohl auch einen tieferen Griff in den Stadtsäckel erlaubte. Im einzelnen und der Summe nach die gelegentlichen Einnahmen und Vergünstigungen der Ratmannen für diese Zeit aufzuzählen, ist unmöglich. Die Sitzungen des Rats fanden auf dem Rathause statt, das in der Neustadt 1297 praetorium, im Jahre 1376 consistorium genannt wird[400]). Es ist kaum zweifelhaft, daß von vornherein jede der beiden Gemeinden ihr eigenes Rathaus hatte, wozu ja der Stadtplan beider Städte auf dem Markte von vornherein genügend Platz vorsieht. Schillmanns Annahme, daß noch 1348 die beiden Städte gemeinsam den Schöppenstuhl auf der Brücke als gemeinsames Rathaus benutzten, erscheint bei sorgfältiger Erwägung der Umstände ganz unhaltbar[401]). Der Amtsbereich des Rats umfaßte nach außen und innen ein überaus weites Gebiet. Seine Tätigkeit richtete sich in gleicher Weise auf Gesetzgebung und auf Verwaltung in betreff der Gemeindeangelegenheiten. Es ist für den mittelalterlichen Rat bezeichnend, daß er daneben auch Recht sprach. Auch in Brandenburg, wo doch ein besonderer Schöffenkörper vorhanden war, stand ihm noch eine Gerichtsbarkeit anderer Art zu, eine gewisse beschränkte Rechtsprechung, die sich zunächst auf die Gebiete seiner Verwaltungstätigkeit, sodann aber auch auf eine Reihe geringerer Strafsachen erstreckte, die man als Ortspolizeiübertretungen zusammenfassen kann. Auch sonst senkte sich mit dem Tage des Amtsantritts neben der Freude und der Würde der leitenden Stellung auf den Ratsherrn vor allem ein keineswegs geringes Maß der Arbeit und der Sorge hernieder. Denn schließlich liefen alle Fäden der weitverzweigten Verwaltung in der Vollversammlung des Sitzenden Rats zusammen, die mit demselben Ernste und liebevollem Eingehen Handel und Gewerbe in der Stadt, wie sie sich im Getriebe der Innungen auslebten, polizeilich zu regeln, in einem Gassenstreit zweier Nachbarn ihren Schiedsspruch zu fällen, Rechte und Besitz der Stadt zu vermehren und zu erweitern, wichtige Bündnisverträge zu schließen und folgenschwere Fehdeansagen auszusprechen hatte.

Besoldete Berufsbeamte gab es nur für die Bewältigung des Schreibwesens und in niederen Diensten. Jenes besorgte der Stadtschreiber, ein Mann, der einen bescheidenen Titel führte, aber ein ziemlich einflußreiches Amt bekleidete. War er doch meist im Besitze akademischer Bildung. In Brandenburg werden uns die Namen mehrerer Stadtschreiber im 14. und 15. Jahrhundert genannt. In der Neustadt Magister Everhardus 1330 und 1331[402]), der zugleich Schulmeister war, wie sonst vielfach; Johann Golwitz, dessen Familie sonst auch im Rate vertreten ist, der im Jahre 1386 das neue Stadtbuch (liber civitatis) anlegt[403]) und noch 1409, wie sich aus einer uns überlieferten Urkunde dieses Jahres ergibt[403a]), das Stadtschreiberamt bekleidet, endlich Johann Grüning 1455 und öfter (Statdschrivere). Daß diese Männer die niederen Weihen erhalten hatten, folgt daraus, daß sie nach Ausweis des Stadtbuches ihr Gehalt durch Übertragung von Altarlehen, deren Patron der Rat war, empfingen[404]). Sie hatten also noch ein drittes Nebenamt als Altaristen, dem sie durch Messe und Vigiliensingen gerecht wurden. In gleichen Amtsverhältnissen begegnet uns in der Altstadt 1410 Peter Sartach, der ebenfalls die Ämter des Stadtschreibers und Schulmeisters vereinigte und auf die Einkünfte einiger Altarlehen angewiesen wurde[405]). Sonst werden uns nur niedere Beamte, Stadtdiener, genannt, über die wir manche Einzelheiten erfahren. Da ist zunächst der Geschützmeister (balistarius), der während des ganzen 14. Jahrhunderts nachzuweisen ist und dem Rate allweihnachtlich fünf Wurfmaschinen (balistae) zu liefern hatte; als solche sind Meister Albert 1325 und Nicolaus 1332 genannt[406]). Öfter erscheint auch der Marktmeister[407]) (magister fori). Er hat die Ordnung auf den Märkten aufrechtzuerhalten, er eröffnet den Markt durch Aufrichtung des Strohwisches, des Marktzeichens, und ruft die im Stadtkeller aufgelegte Ware, wie blanken und roten Wein, aus, wofür ihm ein Nößel Wein und zwei Pfennig gebühren. Er wird zu Pfingsten vom Rate der Neustadt mit fünf Ellen grauem Tuch eingekleidet oder man gibt ihm für die fünf Ellen eine oder eine halbe Elle feinen Tuchs zu Handschuhen oder zum Ausschnitt. Neben ihm werden ein Stallmeister, der den städtischen Marstall, später Stadthof genannt, unter sich hatte, vier Torwächter, ein Turmwächter, ein städtischer Garkoch, ein Maurer, ein Ziegelmeister, ein Müller, ein Schiffer und seine Knechte, die das städtische Ziegelschiff zu bedienen haben, die Stadtpfeifer, Waldhüter und Kohlenträger erwähnt. Alle diese erhalten ihr Hofgewand zu Pfingsten, der Waldhüter, der so viel zu laufen hat, zu Martini noch ein Paar Schuhe. Der bisweilen erwähnte Münzer war kein städtischer Beamter, denn die Münze in Brandenburg, nach der schon früh (1377) die Münzenstraße heißt, war den größten Teil des Mittelalters hindurch markgräflich, und es ist nicht ganz sicher, ob es überhaupt zu einer Zeit eine städtische Münze gegeben hat[408]).

V. FINANZ-VERWALTUNG / HAUPTSÄCHLICHSTE EINNAHMEQUELLEN

ENDEN wir uns nunmehr den einzelnen Aufgaben unserer Gemeindeverwaltung in beiden Städten zu, so hatte sie ihre Wirksamkeit vornehmlich auf vier Gebieten zu entfalten: in der Finanzverwaltung, im städtischen Kriegswesen, bei gerichtlichen Entscheidungen und als Polizeibehörde. Wenn wir nun zunächst die Finanzverwaltung des Rates betrachten, so ist uns über die Art der Rechnungsführung für das Mittelalter durchaus nichts bekannt, keinerlei Stadtrechnungen sind vorhanden, die uns einen Einblick in die Finanzgebarung gewährten. Höchstens sind uns in den Stadtbüchern und aus Wachstafeln der Altstadt, die sich in der Handschriftenabteilung der Preußischen Staatsbibliothek erhalten haben (aus den Jahren um 1470), einige Abrechnungen des Rats mit Ratmannen und Beamten erhalten. Insbesondere wissen wir nicht, ob bestimmte Ratmannen das Kämmereramt bekleideten. Besoldete Beamte waren für diese Tätigkeit jedenfalls nicht angestellt. Welche Quellen aber speisten nun die städtische Kämmereikasse, und welche Anforderungen mußten aus ihr befriedigt werden? Unter den Einnahmen standen obenan die Erträgnisse des städtischen Besitzes. Zunächst bezog die Stadt auf Grund von allerlei Rechtstiteln mancherlei Zinsen, insbesondere von vermieteten Häusern, Gärten usw. Auch Erbpacht städtischer Güter kam vor. So wurde die Neue Mühle an der Buckau einem Müller in Erbpacht gegeben, und wir lernen einen Vertrag im Jahre 1470 kennen, der die Verhältnisse zwischen der Neustadt und dem erblich Belehnten regelt.

Nicht unbeträchtliche Einkünfte zog die Stadt aus der Vermietung der Brot- und Fleischscharren, die die Bäcker und die Fleischer (Knochenhauer) zum Verkaufe ihrer Waren benutzen mußten. Ursprünglich werden die Grundherren, d. h. die Markgrafen, im Besitze dieser Brot- und Fleischbänke gewesen sein und die Einnahmen davon genossen haben. Einen Einblick in diese Zeit gewährt uns indessen die Brandenburgische Geschichte nicht mehr, vielmehr war hier die Stadt bereits im Besitz dieser Verkaufsstellen, deren Abgaben ihr zugute kommen. Ebenso hatte der Pächter des neustädtischen Stadtkellers einen Mietzins an den Rat zu entrichten, der allerdings in der Form einer Gewerbesteuer vom aufgelegten halben Fuder, das zum Einzelverkauf aufgelegt wurde, in der Höhe von 2½ Schilling für 14 Tage bezahlt wurde[409]). In diese Gruppe der Einnahmen gehört es auch, wenn der Bevölkerung die Nutzung der Almende oder der Heide durch Mast oder dergleichen gegen eine bestimmte Gebühr überlassen wurde, soweit das unentgeltliche Mindestmaß überschritten wurde. Irgend nähere Nachrichten über diese Verhältnisse in dem in Frage kommenden Zeitraum sind nicht vorhanden. Wichtiger aber noch als diese mannigfachen Zinse waren die Einnahmen und Vorteile durch Eigenbetrieb. Da ist zu nennen des Rats Marstall oder Stadthof, den der Stadtstallmeister zu besorgen hatte, und der nicht bloß dazu diente, den Ratmannen Dienstreisen zu Pferde und zu Wagen zu ermöglichen, sondern gewiß auch zum Betrieb anderer städtischen Einrichtungen benutzt wurde. Ein früher Erwerb, aus dem reiche Früchte für die Stadtkasse sproßten, war das Kaufhaus (theatrum), das wie die schon erwähnten Verkaufsbänke, die Marktstände, in seinen einzelnen Teilen an die Kaufleute, vor allem an die Gewandschneider, vermietet wurde. Ein Kauf- oder Schauhaus zwischen den Städten (theatrum) wird schon früher erwähnt. Da waren ferner die städtischen Ziegelwerke in der Alt- und Neustadt, die, wie wir schon hörten, Mauersteine für die Zwingburg Kurfürst Friedrich Eisenzahns in Berlin lieferten. Ein gemeinsamer Besitz beider Städte war schon im Jahre 1320 die Lehmgrube, über deren Benutzung damals Streit entstanden war, und in betreff deren der Schiedsrichter Herzog Rudolf von Sachsen bestimmte, daß beide Städte ein gleiches Recht daran haben sollten, und daß, wenn sie erschöpft wäre, der neue Platz dazu, etwa in der Altstadt, von beiden Städten gemeinsam erkauft werden sollte[410]), aber in dem Verhältnis, das die Neustadt zwei Drittel der Kosten, die Altstadt ein Drittel trägt. Es ist das die älteste Erwähnung der Verhältniszahl, die seitdem für die Leistungen beider Städte zugrunde gelegt wurde. Ein besonders einträglicher Betrieb waren für beide Städte die Mühlen am Mühlendamm und an anderen Stellen. Wir behalten uns vor, bei Schilderung der späteren Zeiten, wo reichlicher Stoff vorliegt, darauf zurückzukommen. Wir erwähnen hier noch zwei städtische Einrichtungen, die aus frühem Mittelalter stammen und bis in die Neuzeit bestanden haben. Zunächst die Stadtwage, deren ausschließliche Benutzung den Stadtbewohnern vorgeschrieben war bei Vermeidung einer Buße, die die Stadtväter willkürlich bestimmten[411]). Sodann die städtische Garküche, die wir in der Neustadt Brandenburg wie in vielen anderen Städten des deutschen Nordens und Südens schon im Mittelalter finden. Wer das prächtige Augsburg besucht, wird unterhalb des gewaltig aufsteigenden Rathauses den künstlerisch hervorragenden Renaissancebau der Stadtmetzg finden, der hinter einer stattlichen Freitreppe in mehreren Stockwerken sich erhebt und unten Fleischverkaufshallen, oben eine Volksspeiseanstalt enthält. Was sich hier bis in die neueste Zeit in volkstümlichem Gebrauch erhalten hat, bestand also in einfacherer Form und kleinerem Maßstabe auch in Brandenburg. Der Stadtkoch wird schon 1386 erwähnt, und noch im Anfang des 18. Jahrhunderts befindet sich die alte Schlächterfamilie Költz oder Keltz im Besitze der Garküche. Vielleicht hat das alte Fleischerhaus, dessen Modell sich im Heimatsmuseum befindet, diese volkstümliche Einrichtung ehemals beherbergt. Die Garküche mag ebenso die Speisen für die Ratsschmäuse geliefert, wie für die Verpflegung der Marktgäste gesorgt und der Stadt eine nicht unbeträchtliche Summe eingebracht haben [412]). In den städtischen Haushalt leiteten nun aber des weiteren recht beachtenswerte Mittel auch direkte Steuern. Allerdings ist über das städtische Steuerwesen des Mittelalters außerordentlich wenig bekannt, namentlich nicht, welche Abgaben den Fürsten zustanden und welche der Rat für Gemeindebedürfnisse erheben konnte. In dem Stadtbuche von 1386 wird eine außerordentliche Steuer (exactio) erwähnt, zu der Leibrenten sowie Lehngüter nur zur Hälfte herangezogen werden sollen. Bis zum Tode ihrer Eltern steuerfreie Bürgersöhne werden nach ihrer Verwaisung nicht nur ohne weiteres zu diesen Abgaben herangezogen, sondern sie mußten auch wegen Zahlung derselben Bürgschaft leisten [413]). Weigerten sie sich dessen, so gingen sie ihres ererbten Bürgerrechtes verlustig und mußten es von neuem erwerben [414]). Außer diesen Steuern gab es noch einige andere unmittelbare Abgaben, die uns gelegentlich genannt werden. Vor allem ist da der Abschoß zu nennen. Zog nämlich ein Bürger aus der Stadt, so galt in allen deutschen Stadtgemeinden die Übung, daß er bei der durch den Steuerausfall geschädigten Kämmerei sich mit einem bestimmten Satz abfinde. Es hieß eben: je mehr Bürger, desto leichter die Lasten. In der Neustadt Brandenburg gab ein Bürger, der sein Haus verkaufte und die Stadt verließ, von einem Schock 4 Groschen und 8 Pfennige „Vorschoß". Ging eine Erbschaft aus der Stadt nach außerhalb, so erhöhte sich die Abgabe etwa auf das Doppelte. Von jedem Schock mußten 4 Groschen „to der affard" und 4 Groschen „to vorschote" gesteuert werden [415]). In Frankfurt erhielt der Rat von Verlassenschaften, die aus der Stadt nach außerhalb gingen, von jedem Schock 4 märkische Groschen. 12 märkische Groschen aber mußte jeder auswärtige Erbe dem Stadtgericht zahlen [416]). Für die Brandenburger Verhältnisse ist es bezeichnend, daß der Abschoß auch von Vermögen erhoben wurde, die in die Schwesterstadt jenseits der Havel gingen. Ebenso hatte die Neustadt auf die Einfuhr von Wein aus der Altstadt, deren Marienberg ganz mit Reben bestanden war, während die Neustadt geringe Weingärten hatte, einen Einfuhrzoll gelegt. Wer von dort Wein einführte, zahlte für das Ohm besten Weines 4 Groschen, für roten oder überhaupt geringeren 2 Groschen [417]).

VI. WANDLUNGEN DER STÄDTISCHEN KRIEGSVERFASSUNG

N der mittelalterlichen Geschichte der kriegerischen Tätigkeit der Brandenburger Bürger spiegeln sich zwei Entwicklungsgänge besonders deutlich wider, die sich in allen märkischen Städten vollzogen haben. Die beiden Städte erscheinen während der Wirren der Wittelsbacher und Luxemburger Zeit als fast ganz selbständige Stadtstaaten, die das freie Bündnisrecht beanspruchen und üben, die, wenn sie auch das verbriefte Recht, von Kriegsleistungen frei zu bleiben, nicht erworben haben (wie z. B. Stendal), dennoch nur aus gutem Willen allenfalls ihre Streitkräfte dem Fürsten zur Verfügung stellen und in starkem Mißtrauen gegen die ritterlichen Söldner des Landesherrn diese von ihren Mauern und einer Vermischung mit ihren bürgerlichen Kriegern fernhalten. Unter den Hohenzollern aber wurden sie allmählich ein dienendes Glied des Staates, der sie in Kriegsfällen regelmäßig aufbietet und schließlich ihnen eine bestimmte Truppenzahl auferlegt, ohne Widerspruch zu finden. Das ist der Entwicklungsgang der staatsrechtlichen Verhältnisse der städtischen Kriegsmacht. Eine zweite fortschreitende Entwicklung läßt sich verfolgen in bezug auf die Technik des Kriegshandwerks. Wir können noch einen Blick tun in die alte Zeit des ritterlichen Reiterdienstes und der Belagerungsschleudermaschinen und sehen dann, wie allmählich das Fußvolk, die Rüstwagen und das Geschützwesen der Feuerwaffen mehr in den Vordergrund tritt. Die große Veränderung des Kriegswesens, die im 15. Jahrhundert vor sich geht, ist auch in den Städten Brandenburg zu erkennen. Nicht als ob der Sieg der Feuerwaffen sich so schnell vollzogen hätte, wie man gewöhnlich annimmt. Zu entscheidenden Erfolgen brachte es die neue Artillerie erst im 17., 18. und 19. Jahrhundert, und erst am Ende des 16. Jahrhunderts gingen die Brandenburger Schützengilden auf kurfürstlichen Befehl von der Armbrust zur Muskete über. Aber eine tiefgreifende Umwandlung der Waffenübungen läßt sich auch auf dem engen Gebiete, das wir betrachten, verfolgen. Sprechen wir zunächst von der Befestigung der Stadt und des Stadtbezirkes. Wie wir schon oben ausführten, ist eine Befestigung der Stadt, über die wir während des 13. Jahrhunderts keinerlei Nachricht haben, doch gewiß schon in diesem Zeitraum erfolgt. Ich lege dabei nicht allzuviel Wert auf das Zeugnis der alten Stadtsiegel, die sicher ihrem Stile nach aus dem 13. Jahrhundert stammen und Mauern abbilden. Es liegt zu nahe, daß der Stempelschneider für Brandenburg eine Burg als redendes Wappen abbilden wollte, als daß für dieses Sinnbild unbedingt ein wirklicher Hintergrund vorausgesetzt werden müßte. Wenn es sich aber nachweisen läßt, daß eine große Zahl märkischer Städte schon im 13. Jahrhundert, teilweise sogar in der ersten Hälfte desselben, ihre Stadtmauern aufführt[418]), so ist es in hohem Grade wahrscheinlich, daß die Städte Brandenburg mindestens zur gleichen Zeit, aber wohl schon früher den Mauerschutz erhalten haben. Die stattlichen Mauertore und zumal die Tortürme sind aber gewiß erst alle in die gotische Zeit, in die zweite Hälfte des 14. oder in das 15. Jahrhundert zu setzen. Datiert ist von ihnen nur der zierliche neustädtische Mühlentorturm, dessen noch erhaltene Inschrift verkündet, daß Nikolaus Kraft aus Stettin ihn 1411 erbaut habe. Bei dem Turm des Rathenower Tores läßt sich die Zeit der Errichtung ebenfalls erschließen, da an ihm außen die Wappenschilder der Landesherren der Mark bis zu den Luxemburgern angebracht sind, der böhmische Löwe also auf das Zeitalter Kaiser Karls IV. hinweist. Der Steintorturm mag im Laufe des 15. Jahrhunderts entstanden sein, ebenso der nur noch in einem Modell vorhandene Ehebrecherturm, wie die Spitzbogenblenden am mittleren Stockwerk verraten. Die Spätrenaissancegiebel dieses Bauwerkes sind erst im 17. Jahrhundert hinzugefügt worden. Die Wetterfahnen dieser Giebelaufsätze zeigten die Zahl 1614. Auch der Plauer Torturm wie der altstädtische Mühlentorturm werden diesem Jahrhundert, dem 15., entstammen, das ja beide Städte noch in ungebrochener Kraft und blühendem Wohlstande zeigt. Allerdings aber ist anzunehmen, daß ein guter Teil des Mauerringes die Neustadt enger umschloß als derjenige, von dem heute noch sichtbare Überreste vorhanden sind. In jedem Falle bog die ältere Befestigung vom neustädtischen Wassertore nach Südosten und Süden um und folgte zunächst vermutlich der Deutschen-Dorf-Straße, überschritt beim ehemaligen Schmerzker Tore die St. Annenstraße und wendete sich hier nach Südwesten dicht außerhalb von, aber gleichlaufend mit der Abtstraße nach dem ehemaligen markgräflichen Hofe, der (das spätere Dominikanerkloster) innen an der Stadtmauer lag. Ob eine solche Erweiterung auch im Westen und Nordwesten stattgefunden hat, wie Eichholz[419]) und vor ihm Sello annehmen, ist sehr zweifelhaft, zumal des letzteren Vermutung auf einem Mißverständnis der örtlichen Quelle beruht. Wie nun diese Stadtmauern mit ihren längst verschwundenen Wehrgängen, besetzt von wachsamen Bürgern und ihren Geschützen (Wurfmaschinen) zur Zeit der Not, wenn feindselige Nachbarn die Stadt mit Sturm und Belagerung bedrängten, der Einwohnerschaft die Zuversicht gaben, daß sie allen Wechselfällen gewachsen sei, so suchte man

auch das ganze Stadtgebiet durch allerlei Befestigungsanlagen zu schützen. Wir haben bei der Besprechung der Feldmark bereits auf diese Landwehren hingewiesen, die, wie gesagt, nicht das ganze Weichbild umzogen, sondern nur an solchen Stellen angelegt wurden, wo es darauf ankam, die natürliche Umwallung des Gebietes, wie sie ausgedehnte Sümpfe und Seen schufen, zu ergänzen oder den Eintritt von Feinden an den gegebenen Eingangspforten des Stadtgebietes, den Heeresstraßen, durch Hindernisse aufzuhalten. Die am stärksten ausgebauten Werke dieser Art sind die dreifachen Wälle der sogenannten Schwedenschanzen bei Bohnenland, die die Lücke zwischen der westlichen Niederung, die sich vom Plauer und Quentzsee über Görden und Bohnenländer See nach Norden zieht, und Brielower Wiesen und Beetzsee schließen. Ihre Entstehungszeit ist bisher noch nicht sicher festgestellt, dürfte aber doch auch dem Mittelalter angehören. Von den neustädtischen Landwehren ist jener schon gedacht, die nach dem Ausweis einer Karte des 17. Jahrhunderts sich von der Neuen Mühle mit ihren Befestigungstürmen nach der Paukrierbrücke zog. Auch der oder die zwei Gräben, die an der großen Heeresstraße, die am Wasenberge vorüber nach Spandau und Berlin führt, vom Beetzsee nach dem Fuchsbruch gezogen wurden, sind wohl schon erwähnt worden. Sie waren vor 1412 zwischen Domkapitel und Neustadt ein Gegenstand des Streites, und erst Markgraf Friedrich I. schlichtete diesen Zwist, indem er diesen Graben zum Zwecke einer Landwehr als zulässig erklärte[420]). Natürlich war die nächste Pflicht der Bürger, die Stadtbefestigungen zu verteidigen. Zu diesem Behufe hatte die Altstadt (und vermutlich auch die Neustadt wie viele andere Städte, z. B. Berlin und Frankfurt) am Ende des 15. Jahrhunderts einen Wachsetzer (wakesetter), der die Wachen zu regeln hatte und mit dem alle Halb- oder Vierteljahre abgerechnet wurde. Seine Obliegenheiten kann man aus Teymlers Stadtbuch von Frankfurt kennenlernen, das uns überhaupt über die Verhältnisse einer märkischen Stadt um 1500 die lehrreichsten Aufschlüsse gibt. Danach hatte er alle Nacht die Wachen in der Stadt und auf den Mauern zu bestellen, herumzugehen und die Wächter auf den Stadtmauern anzurufen, worauf sie Antwort zu geben hatten, auch wenn die Bürgermeister jemand des Nachts aus- oder einließen, die Schlüssel von den Ratsherren zu holen, das Tor auf- und zuzuschließen und die Schlüssel zurückzubringen[421]). Wenden wir uns nun dazu, zu betrachten, was wir über die kriegerische Organisation des städtischen Aufgebots erfahren. Es ist herzlich wenig, aber gestattet uns doch, wie vorher bemerkt, einen gewissen Fortschritt der Technik zu beobachten.
Im Jahre 1325 wird, wie schon gesagt, ein Geschützmeister erwähnt, der dem Rat jährlich fünf Wurfmaschinen (Balistae) zu liefern hatte und dafür vier

Schock Groschen und freie Wohnung erhielt. Die Wurfmaschinen waren nach entsprechenden aus dem sächsischen Freiberg stammenden Nachrichten riesige feststehende Armbrüste zum Abschießen von Steinen oder (Brand)-Pfeilen. Wir sind also hier noch ganz im eigentlichen Mittelalter. Dann hören wir zu Ende des 14. Jahrhunderts von Kriegsleistungen märkischer Städte, die in einem Städtebündnisse von 1393 festgesetzt werden, darin wird beiden Städten Brandenburg ein Aufgebot von acht „Wepenern" (Gewappneten) und drei Schützen (Schütten) auferlegt, etwas weniger als Berlin, Kölln und Frankfurt, die acht Wepener und vier Schützen zu stellen hatten[122]). Es wird sich nicht mit voller Sicherheit feststellen lassen, was diese Zahlen zu bedeuten haben, immerhin ist so viel klar, daß ein „Gewappneter" nicht einen Mann darstellt, sondern als Sammelbegriff gedacht ist. Wir erinnern uns, daß in der mittelalterlichen Kriegskunst die Gleve (Ritterspieß oder Lanze) oder Helm, oder Wepener die unterste Einheit des Ritterheeres war. Die Gleve bildete ein „ehrbarer" Mann, d. h. ein Schwergerüsteter mit seinem Gefolge. Der mit der Lanze bewaffnete Glevener, der „Reiter", hielt ein Streitroß und für die Reise einen Zelter; das Gefolge wurde durch einen berittenen Schützen und einen berittenen Diener gebildet, später kamen noch zwei unberittene Knechte hinzu. Wie die Ritter als Führer und Kern solcher „Lanzen" erschienen, so mögen in den Städten auch die vornehmen Patrizier und Kaufleute die Berittenen gestellt haben, neben denen die Schützen, die Armbruster zu Fuß immer noch die Minderheit bildeten, wie die Verhältniszahl 8 zu 3 zeigt. Ein Jahr später werden in dem Aufgebote desselben Städtebündnisses nicht Wepener und Schützen, sondern nur Gewappnete, und zwar für die größeren Städte je 16 gefordert. Auch dies zeigt, daß es sich nur um eine taktische Einheit handelt, bei der es uns z. Z. unmöglich ist, die zugrunde liegende Zahl genau festzustellen. Jedenfalls ergibt sich aber aus der kleinen Zahl der Schützen gegenüber der größeren der Gewappneten, daß noch das alte System des Ritterheeres herrscht, wonach der schwergerüstete Reiter die Hauptrolle spielte, und die Armbrustschützen nur als Beiwerk in Betracht kamen. Seitdem vollzieht sich allmählich eine bedeutsame Wandlung, in der das bürgerliche Fußvolk, die mit Pulver losgebrannten Feldgeschütze und endlich die Wagenburg oder die Rüstwagen als Transportmittel in den Vordergrund treten. Kriegstüchtiges Fußvolk kam schon im Laufe des 14. Jahrhunderts seit der flandrischen Sporenschlacht immer mehr zu Ehren, und da es darauf ankam, ritterliche Gegner durch die Geschwindigkeit des Ortswechsels zu schlagen, machte man das Fußvolk beritten, indem man es auf Wagen setzte. Schon um 1332 heißt es in einer Straßburger Chronik: „Unter dem kam die Gewohnheit uf, daß die Antwerksleute uf Wagens wurden ritende, wenn man us zogete in reise. Wenn (d. h.

denn) vormals gingen sie zu fuße.“ Man setzte je sechs Knechte auf einen Wagen, bewaffnete sie mit Fernwaffen, Bogen, Armbrust oder Handrohr, und ließ sie auch im Gefecht von den Wagen aus schießen. Daneben kamen nun auch die Feuergeschütze, die Büchsen zur Geltung, mit denen z.B. die Brandenburger 1414 zur Belagerung der Quitzowburg Plaue zogen. Bald wurden die Geschütze beweglicher, indem man sie auch auf Wagen setzte, und während noch in der Schlacht bei Tannenberg (1410) das Geschütz mehr geschadet als genützt hatte, wurde es allmählich ein stehendes Requisit der Feldzüge. Im Jahre 1424 zeigt sich schon das Übergewicht des Fußvolkes vor der Reiterei. Der Markgraf Johann der Alchimist fordert von Brandenburg 30 Gewappnete zu Roß und 100 gewappnete Schützen auf Wagen[423]). Noch oft wiederholt sich das Aufgebot des Markgrafen im 15. Jahrhundert; zu Pferde, zu Wagen, zu Fuß, mit aller Macht werden die Bürger entboten, und bald handelt es sich nicht mehr um freiwillige Leistung, sondern um Pflicht und Schuldigkeit. Die Anforderungen und die Leistungen steigern sich. Auch Pionierdienste werden verlangt. Markgraf Johann fordert beide Städte 1474 auf, ihm nach Garz (zum Pommernkrieg) zehn Rüstwagen, auf jedem Wagen fünf Mann und einen Kutscher (wagendryfer) mit Armbrusten, panitoysen (!?), Eisenhauben, Schippen, Spaten, Äxten und Hacken zu senden[424]). Und im Jahre 1479 konnte Kurfürst Albrecht Achilles für den Krieg gegen Pommern-Stettin Anschläge zum Aufgebot der städtischen Kriegsmacht aufstellen, die ein ganz gewaltiges Heer aufbringen. Zum täglichen Kriege, also als erstes Aufgebot, hatten sämtliche Städte nur 600 Trabanten zu stellen, die übrigens Söldner waren und als solche von den Gemeinden nur zu entlohnen waren[425]). Bedeutend höher war jedoch der gesamte Bestand der städtischen Kriegsmacht, der sich aus einem anderen Anschlage ergibt, der am Donnerstag in den Ostern 1479 aufgestellt worden war. Danach hatten beide Brandenburg 600 Mann, darunter 100 zu Pferde, zwei Haubitzen und einen Büchsenmeister sowie zwei Zimmerleute aufzustellen[426]), die anderen Gemeinden im gleichen Verhältnis. Die Berittenen wurden von denjenigen Bürgern aufgebracht, welche Lehngüter besaßen. So war es den Hohenzollern in einem halben Jahrhundert gelungen, die städtische Kriegsmacht als einen zuverlässigen Faktor in das Heer des Landesherrn einzugliedern. Noch Joachim I. hat durch Anstellung eines städtischen Musterers die Leistungen auf der Höhe zu halten versucht. Daß sie dann in der Folgezeit über ein Jahrhundert nicht mehr zum Kriege aufgeboten wurde, hat einen Verfall des Kriegswesens herbeigeführt, der sich später grausam gerächt hat.

VII. DAS GERICHTSWESEN BEIDER STÄDTE / DER SCHÖPPENSTUHL

IR haben gesehen, wie die Städte Brandenburg, entsprechend den anderen märkischen Gemeinden, schon früh abgesonderte Gerichtsbezirke bildeten, weil sie ja ein besonderes Stadtrecht hatten, das sie aus Magdeburg empfingen und an die meisten märkischen Städte weitergaben. Das besondere Stadtrecht bedingte ein besonderes Stadtgericht, weil die Landschöffen nicht nach Stadtrecht hätten urteilen können. Wir sahen weiter, wie die Städte sich von der vogteilichen Gerichtsbarkeit losmachten und es erreichten, nur dem Stadtschulzen zu Recht zu stehen.

Brandenburg scheint außerdem aus ältester Zeit her noch ganz besondere Vorrechte genossen zu haben. Darauf deutet der Ausdruck des Markgrafen Johann 1315, Brandenburg glänze durch den Königsbann. Das „Dingen bei Königsbann" war eine im alten Sachsen noch übliche altertümliche Einrichtung, bei der der Graf in starrer, aus der Vorzeit überlieferten Form Gericht hielt, wenn es sich um freies Eigentum oder um Missetat vollfreier Leute handelte, d. h. in besonders wichtigen Fällen. Der Königsbann war ihm für diesen Zweck geliehen; es war ein höherer Bann, eine stärkere obrigkeitliche Gewalt als die gewöhnliche des Grafen. Seine Verletzung (durch Ungehorsam oder Ungebühr) wurde mit einer Buße von 60 Schillingen geahndet, während der Markgrafenbann nur 30 Schillinge betrug. Beisitzer in einem solchen Gericht konnten nur freie Männer mit freiem Eigentum sein, „Schöffenbannfreie", d. h. solche, die durch volle Freiheit zum Schöffenamt fähig waren; sie hatten das Urteil zu finden, das ja der Richter nach dem altdeutschen Gerichtsverfahren nur verkündigt. Nach dem Verfasser des Sachsenspiegels, Eike von Repgow, gab es in der Mark keinen Königsbann mehr. Und in der Tat mußte es im Kolonialland schwer sein, Leute zu finden, die einer peinlichen Untersuchung, ob frei oder unfrei, standhielten. Die Ritter waren meist Ministerialen, und auch unter den Bürgern waren viele Einwanderer, deren freie Herkunft nicht zweifelsfrei war. Ebenso waren die Dienstgüter und die zinspflichtigen Stadthäuser nicht in vollem Sinne freies Eigen. Und so mochte die älteste Stadt der Mark, die „kaiserliche Kammer", die einzige sein, in die noch der altsächsische Königsbann übertragen worden war, und wo er noch, uralter Überlieferung nach, geübt wurde. Aber auch hier ist es nur noch eine dunkle Andeutung, durch die wir von ihm etwas erfahren. Wie überall, unterschied man in Brandenburg das Ober- und das Untergericht (judicium supremum et j. infimum). Freilich ist die Bedeutung dieser Ausdrücke im Laufe der Zeiten einer starken Veränderung unterworfen worden. Ursprünglich schied man Hoch- und Niedergericht nach den Gegenständen, um die es sich handelte. In den großen Sachen, wo es sich um Erb und Eigen oder auf dem Gebiete des Strafrechts um Hals und Hand handelte, hielt der Markgraf das Hochgericht; die kleineren Sachen, wo es um geringere Besitzfragen oder um Haut und Haar ging, gehörten vor das Niedergericht. In den Städten hatte das Obergericht früher der Vogt, das Niedergericht der Schulze verwaltet. Je mehr die kommunale Selbständigkeit sich auf allen Gebieten ausbreitete, desto mehr trat auch das Bestreben der Stadtgemeinde hervor, die Gerichtsbarkeit in ihre Hand zu bringen. Dazu war die Neustadt Brandenburg bereits im Jahre 1315 gelangt. Seitdem wurde beiden Städten immer aufs neue von dem Landesfürsten zugesichert, daß sie außer bei handhafter Tat nur bei ihrem Schulzen zu Recht stehen sollten[127]), so daß also nun das Ober- und das Untergericht von ihm verwaltet wurde. Der Begriff des Ober- und Untergerichts aber wandelt sich bis zum zweiten Viertel des 14. Jahrhunderts in der Weise, daß, nachdem die Städte das Obergericht erworben hatten, die beiden Worte nur noch geldliche Bedeutung hatten. Solange das Stadtgericht nur in geringeren Sachen Befugnis besaß, bezog der Markgraf aus der höheren Gerichtsbarkeit die vollen Einnahmen. Später, als die höhere Gerichtsbarkeit an die Stadt fiel, wurden die Einnahmen aus der gesamten städtischen Gerichtsbarkeit in der Weise geteilt, daß ein Drittel (den dritten Pfennig) der Schulze, zwei Drittel der Markgraf erhielt. Seitdem gewöhnte man sich daran, das erste Dritteil als judicium infimum, sidestes Gericht, und jene zwei Dritteile, die dem Landesherrn zustanden, als hogestes Gericht (judicium supremum) zu bezeichnen. Dieser Sprachgebrauch wurde allmählich alleinherrschend, so daß man schließlich die beiden Ausdrücke nicht mehr anwendete, um richterliche Kompetenzverschiedenheiten zu bezeichnen, sondern um die Vermögensansprüche wiederzugeben. Die erste Bedeutung wurde eben gegenstandslos seit Beendigung der Kompetenzstreitigkeiten, seit niedere sowohl als höhere Gerichtsbarkeit regelmäßig vor dem Stadtschulzen verhandelt wurde. Zur Zeit des Landbuchs Karls IV. (1375) stand der Sprachgebrauch im allgemeinen in dem Sinne fest, daß die Worte nur noch finanzielle Bedeutung hatten. Über die Gerichte der Altstadt Brandenburg schweigt das Landbuch völlig; es scheint eine Lücke vom Schreiber gelassen, die vielleicht später nachgetragen werden sollte. In bezug auf die Neustadt Brandenburg heißt es daselbst: Das Obergericht nehmen die Ratmannen für sich in Anspruch (usurpant[428]). Dieser Ausdruck, der offenbar absichtlich an Stelle des sonst üblichen „haben" gewählt ist, setzt voraus, daß die Rechtsfrage zwischen Markgraf und Stadt ungeklärt war. Im Verlaufe des Verfahrens scheint der Landesherr die Einkünfte des Obergerichts behauptet zu haben. Denn im Jahre 1386 versetzt der Hauptmann der neuen Mark (d. h. damals der Mittelmark) Lippold von Bredow im Namen seines Herrn das oberste Gericht der Neustadt samt dem Ober- und Untergericht auf dem markgräflichen Kietz vor der Neustadt dem Neustädter Rat für 100 Schock böhmische Groschen[429]) auf Wiederkauf. Wie lange diese Verpfändung gewährt hat, ist unbekannt. Aber jedenfalls ist das Obergericht der Neustadt vor 1458 wieder im Besitz des Kurfürsten. Denn in diesem Jahre verpfändet er es aufs neue an den Rat für 500 rheinische Gulden[430]). Und wiederum muß er das Gericht eingelöst haben, denn ein neuer Verkauf des Obergerichts wird uns 1522 gemeldet, das nun wohl den endgültigen Übergang des obersten Gerichts an die Stadt bedeutet, der nun im 16. Jahrhundert bei der Steigerung der fürstlichen Macht nicht allzuviel mehr zu bedeuten hatte. Das Niedergericht hatte in beiden Städten als Erblehen lange die Familie Rauch, das oberste Gericht verwalteten wechselnde Richter, von denen uns einige im 15. Jahrhundert bekannt sind (Claus Schulte, Jaspar Landin, Kilian, Otto Eichholt, Dietrich von Zerbst und Claus Falkenberg). Diesen Verwaltern des obersten und niederen Gerichts gegenüber suchten die Ratmannen wenigstens in den Stätten, die dem Rate unmittelbar gehörten, richterliche Gewalt zu behaupten, so auf dem Rathause, in dem Ratskeller, in den Scharnen, dem Stadthof, in der Buttelei (Büttels Wohnung, Scharfrichterei), dem Frauenhause, den vier Stadtknechtswohnungen, dem Holzmarkt, dem Mühlendamm, dem Bezirk zwischen beiden Städten. Auch das Baugericht in der Stadt, d. h. gerichtliche Entscheidungen über baupolizeiliche Verfügungen, wurde ihnen von dieser Seite bestritten, doch wohl nicht mit dauerndem Erfolge[431]). Überhaupt bestand oft ein Gegensatz zwischen Schöffen und dem Richter oder Schulzen, dem ja nur die Leitung der Gerichtsverhandlungen und die Verkündigung des Urteils oblag, der aber als landesherrlicher erblicher Beamter stetig bemüht war, seinen Machtkreis und seinen Einfluß zu erweitern. Sehr lehrreich ist in dieser Hinsicht ein Brandenburger Weistum für Frankfurt an der Oder vom Jahre 1376[432]). Darin heißt es zunächst, daß niemand, der im Rate sitzt, das oberste Gericht haben darf und daß der Richter nicht das Recht hat, dem neugekorenen Richter den Amtseid abzunehmen. Sollte der Richter einen Schöffen mit Worten beleidigen, so können die Schöffen sich entfernen und dadurch die Sitzung aufheben. Man begnügte sich also in diesem Falle nicht mit Beschwerden, sondern stellte einfach die Arbeit ein. Die Eintragung der Verhandlungen liegt den Schöffen ob, ohne daß der Richter darum zu wissen braucht. Solche Reibungen mögen oft der ruhigen Rechtsprechung sehr hinderlich gewesen sein, aber die rücksichtslose Wahrung ihrer Würde und ihrer Unabhängigkeit wird andererseits nicht wenig zur Mehrung des Ansehens der Brandenburger Schöffen beigetragen haben.

Es wäre nun gewiß reizvoll, dem Brandenburger Rechtsleben weiter nachzugehen, wie es uns in dem erhaltenen mittelalterlichen Schöffenbuch und Stadtbuch der Neustadt entgegentritt. Indessen wird dies im ganzen wohl dem Rechtsgeschichtsforscher überlassen bleiben müssen. Wir begnügen uns, auf einige Punkte kurz hinzuweisen.

Die Aufzeichnungen rechtlicher Vorgänge im Schöffenbuch und Stadtbuch der Neustadt lassen zwar einen Einblick in das Strafrecht, das uns Neuere oft so unglaublich hart und roh anmutet, vermissen; aber eheliches Güterrecht, Erbrecht, insbesondere das Vormundschaftsrecht erscheinen in neuer, teilweise veränderter Beleuchtung, und im Schuldrecht (Obligationenrecht) beobachten wir eine merkwürdig freie Fortentwicklung der Form, in der Geldgeschäfte gemacht wurden. An Stelle des altertümlich schwerfälligen Rentenkaufs ist hier vielfach schon das reine zinsbare Darlehen ohne Verklausulierung getreten [433]).

Ein Denkmal des Brandenburger Stadtgerichts ist auch der ungeschlachte Gesell, der seit vielen Jahrhunderten auf dem neustädtischen Markte, seit zwei Jahrhunderten vor dem Eingange des Rathauses steht. Das erste Wahrzeichen dieser Art mag schon in der Frühzeit der Stadtfreiheit hier aufgestellt worden sein, zuerst vermutlich aus Holz geschnitzt. Er ist dann im Laufe des Mittelalters wiederholt erneuert worden, so nach dem Städtebuch von 1386 im Jahre 1402 [433a]). Das jetzt noch vorhandene Standbild ist im Jahre 1474 aufgestellt, wie die gleichzeitige Inschrift auf der Rückseite angibt. In der Tat ist die Gestalt mit ihrer Plattenrüstung, ihren Schutzscheiben, ihrem Prunkgürtel ganz nach der damaligen Rüstungsmode gekleidet und scheint, wie Sello vermutet, eine Nachbildung des Magdeburger Rolands zu sein, der in einer Chronik des 16. Jahrhunderts abgebildet ist. Im Mittelalter stand er, wie gesagt, nicht an seinem jetzigen Platze, sondern am nordöstlichen Ende des neustädtischen Marktes. Er stellt den Träger der hohen Gerichtsbarkeit, den mit diesem Amt beliehenen Landesherrn als Richter oder dessen Stellvertreter dar. Er hat das aufgereckte Richtschwert in der Hand und ist barhaupt, wie es der Sachsenspiegel für den Richter vorschreibt. Allerdings ist im Laufe der Zeit zu diesen Zeichen des richterlichen Amtes noch die Ritterrüstung hinzugetreten, weil man den Richter als dem Ritterstande angehörig bezeichnen wollte. Da sich die Rolande nicht nur in Städten, sondern auch in Marktflecken finden, so wird es sich vor allem um das Marktrecht handeln, das im Namen des Stadtherrn ausgeübt wurde. Mit dem Paladin Karls des Großen hat das Stadtwahrzeichen ursprünglich nichts zu tun gehabt, denn das diesem zukommende Beizeichen, das Horn Olifant, fehlt ihm. Vermutlich hat der Riese vor dem Rathause den Namen Roland erst allmählich erhalten, weil man übermenschlich große Menschen und Gebilde nach dem riesigen Recken Roland zu nennen pflegte. Wir dürfen also im Brandenburger Roland das Sinnbild der richterlichen Macht sehen, die vor allem zur Marktzeit über Einheimischen und Fremden waltete und den Frieden hütete [434]). Hier ist es am Orte, noch über die Entwicklung des Brandenburger Schöppenstuhls im 14. und 15. Jahrhundert bis zu Joachim I. etwas zu sagen. Wir hatten gesehen, daß während der Teilung der märkischen Lande in der Mitte des 13. Jahrhunderts die Altstadt Brandenburg für den Stendaler Anteil der Mark, die Neustadt für den Salzwedeler Anteil befugt war, Rechtsbelehrungen zu erteilen. Als dann die Länder nach Aussterben der Stendaler Linie wieder in eine Hand kamen, gewann jede der beiden Städte Brandenburg die Befugnis, Rechtsbelehrung den Stadtgemeinden der gesamten damaligen Mark zu geben. Allmählich wurde dieses Vorrecht nicht nur für die Städte, sondern auch über das platte Land ausgeübt, das in älterer Zeit eine andere höchste Dingstatt hatte. Diese war in der neuen Mark (d. h. der heutigen Mittelmark) jenseits der Elbe ohne Ausnahme das Landgericht zur Klinke bei Brandenburg gewesen, von wo die Berufung an das Gericht zur Krippe in der Mark Stendal, von da an das angesehenste und älteste Gericht der Markgrafschaft, an die Dingstätte zur Linde in der Mark Salzwedel, und alsdann an die markgräfliche Kammer ging. Man hat viel über die Lage der Klinke bei Brandenburg gestritten und sie öfter ganz in der Nähe der Stadt gesucht, ja sogar sie mit dem später nachweisbaren Schöppenhause an der Langen Brücke gleichgesetzt. Jedenfalls ist aber dieser Ort auf dem platten Lande zu suchen, wie die entsprechenden Dingstätten der Krippe und der Linde, deren Örtlichkeiten von Städten entfernt in der Altmark feststehen. Da nun drei Stunden nördlich von Brandenburg eine Landzunge mit einem Burgwalle im Riewendtsee vorhanden ist, in deren Nähe eine Klinkbrücke und ein Klinkgraben auf den verschollenen Namen der Klinke hinweist, so ist es wahrscheinlich, daß hier die alte Dingstätte sich befand, wo die Berufung im Landgericht statthatte [435]).

In der ersten Hälfte des 14. Jahrhunderts trat dann an ihre Stelle der Schöppenstuhl zu Brandenburg, dessen Schöppen durch ihre Weisheit und ihr praktisches Geschick ein solches Ansehen erwarben, daß auch landrechtliche Prozesse gewohnheitsmäßig ihrem Gutachten unterworfen wurden. Zunächst werden die Schöffenkollegien der Alt- und der Neustadt noch nebeneinander tätig gewesen sein, und es wird, wie zwischen den Gemeinden auf beiden Seiten der Havel, auch zwischen ihnen nicht an Reibungen gefehlt haben. Da aber die Erteilung von Rechtsbelehrungen jeder der beiden Städte nicht bloß erhöhtes Ansehen in der gesamten Mark, sondern auch eine willkommene Mehreinnahme verschaffte, so waren sie darauf angewiesen, sich über die Verteilung dieser Geschäfte zu einigen. Anfänglich mag man die eine Hälfte der eingehenden Rechtsfragen den Schöppen der Altstadt, die andere denen der Neustadt zugewiesen haben. Bald aber führte der Wunsch, widersprechende Gutachten der beiden Schöppenstuben und überhaupt eine gegenseitige Nebenbuhlerschaft der beiden Städte tunlichst zu vermeiden, dazu, daß Schöppen aus beiden Städten bei der einzelnen Rechtsbelehrung zusammen wirkten. Diesen Zustand spiegelt der Umstand wider, daß in einer Urkunde von 1348 ein Rathaus beider Städte genannt wird, das nach einer später zugesetzten Bemerkung auf der Rückseite des Stückes mit dem Schöppenhause zwischen beiden Städten gleichgesetzt ist. Es ist dies die erste Erwähnung des Gebäudes, das mitten in der Havel neben der Langen Brücke auf Pfählen erbaut war und das, immer wieder erneuert, bis zum Jahre 1700 sich an dieser Stelle befand, und ebensowohl zu gemeinsamen Besprechungen beider Räte, als auch der alt- und neustädtischen Schöppen diente. Es mag schon ursprünglich diesen beiden Zwecken gedient haben[436]). An dieser Stelle traten nun Schöppen beider Städte zu e i n e m Schöppenstuhl zusammen, und zwar nicht alle Schöppen der beiden Gemeinden, sondern von der doppelten Zwölfzahl nur eine Auslese von je fünf Schöffen und je einem Schöffenschreiber, so daß die allgemein übliche Zwölfzahl der Schöffen wiederhergestellt war. Vor ihnen erschienen nun Schöffen des der Belehrung bedürftigen Gerichts in Person und empfingen mündlich von dem Oberhof das geforderte Gutachten. Erst später trat an die Stelle des altdeutschen mündlichen Verfahrens das schriftliche, indem ein Bote des anfragenden Gerichts die Rechtsfrage überbrachte und nach kurzer Verhandlung den Bescheid erhielt. Seit dem Jahre 1432 sind uns die Akten des Schöppenstuhls erhalten, die in 105 auf dem hiesigen Amtsgerichte aufbewahrten Bänden uns die Geschichte des Oberhofes anschaulich wiedergeben. Freilich ist auch dieser ungeheuere Schatz rechtlicher Urkunden nur ein lückenhafter Überrest des Vorhandenen. Denn für die ältere Zeit sind fast nur altstädtische Akten aufbewahrt, deren Erhaltung wir der ordnenden Tätigkeit des hochverdienten Bürgermeisters Simon Roter verdanken, der auch dem altstädtischen Archiv seine erfolgreiche Fürsorge gewidmet hat. Die neustädtischen Akten sind durch Nachlässigkeit der betreffenden Persönlichkeiten fast ganz verlorengegangen. Aus dem 15. Jahrhundert ist überhaupt nur eine kleine Zahl von Aktenstücken gerettet. Erst im 16. Jahrhundert wird diese Überlieferung breiter und ergiebiger[437]).

VIII. VOM MITTELALTERLICHEN HANDEL UND GEWERBE

EIT den ersten Tagen der Brandenburger Stadtgeschichte, von da an, wo zuerst von dem Ort als freier Stadtgemeinde gesprochen wird (1170), ist bereits von der Zollfreiheit die Rede, die die Bürger Brandenburgs im ganzen markgräflichen Gebiete genießen sollen[438]). Also schon damals zog der Brandenburger Kaufmann durch das Land und führte selbst seine Waren von Ort zu Ort, indem er auf entsetzlich schlechten Wegen neben seinem hochbeladenen, mit großer Plane überspannten, sich langsam und mühsam durch Staub und Schmutz fortbewegenden Frachtwagen daherritt, da das unvermeidliche Stoßen der alten, federlosen Fuhrwerke bei der Holprigkeit der Straßen vom Fahren abschreckte. Aber gerade in dieser ersten Zeit der märkischen Kolonisation mußten die Verhältnisse einen wagemutigen Kaufmann zum Handel antreiben. Das gering bevölkerte Wendenland konnte von seinen Landeserzeugnissen Korn und Holz abgeben, und der dichter bewohnte Westen Deutschlands, ja selbst die Niederlande, die mit Hilfe der Wasserstraßen der Havel und Elbe und der Küstenschiffahrt leicht erreichbar waren, verlangten stark die Zufuhr solcher notwendigen Lebensbedürfnisse. Es war freilich ein rauhes und gefährliches Leben auf der Landstraße. Die jenseits der Landesgrenze allenthalben winkenden Zölle, der Zwang, die wenigen erlaubten Straßen zu benutzen, das Stapelrecht bevorzugter Orte, die schlechten Wirtshäuser und vor allem die andauernde, durch das ausgedehnte Fehderecht hervorgerufene Unsicherheit der Heeresstraßen machten jede Handelsreise zu einem äußerst beschwerlichen und abenteuerlichen Unternehmen. Über den Anteil Brandenburgs am märkischen und niederdeutschen Handel in dem Zeitabschnitt, den wir schildern wollen, d. h. zwischen 1321 und 1539, ist uns außerordentlich wenig überliefert. Immerhin weisen einige Eigennamen in Brandenburg, wie Susat (Soest), Friese und andere, auf Beziehungen mit Westfalen hin, und in zwei Dortmunder Urkunden aus den Jahren 1322 und 1333 ist als Ziel Dortmunder Handels im märkischen Lande neben Straußberg Brandenburg genannt[439]). Es ist uns auch bekannt, daß Brandenburg mit anderen märkischen Städten, wie Stendal, Salzwedel, Berlin, Frankfurt an der Oder, Perleberg, Prenzlau, zum großen Bunde der Hansa zur Zeit ihrer höchsten

Blüte gehörte. Dem Hansabunde mußte ja daran gelegen sein, die Kaufleute des als Durchgangsgebiet wichtigen Nachbarlandes in ihre Gemeinschaft zu ziehen, und diesen wiederum war der Eintritt in die damals fast weltbeherrschende Genossenschaft von hohem Werte. Wohl schon seit der Mitte des 14. Jahrhunderts dürfen wir Brandenburg als Mitglied des Hansabundes betrachten[440]). Indessen tritt die Stadt in ihrer Betätigung im Bunde hinter Stendal und Salzwedel, ja auch hinter Berlin und Frankfurt zurück. Die Spreestadt genoß doch den Vorzug, der Punkt zu sein, wo die beiden wichtigen Straßen, die nach Nordosten über Oderberg nach der Odermündung und die nach Osten die Spree aufwärts über Frankfurt nach Polen führende sich trennten, und ihre Lage in der Mitte der Mark begann sich früh auszuwirken, während die Bedeutung Brandenburgs im märkischen Handel naturgemäß etwas sank, als das Land sich immer mehr nach Osten ausdehnte. Die baldige Erweiterung Berlins durch den neuen Markt mit der zweiten Pfarrkirche St. Marien ist eine deutlich sprechende Erscheinung, der Brandenburg nichts gegenüberzustellen hat. So nahm auch Frankfurt, am wichtigsten Übergang über den Oderstrom und zugleich an der vielbefahrenen Wasserstraße dieses Flusses gelegen, einen raschen Aufschwung im märkischen Handelsleben. Beide Städte, Frankfurt und Berlin, erhielten auch früh das Niederlagsrecht (Frankfurt schon bei der Gründung 1251, Berlin 1298), wogegen dies wichtige Vorrecht sich in der Neustadt Brandenburg erst um 1455 nachweisen läßt, der Altstadt Brandenburg aber erst 1564 von dem Kurfürsten Joachim II. neu verliehen wird[441]). Es ist freilich wohl anzunehmen, daß die Neustadt diese Begnadung schon viel früher genossen hat. Wenigstens spricht der Wortlaut der Urkunde von 1455 nicht dafür, daß es sich um eine neue Verleihung handelt. Die Niederlage bestand bekanntlich darin, daß alle Güter, die die Stadt zu Wasser passierten, bis zum dritten Sonnenschein, also drei Tage lang in der Stadt niedergelegt, d. h. zum Verkauf ausgestellt werden mußten, so daß also die Bürger der Stadt ein Vorkaufsrecht daran genossen. Der Ort der Niederlage war in der Neustadt am Mühlendamm, während für die altstädtische Niederlage der Platz an der Langen Brücke, am Grauen Kloster oder am Wassertor in Aussicht genommen war.

Immerhin war die Verkehrslage auch für Brandenburg nicht ungünstig. Die große Heerstraße von dem Westen, die bei Magdeburg die Elbe überschritt, berührte Brandenburg auf dem Wege nach Berlin. Früher hat sie wohl über Ziesar durch das Viener Bruch die Kurstadt erreicht, später verfügte der Kurfürst Friedrich I. im Jahre 1433, daß hinfort von Magdeburg nach Brandenburg und umgekehrt nur die Straße über Plaue benutzt werden durfte, wo an der Havelbrücke der Eingangszoll für die Mark erhoben wurde[442]). Außerdem ging eine Landstraße aus Sachsen über Belzig und eine andere aus Anhalt über Ziesar durch die Heide, d. h. durch die heutige Neustädtische Forst, nach Brandenburg. Wahrscheinlich war der Weg von Magdeburg über Ziesar durch die Heide die in älterer Zeit gewöhnliche Verbindung zwischen der Elbstadt und der Mark. Wichtig sind daneben die Straßen von Brandenburg über (Pritzerbe) Rathenow nach der Westprignitz (Havelberg) und über Wustermark und Spandau nach Berlin.

Welches waren nun die Waren, die auf diesen Wegen aus- und eingeführt wurden? Zunächst war es das Getreide, das ja in den Abgaben an das Brandenburger Domstift fortdauernd eine große Rolle spielt und in der Mark reichlich gewonnen wurde. Dafür, daß die Brandenburger Bürger ausgedehnten Korn- und Viehhandel trieben, spricht eine Klage der benachbarten Grafen von Lindow in der Herrschaft Ruppin, die den Brandenburgern 1479 keine Getreideausfuhr gestatten wollten, weil sie ihnen teure Zeit schaffe[443]). Der große Waldreichtum der Mark in alter Zeit gestattete auch die Ausfuhr von Holz in bedeutender Menge, das vielfach die Havel und Elbe abwärts geflößt wurde. Und im Schatten des märkischen Waldes wächst häufig genug die zarte Schlingpflanze unserer Heimat, der Hopfen, den man bald genug auch im Freien anpflanzte, um ihn bei der Bierbereitung verwenden zu können, die ja im Mittelalter für Norddeutschland so unendlich wichtig war. War doch damals dies Gebiet das eigentliche Bierland des deutschen Volkes. Der märkische Hopfen wurde in den Hansestädten dem thüringischen und polnischen weit vorgezogen[444]); und gerade aus Brandenburg haben wir Nachrichten, die Hopfenwälle an Brüchern und Hopfengärten im 15. Jahrhundert bezeugen und melden, daß dieses Erzeugnis, das an sich einen sehr geringen Preis hatte, auf den Märkten der beiden Städte ein Zankapfel wurde, wie so vieles andere[445]). Das gelobte Land für Hopfenbau in unserer Gegend scheint die Gegend von Ziesar gewesen zu sein, die in der Mitte des 15. Jahrhunderts überaus reiche Erträge lieferte[446]).

Der Hopfen führt uns zum Bier, das für Brandenburg eine große Bedeutung hatte und seine Hauptnahrung bildete. Der „alte Klaus", wie das hiesige Gebräu hieß, war zwar nicht so weit berühmt, wie der Gerstensaft der Nachbarstadt Zerbst, der auch hier viel verzapft und getrunken wurde und dem altstädtischen Ratskeller den Namen gab, aber das Vorrecht, daß die Krüge im Umkreise von drei Meilen nur Brandenburger Bier ausschenken durften, war allein schon eine sichere Grundlage dieses städtischen Gewerbszweiges. Und von noch größerer Wichtigkeit war der Brandenburger Wein, der bis in das 17. Jahrhundert den übrigen märkischen, wie dem von Frankfurt und Werder, vorgezogen wurde, und der jedenfalls im Schweriner Hofkeller neben

Rathenower und Gubener Gewächsen als gute Marke lagerte[467]). Der Marienberg war damals ganz und gar mit Reben bepflanzt; man zog weißen und roten, gab aber dem weißen bei weitem den Vorzug. Wenn man hört, daß selbst in der Neumark jenseits der Oder der Wein in so beträchtlichen Mengen gewonnen wurde, daß er um 25 vom Hundert billiger war als das Krossener Bier, so kann man sich vorstellen, daß der Brandenburger Rebensaft als Ausfuhrgegenstand nach Norden und Osten größere Bedeutung hatte, auch schon damals, als noch nicht die Anlegung der Weinberge in Klein-Kreutz und in Radewege, die erst im 16. Jahrhundert erfolgte, die Brandenburger Weinerzeugung beträchtlich gesteigert hatte.
Neben diesen Erzeugnissen des heimatlichen Bodens ist nun noch vor allem das Tuch zu erwähnen, dessen Herstellung und Verkauf in Brandenburg seit der Gründung der Städte eifrig betrieben wurde. Feinere Stoffe kamen aus Leiden, Nordenburg, Aachen, aber das graue, grobe, einheimische wurde nicht nur den Stadtdienern zum Hofgewand geliefert, sondern gewiß auch in großen Mengen ausgeführt. Auf dem Tuchhandel im großen und im kleinen beruhte ja der Wohlstand der herrschenden Klasse in beiden Städten, und es ist bezeichnend, daß hier wie anderswo die angesehenste Gilde der Stadt die der Gewandschneider, d. h. der Tuchhändler, war, die das Recht hatten, Tuch im Ausschnitt, also nicht nur in ganzen Stücken, sondern auch ellenweise zu verkaufen. Es ist nicht zu bezweifeln, daß diese Gilde im Mittelalter nicht nur die Tuchhändler, sondern alle Kaufleute umfaßte, und daß sie wohl im wesentlichen die Ratsfamilien in sich schloß, die vornehmen Geschlechter, die allein den Zugang zum Ratsstuhl hatten. Mochten in der ältesten Zeit einzelne Handwerker oder Söhne von Handwerkern unter die Stadtregenten aufgenommen worden sein — darauf deuten einzelne Namen von Ratmannen, wie Hutmacher (pilleator), Bäcker, Schmied —, in späterer Zeit war das ehrsame Handwerk gewiß vom Ratsstuhl ausgeschlossen. Dagegen sind die engsten Beziehungen zwischen Rat und Gewandschneidern bezeugt. Im Jahre 1457 begnadet Kurfürst Friedrich II. die Mitglieder des Rats der Altstadt und ihre Kinder sowie die Schöffen auf „ihr fleißiges Bitten" für ewige Zeiten mit dem Vorrecht, in seinem ganzen Lande, in Städten und auf offenen freien Jahrmärkten Gewand nach Ellen Maß zu schneiden und die Gewandschneidergilde in der Altstadt zu halten wie von alters her. Niemand soll inner- oder außerhalb der Stadt das Recht haben, Gewand zu schneiden, wenn er nicht der Gewandschneidergilde dieser oder anderer märkischer Städte angehört. Doch ist den Wollenwebern unbenommen, das von ihnen selbst hergestellte Tuch auszuschneiden, wie es ihnen bisher zustand. Diese Urkunde beleuchtet uns die Verhältnisse des Brandenburger Rats in eigenartiger Weise. Die Ratsherren, die vielfach

ritterlichen Grundbesitz haben und die Stadtregierung für ihre Familien in erblichem Besitz behaupten, sind zugleich allesamt oder doch zum größten Teil Gewandschneider und legen auf dieses einträgliche Vorrecht das höchste Gewicht. Das Rathaus und das Kaufhaus, wo der Tuchhändler in der von ihm gemieteten Kammer die Ballen zum Verkauf auslegt, ist ein und dasselbe Gebäude. Dieselben Herren regierten im oberen Stock als Ratmannen die Bürgerschaft und trieben im unteren als Kaufherren ihre Handelsgeschäfte[448]). Aber das Gewandschneiden, nach dem die angesehenste Gilde der Stadt heißt, war nicht der einzige Handelsgegenstand. Wie sie die schon genannten Waren des Landes ausführten, so brachten sie auch von weit her die Ernte des Meeres, Seefische aller Art, vor allem Heringe und Bücklinge, Salz aus Halle, feinere Tuche aus den Niederlanden, wie schon erwähnt, Eisenwaren aus Erfurt, Gewürze und Spezereien aus dem Morgenlande, Schmuckgeräte, wie Silberketten, Gürtel, Ringe, Spangen, Goldknöpfe usw., wie sie in den mittelalterlichen Stadtbüchern vielfach genannt werden[449]).
In welchem Ausmaß die Brandenburger Kaufleute Großhandel nach und von dem Auslande getrieben haben, darüber schweigen unsere Quellen meistens. Man wird, da Brandenburg nicht zu den größeren Handelsstädten gehört, sich keine zu großartige Vorstellung davon machen dürfen. Daß der Handel einzelner führender Geschäfte weit hinaus in das Ausland reichte, dafür spricht der Umstand, daß Brandenburg längere Zeit zum Hansabunde gehörte, und daß ein Brandenburger, Henning Flatow, um 1467 in dem größten Stapelplatz der Welt als erwählter Ältermann des Kaufmanns zu Brügge, also in einem wichtigen und leitenden Amte des dortigen hansischen Kontors erscheint[450]). Aber die Mehrzahl der Brandenburger Kaufleute begnügte sich wohl, die märkischen Jahrmärkte und die im benachbarten Anhalt, Sachsen und dem Magdeburgischen zu beziehen, verschmähte aber auch den Gewinn auf den Wochenmärkten beider Städte nicht. Ein reger Jahrmarktsverkehr der Brandenburger Händler in großen und kleinen märkischen Städten wird uns vielfach bezeugt, und insbesondere mit Zerbst, Burg und Magdeburg wurden auf diesen Markttagen regelmäßig Waren ausgetauscht[451]). In der Mark erfreuten sich die Brandenburger sogar noch im Jahre 1529 des alten Herkommens, wonach sie unter allen Besuchern der Märkte in der Mittel- und Uckermark ihre Verkaufsstände in der vordersten Reihe haben; erst nach ihnen kommen die Berliner und Köllner, dann die Frankfurter und so fort[452]). Aber diese Jahrmarktsreisen waren in jener Zeit noch mit den größten Fährlichkeiten verbunden. Willibald Alexis hat uns in seinem Woldemar mit großer Anschaulichkeit geschildert, wie in der verwilderten Zeit der Thronwirren um 1350 ganze Karawanen von Kaufleuten und friedlichen Wanderern unter starker kriegerischer Bedeckung durch

das Land ziehen, um den Stegreifrittern nicht wehrlos in die Hände zu fallen. Unsere Urkunden bezeugen uns, daß auch noch ein Jahrhundert später, zur Zeit der Hohenzollern, der Kaufmann es nicht wagen durfte, ohne bewaffnetes Geleite durch die Mark zu ziehen. Im Jahre 1448 haben die Neustadt-Brandenburger großes Bedenken, zum Bartholomäimarkt nach Zerbst über die Heide zu ziehen, weil die Gegend unsicher ist. Sie wollen deshalb Gewappnete in den Wald vorausschicken und bitten die Zerbster Freunde, das gleiche zu tun, um den Warenzug zu sichern. Ein Jahr später erfahren sie, daß Zerbster Kaufleute bei Görzke überfallen und beraubt worden sind. Die Strauchräuber sollen Friedrich Brand (von Lindau auf Wiesenburg), Tile von Thümen und Claus Schnied gewesen sein und nach Brandenburgern besonders gefahndet haben. Die überfallenen reisenden Händler haben schwören müssen, daß sie keine Brandenburger seien. Denn denen, haben die Wegelagerer gesagt, wollten sie Hände, Beine und Füße abhacken. 1478 setzten die Brandenburger ihren Pfingstmarkt aus, denn in jenen Tagen machte gerade der verwegene Parteigänger des Herzogs Hans von Sagan, Jan Kuck, seinen Überfall auf das benachbarte Beelitz, wo ihm am Markttage reiche Beute in die Hände fiel. Und noch 20 Jahre später haben sie gleiche Sorgen. Große Mengen von adligen Straßenräubern sammeln sich an dem Wege zur Leipziger Messe, so daß die Brandenburger die Zerbster bitten, ihnen darüber nähere Nachricht zukommen zu lassen. Hatte ja doch noch 1473 der Kurfürst Albrecht Achilles klagen müssen, daß nichts dem Lande so schädlich sei, als die Nachrede, daß man das, was man irgendwo verlöre, in der Mark Brandenburg suchen müßte[453]). Besuchten die Brandenburger somit die fremden Märkte und Messen trotz solcher Fährlichkeiten eifrig um des winkenden hohen Gewinnes willen, so hielten sie ebenso betriebsam die eigenen Märkte in ihrer Stadt. Die Wochenmärkte, bei denen es sich in erster Linie um den Einkauf von Lebensmitteln handelte, auf welche aber auch Tuch und Schuhwerk gebracht wurde, sollten von beiden Städten gemeinsam gehalten werden. Aber es kam, wie wir schon gesehen haben, zu immer neuen Streitigkeiten. Von besonderer Wichtigkeit war in unserer wasserreichen Gegend der Fischhandel, weshalb wohl täglich Fischmarkt gehalten wurde, der außerhalb der Wochenmarkttage seine Stätte zwischen beiden Städten hatte, während er an den Wochenmärkten in diejenige Stadt verlegt wurde, wo der Markt war. Im Jahre 1509 schlichtete Kurfürst Joachim den alten Streit beider Städte wegen der Wochenmärkte in der Weise, daß der Neustadt die althergebrachten zwei Wochenmärkte blieben, an denen die Altstädter teilzunehmen berechtigt und verpflichtet waren, wogegen sie an diesem Tage in ihrer Stadt nicht (öffentlich) kaufen noch verkaufen dürfen, daß aber der Altstadt ein dritter Wochenmarkt zugestanden wurde, an dem die Neustädter teilnehmen sollten, während an diesem Tage in ihrer Stadt Kauf zu treiben verboten war[454]). Jahrmärkte wurden bis zum Ausgange des 15. Jahrhunderts drei im Jahre abgehalten, und zwar gemeinsam von beiden Städten die Herbstmärkte um Mariä Geburt (8. September) und St. Michael (29. September), an dessen Stelle früher St. Mauritius (22. September) stand. Die Neustadt allein hielt außerdem noch im Frühjahr den Pfingstmarkt. Das Recht auf den Jahrmarkt Mariä Geburt bestritt die Neustadt der Schwestergemeinde wiederholt; diese aber behauptete ihr altes Herkommen[455]). Im Jahre 1500 erhielt die Neustadt noch das Recht auf einen vierten Jahrmarkt am Sonntag nach Elisabeth (19. November). Die Jahrmärkte dienten vorzugsweise dem Handel mit gewerblichen Gegenständen. Während der Handel auf den Wochenmärkten und außerhalb derselben mannigfachen Beschränkungen unterlag, die herrschenden Klassen der Kaufleute den städtischen Markt für sich beanspruchten, die Handwerker entweder ganz davon ausschlossen oder wenigstens wie die Krämer und Höker einschränkten, wurde die Strenge dieser Bestimmungen für die Jahrmärkte wesentlich gemildert. Auf den Jahrmärkten durfte sowohl der Handwerker als auch der fremde Händler seine Waren mehr oder weniger unbeschränkt anbieten. Insbesondere war der Gewandschnitt, den sonst nur die einheimischen Gildebrüder ausüben durften, auch fremden Kaufleuten gestattet, und die sonst den städtischen Gewerken vorbehaltenen Erzeugnisse durften auch von den Handwerkern anderer Städte feilgeboten werden. Natürlich durften die Brandenburger Händler und Gewerke auch das gleiche Recht auf fremden Jahrmärkten beanspruchen. Da herrschte dann ein lebhaftes Treiben; ganze Züge fremder Frachtwagen aus allen Teilen der Mark zogen in die Stadt, die Landbevölkerung strömte herbei, um die Erzeugnisse der Landwirtschaft abzusetzen und sich mit den gewerblichen Erzeugnissen zu versehen, deren Herstellung ihr selbst untersagt war. Die Brandenburger Jahrmärkte dauerten gewöhnlich drei Tage. Sie begannen Sonntags nach der Vesper. Im ganzen Mittelalter war ja die Sonntagsfeier so geregelt, daß die Sabbatstille Sonnabends abends um 6 Uhr begann und 24 Stunden später Sonntags um dieselbe Zeit aufhörte. So konnte Sonntag abend nach kirchlicher Feier der Jahrmarktslärm beginnen. Er setzte mit dem Wollmarkt ein, der dieses landwirtschaftliche Erzeugnis den Tuchmachern der Stadt zuführte. Am Montag und Dienstag folgte dann der rechte Markt, Kram- und Viehmarkt. Der Beginn des Marktes wurde durch Aufrichtung eines Strohwisches vom Marktmeister bestimmt. Da vorher von den Händlern nichts eingekauft werden durfte, war auf diese Weise der städtischen Bürgerschaft zur Befriedigung ihrer Bedürfnisse eine Zeitlang das Vorkaufsrecht gesichert. Dieses reichbewegte Handelsleben hat den Brandenburger Kaufleuten, die zugleich die herrschenden Ratsgeschlechter ausmachten, lange Zeit zu blühendem Wohlstand verholfen. Wir können dies aus dem bedeutenden landwirtschaftlichen Besitz an Gütern und Getreidepächten schließen, die sich in den Händen dieser Familien befanden. Freilich änderten sich diese Verhältnisse bereits gegen Ende des 15. Jahrhunderts zuungunsten der märkischen Kaufleute durch das Aufkommen der großen süddeutschen Handelsgesellschaften, die schnell immer weiter nach Norden vordrangen und die Binnenländer des nördlichen Deutschlands, die bisher einen starken Anteil am deutschen Handel besessen hatten, allmählich auf die Stufe rein ackerbautreibender, bei der Befriedigung aller nicht ganz einfachen Bedürfnisse von den Fremden abhängiger Landschaften herabdrückten[456]). Hierzu hat natürlich auch die Lockerung des Bandes beigetragen, das die märkischen Städte bisher mit der Hansa verknüpfte. Die neuen Landesfürsten, die Hohenzollern, sahen Städtebündnisse mit starkem Mißtrauen an. Allerdings haben wir gerade aus den dreißiger und vierziger Jahren des 15. Jahrhunderts Zeugnisse, die uns Brandenburg als Glied des Hansabundes zeigen. Wir haben schon gesehen, wie die Städte Brandenburg nur vorübergehend Miene machten, der Vereinigung der norddeutschen Fürsten einen Verband der Städte entgegenzusetzen. Schließlich aber mußten sie dem Willen des Landesherrn sich fügen und auf den Besuch der Hansetage verzichten. Zugleich schloß die Zollpolitik der Landesfürsten die Mark stärker gegen die Nachbarlandschaften ab, und gleichzeitig wurde die Überlegenheit der süddeutschen Händler immer fühlbarer. Wir haben über die Wirkung dieser Verhältnisse auf die Stadt Brandenburg kaum Nachrichten, aber der Umstand, daß ein Bürgermeister der Altstadt Brandenburg im Jahre 1510 eine Haupttriebkraft des großen Judenprozesses war, läßt darauf schließen, daß die wirtschaftliche Lage der Bürger nicht zufriedenstellend war. Einst hatte der Markgraf den Brandenburgern als eine besondere Gnade die Erlaubnis gegeben, ein paar Juden in ihrer Stadt zu halten. Der Stadtschreiber Simon Roter, der im Jahre 1551 diese Urkunde in das altstädtische Kopialbuch eintrug, setzte eine Bemerkung hinzu, die seiner Verwunderung darüber Ausdruck gibt und zugleich zeigt, wie vollständig die öffentliche Meinung in dieser Hinsicht umgeschlagen war[457]).

Schon viel früher hatte der abnehmende Wohlstand viele Bürger zu dem Wunsche getrieben, sich derjenigen zu entledigen, die durch das Vorrecht des Geldleihens gegen Zinsen, das den Christen verboten war, denen verhaßt wurden, die von ihnen borgen mußten. Daher kommt es, daß im 15. Jahrhundert allenthalben und auch in Brandenburg Gehässigkeit gegen die Juden hervortritt[458]). Das Ende war die gewaltsame und grausame Vertreibung der Juden aus der Mark im Jahre 1510, die der Kurfürst nach neueren Forschungen wohl nur widerwillig auf das Drängen seiner Stände vollzog. Jedenfalls läßt dieser Vorgang darauf schließen, daß man in Brandenburg um diese Zeit bereits einen Rückgang des Handels empfand, den man durch den Vernichtungsschlag gegen diejenigen, deren wachsendes Gedeihen man beneidete, zu heben wähnte.

Es wird nun aber Zeit, einen Blick auf das gewerbliche Leben zu werfen, das im 14. und 15. Jahrhundert in Brandenburg sich weit ausgebreitet hatte. Die Tätigkeit der Handwerker und ihre Organisation ist es ja, was den mittelalterlichen Städten ihre Eigenart gibt. Die Überlieferung über die Entwicklung der Brandenburger Gewerke ist so außerordentlich dürftig, daß es unmöglich ist, eine zusammenhängende Darstellung ihres Aufkommens zu geben. Nur auf Umwegen wird uns im 13. Jahrhundert die Kunde, daß es in Brandenburg zu Innungen zusammengefaßte Bäcker, Fleischer, Schuster und Schneider gab, deren Satzungen an die Tochterstädte Berlin und Frankfurt weitergegeben wurden. Wenn wir von den Gewandschneidern absehen, die wir ja nicht zu den Handwerkern rechnen dürfen, die vielmehr Tuchhändler und wohl überhaupt Kaufleute im großen und kleinen sind[459]), so erfahren wir Näheres über die Brandenburger Gewerke erst am Ende des 14. Jahrhunderts, wo sie natürlich längst in voller Blüte standen. Vom Jahre 1388 ist uns eine Liste erhalten, in der die damals vorhandenen Gewerke der Neustadt mit Angabe des Eintrittsgeldes, das bei der Aufnahme zu zahlen war, aufgezählt werden. Etwas später, etwa um den Anfang des 14. Jahrhunderts, ist ein Verzeichnis der altstädtischen Gewerke mit Angabe der Reihenfolge, wie sie bei dem Fronleichnamsumzug vor dem Allerheiligsten einhergehen, vorhanden[460]). Da diese Liste uns durch die Aufeinanderfolge zugleich andeutet, in welchem Ansehen die betreffenden Innungen standen, so lasse ich zunächst diese Aufzählung folgen. Hinter den Gewandschneidern, die meist aus den Ratsgeschlechtern hervorgingen, folgen zunächst die vier großen Gewerke, die später — zuerst 1408 — als die Vierwerke, wie in den meisten märkischen Städten[461]), bezeichnet werden, die Bäcker, die Knochenhauer, die Schuhmacher und die Wollenweber, die denn auch ein höheres Eintrittsgeld zahlen als die übrigen, mit Ausnahme der Schneider, deren Aufnahmegeld das der Höchstzahlenden erreicht. Die aus den genannten Innungen bestehenden Vierwerke haben sich um 1400 von den geringeren Gewerken als eine höherstehende Genossenschaft abgesondert, und diese Vereinigung beanspruchte und errang einen Anteil an der Stadtverwaltung, den sie dann dauernd behauptete. Innerhalb dieser Obergewerke vollzog sich in der Altstadt später — wir wissen nicht

wann, doch vor 1581 — eine Machtverschiebung, indem das Schneidergewerk, das schon früher durch sein hohes Eintrittsgeld hervorstach, an Stelle der Fleischer oder Knochenhauer trat [462]), die 1422 noch an der Spitze der altstädtischen Vierwerke standen. In dem oben angeführten Verzeichnis der altstädtischen Innungen, wie sie in dem Fronleichnamsumzug hintereinander gehen, folgen dann auf die Vierwerke die Schneider (oder Schroder), die Pelzer, die Altbüßer oder Schuhflicker und endlich als letzte die Leineweber. In der Neustadt sind um 1388 im Stadtbuch die gleichen Handwerkergilden angeführt. Nur die Schmiede kommen dort noch hinzu, im Jahre 1427 erscheint zur Zeit der Erhebung der Gilden gegen den Rat in der Reihe der Kämpfenden auch das Krämergewerk, und in späterer Zeit sind im Stadtbuche von anderer Hand dann noch die Böttcher und die Weißgerber eingetragen, die, wie die übrigen nicht zu den Vierwerken gehörenden Innungen, ein geringeres Eintrittsgeld zahlen. Alle übrigen Handwerke waren also damals noch nicht zusammengeschlossen, weil die Zahl der betreffenden Gewerbetreibenden zu gering war, oder weil diese sich einer verwandten Gilde angeschlossen hatten. Die Vierwerke umfaßten außer den Innungen, die für die nächsten Lebensbedürfnisse, Brot und Fleisch, sorgten, diejenigen, die Schuhwerk und Kleiderstoffe anfertigten. Die Tuchmacherei war ja schon im Mittelalter neben der Brauerei das am meisten betriebene und gewiß auch einträglichste Gewerbe. Daß dahinter gleich die Schneider und die Kürschner kommen, beweist, welche Ausbreitung der Kleideraufwand im 14. und 15. Jahrhundert gewann, und daß dann neben den wohlhabenden Schuhmachern und Gerbern auch noch die Schuhflicker eine Gilde bilden konnten, zeigt, wie viel Schuhwerk bei den schlechten Wegen zerrissen wurde.
Daß die Leineweber an letzter Stelle stehen, entspricht der geringen Achtung dieses Handwerks, das vielfach für unehrlich galt. Es kam dies wohl daher, weil es auf dem Lande unfreie Leineweber in großer Zahl gab, die später in die Stadt zogen und in den Weberzünften Aufnahme fanden. Aber mit den unfreien Webern wollten die anderen Handwerker nicht verkehren, und der Makel, der sie befleckte, übertrug sich auf die Weberzünfte insgemein, die dadurch bei den anderen Handwerken in Verruf kamen. Gewisse Mißbräuche mögen dann noch das ihrige getan haben [463]).
Die Zahl der Brandenburger Innungen scheint der der Berliner etwa zu entsprechen, aber von der bedeutenderen Handelsstadt Frankfurt weit übertroffen zu werden.
Die Überlieferung über die inneren Verhältnisse der Brandenburger Innungen setzt erst recht spät ein. Erst vom Ende des 14. und im Laufe des 15. Jahrhunderts stehen uns Gildebriefe zu Gebote, die einen Einblick in das

gewerbliche Leben gestatten. Die allgemeinen Grundlagen desselben sind natürlich die gleichen wie in allen Kolonialstädten des deutschen Ostens. Zunächst strömten in die neugegründeten Städte vielfach bisher unfreie Handwerksleute der verschiedensten Art zusammen, angelockt durch den hier geltenden Grundsatz: Stadtluft macht frei. Eine gewisse Zeit erfreuten sie sich vollständiger gewerblicher Freiheit und trieb jeder sein Handwerk, ohne von den anderen, die es auch ausübten, behindert zu sein. Aber dieser Urzustand großer Ungezwungenheit konnte nur so lange währen, als die Stadt fort und fort wuchs und mehr Kräfte brauchte, als ihr zugeführt wurden. Sobald aber die Handwerker gleicher Art in ausreichender oder überschüssiger Zahl am Orte waren, um den Bedarf an ihren Erzeugnissen für den Verbrauch und den Markt zu decken, so mußte bei den schon angesessenen Handwerkern der Trieb erwachen, sich ihr Arbeitsfeld zu sichern, den Zuzug möglichst einzuschränken und sich gegen jeden, der sich zum Betrieb des Handwerks auf eigene Faust niederlassen wollte, zur Wehr zu setzen. So ergab es sich von selbst, daß sich die gleichartigen Handwerker zusammenschlossen, um vereint und von der Obrigkeit unterstützt, sich einen höchst unliebsamen Wettbewerb vom Leibe zu halten und durch Sondergesetze ihre Verhältnisse zu regeln. Und bei diesen Genossenschaften konnte von vornherein allein der Zunftzwang zum gewünschten Ziele führen[464]), der denn auch in den ältesten Gildebriefen Deutschlands nachweisbar ist. In Brandenburg ist es nicht anders gewesen. So heißt es in dem Schuster- und Lohgerbergildebrief von 1424, daß (nur) „wir im Werk sind und sonst keiner Lohe gar gerben soll“[465]). Der Rat ist es, der die Innungen geschaffen hat, ihnen ihre Satzungen gibt und verändert. Schon in dem Berliner Brief an die neugegründete Stadt Frankfurt, der Brandenburger Recht auf diese Gemeinde überträgt, wird ausdrücklich gesagt, daß Innungen nur mit Erlaubnis des Rates geschlossen werden dürfen, eine Erlaubnis, die zudem widerruflich bleibt. Dieses Obrigkeitsrecht des Rates tritt besonders deutlich hervor in dem ältesten uns erhaltenen, bisher noch ungedruckten Gildebrief für die neustädtischen Knochenhauer vom Jahre 1391[466]). Bürgermeister und Ratmannen stellen den Brief aus und setzen die darin enthaltenen Bestimmungen fest. Er behält sich vor, bei der Aufnahme neuer Innungsbrüder neben der Gilde ihre Geburtszeugnisse zu prüfen und erhält die Hälfte des Aufnahmegeldes, ein Pfund Pfennige (240 ₰)[467]). Von den Strafgeldern wegen verbotenen Verkaufs von Vieh und sonstiger Übertretungen der Zunftgesetze erhält der Rat den dritten Teil, während die Geldbußen wegen Ungebühr im geselligen Verkehr der Gilde ganz zufallen. Die Innungsrechte der Knochenhauer haften an dem Besitze des Fleischscharrens, den ihnen der Rat gegen einen jährlichen Zins vermietet. Erfolgt hierin eine Besitzänderung durch Verkauf, so geschieht dies vor dem Rate, der seine Zustimmung zu erteilen hat. Die von dem Werk gewählten Gildemeister nimmt der Rat in Eid und Pflicht und übt dabei sein Recht der Bestätigung. Die vierteljährlichen Morgensprachen sollen in Gegenwart von zwei Bürgermeistern gehalten werden „und anders nicht". Endlich behält der Rat sich vor, Änderungen an den Satzungen vorzunehmen oder solche zu genehmigen. So wahrt er in diesem Gildebrief kräftig sein Ansehen. Es macht den Eindruck, als wenn er den damals andringenden Gelüsten der großen Gewerke, die Machtbefugnis der Ratsgeschlechter einzuengen und an der Stadtregierung teilzunehmen, einen festen Riegel vorschieben wolle. Auch in dem Gildebrief für die altstädtischen Wollenweber oder Lakenmacher spricht sich das Herrenselbstgefühl des Rats gegenüber den Tuchmachern aus. Auf die inständigen Bitten der drei anderen Vierwerke (Knochenhauer, Bäcker und Schuhmacher) richtet der Rat, wie es scheint, nicht allzu bereitwillig das in Verfall geratene Gewerk der Tuchmacher wieder auf[468]) und baut ihm eine Walkmühle, die durch einen Stadtknecht verwaltet wird. Aber in der Urkunde zeigt sich sonst der Herrenwille der am Gewandschnitt beteiligten altstädtischen Ratsgeschlechter. In bezug auf das in vielen märkischen Städten zwischen Gewandschneidern und Tuchmachern streitige Recht, Tuch nach der Elle zu verkaufen, heißt es darin: Auch sollen und dürfen unserer Stadt Lakenmacher ihr Laken, das ein jeder selber macht, außer dem Jahrmarkt ausschneiden und verkaufen auf ihre Gefahr, und zwar so, daß, wenn sie oder ihre Frauen jemandem Gewand ausschneiden und verkaufen und von einem unserer Gewandschneider zwischen den Lakenmachers Tür bis zur Mitte des Steinwegs betroffen werden, so soll das der Lakenmacher mit 3 Pfund Pfennigen (720 ₰!) verbüßen, wovon die Stadt ein Drittel, die Gewandschneider zwei Drittel erhalten. Diese merkwürdige Bestimmung mit der auffallend hohen Strafandrohung scheint ein Verbot in der Form einer höhnischen Erlaubnis zu sein. Die Tuchmacher dürfen außer dem öffentlichen Jahrmarkte, wo es ihnen freistand, ihr eigenes Erzeugnis zu verkaufen, im stillen in ihren Häusern Tuch ausschneiden, weil man sie doch nicht ganz daran hindern kann, müssen sich aber gefallen lassen, daß sie, falls man das Tuch aus der Haustür tragen sieht, sie also gewissermaßen auf handhafter Tat ertappt, einer ungeheueren Geldstrafe verfallen[469]).

Auch alle übrigen uns bekannten Innungsrollen des 15. Jahrhunderts sind von dem Rate ausgestellt, nur die Urkunde der Schuhmacher und Lohgerber von 1424 hat die Form, daß die Gildebrüder selbst erklären, sich vereinigen zu wollen und der Rat dazu seine Zustimmung gibt[470]). Der erste städtische Gildebrief, der von dem Kurfürsten bestätigt und überhaupt nicht von dem

Rate ausgestellt ist, ist der der Weingärtner der Altstadt vom Jahre 1535. Aber diese Urkunde zeigt überhaupt ein eigenartiges Gepräge. Beide Kapitel, das des Domstifts und das auf dem Berge, haben sich mit den Bürgern und sonstigen Weinbergsbesitzern zu einer Gilde vereinigt, die ohne Vermittlung des Rates sich unmittelbar an den Landesherrn um Bestätigung wendet. Der Rat wird als Außenstehender nur herangezogen, um als Stadtobrigkeit die Übertreter der Innungsgesetze zu pfänden. Offenbar hat die hohe Geistlichkeit der Stifter einen so großen Teil der Weingärten an sich gebracht, daß sie in dieser Genossenschaft die Führung nehmen konnte. Infolgedessen ist hier auch nicht davon die Rede, daß ein Teil der Aufnahme- oder Strafsummen an die Stadt abgeführt werden muß[471]). Diese Urkunde bildet übrigens hinsichtlich der kurfürstlichen Bestätigung im 16. Jahrhundert noch eine Ausnahme, da der Rat seine Machtvollkommenheit in dieser Beziehung im ganzen behauptete. An der Spitze der einzelnen Gewerke standen Gilde- oder Werkmeister von wechselnder Zahl. Sie wurden wohl meist jährlich von der Versammlung der selbständigen Innungsmeister (die Gildebrüder oder Gildebuhlen, auch Werkgenossen genannt wurden) gewählt, und hatten dann vor den Ratmannen zu erscheinen, um zu bekennen, daß sie nach Gilderecht handeln und nicht davon ablassen wollten[472]). Sache dieser Gildemeister war es nun, sich aller wichtigen Innungsangelegenheiten tätig anzunehmen. Sie verwalteten die Gildekasse, die aus Strafsummen und Eintrittsgeldern zusammenfloß. Sie hatten den Gewerbebetrieb ihres Gewerkes zu beaufsichtigen. Sie hatten die Innungslade, das bedeutungsvolle Heiligtum des Gewerks, das die Gnadenbriefe und Satzungen und sonstige Schriftstücke sowie den Siegelstempel barg, aufzubewahren. Vor der Lade, und meist wohl in der Wohnung eines Altmeisters, fanden die Morgensprachen, die Vollversammlungen aller Meister, statt. Wie bei den alten germanischen Volksversammlungen (Dinge) unterscheidet man auch bei den Brandenburger Innungstagungen sogenannte echte (utgelete, d. h. satzungsgemäß festgelegte) und gebotene (verwillete, d. h. durch besondere Einladungen angesagte)[473]). Bei den altstädtischen Schneidern gab es echte Morgensprachen zwei, die eine am Montag nach Neujahr, die andere am Montag nach Johanni, bei den Neustädter Knochenhauern vier an der Zahl. In diesen Versammlungen zu erscheinen, war jeder Gildebruder verpflichtet, und wenn eine dringende Angelegenheit oder eine unaufschiebbare Reise ihn fernhielt, so mußte er vorher Urlaub von dem Gildemeister erbitten. Übertreter dieser Bestimmung hatten eine Buße von einigen Pfennigen zu zahlen oder auch wohl eine Tonne Bier aufzulegen. Streng scheinen die Brandenburger Räte darauf gehalten zu haben, daß die Innungsversammlungen unter Aufsicht der Stadtherren blieben. Schon der älteste uns bekannte Gildebrief, der der neustädtischen Knochenhauer von 1391, setzt fest, daß die Morgensprache in Gegenwart zweier Bürgermeister zu erfolgen hat „und anders nicht", eine Bestimmung, die sich oft wiederholt. Die Hoheit des Rats drückt sich auch darin aus, daß er an einigen Strafsummen seinen Anteil, meist ein Drittel, erhält. Im übrigen hatten diese Gildeversammlungen über die inneren Innungsangelegenheiten in Freiheit selbständig zu entscheiden, und Ungebühr, Scheltworte und Zank wurden von der Gesamtheit der Genossen oder durch die Gildemeister mit Strafen gesühnt. Waren die Verfehlungen eines Werkgenossen ernster, kam es zu Tätlichkeiten, zum Aus-dem-Fenster-werfen (!), zu blutigen Verwundungen, so griff der Rat ein, um über die Friedensverletzung zu richten, und nahm auch Berufungen Gestrafter entgegen. Zur Verhütung ärgerer Ausschreitungen war es untersagt, in der Morgensprache Waffen, Messer oder Stöcke zu tragen[474]).

Eine Ehrenpflicht jeder Innung war angesichts der bedeutsamen, ihr vom Rat anvertrauten Rechte zunächst die Sorge für tadellose Ware, Richtigkeit der benutzten Gewichte u. dgl.

Schon in früher Zeit wurde es als Brandenburger Recht von den Berlinern nach Frankfurt überliefert, daß falscher Scheffel, unrechtes Gewicht und unrichtige Elle bei hoher Geldstrafe verboten sei[475]). Und im Jahre 1335 zogen zwei Frankfurter Ratmannen, Wilhelm von dem Markte und Bede Malen, nach Brandenburg und übertrugen von dort auf die heimischen Schuster und Gerber die Einrichtung, daß ein vereidigter Ausschuß, bestehend aus einem Gildemeister und je zwei Schustern und Gerbern, bestellt werde, der an dem Markttage Leder und Sehnen zu prüfen hatte, und ganz schlechtes Leder auf offenem Markte angesichts aller Leute verbrennen sollte[476]). Auch später erfahren wir, daß die Gildemeister der Knochenhauer sich darum zu kümmern haben, daß die Werkgenossen keine Kälber, Böcke oder Lämmer, die jünger als vier Wochen sind, oder gestohlenes Vieh schlachten. Schlechtes Fleisch wird von den Alderleuten für unverkäuflich erklärt; die Fleischer müssen es entweder mit ihrem Gesinde essen oder um Gottes willen verschenken. Die Wohltätigkeit der guten alten Zeit bekundete sich oft darin, daß man verdorbene Lebensmittel in die Spittel schickte[477]). Daß man im Sommer ungesalzenes Fleisch nur zweimal, im Winter viermal zum Scharn bringen durfte, daß man finnisches Fleisch beim Verkaufe auf ein weißes Tuch legen mußte, damit es als solches erkannt werde, daß man auf dem Markt finnisch Fleisch nur verkaufen durfte, wenn es nicht mehr als 8 Finnen hatte, daß die Schuhmacher kein Schinderleder kaufen durften: — über all diese Dinge hatten die Gildemeister zu wachen. Auch gegen unanständige Geschäftsgebräuche schritt die Innung ein. In vielen Gildebriefen finden wir derartige Bestimmungen.

Niemand soll seinen Handwerksgenossen die Käufer oder beim Einkauf die Verkäufer abspenstig machen. Auch dem unzünftigen Bürger soll die Gelegenheit zum billigen Kauf nicht übermäßig erschwert werden. Wenn ein Fleischer z. B. auf dem Markte um ein Stück Vieh handelt, so darf er die Verhandlungen nicht ungebührlich in die Länge ziehen, denn ein Bürger, der das Tier ebenfalls erwerben will, muß nur so lange verziehen, bis er etwa um das Kaufhaus herumgegangen ist, und darf alsdann darauf mitbieten. Ganz besonders soll man dem Innungsgenossen gegenüber unlauteren Wettbewerb vermeiden. Es war verpönt, die Landleute vor dem Tore abzufangen und durch Vorkauf von Vieh oder Leder einen Vorsprung zu gewinnen. Wurden gemeinsame Einkäufe unternommen, so mußte das Anrecht der Beteiligten vorher festgesetzt und eingehalten werden. Die Tuchmacher sollten den Spinnerinnen, die für sie arbeiteten, nicht die Wolle in falschem Gewicht zuwiegen, oder in der Walkmühle sich vordrängen, um vor dem Gildegenossen bedient zu werden. Alles sollte nach Recht und Billigkeit zugehen. Bei den altstädtischen Schneidern war es Brauch, daß die Morgensprachen, die mit einem fröhlichen Mahle schlossen, in dem Hause eines Gildemeisters stattfanden. Da wurde denn festgesetzt, daß die Altermeister, die ohnedies für die Gilde Opfer brachten, nur Speck und Brot lieferten, die Innungsbrüder aber für alles andere, Holz, Kohlen, Getränk, aus der gemeinsamen Kasse aufzukommen hätten. — Mit großem Nachdrucke suchten die Gilden auch über die allgemeine Ehrbarkeit der Amtsgenossen zu wachen. Schon äußerlich wurde streng auf Anstand gesehen. Niemand sollte, so heißt es im Schusterbrief von 1424, barschenklig in die Morgensprache kommen, und auch in der Tuchknappenurkunde 1407 wird eingeschärft, daß kein Geselle im bloßen Hemde oder barfuß auf dem Markt oder auf dem Arbeitsort, auf der Straße oder vor der Badstube erscheinen soll bei drei Pfennig Strafe[478]). Aber wichtiger war es, daß der Handwerksstand keinen sittlichen Flecken auf seinem Schilde duldete, und in diesem Sinne mußte jeder Handwerker, der von außerhalb kam und in die Innung eintreten wollte, seinen „Adelsbrief“ aufweisen, daß er von gutem Gerüchte und guten Sitten „echt und recht geboren sei“. Und der Schuster- und Gerberbrief von 1424 schärft ein: So einer unsres Werks ist, er habe gefreit oder soll noch freien, der soll nach redlichen Leuten trachten, daß er eine Jungfer freie, die des Werkes wert sei. Ja der Stolz der Gilde ging noch weiter. In allen uns erhaltenen Innungsrollen des Mittelalters finden wir vom neuen Gildebruder verlangt, daß er deutscher und nicht wendischer Art sei[479]). Ja das Schneidergewerk verlangte von dem Aufzunehmenden sogar einen Adelsbrief, der deutsche Abkunft von allen vier Ahnen nachwies. Ob eine so strenge Abschließung gegen das Slavenvolk immer bestanden hatte, können wir aus Brandenburger

Urkunden nicht nachweisen, da diese erst am Ende des 14. Jahrhunderts einsetzen. Jedenfalls steht fest, daß im Laufe der Zeit die Neigung bei den Gewerken wuchs, sich nach außen spröde abzuschließen. Je mehr der Wohlstand zunahm und das Ansehen des Standes sich steigerte, machte sich eine Überfüllung in den Handwerksgruppen bemerkbar, die dazu führte, daß die Innungen Sperrvorschriften erließen, die den Zutritt zum Gewerk erschweren, dem einzelnen Meister aber sein genügendes Auskommen verbürgen sollten. So fing man an, den Ehrbegriff der Innung zu diesem Zwecke schärfer anzuspannen. An die Stelle der Forderung ehelicher Geburt setzte man die der Geburt von ehrlichen Eltern, und das hieß bald, von Eltern, deren Beruf nicht als unehrlich angesehen wurde. Da gab es dann in alter Zeit ganze Erwerbsklassen, die mit einem Makel behaftet waren. Im Tuchknappenbrief von 1407 heißt es: Wenn ein Tuchknappe eine Leinenwebersche zur Ehe nimmt, so soll ihm das Gewerk versagt sein und er hier nicht arbeiten dürfen[480]). Und dabei gab es doch in beiden Städten eine Leinewebergilde, die freilich beim Fronleichnamsumzug ganz zuletzt gehen mußte. Wie schon gesagt, rechtfertigte man solche Zurücksetzung einer weitverbreiteten Handwerkergruppe durch das Mißtrauen gegen die Herkunft oder die Geschäftsgebarung dieser Erwerbskreise, wo die Ehrbarkeit wohl leichter als bei anderen Gewerben Schiffbruch leiden konnte, wenn z. B. der Leineweber durch fehlhafte Güte und Größe seines Erzeugnisses betrog[481]).

Absperrend mußte auch die allgemein übliche Bevorzugung der Meistersöhne und Meistertöchter wirken. Besonders deutlich tritt dies bei dem Fleischergewerk hervor. Hier, wo der Betrieb des Handwerks an den Lehenbesitz eines Fleischscharrens geknüpft war, mußte die Abschließung der Gilde auf eine bestimmte Mitgliederzahl am ersten erfolgen, da die Zahl der vom Rate vermieteten Scharn die gleiche blieb. Beim Tode des Inhabers ging nach dem Gildebrief von 1391 der Scharn ohne weiteres auf Weib und Nachkommen männlicher und weiblicher Linie über, vorausgesetzt, daß die Erbberechtigten nicht in ein Kloster oder eine Klause getreten waren und so dem weltlichen Besitze entsagt hatten. Auch die jüngeren Söhne und Töchter behielten das Anrecht auf die Gilde des Vaters, mußten aber, wenn sie einen Scharn erbten oder einen erledigten kauften, ein mäßiges Eintrittsgeld und Abgaben in Wachs leisten, das bei den kirchlichen Feiern massenhaft gebraucht wurde. Ein Fremder kam wohl so nur selten in die Lage, in das Knochenhauergewerk aufgenommen zu werden. Geschah es dennoch, so mußte er auch, wenn er eine Schlächtertochter freite, in drei Morgensprachen „das Werk suchen", d. h. seine Bewerbung wiederholt vorbringen. Immerhin folgten diese (gebotenen) Meisterversammlungen in kurzen Fristen von 14 Tagen aufeinander, so daß der

Bewerber in sechs Wochen sein Ziel erreichen konnte. Bei den Bäckern, die ja auch mit Scharren belehnt waren, sind die Bestimmungen vermutlich ähnlich gewesen, doch fehlen uns Nachrichten darüber. Auch bei den Tuchmachern waren die Meistersöhne beim Eintritt in das Handwerk bevorzugt, und eine Witwe durfte das Werk des Mannes weiterüben, solange, bis sie sich wieder verehelicht. Weitergehende Sperrvorschriften zeigt der Gildebrief der Schuster von 1424, der aber nur in jüngerer Abschrift erhalten ist und in vielen seiner Artikel, wie die Sprache, erwähnte Geldsorten und kirchliche Gebräuche erkennen lassen, erst aus der Zeit nach der Glaubenserneuerung stammt. Hier ist das Meisterwerden schon viel schwerer gemacht, zumal wenn dem zuwandernden Gesellen keine Meisterstochter oder -witwe zusagt, und er sich den unverzeihlichen Verstoß zuschulden kommen läßt, außer der Gilde zu freien. Dann muß er erst ein Jahr bei einem Meister arbeiten und in drei großen Morgensprachen, die ein Vierteljahr auseinander liegen, das Werk suchen, auch dabei zwei Lehrjahre und vier Wanderjahre nachweisen. Auch die Meistersöhne sind allerdings von der Bewerbung in drei Morgensprachen nicht frei, aber sie können in kürzerer Frist von je sechs Wochen an das Ziel gelangen. Als Sperrmaßregel gegen übermäßigen Andrang zu der Gilde wird fernerhin die Forderung eines Meisterstücks gelten müssen, die wir in dem Gildebrief der altstädtischen Schneider, der aus dem Anfange des 15. Jahrhunderts stammt, finden. Der Geselle, der das Werk gewinnen will, muß vor den Meistern ein paar Kleider zuschneiden; wenn den Meistern seine Arbeit dabei nicht genügt, so muß er noch ein Jahr wandern und kann dann sich wiederum zur Prüfung einstellen. Auch hier sind die Fremden den Kindern von Innungsbrüdern gegenüber zurückgesetzt.
Ein Zeichen der Überfüllung des Handwerks ist es nun auch, wenn sich allmählich ein besonderer Gesellenstand bildet, der in eigenen Genossenschaften den Meistern gegenübertritt und seine Forderungen erhebt, weil die Gesellen immer längere Zeit zur Unselbständigkeit verurteilt waren und ihnen der Eintritt in die Reihe der Meister fortgesetzt mehr erschwert wurde. Diese Verhältnisse haben in Südwestdeutschland schon früh zu heftigen Kämpfen zwischen Meistern und Gesellen geführt, und auch in Niedersachsen und im engeren Gebiet der Hanse sehen wir die Meister sich zu weitgespannten Bündnissen vereinigen, um den stürmischen Andrang der aufstrebenden Lohnarbeiter zu dämpfen.
Im märkischen Gebiet hat sich diese Entwicklung viel langsamer und ruhiger vollzogen und scheint bis in das 16. Jahrhundert hinein den sozialen Frieden nicht ernstlich gestört zu haben. Die uns erhaltenen märkischen Gesellenbriefe zeigen uns im allgemeinen ein Verhältnis zwischen Meister und Ge-

sellen, bei dem die Fäden zwischen beiden gesellschaftlichen Gruppen nicht zerrissen sind, vielmehr eine gesunde Zusammenarbeit sichtbar bleibt. Es ist natürlich, daß am frühesten die Knappen der in die Mark aus Flandern eingeführten und zu rascher Blüte gelangten Tuchmacherei sich zusammengefunden haben. Wie schon 1331 der Berliner Rat den Tuchknappen einen Brief ausstellt, in dem die Rechte der Meister und der Knechte billig gegeneinander abgewogen werden[482]), so sind uns ähnliche Satzungen der Brandenburger Tuchknappen vom Jahre 1407 erhalten[483]). Der Rat gewährt darin den Tuchknappen ausdrücklich Bruderschaft und Knappenrecht, das heißt er gestattet ihnen, sich wie die Meister zu einer Genossenschaft zusammenzutun, was ja in jener Zeit, wo der Genossenschaftstrieb auf der höchsten Höhe stand, so natürlich war. Es wird also hier nicht wie in Hildesheim um dieselbe Zeit (1400) durch eine Ratsverordnung jede Gesellenvereinigung verboten und so ihr Zusammenschluß ganz zu verhindern gesucht, vielmehr wird der Betätigung ihres Vereinigungsdranges verständigerweise kein Hemmschuh angelegt, aber vom Rat Vorsorge getroffen, daß die Ansprüche der Meister und der Gesellen gegeneinander ausgeglichen werden. Die Handwerksmeister und ihre Knappen sollen sich gegenseitig die alten Gesetze und guten Gewohnheiten halten, und etwaige Streitigkeiten zwischen beiden Gruppen sollen durch die Gildemeister und die Meisterknappen in Güte geschlichtet werden. Im Falle dies scheitert, behält sich der Rat die Schlichtung und Entscheidung vor. Der Eintritt in die Knappenbrüderschaft steht auch den Meistern gegen ein gewisses Aufnahmegeld frei. Der Abzug eines Gesellen von seinem Meister soll nicht ohne Kündigung acht Tage vorher erfolgen, ebenso soll der Herr den Knecht nicht ohne vorherige Ansage entlassen. Daß die Meister mit Erfolg bestrebt sind, die Gesellenbruderschaft von sich abhängig zu halten, zeigt eine Bestimmung der Satzung der geistlichen Bruderschaft, die Böttchermeister und Gesellen zusammen 1511 aufgerichtet haben[484]). Es wird darin dem Meister das Recht zugesprochen, seinen Gesellen, wenn nötig, aus der Kumpanei vom Burgkrug nach Hause holen zu lassen, damit er ihm Notarbeit vollenden hilft. Im übrigen spiegelt der Knappenbrief das ältere patriarchalische Verhältnis zwischen Meister und Gesellen noch wider, wie wir es zuerst allenthalben in Deutschland finden. So darf der Knappe keine Nacht außerhalb des Hauses seines Meisters zubringen, eine Bestimmung, die sich noch ein Jahrhundert später in der Bruderschaftsordnung der Böttchermeister und Gesellen der Neustadt von 1511 wiederholt, nur dort mit der Einschränkung, „wenn er den Namen des beherbergenden Wirts nicht sagen mag“. Das sittliche Verhalten des Knappen wurde in diesen Gesellensatzungen ebenso geregelt, wie das der Meister in ihren Gildebriefen.

Wohlanständige Kleidung wurde von dem Gesellen nicht nur auf dem Markte, auf der Straße oder in der Badstube, sondern auch auf seiner Arbeitsstätte gefordert. Leichtsinniges Schuldenmachen wurde durch strenge Geldbußen geahndet, Glücksspiele waren nur geduldet, wenn sie um Essen und Trinken gingen, aber nicht um Geldeswert, der mehr als drei Pfennige beträgt.
Im ganzen entsprach die Verfassung der Knappenbruderschaft in Form und Geist ganz dem der Meisterinnung. Da der wandernde Geselle keine Angehörigen am Orte hatte, war es besonders wichtig, Vorsorge für diejenigen zu treffen, die erkrankten. In dieser Hinsicht finden wir fast in allen Satzungen die Bestimmung, daß den Betroffenen ein Geldvorschuß aus der Knappschaftskasse gewährt würde, den der Genesene zurückzuzahlen hatte. Im Falle seines Ablebens hielt man sich an seine Habseligkeiten oder suchte von seinen Verwandten eine Vergütung zu erlangen. In den Schuhknechtsatzungen von 1422 ist ein noch menschlicheres Verfahren vorgeschrieben. Die Knechte sollen, wenn der Vorschuß nicht ausreicht, durch Geldsammlung nachhelfen, und im Falle des Todes des Erkrankten soll man die Summe niederschlagen. Die Kasse, aus der dies Geld genommen wurde, hatten die Meisterknappen zu verwalten, die auch der Lichter warteten, wovon noch weiter unten gesprochen werden soll. Sie durften sich zur Erfüllung ihrer Obliegenheiten Gehilfen heranziehen, die ihnen den Dienst nicht verweigern durften. Zuwiderhandlungen bei Meisterknappen und Gesellen wurden meist durch ein Pfund Wachs gesühnt.
Daß diese Gesellenverbände, auch wenn sie in enger Fühlung mit den Meisterinnungen eingerichtet wurden, allmählich eine gewisse Macht gewannen, zeigt der Umstand, daß die Arbeitsvermittlung auf der Gesellenherberge erfolgte, wohin sich zugewanderte Gesellen wenden mußten. Freilich hat die Einrichtung erst ihre ganze Bedeutung gewonnen, als die Wanderschaft der Gesellen auch im Nordosten allgemein wurde und von den Innungen selbst durchweg gefordert wurde. Das aber trat erst am Ende des 15., am Beginn des 16. Jahrhunderts ein. Man hat beobachtet, daß die Wanderungen der westdeutschrheinischen Gesellen sich zu Anfang des 15. Jahrhunderts nur den Rheinstrom auf- und abwärts bewegten, gegen Ende desselben aber den ganzen deutschen Osten mit umfaßten[485]). Sieht man genauer zu, so ergibt sich, daß die südwestdeutschen Gesellen wohl nach Südosten bis Liegnitz, Breslau, Krakau, Wien, Ofen pilgerten, daß aber das niederdeutsche Gebiet, besonders östlich der Elbe, von ihnen nicht berührt wurde. Auf märkischem Boden ist im 15. Jahrhundert vom Wandern nur vereinzelt die Rede[486]). Eben daher mag es kommen, daß die Gesellenbewegung hier noch nicht die stürmische Form annahm wie anderswo. Denn gewiß hat das allgemein

werdende Wandern der Gesellen, das sie fortlaufend mit ihren Berufsfreunden in anderen Städten in Berührung brachte, sie den schwerfälligeren, weil an den Ort gefesselten Meistern überlegen gemacht. Daß die Gegensätze innerhalb des Handwerks sich nicht unheilbar verschärften, beruhte vor allem auch auf dem Fehlen starker Kapitalanhäufungen.

Der Grundgedanke der Innungsverfassungen war, daß die Gildebrüder einen im wesentlichen gleichen Spielraum des Verdienstes und der Bereicherung haben sollten. Bei den Fleischern, wo schon dadurch, daß jedes Innungsmitglied einen, wie wir sahen, erblichen Scharn zugewiesen bekommen hatte, eine gewisse Gleichheit der Lebenslage gewährleistet war, finden wir schon 1391 die Bestimmung, daß nur zwei Knochenhauer sich zu einem gemeinsamen Geschäft verbinden dürfen. In dem Schneidergildebrief aus dem Anfange des 15. Jahrhunderts aber wird festgesetzt, daß kein Gildebruder mehr als zwei Knechte und einen Lehrjungen halten darf. Wer das übertritt, soll es mit einem Schilling Pfennige so oft büßen, als es ihm verboten wird. Nur wenn er im Herrendienste arbeitet, so kann er für diese Zeit von dem Verbot entbunden werden[487]).

Wir dürfen glauben, daß durch solche und ähnliche Einschränkungen ein Gleichgewicht zwischen dem Wohlstande der einzelnen Werkgenossen aufrechterhalten wurde, so daß keine kapitalistische Übermacht eines einzelnen Innungsmitgliedes die Brüder erdrücken konnte. Höchstens die Gewandschneider, die Tuchgroßhändler, denen der allgemeine Kleiderluxus des späteren Mittelalters mächtig zustatten kam, möchten wohl auch bei Beschränkung auf wenig Angestellte ein glänzendes Geschäft zu machen imstande gewesen sein. Aber auch diese Annahme unterliegt dem Zweifel. Denn wenn die Gewandschneider der Neustadt nach einer bisher ungedruckten Urkunde von 1427 mit den geringeren Gilden zusammen den Vierwerken gegenübertreten, um mit ihnen gemeinsam den Rat zu bekämpfen, so scheinen sie doch vorübergehend in eine Stellung herabgedrückt zu sein, die sie den Ratsgeschlechtern entfremdete und sie in einen Trutzbund gegen ihn mit den übrigen Innungen trieb. In der Altstadt muß der Gewandschnitt seinen Mann behaglich genährt haben, denn der Rat und die Schöppen betrachten es als ein hohes Gnadengeschenk, daß der Kurfürst Friedrich II. ihnen 1457 das Recht des Gewandschnitts für alle Zeiten verleiht[488]). Vom Kleideraufwand begünstigt müssen auch die altstädtischen Schneider gewesen sein; denn während in älterer Zeit sowohl in der Altstadt wie in der Neustadt die Vierwerke aus Bäckern, Knochenhauern, Schustern und Tuchmachern bestehen, treten, wie schon erwähnt, die Schneider an die Stelle der Knochenhauer unter den Vierwerken und behaupten diesen Platz bis zur Vereinigung der beiden Städte.

Ein sehr verbreitetes Gewerk in Altstadt und Neustadt war das der Tuch- oder Lakenmacher, dessen Arbeiten in eine ganze Reihe von Stufen zerfielen, was naturgemäß zu einer frühen Teilung der Arbeit und zu einer Heranziehung von Hilfskräften führte. Das Reinigen oder Schlagen der rohen Wolle, das Verspinnen derselben, das Weben, das Walken und das Scheren folgt aufeinander, und selbst unsere wortkargen Quellen geben uns die Möglichkeit, diese einzelnen Tätigkeiten zu unterscheiden. Neben dem allgemeinen Ausdruck der Lakenmacher für das Gewerk begegnen wir auch denen der Wollschläger (Lanifices) und der Wollenweber (textores), die nur eine Stufe bezeichnen. Mönchen und Beginen waren die Tuchknappen verpflichtet, die Wolle zu schlagen, da diese offenbar das Recht hatten, für ihren Hausgebrauch die Wolle zu weben oder als Spinnerinnen tätig waren. (1. Jahresbericht des Historischen Vereins, Seite 56.) Wir hören von Frauen, die um Lohn die Wolle spinnen (Spinsterinnen), von den Knechten, die in der Walkmühle das Tuch verarbeiten, von dem Dicken und Anschlagen des gewebten Tuches. Wer aber Meister werden will, soll in den verschiedenen Morgensprachen alle diese Künste, soweit sie der Tuchmacher selbst verrichten muß, beweisen[489]).
Neben der Tuchmacherei, die in Brandenburg Hunderte von Meistern zählte[490]), ist die Brauerei eine Hauptnahrung der Bürger gewesen. Es ist nicht so bekannt, als es sein sollte, daß im Mittelalter nicht wie heute Süddeutschland, vor allem Bayern, sondern Niederdeutschland, besonders die Seeküste, das Eldorado der Biererzeugung war. Erst die neuere Zeit hat dem Lande der Bajuvaren den entscheidenden Vorsprung in dieser Kunst verschafft. In der Brauerei ist es nun aber im Mittelalter in den deutschen Städten keineswegs zu einer regelrechten Zunftbildung gekommen, vielmehr war die Ausübung des Braurechtes ein Nebenerwerb der Bürger, der wie der Ackerbau zu den verschiedensten Haupterwerbsarten hinzutrat. Es wurde in dieser Zeit durchaus in der Form des Hausbrauens betrieben, aber eine gewisse Ordnung durch den Rat muß schon bald eingeführt sein, denn der Gnadenbrief von 1335 hatte den Neustädtern so glänzende Aussichten auf gewinnbringenden Absatz ihres Gerstensaftes eröffnet, daß dessen Ausnutzung ohne behördliche Regelung nicht zu denken ist. Damals war nämlich vom Wittelsbacher Markgrafen Ludwig das Vorrecht verliehen worden, daß die ländliche Bevölkerung im Umkreis von 3 Meilen keine Darre haben und kein Malz brauen dürfe, die Krüger dieses Gebietes vielmehr ihr Bier aus Brandenburg beziehen mußten[491]).
Schon damals war wohl das Braurecht an den Besitz eines größeren sogenannten Brauhauses gebunden, in dem sich eine ordnungsgemäß hergestellte Braupfanne befand, die Feuersgefahr ausschloß. Im Jahre 1473 ist man dann in der Altstadt zur Aufrichtung einer förmlichen Brauergilde geschritten, und

wir dürfen für die Neustadt vermutlich Gleiches oder Ähnliches annehmen. Die erhaltene Urkunde gewährt uns einigen Einblick in die Verhältnisse der Brauerei in der Altstadt Brandenburg. Danach durften in die Brauergilde aufgenommen werden nur Einwohner von gutem Rufe, ehelicher und ehrlicher deutscher, nicht wendischer Abkunft, die das Bürgerrecht und ein sogenanntes zum Betriebe der Brauerei geeignetes Brauhaus besaßen und ein Eintrittsgeld erlegten, von dem den größeren Teil die Stadtobrigkeit, den kleineren die Gilde erhielt. Es wurde dann unterschieden zwischen alten Besitzern von Brauhäusern und neu eintretenden Mitgliedern; von den letzteren wurde ein bedeutend höheres Eintrittsgeld (Minnegeld) verlangt. Auf Grund der Mitgliedschaft waren die Brauhausbesitzer berechtigt, alle 14 Tage zu brauen, wobei ihnen eine bestimmte Menge des Malzes vorgeschrieben war, das sie in geschlossenen Säcken im Sackwagen zum Schroten in die Stadtmühlen schickten. Überschritt der Inhalt des Sackes die Menge von 30 Scheffeln Malz um mehr als zwei Scheffel, so wurde der ganze Sack beschlagnahmt und in die Mahlkiste geschüttet. Um die ordnungsmäßige Ausübung des Braurechtes zu überwachen, wurden zwölf Braumeister bestellt, von denen vier aus dem Rat, vier aus den Gewerken, vier aus der gemeinen Bürgerschaft genommen wurden, alle Besitzer von Brauhäusern. Die Hälfte dieser Braumeister sollte jährlich durch neue ersetzt werden, damit ihnen das Amt nicht zu schwer werde. Dieser Ausschuß war wohl dauernd tätig, um etwaige Unterschleife und Übergriffe der einzelnen Brauhausbesitzer zu verhüten, insbesondere aber trat der Rat mit ihnen um Martini zusammen, um, je nach dem Ausfall der Ernte, das wechselnde Maß des Bieres zu bestimmen, das die Brauenden ihren Kunden für eine ein für allemal festgesetzte Summe ausschenken mußten. Dieses Gemäß wurde jedem der Berechtigten zugestellt, und er hatte es das Jahr über beim Verschenken des Gerstensaftes anzuwenden. Vermutlich wurden an diesem Termin auch die ländlichen Krüge unter die berechtigten Bürger neu verteilt, und es war bei strenger Strafe verboten, einen Krüger durch Geldzuwendungen oder Handelsvorteile seinem Mitbürger abspenstig zu machen. Die Wichtigkeit der Braunahrung für die Gemeinde und die umfassende Ordnung über die ganze Stadt hin, die dieses Gewerbe erforderte, erklärt es, daß der Rat sich hier nicht begnügte, etwaigen Gildeversammlungen beizuwohnen, vielmehr sich ein Drittel der Plätze im erwähnten Ausschusse vorbehielt, diese Gilde also fest in eigener Hand behielt, während die übrigen Gewerke eine größere Selbständigkeit genossen. Es ist auch für diese alle übrigen Zünfte durchkreuzende Gilde bezeichnend, daß Morgensprachen, Gildebiere und kirchliche Gemeinschaft derselben nicht erwähnt werden, die Geschäftsführung vielmehr, wie es scheint, ganz bei dem auf breiter Grundlage gebildeten Ausschusse lag, der ja eine Vertretung von Rat, Gewerken und Bürgerschaft darstellte[492]). Als solcher übte er eben das Hoheitsrecht der Preisfestsetzung aus, das der Rat sonst für sich allein in Anspruch nahm. Wir erfahren z. B. aus dem altstädtischen Schneidergildebrief des 15. Jahrhunderts, daß der Rat den Gildebrüdern verbot, die Lohnsätze der Gesellen eigenmächtig zu erhöhen.

Schon wiederholt haben wir der kirchlichen Gemeinschaft gedacht, die die einzelnen eigentlichen Gewerke umschloß. In der Tat fällt es uns bald in die Augen, wie stark die mittelalterlichen Innungen durchtränkt sind von dem kirchlich frommen Geiste der Zeit. Kirchliche Pflichten werden in allen Gewerksbriefen besonders hervorgehoben. Die Innungen stifteten als solche vielfach Altäre in den Pfarrkirchen und unterhielten große Lichter oder ganze Kronleuchter an ihrem Heiligtume, die an den hohen Festen angezündet werden mußten, und eine Hauptpflicht der Gildemeister und der Meisterknappen war es, dieser Lichter zu warten. In den feierlichen Umzügen am Fronleichnamstage und anderen Kirchenfesten zogen sie, Wachskerzen tragend, geschlossen einher, und es entspricht dem Geiste der Zeit, daß sie dabei mit eifersüchtigem Stolz ihren althergebrachten Platz in der Rangordnung behaupteten. Sie bildeten auch gern eigene kirchliche Brüderschaften, die ihre Mitglieder nur im Gildekreise besaßen. So übernahm die Weingärtnerbruderschaft, die ihren Namen nach dem Patron der Rebenblüte des heiligen Urban trug, die Verwaltung der von dem Lebuser Domherrn Matthäus Prenne gestifteten Kapelle des Gekreuzigten, Marias, Adalberts, Urbans und vieler anderer Heiligen und ließ daselbst einen Meßpriester dauernd seines Amtes walten. Wie die Fleischer in der Katharinenkirche ihrem Patron, dem heiligen Antonius von Padua, einen Altar gewidmet hatten, so die Schmiede in der Gotthardtkirche. Vor allem sind es die Gesellenverbände, die entweder gesondert oder mit den Meistern vereinigt im Schatten der Kirche emporgediehen. Weil bei den heiligen Handlungen die flammenden Kerzen niemals fehlen durften, war bei Verstößen die Bestimmung beliebt, daß der Schuldige ein Pfund Wachs liefern mußte. Und besonders streng wurde darauf gehalten, daß, wenn der Tod einen der Gildebrüder oder ein Glied aus seiner Familie abberufen hatte, das ganze Gewerk, Männer und Frauen, an der Vigilie und der Totenmesse zu Ehren des Abgeschiedenen teilnahm. Die schöne alte Sitte hat sich ja bei den Handwerkern bis auf den heutigen Tag in Kraft und Leben erhalten. Die Böttchergesellen der Neustadt begingen außerdem am Allerseelentage eine kirchliche Feier zum Andenken an die im Jahre Verstorbenen mit Lichterschein und nachfolgendem Liebesmahl[493]). Wenn an den heiligen Tagen die Kerzen brannten und am Sonntag, durfte kein Gildebruder (nach dem altstädtischen Schneiderbrief) im Gotteshause fehlen, es sei denn, daß er Brautkleider oder den Ornat zu eines neuen Priesters Weihe zu arbeiten hatte. Auch außerhalb der Kirche bekundete sich bei den Gewerken dieser fromme Sinn. So stiften zwei Bäcker der Neustadt, Hans Bollen und Hans Briesenthal[494]), zu ihrem Seelenheil eine ewige Armenspende von Semmeln und Bier, die jährlich am Montag nach der gemeinen Woche, d. h. nach der dem Michaelisfest folgenden Woche, die in Norddeutschland der Erinnerung an die abgeschiedenen Seelen geweiht war, an Bedürftige verteilt werden sollte.

Inwieweit die Brandenburger Innungen in die städtische Kriegsmacht eingegliedert waren, ergibt sich nicht aus den vorliegenden mittelalterlichen Quellen. Erst später, im 16. Jahrhundert, tritt des Rats Forderung auf, daß ein Handwerksgenosse mit einem guten Harnisch, Federspieß oder mit guten halben Haken versehen sein soll[495]). Schließlich darf bei unseren Brandenburger Gewerken nicht vergessen werden, daß sie neben den ernsten Pflichten aller Art auch der Freude weit die Türe öffneten, und daß die Geselligkeit ein gut Teil dazu beitrug, die Zunftmitglieder zu einem starken Verbande zusammenzuschweißen. Außer zu den gesetzlich festgelegten Morgensprachen, wo bei geöffneter Lade das Wohl und Wehe des Gewerks beraten und Innungsgericht über Verstöße gegen den alten Brauch gehalten wurde, fand man sich auch von Zeit zu Zeit bei den Gildemeistern abwechselnd oder in Herbergen zu fröhlichem Gildebier zusammen, wo die Meister mit ihren Frauen bei Speis' und Trank die Mühsal des Alltags vergaßen. Da kam derbe Genußfreude zu ihrer Geltung, die gewiß oftmals überschäumte. Zwar finden wir in allen Gewerksrollen Strafandrohungen für diejenigen Brüder, die ihren Genossen oder gar die Gildemeister Lügen strafen oder mit ungebührlichen oder schmähenden Worten oder Tätlichkeiten die Gemütlichkeit des Zusammenseins stören; aber die Regelmäßigkeit dieser Verbote zeigt, daß solche Übertretungen nicht selten waren. In einer Zeit, wo das allgemein verbreitete Gerücht widerrufen werden mußte, der Kurfürst habe dem Brandenburger Bischof mit Prügeln gedroht[496]), wo der Landesherr Albrecht Achilles seine Gattin und seine Hofdamen mit saftigen Zötchen neckte[497]), wo das unglaublich derbe, ja unflätige Buch von Till Eulenspiegel das Ergötzen der gebildeten Lesewelt hervorrief, wird es in den Trinkstuben der Brandenburger Handwerker nicht allzu zimperlich zugegangen sein. Und so lesen wir denn im Gildebrief der altstädtischen Schneider (15. Jahrhundert): Geschähe es auch, daß ein Gildebruder bei dem Gildebiere der Genossenschaft, er wäre Mann oder Frau, mehr zu sich nähme an Essen oder an Trinken, als seiner Natur bequem oder zuträglich wäre und sich dann erbräche, der soll um seiner Unvernünftigkeit willen den gemeinen Gildebrüdern eine Tonne Bier zur

Strafe geben. Man sieht, die Buße des Sünders war nicht geeignet, Enthaltsamkeit herbeizuführen, sie gab Anlaß zu neuem Trinkgelage, an dem der Gestrafte mit sauersüßer Miene teilnahm und vielleicht dann die gleiche Strafe neu verwirkte.

Fassen wir die vorstehenden Ausführungen über Brandenburgs Handel und Gewerbe noch einmal zusammen, so gibt uns das Ganze auch in seinem engeren Kreise ein getreues Bild mittelalterlicher deutscher Stadtwirtschaft. Vieles Einzelne in Vorgängen und Zuständen bleibt uns dunkel, aber der Gesamteindruck ist deutlich. Die Stadtregierung verfolgt, indem sie von dem Landesherrn wichtige Vorrechte erkauft, bewußt das Streben, ihre Erwerbsquellen zu verteidigen und zu erweitern gegen Nachbarn, das platte Land der Umgegend und gegen das Territorium, durch Stapelrechte, Bannmeilenrecht, Gästerecht, d. h. Einschränkung des Handels Fremder mit Hilfe des Straßenzwanges. So schafft sie eine nach außen abgeschlossene eigene Welt, die ganz den Bedürfnissen der Einheimischen dient und nur auf den Märkten einen gewissen Freihandel zuläßt.

Nach innen sorgt sie dafür, daß bei allem Tausch, Kauf und Verkauf Leistung und Gegenleistung sich die Wage halten, der Gewinn des Verkäufers nicht ein billiges Maß überschreite. Dem Bürger wird ein mäßiges Auskommen nach Möglichkeit gewährleistet. Zu diesem Zweck wird der Handelsverkehr umfassend beaufsichtigt und möglichst in die Öffentlichkeit verlegt. So sind die Handwerker als Verkäufer vielfach an ständige Verkaufsstätten gebunden, und der Zwischenhandel wird, so weit es irgend geht ausgeschlossen, der „Fürkauf", der die Waren verteuert, verpönt. Das Kleingewerbe der Handwerker erfreut sich der besonderen Fürsorge des Rates. Das Handwerk führt nicht umsonst vielfach den Namen Amt oder officium. Es wird wirklich als ein Amt angesehen, das im Dienste der Allgemeinheit verwaltet wird. Darum übernimmt die Innung selbst die Pflicht, für Redlichkeit und Gediegenheit der Arbeit zu sorgen, und streng hält sie darauf, den Ehrenschild der Genossenschaft nach Herkunft und Lebensführung rein zu erhalten. Jedem Zunftgenossen soll durch das Fernhalten erdrückenden Wettbewerbes ein mäßiger Wohlstand gewährleistet werden, aber keiner soll sich über den Werkgenossen erheben, Großbetriebe werden durch Verbote unmöglich gemacht. Ein mäßig wohlhabender Mittelstand wird erhalten und vor Herabsinken in wirtschaftliche Unselbständigkeit geschützt und dadurch auch eine Veredelung des Handwerks zur Kunst ermöglicht, die wir in manchen Werken unserer Kirchen erreicht sehen. An dieser großartigen sozialen Leistung des Mittelalters hat also auch Handel und Gewerbe der beiden Städte Brandenburg seinen bescheidenen Anteil.

IX. KIRCHE UND SCHULE, GEISTESLEBEN, KUNST UND WISSENSCHAFT

IE Zeit der Thronstreitigkeiten, die nach dem Aussterben der Askanier über die Mark hereinbrach, und der Umstand, daß das bayerische Herrschergeschlecht, das von dem Lande Besitz ergriff, mit dem Papsttum in dauernde Feindschaft geriet, hat auch für die kirchlichen Verhältnisse der Stadt Brandenburg verhängnisvolle Folgen gehabt. Als der Papst Johann XXII. den Kaiser Ludwig bannte, weil er die Verleihung der Mark an seinen Sohn nicht rückgängig machen wollte, entband er die Einwohner der Mark vom Gehorsam gegen den Landesherrn und verhängte über das Land das Interdikt. Demgegenüber erließ der junge Markgraf Ludwig auf den Rat seines Vormundes den Befehl, daß jeder Laie oder Geistliche, der sich unterstehen würde, päpstliche oder bischöfliche Befehle zu vollziehen, mit dem Tode bestraft werden sollte[498]). Das mußte natürlich arge Mißstände und schließlich sittliche Verwilderung in der Bevölkerung hervorrufen. Erst im Jahre 1358 wurde der über Markgrafen, Bischöfe und Untertanen verhängte Bann und das Interdikt vom Papst aufgehoben, während der Fluch, den der Lebuser Bischof schon 1324 gegen die Brandenburger Bürger aus eigener Machtvollkommenheit geschleudert hatte, schon 1335 zurückgenommen worden war. Es wird uns berichtet, daß die Bewohner einer märkischen Ortschaft, die dreißig Jahre lang, ohne eine Messe zu hören, aufgewachsen waren, die zelebrierenden Priester verlachten[499]). Auf den Bewohnern Brandenburgs wird der Kirchenbann nicht allzu schwer gelastet haben; denn die Franziskanermönche an der altstädtischen Johanniskirche hielten wohl zum Kaiser und mögen alle Amtshandlungen vollzogen haben, während die Dominikaner der Neustadt eifrig für die Sache des Papstes eintraten. Immerhin brachten diese Zustände viele fromme Gemüter in furchtbare Seelenpein und schufen bei Rat und Volk eine dauernde gereizte Stimmung gegen die geistlichen Oberen. So dürfen wir uns nicht wundern, wenn es zu dieser Zeit zu leidenschaftlichen Ausbrüchen des Volkes gegen den Klerus kam. Im Jahre 1346 war dem Bischof und Domkapitel ein wegen unbekannter Vergehen gefangengesetzter Priester entlaufen und hatte auf dem Friedhof von St. Katharinen, der die Kirche umgab, ehemals mit Schranken abgeschlossen war und wie anderwärts wohl als Asyl für Verfolgte galt, eine Zuflucht gesucht. Der bischöfliche Hofmeister Dietrich eilte ihm nach, zwang den Flüchtigen, wie es scheint, mit Vorschubleistung des neustädtischen Pfarrers, der ja ein Domherr war, mit gezücktem Schwerte, den Gottesacker zu verlassen und wollte ihn gewaltsam aus der Stadt schleppen. Aber das Volk strömte auf die Kunde davon zusammen, nahm Partei für den Priester, schloß die Tore und wollte ihn mit Gewalt befreien. Der Rat hinderte zwar durch sein Erscheinen weitere Ausschreitungen, setzte aber einen Vertrag mit dem Domkapitel durch, daß der Priester in Freiheit blieb, Rat und Bürger, soweit sie an Gewalttaten teilgenommen hätten, keine Not noch Schaden von geistlichen oder weltlichen Leuten erleiden sollten. Im Falle diese Zusage nicht gehalten würde, verspricht der Bischof, daß die Herren des Domkapitels samt den Pfarrern Einlager in Brandenburg halten müßten, bis dem Rat und der Stadtgemeinde Genugtuung geschähe. Wie hier die Stadt ihre Rechte dem Klerus gegenüber stolz wahrt, so zeigt sich das gleiche trotzige Selbstbewußtsein des Rats 1380, wenn in einem damals geschlossenen Vergleich zwischen Domkapitel und Neustadt bestimmt wurde, daß als Schiedsrichter Geistliche ausgeschlossen wären. Auch später fehlt es, wie wir schon früher sahen, nicht an heftigen Zusammenstößen zwischen Rat und Domkapitel[510]), und wenn in der Zeit der Hussitenkriege die Brandenburger Bürger die Reichssteuer, die zum Böhmischen Krieg gefordert wurde, verweigerten, ja wenn sie dem Bischofe, der unter Drohung mit Kirchenstrafen den Ketzerschoß einziehen wollte, mit offener Empörung antworteten, wenn der Neustädter Rat zur selben Zeit den Abt von Lehnin warnte, Besitzstreitigkeiten auf die Spitze zu treiben, da in der Bevölkerung ketzerische Neigungen vorhanden wären und die Achtung vor der Geistlichkeit sehr gesunken sei, so deutet dies alles auf einen fortdauernden Gegensatz zwischen Laienvolk und Klerus in Brandenburg, der einerseits auf wirtschaftliche Reibungen zurückgeführt werden muß, andererseits doch auch aus dem Anstoß erklärlich ist, den viele Geistliche durch ihr Leben gaben. Darauf lassen die wiederholten Verfügungen des Brandenburger Bischofs schließen, der über das sittliche Verhalten der Kleriker vielfach zu klagen hatte. So ermahnte Bischof Dietrich von Schulenburg 1380 die Geistlichen, durch äußeren Wohlanstand ihre innere Gesinnung zu bekunden, vor allem sich würdig zu kleiden, keine zu langen oder zu kurzen, keine roten oder grünen Kleider, auch keine bunten Schuhe zu tragen, die Tonsur vorschriftsmäßig zu halten. So sehen wir, daß die Geistlichkeit von den tollen Modenarrheiten jener Tage nicht unberührt geblieben war. Auch Handel und Gewerbe zu treiben, Waffen zu führen mußte ihnen verboten werden. Über übereilte und unwürdige Abhaltung der Gebetstunden führte man Klage, und am öftesten wiederholt sich die Beschwerde, daß sie in

Gasthäusern liegen, an Trinkgelagen teilnehmen und verdächtige Weiber im Hause halten oder außerhalb aufsuchen.
Aber trotz dem Anstoße, den die Laienwelt öfter an Verwilderung des Lebens der Geistlichen nehmen konnte, sprechen viele Zeugnisse von der innigen Frömmigkeit, mit der das Volk in Brandenburg die heiligen Gebräuche übte und seine kirchlichen Pflichten erfüllte. Dazu trug gewiß die enge Verbindung bei, in der die Insassen der Bettelmönchsklöster der Stadt mit der Bevölkerung lebten. Seitdem die Franziskaner in der Altstadt, die Dominikaner in der Neustadt sich angesiedelt hatten, waren sie in Freud und Leid mit der Bürgerschaft zusammengewachsen. Die Jünger des heiligen Franziskus, die, getreu dem Gebote ihres Ordensstifters, die heilige Armut auf ihre Fahne geschrieben hatten, lebten eben darum im Gegensatz zu früheren Klostergemeinschaften in engster Berührung mit dem niederen Volke, und wenn sie sich ihren Bettelsack von der Bürgerfrau füllen ließen, so gewährten sie den Brandenburgern auf Grund ihrer Vorrechte auch dann wohl geistige Versorgung, wenn ein Zwist zwischen Markgraf und Bischof die Stadt mit dem furchtbaren Interdikt heimsuchte, das alle gottesdienstlichen Handlungen lahmlegte. Das war ja im 14. Jahrhundert nur zu oft der Fall. Lange begnügten sie sich mit einem ganz schlichten Gotteshause, aber im Anfange des 15. Jahrhunderts bauten sie eine neue gotische Kirche, die in ihrer edlen Einfachheit noch heute die Augen erfreut. Im Jahre 1421 schloß sich das Johanniskloster der Reform der strengen Observanz an und verfolgte somit eine ernstere und strengere Richtung. Als es dann durch die Reformation der Auflösung anheimfiel, machte es arg von sich reden, da die Visitatoren daselbst keine Bibel vorfanden, wohl aber das üble Machwerk eines Barfüßers von den Ähnlichkeiten des heiligen Franziskus mit dem Herrn Jesus[501]). Der heiligeEifer aber schoß über das Ziel hinaus, wenn er die Brandenburger Barfüßer der blöden Unwissenheit bezichtigte. Sie haben, wie neuerdings festgestellt wurde, eine stattliche und wertvolle Bücherei gesammelt, die man aus ihren Resten hat wieder herstellen können[502]). Drüben in der Neustadt hatten sich die Dominikaner auf dem ehemaligen Markgrafenhofe, wo der fromme Otto III. seine Seele ausgehaucht hatte, angesiedelt. Sie waren etwas vornehmer als ihre mönchischen Nebenbuhler jenseits des Havelstromes, pflegten vor allem die Predigt und waren gelehrter Bildung zugetan, entfalteten aber oft einen leidenschaftlichen Glaubenseifer gegen die Ketzerei. Ihre schöne Kirche war die erste in Brandenburg, mit der die aus Nordfrankreich stammende gotische Baukunst in ihrer echt deutschen Umbildung als weiträumiger Hallenbau mit gleich hohen Kirchenschiffen ihren Einzug in die märkische Hauptstadt hielt. Anders als die dunkeln, dämmerigen, nur von Wachskerzen spärlich erleuchteten

romanischen Basiliken öffnete sich nun der Kirchenraum mit seinen hohen, breiten Fenstern dem strahlenden Himmelslicht und bot der gewaltigen Kanzelrede der Predigermönche den genügenden Hörraum. In der älteren Zeit aber ragte das Kloster der Predigermönche unter den Konventen des gleichen Ordens in der Mark kaum besonders hervor, ja es blieb hinter den älteren in Neuruppin und Strausberg zurück. Erst als gegen Ende des 14. Jahrhunderts die Klosterkirche, die bisher dem Andreas und der Maria Magdalena geweiht war, als Patron St. Paulus empfing, umgetauft und neu geweiht wurde, steigt die Bedeutung des Klosters, und es findet das erste Provinzialkapitel des Ordens in Brandenburg statt. Strenge Zucht und eifriges Studium war nun hier zu Hause. Später als die Barfüßer, erst um 1480, aber um so eifriger wandten sie sich der strengen Observanz zu, und aus ihrer Mitte gingen Männer hervor, die wegen ihrer theologischen Gelehrsamkeit und wegen ihrer unbarmherzigen Ketzerverfolgungen weit über das Weichbild Brandenburgs bekannt waren, Clemens Lossow und Johannes Botzin.
Der letzte, wegen seiner theologischen Gelehrsamkeit hoch angesehen, hielt den Predigermönchen in Siena biblische Vorlesungen, entfaltete aber auch als märkischer Inquisitor so finsteren Eifer, daß niemand sich vor ihm als Ketzer zu bekennen wagte[508]). Sahen die Laien in diesen Bettelmönchsorden, in denen bis zuletzt das Wesen mittelalterlicher Frömmigkeit lebendig blieb, ernstes Eifern, an deren guten Werken sie sich gern einen Anteil erkauften, so waren sie auch vielfach bemüht, in den Pfarrkirchen sich ein Anrecht auf die Fürbitte der Heiligen zu sichern.
Zahlreiche Altäre wurden in den Pfarrkirchen beider Städte gestiftet, unter den Schutz der Heiligen gestellt, und mit reichen Mitteln ausgestattet, so daß an jedem dieser Nebenaltäre mehrere Meßpriester tätig waren, um für die Stifter und ihre Anverwandten fortdauernd Seelenmessen zu lesen. So hatten die Knochenhauer der Neustadt in St. Katharinen schon seit 1346 einen Altar, der dem heiligen Antonius, dem Schutzpatron der Schlächter, geweiht war, und von dem Schneidergewerk der gleichen Gemeinde erfahren wir, daß es 1444 seinem Gildebruder Peter Bamme eine jährliche Rente verkaufte, wofür dieser als Altarist oder Meßpriester den täglichen Kirchendienst versah. Nach seinem Tode fiel dann die Kaufsumme der Gilde heim, und am Todestage des Stifters und am Vorabend wurde bei Glockengeläut und Lichterglanz die Seelenmesse des Verstorbenen begangen.
Ebenso hatten die Schneider und die Schmiede der Altstadt in der Gotthardtkirche Altarlehen, d. h. Geldsummen gestiftet, von denen der Meßdienst im Gotteshause verrichtet wurde. Beherrscht ja doch die Gemüter die Angst vor der Pein des Fegefeuers, und es ist ein Werk christlicher Liebe, durch Messen

und Gebete den Aufenthalt der armen Seelen in der feurigen Lohe abzukürzen. Reich und prächtig war der Gottesdienst in den Pfarrkirchen ausgestattet, und zu immer höherem Glanze trugen die neuen Feste bei, die die Päpste der Christenheit bescherten. Neue Glaubenslehren, wie die der Wandlung des Brotes und Weines in Leib und Blut des Gottmenschen, wurden erst durch große Kirchenfeste volkstümlich. Fromme Geschichten, wie das Wunder von Bolsena, das Raffael gemalt hat und das auch in unserer Katharinenkirche am Hedwigsaltar abgebildet ist, wo der ungläubige Priester beim Messelesen durch die Blutstropfen bekehrt wird, die vor seinen Augen aus der Hostie quellen, stärkten den Verwandlungsglauben und fanden bald überall Nachahmung in einheimischen Wundermären. So tauchen in kurzem hier und dort auch in der Mark blutende Hostien auf, die berühmteste zu Wilsnack im Havelberger Sprengel, die die dortige Kirche zum besuchtesten Wallfahrtsort weit und breit machte und fromme Pilger in unzähligen Scharen anzog. Die prächtigen Gotteshäuser in Wilsnack und in Havelberg zeugen von dem Goldstrom, der sich über die heiligen Stätten frommen Aberglaubens ergoß, und vergeblich suchten ernster gestimmte, fromme Gemüter das blutende Abendmahlsbrot als Priesterschwindel zu entlarven, der Zulauf blieb gewaltig und lohnend, und auf Altarbildern Brandenburger Kirchen finden wir Zeugnisse, daß wie aus allen Teilen Deutschlands, ja aus Ungarn und Schweden Pilgerscharen nach Wilsnack strömten, so auch Brandenburg fromme Waller dorthin entsandte, die von ihren Gebrechen durch das Wunderblut Heilung für immer erwarteten. Jeder Wallfahrer, der Wilsnack verließ, kaufte zum Andenken eine der bleiernen Medaillen in Hostienform mit roten Flecken. Auf dem Altarschrein des alten Hedwigsaltars, der jetzt in der Schöppenkapelle der Katharinenkirche (hinter dem Ratsgestühl) hängt, findet sich auf dem linken Flügel eine Speisung von Pilgern durch die heilige Hedwig dargestellt, und an den Pilgerhüten sind Medaillen des Wunderblutes sichtbar. Der gewaltige Aufschwung der Fronleichnamsverehrung[504]) spiegelt sich auch im kirchlichen Leben Brandenburgs durch das ganze 14. Jahrhundert ab.

Im Jahre 1372 erlaubt der Brandenburger Bischof Dietrich von Schulenburg dem neustädtischen Pfarrer, den Leib des Herrn, d. h. die geweihte Hostie, in einer vom Bischof gesegneten kristallenen Monstranz vor der Stunde der Prozession auszustellen. Diese feierlichen Umzüge fanden zu Ostern, Pfingsten, Weihnachten, Allerheiligen und am Kirchweihfeste auf dem Kirchhofe von St. Katharinen statt, am Fronleichnamstage aber bewegten sie sich unter Begleitung der Priester und der Gemeinde durch die ganze Stadt. Die Juden durften zu dieser Zeit ihre Häuser nicht verlassen, und beim Vorüberziehen an ihren Wohnungen wurde die Hostie verdeckt, damit unter der gläubigen

Menge kein Ärgernis entstünde „durch den Spott der Feinde unseres gekreuzigten Herrn.“ Der Blüte des Fronleichnamsdienstes ist dann auch der herrliche Neubau der Katharinenkirche zu danken, von dem an anderer Stelle noch zu reden sein wird.

Wie der Kultus der Wandlung, so steht die Marienverehrung auch in Brandenburg im Vordergrunde des katholischen Gottesdienstes. Schon im 13. Jahrhundert hatte die religiöse Begeisterung dem wundertätigen Bilde der Himmelskönigin ein wundervolles Haus auf dem Marienberge geschaffen, aber der Zustrom der Pilger scheint um die Mitte des 14. Jahrhunderts nachgelassen zu haben, denn nach dem Tode des Priesters Gebhard von Stechow, der an der Bergkirche das Amt versah, wird auf die Anstellung eines eigenen Geistlichen verzichtet und der Kapellendienst den Domherren abwechselnd übertragen[505]). Daneben scheint die einsame Stille des uralten Berges fromme Gemüter immer noch mächtig angezogen zu haben. Wir hören von zerknirschten Büßerinnen, die sich auf der Höhe in Klausen einmauern ließen, um ein allzu weltliches Leben dort oben zu sühnen, und wie ihnen an vielen Festtagen durch bischöfliche Gnade der Genuß des Abendmahls gewährt wurde[506]). An den großen Marientagen freilich sah der Harlungerberg festliches Getümmel, das größte am Mittwoch nach Pfingsten, wo die Domherren und der Rat beider Städte in feierlicher Prozession anf den Berg ziehen. Aber auch sonst ist lautes kirchliches Getriebe auf der Höhe. Die drei Mönchsorden: Predigermönche, Minderbrüder und Augustiner (Prämonstratenser) wechseln in strenger Ordnung an den kirchlichen Festtagen ab[507]). Unter dem zweiten Hohenzollern gewinnt die Marienkirche auf dem Berge neuen Glanz. Schon Friedrich I. hatte 1435 auf der von alters geweihten Stätte, an der die hochgelobte Himmelskönigin so viel Gnaden- und Wunderwerke getan habe, daß man nicht zweifeln dürfe, sie habe sich diesen Ort selbst zu ihrem Lobe auserwählt, eine Zweigstiftung der Prämonstratenser Chorherren von sechs Priestern auf dem Berge errichtet, wodurch die Versorgung der zuletzt fast verödeten Kirche durch Messen und Vespern wiederum gewährleistet wurde. Sein Nachfolger, Friedrich II., hat dann dem von ihm gestifteten Schwanenorden eine Heimstätte in der Marienkirche auf dem Berge geschaffen und die gotische Leonhardskapelle, die an die Bergkirche angebaut wurde, zur Abhaltung der Ordenskapitel bestimmt. Der Dekan des Klosters lud die Ordensbrüder und -schwestern zu den jährlichen Versammlungen ein, und für die verstorbenen Ordensbrüder wurden in der Kapelle Seelenmessen gehalten, ihre Totenschilder an den Wänden des Gotteshauses aufgehängt. Und wie diese Adelsgenossenschaft des Schwanenordens, die die märkischen Ritter an ein friedliches und sittlich strenges Leben gewöhnen sollte, auf der Höhe des Marienberges lange ihre Heimstätte hatte,

so gab es auch unten in den Städten zahlreiche fromme Brüderschaften und Vereine, in deren Rahmen sich das kirchliche Leben des späteren Mittelalters abspielte.
Unter ihnen haben wir die Kalande und die Elendsgilden bereits früher erwähnt. Sie haben sich in beiden Städten Brandenburg über zwei Jahrhunderte erhalten. Die Kalandsherren bildeten in beiden Städten sehr angesehene Gilden, deren Mitgliedschaft selbst Bürgermeister und Ratmannen suchten. Sie hatten Grundbesitz und in der Neustadt ein Haus am Katharinenkirchhof. Um 1470 hatten sich aber die Einkünfte der neustädtischen Kalandsherren so gemindert, daß bestimmt wurde, es sollten nicht mehr als zwanzig Geistliche und acht Laien Mitglieder werden können. Das Siegel der Körperschaft ist uns erhalten. Es zeigt das Schweißtuch der Veronika mit dem darauf abgedruckten Antlitz des Erlösers.
Wie die Kalandsbrüderschaften Vereinigungen der zahlreichen einheimischen Meßpriester und Altaristen und angeschlossener Laien waren, so nahmen sich, wie schon oben ausgeführt, die Elendsgilden der damals in großer Zahl umherziehenden Pilger und wandernden Geistlichen an, die früher vielfach obdachlos auf den Kirchhöfen gelagert hatten und im Elend verkommen waren. Auch diese Vereine, zu deren Aufblühen natürlich sowohl die weiteren Pilgerwanderungen nach Rom, Aachen oder St. Jago wie die näheren Wallfahrten durch die Mark zur Marienkirche auf dem Harlungerberge, nach Heiligengrabe, nach Wilsnack und seinen blutigen Hostien beitrugen, waren mit Altarstiftungen reich begabt.
An diesen Gilden nahmen nicht nur Brüder, sondern auch Schwestern teil. Aber auch Frauen allein taten sich zu frommen, barmherzigen Werken zusammen. Da sind vor allem die Beghinen, die hier wie in ganz Niederdeutschland sich finden und nach denen früher die Klosterstraße in der Altstadt hieß. Es waren meist arme Frauen, die in ihrer Art Werke der Barmherzigkeit auf sich nahmen, Krankenpflege und Leichenwaschung neben dem Spinnen und Weben, das sie ernährte. Die Frauenklöster standen meist nur Töchtern höherer Stände offen. Den ärmeren bot diese Gemeinschaft dafür einen erwünschten Ersatz, der ihnen Wohnung und Unterhalt gewährte. Ein unbedingtes Gelübde wurde nicht gefordert. Der Austritt stand jederzeit frei, doch galt eine bestimmte Hausordnung. Wir wissen von den Brandenburger Beghinen kaum mehr als den Namen; aber vermutlich standen sie in näheren Beziehungen zu dem Franziskanerkloster, worauf die örtliche Nachbarschaft schon deutet. Franz von Assisi hatte bekanntlich drei Orden gestiftet, den der eigentlichen Minderbrüdermönche, den der Klarissennonnen und den dritten Orden der Tertiarier, eine Genossenschaft von Laienbrüdern

und -schwestern, die ohne rechtes Gelübde fromm lebten und unter geistlicher Leitung und Aufsicht Stundengebete hielten. Solche Tertiarierinnen mögen die hiesigen Beghinen gewesen sein. Unter Umständen nahmen solche Frauen auch schwerere geistliche Bürden auf sich, wie wir denn von einer büßenden Schwester Elisabeth aus dem Orden der Reuerinnen von der dritten Regel des heiligen Franz hören, die sich auf einer Klause des Marienberges einschließen ließ, um dort abgeschiedener dem Herrn dienen zu können[508]). Mit dem Aufschwung, den dann die Verehrung der Gottesmutter Maria nahm, von deren Fürbitte man alles erwartete, weil ihr Sohn nach dem vierten Gebote ihr nichts abschlagen dürfe, hängt es zusammen, daß nun wie überall so auch in Brandenburg Gleichgesinnte zu Liebfrauengilden sich vereinigten. Sie verpflichteten sich, die verschiedenen Marienfeste, deren es damals schon mindestens sechs gab, feierlich, besonders mit milden Spenden zu begehen, gewährleisteten sich gegenseitig anständiges Begräbnis, Leichenbegleitung und Seelenmessen und legten zu dem Ende aus regelmäßigen Beiträgen eine gemeine Kasse an. Die Zusammenkünfte endeten mit einem frohen Mahle. Im Jahre 1381 schließen die Stifter der neustädtischen Gilde Unserer lieben Frauen mit den Klosterbrüdern des Predigerordens (Dominikanern) einen Vertrag, wonach ihnen der Marienaltar in der Klosterkirche verbrieft wird. Dorthin wollen sie alle mit ihren Lichtern kommen und gegen Opferung eines Pfennigs ihre Totenfeiern halten, wozu die Mönche ihnen eine ewige, d. h. tägliche Messe einrichten wollen. Auch an den Begängnissen der Mönche wollen sie teilnehmen, wogegen den Brüdern und Schwestern der Gilde zugesichert wird, daß sie aller guten Werke, des Gebets, des Wachens, des Kasteiens, des Fastens und der heiligen Arbeit der Ordensbrüder teilhaftig sein sollen. Auch in der Altstadt befand sich eine solche Liebfrauengilde, deren Satzungen im Jahre 1446 aufgezeichnet wurden. Danach nahm man nur ehrsame Bürger mit ihren Familien in die Gilde auf. Die Beiträge bestanden in Wachs und Geld, denn auch hier stand die Sorge für ein feierliches Zugrabetragen unter einem Baldachin mit Vorantragen von Lichtern im Vordergrunde. Bei den Zusammenkünften wurde Bier verzapft, und den Kranken wurde auf Wunsch eine Kanne ins Haus geschickt. An der Spitze standen Altarmeister, die die Kasse und das Gildeneigentum verwalteten[509]). Auch eine Nikolaigilde wird in der Mitte des 15. Jahrhunderts genannt. Sie war eine Genossenschaft von Brandenburger Einwohnern mit ihren Frauen und Kindern, die sich an die Regel des dritten Ordens des heiligen Franz hielten und deshalb auch von dem Generalvikar des Franziskanerordens in die geistlichen Verdienste dieser Gemeinschaft aufgenommen wurden[510]). Eine besonders reiche Stiftung in der Gotthardtkirche, die um das letzte Viertel des 15. Jahrhunderts in ihrer neuen gotischen Gestalt der Vollendung sich näherte, war die heilige Kreuzkapelle mit einem prächtigen Altar, den ein Lebuser Domherr, Matthäus Prenne, errichtet und der Weingärtnergilde des heiligen Urban, der die Winzer beschützt und die Reben segnet, 1474 zur Verwaltung übergeben hatte. Die Weingärtner waren ja in der Altstadt eine wichtige Zunft, da der ganze Marienberg mit Reben bestanden war[510a]).

Am Ende des Mittelalters erscheint dann auch eine *Liebfrauenrosenkranzgilde* in der Altstadt, die 1505 in der Gotthardtkirche einen Altar stiftet. Im Jahre 1475 war in Köln die erste Rosenkranzbruderschaft von dem als Verfasser des berüchtigten Hexenhammers, jener verhängnisvollen Systematik des Teufelsaberglaubens, nicht gerade vorteilhaft berufenen Dominikanerpater Jakob Sprenger gestiftet worden. Seitdem verbreitete sich der Rosenkranz rasch unter Begünstigung der Päpste, die einen ungeheuren Schatz von Ablässen der Bruderschaft verliehen, über die ganze Welt. Wenn man bedenkt, daß der vollständige Dominikanerrosenkranz aus 150 Avemarias und 15 Paternostern besteht, so begreift man, daß mit der Einführung dieses Massengebetes die Veräußerlichung des katholischen Gottesdienstes, die nur noch Mundfertigkeit beanspruchte, seinen Höhepunkt erreicht hatte. Natürlich schuf auch die zunehmende Verehrung des heiligen Leichnams geistliche Genossenschaften. In der Altstadt und in der Neustadt begegnen uns *Fronleichnams- oder Heilige Blutsgilden*. Die neustädtische scheint besonders angesehen gewesen zu sein, da ihr acht Bürgermeister und Ratmannen angehörten. Sie beging an jedem Donnerstag, der von alters her dem heiligen Leichnam geweiht war, eine feierliche Messe mit Glockengeläut und Lichterglanz und verteilte alljährlich eine Spende an die armen Leute, die acht Tage vorher von der Kanzel angekündigt wurde. Auch die altstädtische war gut ausgestattet, besaß einen Altar mit Meßgewand, Kelch und Buch und hielt einen Altaristen, der viermal in der Woche Messe las, und der von der Gilde gewählt wurde[511]).

Selbst die Schüler der Altstadt, unter denen ja manche Fahrende waren, die keine Verwandten am Orte hatten und darum Anschluß suchten, bildeten eine fromme Bruderschaft, die ein Altarlehen in St. Gotthardt hatte[512]).

Der fromme Eifer, der sich in diesen zahlreichen geistlichen Bruderschaften und Altarstiftungen betätigte, wandte sich aber vor allem auch den Brandenburger *Gotteshäusern* selber zu. Noch in den letzten Tagen der Askanier und in den ersten der Wittelsbacher stieg der Kirchenbau der Predigermönche auf der Stelle des alten Markgrafenhofes auf, vom Chor zum Langschiffe allmählich vorschreitend, das älteste Werk in Brandenburg in edlem frühgotischen Stil, in dem nun zuerst eine dreischiffige, weiträumige, lichterfüllte

Halle trat an Stelle der romanischen, dämmerigen Basilika[513]). Wie unter dem Einflusse dieser bedeutenden Schöpfung bald der gotische Umbau des Domlanghauses erfolgte, so begann man im Laufe des 14. Jahrhunderts wohl auch die alte romanische Gotthardtkirche niederzulegen und nach einheitlichem Plane als gotische Hallenkirche neu aufzurichten. Zahlreiche Ablässe für den Kirchenbau sind uns für über anderthalb Jahrhunderte überliefert. Aber ihre Häufigkeit und ihre Ausdehnung wechselt wie Flut und Ebbe. Das zweite Viertel des 14. Jahrhunderts und die Zeit der ersten Luxemburger, Karls IV. und Sigismunds, scheinen den ersten Bauperioden zu entsprechen, in denen wohl der Chor und der östliche Teil des Langschiffes sich erhob. Seine ernsten und schlichten Formen, seine einfachere Raumgestaltung entsprechen dieser älteren Zeit[514]). In der gleichen Zeit, d. h. um die Mitte des 14. Jahrhunderts, wird auch die Jakobskapelle vor dem Steintore errichtet worden sein. Das zierliche Kirchlein gehörte zum Jakobsspital, das seinen Namen nach dem Apostel Jakobus dem Älteren führt, der im Pilgerkleide dargestellt wird und der natürliche Schutzheilige der frommen Wanderer war, die aus ganz Europa nach dem berühmten Wallfahrtsort St. Jago di Compostella zogen. Die Jakobskapelle wird 1349 zuerst als „Kapelle des heiligen Apostels Jakobus außerhalb der Mauern bei den Kranken" genannt. Um die Wende des 14. und 15. Jahrhunderts aber wird dann der Höhepunkt Brandenburger Baukunst in der Katharinenkirche erreicht, die für den künstlerischen Unternehmungsgeist der neustädtischen Bürger in der drangvollen Quitzowzeit wie für die Kunstfertigkeit des Stettiner Meisters Heinrich Brunsberg ein großartiges Zeugnis ablegt. Die Eigenart des konstruktiven Aufbaus der Wände, der die Strebepfeiler in das Innere des Gotteshauses verlegt, ist ein technischer Fortschritt der Bauart der Gotthardtkirche gegenüber, der sich auch an dem zweiten Meisterwerk des gleichen Künstlers findet, an der Marienkirche zu Königsberg in der Neumark. Durch dieses Mittel wird der Innenraum erweitert, der Durchblick vertieft und die Innenwände kräftig gegliedert, und durch die Spitzbogenöffnungen der inneren Strebepfeiler die Möglichkeit eines Umganges geschaffen, der in Königsberg um die ganze Kirche läuft. Der Bau, der den alten Westbau mit dem Turm stehen ließ, begann wohl 1395, wurde nach Vollendung des Langhauses unterbrochen, worauf noch heute ein das Langhaus nach Osten abschließender Giebel deutet, dann durch Aufrichtung des Chors fortgesetzt und gipfelte endlich bis zum Jahre 1401 in der wundervollen Märchenpracht der Nordkapelle. Das reiche Formenspiel der an den Außenwänden angebrachten vielfarbigen Backsteinfriese und der dahin hinaufführenden, mit mannigfaltigem, figürlichem Schmuck versehenen Wandpfeiler, das üppig wuchernde, vielfach durchbrochene Maßwerk, das

Nordkapelle der Katharinenkirche in der Neustadt Brandenburg.

sich bis zu den wunderbar reichgestalteten großen Rosen steigert, ist so hervorragend schön, daß es den Ruhm Brandenburgs über ganz Norddeutschland trägt[515]).

Es ist ein Ruhmestitel der Brandenburger Bürgerschaft, daß sie dieses Bauwerk, das weniger durch Massenhaftigkeit, als durch höchste Feinheit der Verzierungen wirkt, in der Zeit der größten Landesnot aufgerichtet hat. Bald darauf, im Frührot der ersten Hohenzollernherrschaft, folgte die stattliche Erneuerung des Grauen Klosters der Barfüßer. Der zur Armut verpflichtete und darum wenig begüterte Bettelorden Vom heiligen Franz hatte doch einen solchen Zulauf von Gläubigen, daß er an Stelle des bisherigen scheunenartigen Betsaales eine einfache, aber doch ansehnliche Hallenkirche aufführen konnte (St. Johannis)[516]). Und auch bei der Gotthardtkirche, deren Langschiff zwischen Westturm und Chor lange wüst gelegen haben muß, beginnt man sich dessen zu erinnern, daß ein großes Werk die Vollendung heischt. Nachdem man schon in den ersten Jahrzehnten des 15. Jahrhunderts eifrig durch zahlreiche Ablässe dem Bau vorgearbeitet hat, setzt im Jahre 1456 unter dem Meister Henrik Reinsdorp eine neue fruchtbare Bauzeit ein, die im ganzen ein volles Vierteljahrhundert währt, die Lücke zwischen Westturm und Ostteil schließt und das Werk, dem ursprünglichen Plane entsprechend, mit geringen Veränderungen stilvoll abschließt. Auch hier ist ein Querschiff weder vorgesehen noch ausgeführt, aber die innere Halle durch stattliche seitliche Kapellenbauten erweitert. St. Gotthardt kann sich an überquellendem Reichtum der Zierglieder mit der neustädtischen Pfarrkirche nicht messen, aber der Gesamteindruck des gedrungenen, einfacher und schlichter gehaltenen Bauwerks ist doch durchaus würdig und tief[517]).

Was an kleineren kirchlichen Bauten in den letzten Jahrzehnten vor der Glaubenserneuerung entstanden ist, ist spurlos vom Erdboden verschwunden, so daß wir von der äußeren Erscheinung dieser Kapellen keine Kunde haben. Es ist die St. Annenkapelle, die um die Wende des 16. Jahrhunderts vor dem Schmerzker Tore errichtet wurde, und nach der lange nach ihrem Verschwinden noch heute Tor, Brücke und Straße ihren Namen tragen. Sie verdankt dem im 15. Jahrhundert sich allenthalben ausbreitenden Kultus der Mutter der Himmelskönigin ihren Ursprung. Seitdem man den Glaubenssatz der unbefleckten Empfängnis Marias, d. h. den Glauben, daß sie selbst von ihrer Mutter ohne Sünde empfangen worden ist, in der Kirche begünstigte und durch ein neues Marienfest (8. Dezember) volkstümlich machte, stieg die heilige Anna in der Verehrung der Menge, und so tat sich denn 1496 eine St. Annenbruderschaft zusammen, die der Großmutter Jesu einen Altar und eine Kapelle stiftete[518]). Als dann das Verhängnis über die märkische Judenschaft hereinbrach und in der Altstadt Brandenburg selbst der Leib Christi von den Feinden des Evangeliums gemartert worden sein sollte, wurde zur Sühne des Frevels an der Stätte, da die gottlosen Juden den Leib des Herrn mit Messern gestochen und mit Flüchen gelästert haben sollten, eine Fronleichnamskapelle errichtet, in der der dazu ernannte Altarmeister wöchentlich drei Messen, darunter am Donnerstag eine zu Ehren des heiligen Leichnams, lesen sollte[519]). Der Name der Kapellenstraße an der Stadtmauer der Altstadt scheint an dieses ganz verschollene Kirchlein zu erinnern. Die Lage der Gasse würde dazu passen, da ja die Behausungen der Israeliten recht wohl in der Nähe der Stadtmauer, seitab von besseren Straßen, zu denken sind. Fassen wir das im vorstehenden Ausgeführte zusammen, so ergibt sich schon aus dieser knappen Übersicht, daß das kirchliche Leben im spätmittelalterlichen Brandenburg überaus rege war und daß das Volk mit tausend starken und zarten Fäden an die glanzvolle, weltumspannende Kirchengemeinschaft gebunden war. Und doch, wenn auch in den letzten Jahrzehnten unmittelbar vor der Glaubenserneuerung bezeichnende Einrichtungen der alten Lehre entstanden, wie die Rosenkranzbruderschaft, die St. Annengilde, die vom altstädtischen Rat zur Sühne der jüdischen Hostienschändung errichtete Fronleichnamskapelle, ist doch kaum zu bezweifeln, daß der fromme Sinn vielfach Anstoß nahm an den Mißbräuchen der Kirche und dem Wandel der Geistlichen. Sonst würde die Brandenburger Bürgerschaft sich nicht so rasch und entschieden der neuen Lehre zugewandt und nicht so einmütig das Alte verworfen haben.

Über die mittelalterlichen Schulverhältnisse Brandenburgs sind wir nur außerordentlich ungenügend unterrichtet.

Allerdings finden wir in der Neustadt verhältnismäßig früh Nachrichten, die das Bestehen einer Stadtschule voraussetzen. Schon im Jahre 1330 wird ein Schulmeister und Stadtschreiber Eberhard genannt, und 1346 ein Schulmeister Henning, neben dem der altstädtische Schulmeister Albrecht erscheint[520]). Als ein Nachfolger dieses Albrecht ist dann 1385 und 1386 Nikolaus Bredow genannt, der aber vor 1386 schon in den Ruhestand getreten zu sein scheint. Ein weiterer Leiter der altstädtischen Schule war Peter Sartach, der uns als Stadtschreiber und Schulmeister im Jahre 1412 begegnet[521]). Die Lage des neustädtischen Stadtschulhauses ist uns auch bekannt. Es befand sich an derselben Stelle wie das spätere neustädtische Gymnasium. Denn das ergibt sich aus einer Urkunde von 1386, die von dem Kalandshause sagt, daß es auf dem Pfarrkirchhofe neben der Schule läge. Da nun das Kalandshaus die Stelle des heutigen Archidiakonats neben dem Gymnasium einnahm, so ist damit diese Frage gelöst.

Das altstädtische Schulhaus entsprach nach alter Überlieferung dem späteren Subdiakonatshause, das noch heute, allerdings nicht vollständig, erhalten ist, in dem Eckhause am Gotthardtkirchplatz, das an dem Gäßchen liegt, welches von der Rathenower Straße nach dem Gotthardtkirchplatz führt. Freilich ist dieses Gebäude 1552 neu errichtet worden, mag aber einem Hause an derselben Stelle entsprochen haben[522]). Nach einer Mitteilung, die uns bei der Einführung der neuen Lehre im Kirchen- und Schulwesen gemacht wird, hatte früher der altstädtische Rat nichts für die Schule gegeben, sondern die Lehrergehälter mußten aus dem Schulgelde bestritten werden. Das war erträglich, weil das Amt der Lehrer ein Nebenamt war und der Inhaber als Stadtschreiber und Meßpriester noch erhebliche andere Einkünfte bezog. Aus den Nachrichten, die uns über die Neueinrichtung der altstädtischen Schule nach der Glaubenserneuerung gegeben werden, läßt sich entnehmen, daß die Ratsschule zwar etwas in Verfall geraten war, aber früher in Blüte gestanden hatte. Und da ja die Neustadt die Altstadt an Bevölkerungszahl und Mitteln um das Doppelte übertraf, so ist für beide Städte anzunehmen, daß der Schulmeister, d. h. der Rektor, noch mehrere Gehilfen oder, wie man damals sagte, Gesellen hatte[523]).

Daß die beiden Schulen nicht unbedeutend waren, dafür spricht auch die Tatsache, daß es in beiden Städten Schülergilden gab, die über stattliche Mittel verfügten. Diese Gilden waren kirchliche Bruderschaften, die in der Art der Elendengenossenschaft für die vielfach fahrenden und heimatlosen Schüler im Diesseits und Jenseits sorgen wollten. Sie stifteten Messen, die ein besoldeter Meßpriester oder Altarist versorgte[524]).

Über die inneren Einrichtungen und Zustände der Stadtschulen vor der Reformation ist uns nichts überliefert. Wir müssen sie uns wie die anderer deutscher Städte jener Zeit vorstellen, als Pfarrschulen, die zunächst keinem anderen Zwecke dienten, als dem, den Schülern diejenigen Kenntnisse und Fertigkeiten mitzuteilen, die bei dem äußeren Kultus unumgänglich notwendig waren. Die Zöglinge wurden für die kirchlichen Pflichten vorgebildet und darin geübt; sie taten Handreichungen beim Altardienste, sie läuteten die Glocken und steckten die Lichter an, sie lernten die üblichen Kirchengesänge, das Vaterunser, die Psalmen und die notwendigsten elementaren Fertigkeiten, wie Lesen, Schreiben und Übung in der lateinischen Kirchensprache. Daß aber darüber hinaus strebsame junge Geister eine höhere und allgemeinere Bildung auf den Stadtschulen gewinnen konnten, dafür sprechen zahlreiche Beispiele von bedeutenden Männern jener vorwärtsdrängenden Zeit, die in Brandenburg aufgewachsen sind, die Stadtschulen besucht und dann die Hochschule bezogen haben, wie Georg Sabinus, der als lateinischer

Dichter weitberühmte Schwiegersohn Melanchthons und andere. Auf ein ansehnliches geistiges Leben, auf eine Blüte gelehrter Beschäftigungen deutet auch der Umstand, daß Brandenburg in seinen städtischen, kirchlichen und weltlichen Büchereien — die Domgeistlichkeit ist dabei auszunehmen — einen auffallend reichen Schatz an wertvollen Wiegendrucken besitzt (St. Gotthardt-, St. Katharinen-, Schöppenstuhlbibliothek), ein Beweis, daß die Geistlichkeit und die Ratsherren Brandenburgs wissenschaftliche Neigungen hatten und daß die Stadt damals noch für die wegen ihrer Unwissenheit verschrieene Mark ein wichtiger Bildungsmittelpunkt war. Selbst das Franziskanerkloster, dessen Mönche doch nach der Regel ihres Ordens keineswegs auf gelehrte Studien hingewiesen wurden, haben doch eine Bücherei besessen, die nicht unbedeutend war und deren ehemaligen Bestand ein Gelehrter unserer Zeit aus den in der Gotthardtbücherei erhaltenen Resten hat wieder zusammenstellen können[325]).

Es ist nun noch ein Wort von der mittelalterlichen Kunstpflege in Brandenburg zu sagen. Von den kirchlichen Bauten dieser Zeit und der künstlerischen Ausstattung der Gotteshäuser, die noch heute der Stadt ihr eigentümliches Gepräge geben und eine besondere Anziehungskraft verleihen, haben wir schon gesprochen. Sie waren als ein Ausdruck frommer Andacht und somit als ein Teil des kirchlichen Lebens zu würdigen.

Es bleibt noch übrig, der weltlichen Kunst zu gedenken, vor allem der Bauten, die zwar nicht ganz der Höhe und dem Glanze der kirchlichen gleichkommen, aber dennoch wesentlich zur stattlichen Erscheinung der alten Stadt beigetragen haben. Da ist es zunächst die Stadtbefestigung, die in ihren noch heute erhaltenen Resten unsere Aufmerksamkeit in Anspruch nimmt. Der Mauerring beider Städte ist im ganzen in der Gestalt des späteren Mittelalters noch wohl zu erkennen, in seinen unteren Teilen noch vielfach erhalten, aber Mauerkrone und Zinnenkranz sind überall längst abgetragen. Nur einige Tortürme haben der Ungunst der Zeit getrotzt und zeugen noch von der Wehrhaftigkeit des mittelalterlichen Bürgertums.

Die natürliche Lage beider Städte an Wasserläufen und Sümpfen erleichterte ihre Befestigung sehr, und die Kunst hat alsdann durch Ziehung von Gräben vielfach nachgeholfen. Besondere Mühe machte die Befestigung der Altstadt gegen den Marienberg, der die Stadt in unmittelbarer Nähe überhöhte. Ein hoher Wall, der vom Berge abgeschnitten war, und zwei tiefe Gräben, von denen der äußere, Syndikatsgraben genannt, bis zum Beetzsee geführt war, mußten hier der Stadt den nötigen Schutz schaffen. In älterer Zeit werden die Tortürme wohl durchweg den Torweg umschlossen haben; aber kein solcher Bau ist noch vorhanden, und der einzige, der wenigstens im Bilde uns erhalten ist, das St. Annentor, welches ein Gemälde vom Jahre 1806, das den Einzug der Franzosen in Brandenburg darstellt, als ein in einem Staffelgiebel endigendes Gebäude zeigt[526]), gehört auch nicht der älteren Stadtbefestigung an. Denn gerade an dieser Stelle ist der Mauerring später erweitert worden. Die Neustadt reichte nach Osten früher nur bis zur Linie des Deutschen Dorfes, wie die Ausbiegung der Mauer hier zeigt. Die übrigen noch in Wirklichkeit oder im Bilde erhaltenen Tortürme der Alt- und Neustadt enthalten nicht die Torfahrt, sondern standen wie trotzige Wächter neben den in die Stadt hineinführenden Straßen. Sie sind mit der stolzen Pracht der Wehrbauten in Stendal, Tangermünde, Jüterbog, Königsberg i. d. N. wohl nicht zu vergleichen, doch gehören sie immerhin zu den stattlicheren der Mark und sind auch künstlerisch beachtenswert. Es ist anzunehmen, daß sie nicht mehr der ursprünglichen Befestigung angehören, sondern daß sie erst errichtet wurden, als man in der Luxemburger und Hohenzollernzeit daranging, die Wehrbauten zu verstärken und zu verschönern. Zu den älteren mögen die Altstädter Tortürme gehören, von denen der Plauer wenigstens noch im Unterbau, der Rathenower ganz, der Mühlentorturm nur noch in einem Bilde des 18. Jahrhunderts erhalten ist[527]). Die ehemalige Gestalt des Plauer Torturms, von dem lange Zeit nur der runde Ziegelstumpf auf Feldsteinfundament stand, zeigte in seinem etwas hervorragenden Obergeschoß ein schmuckes Kegeldach mit vier Erkern[528]). So erscheint er auf der ältesten Abbildung der Altstadt, die als Titelbild diesen Band ziert. Im Jahre 1928 ist der Turm wiederhergestellt und mit einem zierlichen Zinnenkranz und einer kegelförmigen Spitze versehen worden, ohne daß man sich dabei an die mittelalterliche Form des Oberbaues angeschlossen hat. Dagegen prangt noch der Rathenower Torturm im wesentlichen in der alten Gestalt. Er steigt in vier Stockwerken unregelmäßig viereckig auf, ist in seinem oberen Teile mit Maßwerkfries und darüber mit bemalten Wappen geschmückt und von spitzem kegelförmigem Helm gekrönt, der einen Raben mit einem Ring im Schnabel und einer Kette um den Hals trägt. Aus den Wappen, die die der Herrschergeschlechter der Mark Brandenburg mit Ausnahme der Hohenzollern zeigen, ergibt sich, daß der Turm errichtet wurde, als der böhmische Löwe über der Stadt waltete, also zur Zeit Karls IV. oder Sigismunds[529]).

Der altstädtische Mühlentorturm ist uns nur aus einer farbigen Darstellung, die um 1790 entstanden ist, bekannt, da er bald darauf niedergerissen worden ist. Er hat seinen Namen von den altstädtischen Mühlen, die ja am Grillendamm nördlich des Domes lagen und zu denen das betreffende Tor über den altstädtischen Kietz und die Homeienbrücke führte. Es war ein stattlicher viereckiger Bau, der nach oben in kräftig gegliederten Zinnen endigte.

Von dem altstädtischen Neuen Tor, das einst am Eingang der Ritterstraße die Altstadt gegen die Neustädter hütete, ist uns kein Bild aufbewahrt, doch ist nach der Andeutung des Hedemannschen Planes und nach der örtlichen Lage anzunehmen, daß es ein Bau war, der den Torweg selbst um schloß. Das altstädtische Wassertor hat wohl niemals einen Turm besessen[580]). Von den fünf neustädtischen Türmen sind uns zwei durch Bild oder Modell ihrer Gestalt nach bekannt, zwei trotzen noch heute der Vergänglichkeit und sind es ihrer künstlerischen Form nach wert. Vielleicht ist das älteste das St. Annentor, ein einfacher gestaffelter gotischer Giebel, der die Torfahrt in sich barg. Er ist erst nach den Freiheitskriegen beseitigt worden, als der Verkehr ein solches Hindernis nicht mehr duldete. Hatte doch die Viktoria des Berliner Brandenburger Tores, als sie 1815 nach den Freiheitskriegen in die Heimat zurückkehrte, um die Stadt herumgeführt werden müssen, weil sie die enge Durchfahrt nicht passieren konnte. Zu fesselndem Vergleiche locken uns die beiden noch vorhandenen neustädtischen Tortürme, der Mühlentorturm und der Steintorturm. Wie die Brandenburger Befestigungstürme überhaupt eine reiche Mannigfaltigkeit in ihren Formen zeigen, so haben hier insbesondere die Künstler die ihnen gestellte Bauaufgabe in ganz verschiedener Weise zu lösen gesucht. Der Stettiner Baumeister Nikolaus Kraft machte sich um die Zwecke des Wehrbaues keine großen Kopfschmerzen. Es kam ihm darauf an, seiner feinen künstlerischen Empfindung stilvollen Ausdruck zugeben, und so schuf er einen zierlichen achteckigen Turm mit schlanken gotischen kirchenfensterartigen Blenden, darüber ein schweres Gesims mit etwas verkümmerten Zinnen, das Ganze gekrönt von einem in der Wirkung gut angepaßten achteckigen Turmhelm. Der unbekannte Schöpfer des Steintorturmes faßte seine Aufgabe ganz anders an, vielleicht geleitet durch die Notwendigkeit, am Eingang der Magdeburger Straße in die Stadt ein besonders starkes Bollwerk zu schaffen. Er türmte einen wuchtigen Rundbau empor, der fast ohne Gliederung, nur mit glasierten Ziegelreihen spiralförmig umzogen, aufsteigt, darüber aber ordnete er auf einem Spitzbogenfries den stolzen, reichgegliederten Zinnenkranz, der in seinem weiten Ausmaße dem Zwecke der Verteidigung an besonders gefährdeter Stelle durchaus gerecht wird. Die Entstehungszeit des Mühlentorturmes ist durch eine Bauinschrift auf 1411 genau festgelegt. Über die Bauzeit des Steintorturmes herrscht keine Einigkeit. Adler hat ohne alle urkundlichen Gründe, aber mit erstaunlicher Sicherheit das Jahr 1380 angegeben, das denn auch noch 1925 bei der Einweihung der Steintorbrücke in einer Gedächtnistafel am Turm angebracht ist. Auch die Angabe, daß der Steintorturm 1433 zuerst urkundlich erwähnt sei, ist ungegründet, denn es ist in der betreffenden Urkunde nur davon die Rede, daß ein Ritter

in einem Turm der Neustadt gefangengehalten worden sei; da aber der Mühlentorturm und der sogenannte Ehebrecherturm, der letzte schon seinem Namen entsprechend, ebenfalls Gefängnisräume enthielten, so will die Nachricht für den Steintorturm nichts beweisen. Der neueste Bearbeiter der Kunstdenkmäler nimmt die Mitte des 15. Jahrhunderts als Entstehungszeit des Steintorturmes an, und es scheint manches für diese Vermutung zu sprechen[501]).
Als der jüngste unter den mittelalterlichen Tortürmen der Neustadt seiner äußeren Erscheinung nach ist der sogenannte Ehebrecherturm, der das Neue Tor, d. h. den Ausgang der Neustadt nach der Altstadt hin schützte und etwa an der Lindenstraße stand, an Wucht und Höhe freilich mit dem Steintorturm nicht zu vergleichen. Ein von dem letzten Besitzer des Turmes angefertigtes Modell zeigt sein ehemaliges Aussehen. Viereckig steigt er wohl in drei Geschossen auf, dessen mittleres unzweifelhaft aus dem Mittelalter stammendes, von fünf Spitzbogenblenden gegliedert ist; die Krönung des Gebäudes aber stammte aus späterer Zeit. Es war ein Satteldach, von vier Spätrenaissancegiebeln umgeben, deren Wetterfahnen die Jahreszahl 1614 trugen. So geben die Wehrtürme des alten Brandenburg ein überaus mannigfaltiges Bild dieser mittelalterlichen Stadtbefestigungsbauten.
Einen nicht geringeren Stolz der Bürger als der Mauerring und seine Tore bildeten die Rathäuser. Auch hier bietet uns das mittelalterliche Brandenburg stattliche Werke, deren einstiges Bild wir uns nach dem noch Erhaltenen und nach stilgemäßer Erneuerung einigermaßen vergegenwärtigen können. Betrachten wir zunächst das neustädtische Rathaus, das dem altstädtischen des 15. Jahrhunderts jedenfalls durch seine Bauzeit vorangeht. An seiner Stelle mag in dem ersten Jahrhundert der Neustadt ein noch einfacherer Bau gestanden haben[502]). Es ist, um den Zwecken neuerer Verwaltung dienen zu können, in seiner Gestalt stark verändert worden, aber es mag doch gelingen, sich die Form zu vergegenwärtigen, wie das Gebäude im 14. und 15. Jahrhundert dem Beschauer entgegentrat. Am treuesten gibt uns der hintere Giebel, der jetzt im engen Hofe ziemlich versteckt liegt, und die nordwestliche Längsseite den Zustand des späteren Mittelalters wieder. Es war ein langgestreckter, rechteckiger Bau, dessen schmale Vorderseite nach dem Eingang der Steinstraße zu sah. Die Schmalseiten zeigten ursprünglich einander ähnliche Ziergiebelfronten, deren vordere in der Mitte des 16. Jahrhunderts bis auf den unteren Teil durch das Aufsetzen des Turmes wesentlich verändert worden ist, während die hintere zwar im Obergeschoß durch Ausbrechen größerer Fenster an Stelle der früheren acht schlanken Spitzbogenfenster arg verhäßlicht worden ist, aber im Erdgeschoß mit seinem einfachen Spitzbogenportal, das zwei Rundbogenfenster umgeben, und seinem, über einen Maßwerkfries auf-

steigenden, mit sieben fialenähnlichen Backsteinpfosten geschmückten Giebel ernst und eindrucksvoll wirkt. Im 16. Jahrhundert sind dann die beiden Querflügel an der Südostfront hinzugekommen, wovon später zu reden sein wird. Schwieriger ist das Dunkel zu erhellen, das über der Geschichte des altstädtischen Rathauses schwebt. Zwar das Gebäude, das im spätesten Mittelalter diesem Zwecke gedient hat, steht noch heute, und nachdem es lange in unwürdiger Knechtsgestalt sein Dasein gefristet hat, ist es nun, würdig wiederhergestellt, von neuem ein prachtvoller Schmuck, ein Kleinod der Stadt geworden und redet eine laute Sprache. Wo aber der Vorgänger dieses Baues gestanden habe, ist noch immer streitig. Den auseinandergehenden Ansichten gegenüber möchte ich mich der Auffassung Otto Stiehls anschließen, der in dem späteren Ordonnanzhause das ältere Rathaus des 14. Jahrhunderts sieht. Dieses am Markte stehende stattliche Gebäude mit seiner mächtigen Giebelseite, die über einem jetzt nicht mehr vorhandenen Spitzbogenportal das Obergeschoß und den Giebel in einem einheitlichen Gebilde vereinigt. Über einem nur noch teilweise vorhandenen Maßwerkfries steigen sechs Rundpfeiler mit dazwischen angeordneten Spitzbogenblenden über das Dach empor, an das Motiv des Lübecker Rathauses erinnernd, und der Hintergiebel des neustädtischen Rathauses mitseinen achteckigen Pfosten, die nur den Giebel begleiten, erscheint daneben wie eine zierlichere Wiederholung.

Im letzten Drittel des 15. Jahrhunderts muß dann die Notwendigkeit eingetreten sein, für die Stadtverwaltung neue Räume zu gewinnen, und so wurde zunächst das viereckige Gebäude für Ratsstube und Schreibstuben aufgeführt, das jetzt als westlicher Anbau des auf dem Markte stehenden Rathauses erscheint. Etwa 20 Jahre später entstand dann das rechteckige Langhaus, das den glanzvollen Höhepunkt der weltlichen Baukunst in Brandenburg darstellt. Wie man schon den kleineren viereckigen Bau mit Strebepfeilern und Wappenschildern sowie mit einem Giebel geschmückt hatte, so wandte man an das Langhaus noch größere künstlerische Mittel. Die Südwestfront zierte ein reich mit Maßwerk geschmücktes Portal und ähnliche verzierte Erdgeschoßfenster. Darüber stieg ein prächtig mit Wappenschildern und Spitzbogenblenden belebter Staffelgiebel auf, der in einem rechteckigen Turme endigte. Die Hinterfront ist ebenfalls auf das reichste gegliedert. Unten ein mächtiges Spitzbogenportal, oben ein hoch aufsteigender Staffelgiebel mit zehn schlanken Pfeilern, zwischen denen gekuppelte, von Maßwerkrosen gekrönte Spitzbogenblenden emporwachsen. Auch die Langseiten waren auf das prächtigste ausgestattet. Die hohen gotischen Fenster waren mit üppigen Maßwerkstreifen eingefaßt, mit einem fortlaufenden Fries überzogen. Das Innere des Ganzen klingt deutlich an die Formgebung der bischöflichen Burgkapelle

in Ziesar an, die um 1471 datiert ist. Somit darf dieses Meisterwerk städtischer weltlicher Baukunst um dieselbe Zeit gesetzt werden[533]).
Im Havelstrom, auf der Seite der Langen Brücke, befand sich der Schöppenstuhl, über dessen bauliches Äußere wir für das 14. und 15. Jahrhundert nicht unterrichtet sind. Wir dürfen annehmen, daß dieser Bau, der für die gemeinsamen Sitzungen der alt- und neustädtischen Schöppen und ähnliche Tagungen der vereinigten Stadträte bestimmt war, wie sein Nachfolger im 16. Jahrhundert auf Pfählen und in Fachwerk errichtet, lediglich eine mäßig große Ratsstube und kleine Nebenräume für Diener und Akten enthielt[534]). Von mittelalterlichen Bürgerhäusern ist uns nur weniges erhalten geblieben. Einige gotisch gewölbte Innenräume, einer an der Ecke der Schusterstraße und Parduin, einer an der Ecke der Stein- und der St. Annenstraße, sind noch vorhanden, der letzte mit Wappen in den Schlußsteinen. Das sogenannte „Quitzowhaus" an der Ecke von Bäcker- und Schusterstraße, das mit seinem bemalten Fachwerk wenigstens noch an der Giebelfront erhalten und 1927 stilvoll erneuert ist, gehört wohl erst dem 16. Jahrhundert an.
So fehlt es in Brandenburg an stattlichen Bürgerhäusern aus dem Mittelalter, nur die prächtigen und stilgemäß wiederhergestellten Kirchen und Rathäuser sowie einige noch erhaltene Tortürme zeugen von der früheren Bedeutung der Kurstadt und der freigebigen Baulust ihrer Bewohner. Es ist dieser Mangel eine merkwürdige Erscheinung, die Brandenburg anderen niederdeutschen Städten gegenüber in den Schatten stellt. Denn von großen Bränden, die diese Gebäude vernichtet haben könnten, wird uns nichts berichtet. Der immerhin mäßige Wohlstand der Stadt, die bald hinter Berlin, Frankfurt und Stendal zurückblieb, die Zerstörungen des Dreißigjährigen Krieges und die pietätlose Neuerungssucht späterer Jahrhunderte mögen in gleichem Maße daran die Schuld tragen.

ANMERKUNGEN

[1]) Die Mitteilungen über die vorgeschichtliche Zeit Brandenburgs danke ich der Güte des Herrn Geh. Studienrats Dr. Felsberg. Eine ausführliche Darstellung des Gegenstandes wird der gleiche Verfasser in dem 58.—60. Jahresberichte des Historischen Vereins liefern.

[2]) Riedel, Cod. dipl. Brand. A. 8, 91. Die Urkunde trägt das Jahr 949, ist aber dennoch in das Jahr 948 zu setzen. Vergl. darüber Curschmann, die Diözese Brandenburg, Lpz. 1906, S. 21. Dümmler. Otto der Große 168, Uhlirz, Erzbistum Magdeburg. 30 und Exkurs über Gründung des Bistums Havelberg 131 ff. Hauck, Deutsche Kirchengeschichte III, 103.

[3]) Widukindi resgestae Saxonicae ed. Waitz. 2. Ausg. Hannover 1866, I, 35.—

[4]) Sabinus, G. de Brandenburgo, metropoli Marchiae 1552, abgedruckt in Scriptores rerum Brandeburgensium ed. Chr. Kleyb (u. Schmelzeisen) II, 272—8. Die von Sabinus verfaßte Beschreibung Brandenburgs ist von Zach. Garcaeus seinem Geschichtswerk: Successiones familiarum einverleibt und mit Anmerkungen versehen worden. Die oben angeführte Stelle ebenda S. 339.

[5]) O. Tschirch, Joh. Friedr. Reichardt. Grenzboten, April 1904, S. 95.

[6]) Boh. Balbinus, epitome historica rerum Bohemicarum. Prag 1677. Lib. I pg. 23.

[7]) Marchio Brandeburgensis sive de Sgorzelice, II pg. 586 u. pg. 593. Monumenta Poloniae histor. ed. Bielowski, die erste Stelle über Brandenburg, II, 480.

[8]) O. Tschirch, Brannibor und Sgorzelica. Ein Beitrag zur Geschichte des Namens der Stadt Brandenburg. Brandenburgia. (Monatsblatt.) V, 7. S. 276—79. 1896.

[9]) Über die Thidreksaga vgl. Vogt-Koch, Gesch. d. Deutschen Literatur, 2. Aufl., I, 96. Einen Auszug aus diesem Werke, ins Deutsche übertragen, gab zuerst Fr. H. von der Hagen in seiner Sammlung für alte deutsche Kunst, 1. Heft, Breslau, 1812, 8⁰. heraus. 1814 übersetzte er dann das ganze Werk unter dem Titel: Nordische Heldenromane, 1. u. 2. Bdchen, Breslau.

[10]) Der Harlungerberg wird in den Urkunden des Brandenburger Domstifts vom Jahre 1173 bis 1243 fortdauernd genannt. Riedel C. d. Br. A VIII, 109, 111, 112, 118, 127, 133, 147, 158. Außerdem erscheint in Brandenburger Urkunden von 1195 und 1197 ein Priester Walter von Harlungate. Ob aber dieser Geistliche wie Schillmann (S. 195) annimmt, mit dem Dienste an der Marienkirche auf dem Harlungerberge etwas zu tun hat, ist höchst zweifelhaft. Das Vorhandensein eines solchen später verschollenen Pfarrdorfes im Havellande spricht jedenfalls auch für alte Überlieferung der betreffenden Heldensage in der Brandenburger Gegend.

[11]) Über den Harlungerberg und seine Bedeutung siehe vor allem: Sello, Der Harlungerberg bei Brandenburg. Bär, Bd. 2 (1876), S. 57—60, 86.

[12]) F. Solger, Geographisch-geologische Übersicht. S. I u. II zu Stadt und Dom Brandenburg. Band II Teil 3 der Kunstdenkmäler der Provinz Brandenburg, 1912.

[13]) Solger, a. a. O. II.

[14] Müllenhoff, Deutsche Altertumskunde II, 97 bis 100.

[15]) Müllenhoff, a. a. O. 103.

[16]) Simson, Karl der Große II, 2. Curschmann, Die Diözese Brandenburg, 1906, S. 3.

[17]) Curschmann, Die Diözese Brandenburg, S. 5.

[17a]) Hauck, Kirchengeschichte Deutschlands 1896, III, 77.

[18]) Hauck, Kirchengeschichte Deutschlands III, 77.

[19]) Widukind von Corvey I, 36.

[20]) Über die Schwedenwälle siehe 45.—49. Jahresbericht des Historischen Vereins zu Brandenburg, S. 97—99.

[21]) Widukind I, 36.

[22]) Widukind II, 21.

[23]) Widukind II, 3.

[24]) Widukind II, 20. Die meisten, besonders die älteren Geschichtsforscher nehmen an, daß Gero die Slaven zu einem Gastmahle geladen und sie unter Verletzung des Gastrechts hingemordet habe. Neuerdings indessen ist man darauf aufmerksam geworden, daß von einer Einladung in der Quellenstelle nichts enthalten ist. Vgl. Köpke, Widukind, S. 149.

[25]) Curschmann, die Stiftungsurkunde des Bistums Havelberg. Neues Archiv, Bd. 28, 395 (1903) Derselbe, die Diözese Brandenburg, S. 19 ff.

[26]) Riedel C. d. Br. A 8, 91. Die civitates Pricervi (Pritzerbe) et Ezeri (Ziesar) genannt.

[27]) Curschmann, a. a. O. 26.

[28]) Thietmar, deutsch v. Laurent. 1848, II, 23, S. 54.

[29]) Thietmar, a. a. O. VIII, 2, S. 321.

[30]) Thietmar, a. a. O. III, 10, S. 74.

[31]) Ann. Hildesheimenses. 991. D. O. 73. Urkunde v. 9. 9. 991.

[32]) Ann. Hild. 991. Thietmar IV, 15.

[33]) Thietmar IV, 15.

[34]) Thietmar IV, 42. Bolibut verbot der mit dem Wenden Pribislav verheirateten Mathilde, der Tochter des Markgrafen Thiedrich, die christlichen Feste zu feiern.

[35]) Ann. Quedlinb. Mon. Germ. SS III, 73, 30.

[36]) Ann. Quedlinb. Mon. Germ. SS III, 73, 45.

[37]) Thietmar VI, 16.

[38]) Vgl. H. Breßlau, zur Chronologie und Geschichte der ältesten Bischöfe von Brandenburg, Havelberg und Aldenburg. Forsch. z. Bdbg. und Preuß. Gesch. I (1888), 385 ff. Die Bischofsreihe bis zur Wiederherstellung des Bistums ist: Thietmar, Dodilo, Volkmar, Vigo, Ezilo (?), Busco, Rudolf, Dankward, Johannes Scotus, Tiedo, Volkmar II., Hartbert, Ludolf, Lambert, Wigger. Breßlau, a. a. O., S. 396.

[39]) Heffter, Geschichte der Chur- und Hauptstadt Brandenburg. 1840, S. 86.

[40]) Gebauer hat zuerst das Deutsche Dorf in Domakten des 16. Jahrhunderts als Stutz- oder Steutzdorf genannt gefunden und angenommen, daß der erstgenannte Ausdruck aus der letzten Form verdorben sei. In der Tat wird im neustädtischen Stadtbuch 1406 die Villa Stutz genannt. (Sello, Brandenburger Stadtrechtsquellen. Märk. Forschung., Bd. 18, S. 72, Nr. 41), und im neustädtischen Kirchenbuch wird im 16. Jahrhundert Stutzdorf vielfach genannt.

[41]) Schon Helmold in seiner Sachsenchronik (um 1170) gibt Albrecht diesen Beinamen.

[42]) G. Krabbo, Albrecht der Bär. FBPG. 19, 373 ff.

[43]) Heribordi dialog. de v. Ottonis. III, 8. Jaffé, Bibl. V, 799. — Ebbonis v. Ottonis III, 10. Jaffé, Bibl. V, 864.

[44]) Ann. Saxo u. Ann. Magdeb. zu 1127 Heinricus de Antwerp. tract. de cap. Urbis Brandeb. Mon. Germ. SS. XXV, 482, 40. Bernhardi, Lothar 154. Ann. 5. Curschmann, Diöcese Brdbg. S. 88.

[45]) Chron. princ. Sax. Mon. Germ. SS. XXV, 477, 1. — Heinr. de Antwerp. Tract. M. G. SS. XXV, 482, 45. Curschmann a. a. O. 89.

[46]) Zwar erscheint Albrecht bereits in einer Urkunde des Jahres 1136 mit dem Titel marchio Brandeburgensis, aber diese Urkunde wird von Bernhardi (Jahrbücher der deutschen Geschichte. Lothar v. Supplinburg. 1879. S. 598. A. 23) für sehr verdächtig angesehen. Auch Krabbo, Regesten der Markgrafen von Brandenburg aus askanischem Hause, 1910. Nr. 44, S. 11, schließt sich dieser Ansicht an und nimmt vielmehr an, daß erst eine Urkunde von 1142, die Albrecht den Titel marchio de Brandenborch beilegt, zu der Annahme berechtigt, daß damals der Erbvertrag zwischen Pribislav und Albrecht vollzogen worden sei. Vgl. Krabbo, Regesten Nr. 89 und Nr. 103. — Bernhardi, Konrad III., Bd. I, 149. A. 41. Curschmann, die Diöcese Brandenburg S. 97. Sello in seiner Ausgabe des Tractatus de urbe Brandeburg v. Heinrich v. Antwerpen (22. Jahresbericht des altmärkischen Vereins f. vaterl. Gesch. und Industrie zu Salzwedel, 1. H. Magdebg. 1888. S. 15 ff.) gibt eine lehrreiche Zusammenstellung der Titel, die Albrecht geführt hat, und eine kritische Auseinandersetzung über die rechtliche Natur des Erbvertrages.

[47]) Über diese Vorgänge siehe die eindringende Darstellung Curschmanns, Die Diöcese Brandenburg. S. 71—76. — Der Aufruf zum Wendenkreuzzuge v. 1108 (c.) ist in bezug auf seine Echtheit vielumstritten. (Curschmann, a. a. O., 64, A. 2.) Lepsius, Giesebrecht (Wend. Gesch. II, 241, A. I.), Hauck

haben ihn angezweifelt oder für eine Fälschung erklärt, Wattenbach (N. Archiv f. ält. d. Geschichtskunde VII, 624 ff.), Curschmann (a. a. O.) und Tangl (N. Archiv XXX, 183 ff.) haben seine Echtheit überzeugend bewiesen. Bischof Hartbert hat ihn mit unterschrieben.

48) (zu 63.) Bischof Hartbert berichtet über seine Tätigkeit und seine Erfolge selbst in einer Urkunde aus dem Jahre 1114. Riedel cod. dipl. A. 10, 69. Nr. 1.

49) Ebenda. Fundatio Leizkensis. Riedel, c. d. D. 84. Die Datierung nach Wernicke, Bl. f. Handel, Gewerbe und soz. Leben. Beibl. d. Magdeb. Ztg., Jahrg. 1888, Nr. 2 und 3. Curschmann, a. a. O. S. 81, A. 1.

50) Henrici de Antwerpen tracctatus de urbe Brandenburg. Herausg. v. Sello. 22. Jahresber. d. altmärk. Vereins zu Salzwedel, 1888, S. 9. Jedenfalls kann die Gotthardtkirche nur kurze Zeit vorher erbaut sein, da der Hildesheimer Bischof Godehard erst 1131 heiliggesprochen war. Uhlhorn in Herzogs Realencyclopädie f. prot. Theologie, VI 3, 744. Curschmann, 104 I.

51) Hertel, UB. d. Kl. U. L. Fr. 8. Nr. 8, Über Pribislavs Bestattung. Sello, a. a. O., S. 10.

52) Bergau, Inventar — Kunstdenkmäler der Provinz Brandenburg. Bd. II, Teil 3. Stadt und Dom Brandenburg, S. 3 und die Abbildung der Westfront.

53) Über den Wendenkreuzzug siehe vor allem Bernhardi, Konrad III., 563 578. Hauck, Kirchengeschichte Deutschlands IV, 604 ff., der es das „törichtste Unternehmen" nennt, das das 12. Jahrhundert kennt, Curschmann, a. a. O., 93—95.

54) Daß auf dem Harlungerberge ein Triglavtempel gestanden habe, ist nur eine Vermutung von allerdings großer Wahrscheinlichkeit. Wir wissen nur aus Pulkavas böhmischer Chronik, daß in Brandenburg von den Slaven ein dreiköpfiges Götzenbild verehrt wurde. Riedel c. d. Br. D. S. 3, dum in urbe Brandenburgensi ydolum tribus capitibus inhonestum ab incolis coleretur. Der Wendenfürst Heinrich wird zuerst in einer Urkunde Kurfürst Friedrichs I. von 1435 (Riedel, A IX, 141) als Erbauer der Marienkirche auf dem Harlungerberge genannt. Die Kirche wird urkundlich zuerst im Jahre 1166 erwähnt. Riedel A VIII, 117. Schon Adler (Mittelalterliche Backsteinbauwerke des Preuß. Staates, Bd. I. Die Mark Brandenburg, S. 7, Spalte 2) setzte den viertürmigen Zentralbau, der bis 1722 auf dem Berge stand und uns noch in Abbildungen erhalten ist, erst in die erste Hälfte des 13. Jahrhunderts; diese Ansicht, die auch die späteren Bearbeiter der Brandenburger Kunstgeschichte Wernicke (in Bergaus Inventar S. 272) und Eichholz (in den Kunstdenkmälern der Provinz Brandenburg. 1912, S. 188) im wesentlichen teilten, ist in überraschender Weise bestätigt worden durch eine von Krabbo veröffentlichte Urkunde des Papstes Honorius III. von 1222, in der er den Wallfahrern, die der Bergkirche ein Almosen zur Fortführung des Baues spenden, 20 Tage Ablaß gewährt. Krabbo, Zur Baugeschichte der Marienkirche in Brandenburg. Forsch. z Brand. und Preuß. Gesch., Bd. 17, S. 12—14, 17—18. Vgl. auch Sello, Die Marienkirche auf dem Harlungerberg bei Brandenburg. Forsch. z. Brand. und Preuß. Gesch., Bd. V, 537—544.

55) W. Hoppe, Markgraf Konrad von Meißen. Dresden. 1919. S. 25. Hauck, Kirchengesch. Deutschlands. 3. u. 4. Aufl. 1913. IV., 620. Anm. 5. — Curschmann, Diözese Brandenburg. S. 104. A. 4.

56) Fragmenta Chronicae episcoporum Brandenburgensium, her. Fr. v. Sello. 20. Jahresber. d. hist. Ver. zu Brandenburg H. (1888) S. 40.

57) Vgl. A. v. Sallet, Zur ältesten Münzkunde und Geschichte Brandenburgs. Zeitschr. f. Numismatik. VIII (1881), 249 ff. E. Bahrfeldt, das Münzwesen der Mark Brandenburg, 57 ff. und Tafel I. Auch 26.—28. Jahresb. d. Hist. Vereins zu Brandenburg S. 32—33. Bahrfeldt, das Münzwesen der Stadt Brandenburg (1896).

58) Heinrici de Antw. tractatus. M. G. SS. XXV, 483, 20., 24. Jb. d altmärk. Vereins, S. 9—10. Eine abgekürzte Erzählung bietet Pulkawas Chronik. Riedel D, 83 Roczniki Poznankiego V, 321. Die Pöhlder Annalen M. G. SS. XVI, 85, 1 geben als Jahr des Todes 1150 an. Als Ort der Bestattung nennt die Chron. episc. Brand. M. G. SS. XXV, 485, 10 (20. Jhb. des Hist. Vereins zu Brandenburg. Ausgabe Sello, S. 40) die Burgkapelle.

59) Jaczo wird von Heinrich v. Antwerpen in Polonia tunc principans genannt. Daraus ergibt sich eine Schwierigkeit, die Münzen mit der Aufschrift: Jaczo de Copnic, die in märkischen Gegenden gefunden wurden, mit dem Eroberer Brandenburgs gleichzusetzen, da die Gegend des Teltow, in der Köpenick liegt, in jener Zeit nicht zum Polenreich gerechnet wird. Es hat deshalb einige Bedenken, die be-

treffenden Münzen ohne weiteres für die Geschichte der letzten Eroberung zu verwerten. Es hat sich, abgesehen von dieser Vermutung, über die sich streiten läßt, ein üppiger Sagenkranz um die Gestalt Jaczos gebildet, den Sello in mehreren Aufsätzen unbarmherzig entblättert hat. Sello, Blätter f. Handel, Gewerbe usw. (Beibl. d. Magdeb. Ztg.) 1885, Nr. 44–47, auch in seinem „Potsdam und Sanssouci. 1888. Anhang. Die Schildhornsage, S. 150—164.

60) Über die Zeit des Amtsantritts Wilmars vgl. Breßlau, Forsch. z. Brandenb. und Preuß. Gesch. I (1888), 395 A. 7 und Sello ebenda V (1892), 519 ff. Curschmann a. a. O., S. 121, A. 1. Ich schließe mich den überzeugenden Ausführungen Breßlaus und Curschmanns gegen Sello an. Die oben erwähnte Urkunde Wilmars. Riedel A. VIII, 104.

61) Curschmann, a. a. O. 123.

62) Heinrici de Antwerpen Tract. a. a. O., S. 11–12. Brandenburger Bischofschronik. 20. Jahresb. d. Hist. Vereins zu Brandenburg, S. 24. Curschmann a. a. O. 124.

63) Über die älteste Baugeschichte des Doms. Adler, Backsteinbauten des preuß. Staats. I, 11 ff. und II, 116, wo der Verfasser seine ursprünglichen Ansichten berichtigt. Stiehl, Zur Baugeschichte des Doms zu Brandenburg, 26–28. Jhrsb. d. Hist. Vereins zu Brandenburg, S. 84–87 und derselbe i. s. Werke über den romanischen Backsteinbau S. 71. Bergau, Inventar (Wernicke) S. 194, 199. Eichholz in den Kunstdenkmälern der Prov. Brandenburg. II, 3, Stadt und Dom Brandenburg, S. 231 ff.

64) Jetzt sind es etwa 150.

65) Helmold, Chron. Slavorum I, 88. Über die Frage der Germanisation der Mark stehen sich widersprechende Ansichten gegenüber. Während Meitzen und Hauck eine systematische Ausrottung der Slaven annehmen, bestreiten Guttmann (Die Germanisierung der Slaven in der Mark) Forsch. z. Br. u. Pr. Gesch. IX, 427 ff., Hintze (Die Hohenzollern und ihr Werk) dies durchaus.

66) Wie unsere mittelalterliche Stadtgeschichte außerordentlich dürftig überliefert ist, so ist der Ursprung der Alt- und der Neustadt Brandenburg in besonders tiefes Dunkel gehüllt. Es sind daher über diesen Gegenstand eine Reihe sich widersprechender Ansichten aufgestellt worden, zu denen der Geschichtsschreiber Stellung nehmen muß.
Es kann indessen nicht meine Aufgabe sein, in der Darstellung eine vollständige Übersicht der literarischen Entwicklung dieser Frage zu geben. Indem ich in den Anmerkungen auf die sich einander entgegenstehenden Ansichten hinweise, will ich hier vielmehr meine eigene Auffassung im Zusammenhang darlegen. Über den Ursprung beider Städte Brandenburg, und insbesondere das Verhältnis der Altstadt zur Neustadt haben gehandelt: Heffter, Gesch., S. 84 und 85, 155—159, Schillmann, Gesch., S. 170—181. Sello, Siegel der Alt- und Neustadt Brandenburg, 1886, S. 8—14.

67) Die Urkunde ist wiederholt wissenschaftlich behandelt worden, da sie manches Rätsel durch ihre merkwürdige Form aufgibt. Sie ist mehrfach für unecht erklärt worden, so von Otto v. Heinemann, Cod. diplom. Anhaltinus I, 384 f. (1873). Abschließend handelt darüber H. Krabbo, Die Urkunde des Markgrafen Otto I. für die Bürger von Brandenburg vom Jahre 1170, 41. und 42. Jahresbericht des Historischen Vereins, S. 1—25.

68) P. J. Meier, Die Entstehung und Grundrißbildung der Stadt Brandenburg (Havel), 38.—40. Jahresbericht des Historischen Vereins zu Brandenburg (Havel), S. 1—23, insbesondere S. 19.

69) Die St. Annenstraße hat ihren Namen von der St. Annenkapelle erhalten, die erst gegen Ende des 15. Jahrhunderts erbaut wurde. Die Verehrung der Mutter Marias kommt erst in dem spätesten Mittelalter auf.

70) Ein solches Bild befindet sichin der Bürgerstube des Neustädtischen Rathauses, allerdings ohne die bezeichnende Unterschrift.

71) Krabbo, Deutsche und Slaven im Kampfe um Brandenburg, 41. und 42. Jahresbericht des Historischen Vereins zu Brandenburg (Havel), 1910, S. 19 und 20.

72) si vero urbem Brandenburg muniendam esse contigerit. Vergleich über den Zehntenstreit, 1238. Riedel, C. d. Br. A. 8, 153, Z. 11.

73) Zwar sind die Mauern der Neustadt erst im Jahre 1315 erwähnt, R. A. 9, 12, Z. 30, aber es ist durchaus anzunehmen, daß die Städte Brandenburg früher befestigt waren als Berlin, dessen Mauern schon im 13. Jahrhundert erwähnt werden. Vgl. Holtze, Gesch. der Befestigung von Berlin, 1860. Märk. Forsch., Bd. 7, S. 12—17.

[74]) Urkunde des Markgrafen Ludwig wegen des Unterhalts der Dämme zu Brandenburg vom 9. Juni 1335. Riedel, Cod. diplom. Br. A. 9, 32.

[75]) So nennt sie Markgraf Otto II. in einem Gnadenbrief für das Brandenburger Domkapitel vom 28. Mai 1197 urbs Brandenburch, quae est caput Marchie nostre. Riedel, A. VII, 469.

[76]) Bischof Siegfried bestätigt 1217 (1216) dem Domkapitel seine Besitzungen, darunter ecclesiam s. Godehardi in forensi villa Parduin cum tota parochia ipsius ville et novo ponte toto et medietate antiquipontis eidem parochie adjacentibus.

[77]) Die Bezeichnung „alter Damm" ist vielleicht eine abkürzende Form für „altstädtischer Damm". Diese letzte Bezeichnung ist gerechtfertigt, da der Damm nach der Altstadt führt und ihr 1324 von Markgraf Ludwig geschenkt wird. Eine solche abkürzende Namengebung des Volkes findet sich in alter Zeit häufig. So unterscheidet man in Elbing den alten und den neuen St. Georg und meint damit die altstädtische und die neustädtische Georgskapelle. A. Semrau, Der alte und der neue St. Georg in Elbing. Mitt. des Kopernikusvereins, 30. Heft, S. 60. Auch die vielfach nebeneinander vorkommenden Steinstraßen und Steintore in Brandenburg, Rostock, Rathenow, Wittenberge und anderswo sind wohl ebenso zu deuten. Zunächst gab man der ersten gepflasterten Straße den auszeichnenden Namen Steinstraße und nannte dann das benachbarte Tor mit abgekürztem Ausdruck statt Steinstraßentor Steintor.

[78]) Riedel, C. d. Br. A. IX, 13, und die Bestätigung dieses Briefes durch den Markgrafen Ludwig vom 4. Februar 1324. Riedel, A. IX, 24.

[79]) Riedel, A. XI, 1, und A. VII, 418. Berghaus, Landbuch der Mark, Bd. 2, 188. Auch in Wernigerode gibt es noch heute eine Flutrinne, die einer Straße den Namen gegeben hat. Vgl. auch Klehmet, Beiträge zur Geschichte der märkischen Wasserstraßen bis zum Jahre 1600. 1908, Wochenschrift des Architektenvereins zu Berlin, 3. Jahrgang, Nr. 35 und 37.

[80]) Krabbo, Regesten Nr. 598. Vgl. Sello, Markgraf Otto III. von Brandenburg. Ein Gedenkblatt zum 9. Oktober 1887. Vortrag, gehalten im Historischen Verein zu Brandenburg (Havel) bei der Einweihung des Steintorturms, Brandenburg (Havel), 1887, S. 4 und 5.

[81]) v. Sommerfeld, Beiträge zur Verfassungs- und Ständegeschichte der Mark Brandenburg im Mittelalter, Leipzig, 1904, S. 138—140. Ihm stimmt zu Spangenberg, Die Hof- und Zentralverwaltung der Mark Brandenburg im Mittelalter, 1908, S. 14—18.

[82]) Chron. princ. Sax. M. G. SS. XXV, 478. Krabbo, Regesten Nr. 602. Sello, Markgraf Otto III., S. 13.

[83]) Die ersten Urkunden, die den erneuten Ausbruch dieses Zwistes bezeugen, sind abgedruckt Riedel, C. d. Br. A. VIII, 144, 145, 146. Sie sind z. T. undatiert, dürften aber wohl alle in das Jahr 1234 gesetzt werden. Vgl. Krabbo, Regesten Nr. 617, 618, 619, 620, 621, 622. Kurz vorher hatte Papst Gregor, der jetzt, 18. Februar 1234, mit dem Banne drohte, noch freundlich an die markgräflichen Brüder geschrieben, 11. Februar 1234. Krabbo, Regesten Nr. 616.

[84]) 1234 war er wiederum in Italien. Sello, 20. Jahresbericht des Historischen Vereins zu Brandenburg (Havel), S. 6.

[85]) Über Bischof Gernand siehe G. Sello, Die Brandenburger Bistumschronik, 20. Jahresbuch des Historischen Vereins zu Brandenburg (Havel), 1888, S. 6—8, 46—49.

[86]) Kunstdenkmäler der Provinz Brandenburg, Bd. 2, Teil 3, Stadt und Dom Brandenburg. Vierte Bauzeit, S. 236—250.

[87]) Kunstdenkmäler der Provinz Brandenburg, Bd. 2, 3, S. 121—134. Daselbst auch die ältere und neuere Literatur. Krabbo, F. z. Br. u. Pr. Gesch., Bd. 17, 1—20 (1904), insbesondere S. 17.

[88]) Über diese Vorgänge vgl. Krabbo, Die Teilung der Mark Brandenburg durch die Markgrafen Johann I. und Otto III. 43. und 44. Jahresbericht des Historischen Vereins zu Brandenburg (Havel) (1912), S. 77—97.

[89]) Krabbo, Regesten Nr. 928.

[90]) Krabbo, Regesten Nr. 946.

[91]) Krabbo, Regesten Nr. 773. Bergau, Inventar unter Strausberg.

[91a]) R. Koser, Geschichte der brandenburgisch-preußischen Politik, Bd. 1, 1913, S. 22.

[92]) v. Nießen, Geschichte der Neumark, 1905, S. 187.

[93]) Koser, a. a. O., S. 26. v. Nießen, Geschichte der Neumark, S. 148, 178, 186, 240.

[94] Sello, Markgraf Otto III., S. 22.

[95] Riedel, C. d. Br. A. 9, 3—8. Krabbo, Regesten Nr. 2105.

[96] Über Ottos IV. Kämpfe mit Magdeburg siehe G. Sello, Brandenburgisch-Magdeburgische Beziehungen 1266—1283. Magdeb. Geschichtsbl., Bd. 23 (1888), S. 71—98, 133—184. Es ist darin besonders beachtenswert, daß manche sagenhaft erscheinenden Nachrichten hier ihre volle geschichtliche Bestätigung finden.

[97] Über Waldemar, den echten und den falschen, siehe v. Sommerfeld, Allg. d. Biogr., Bd. 40, 677—687. Krabbo, Markgraf Waldemar, Brandenburgia. — Über die Erzählung von den 19 Markgrafen auf dem Markgrafenberge bei Rathenow vgl. den die Überlieferung stützenden Aufsatz von Ad. Hofmeister: Von den 19 Markgrafen usw. Forsch. z. Br. u. Pr. Gesch., Bd. 30, 1—30.

[98] Krabbo, Regesten 2055, Berl. Urkundenbuch, S. 25 und 26. Klöden, Waldemar II., 11—14, 47—51.

[99] Klöden, Geschichte des Markgrafen Waldemar II., 314—316. Sello, F. z. Br. u. Pr. Gesch. I, 173 u. 174.

[100] Krabbo, Regesten Nr. 1485, 1711.

[101] Klöden, Diplomat. Gesch. des Markgr. Waldemar, 1844, I, 369. — Über Markgraf Hermann siehe die Charakterschilderung in der Brandenburger Markgrafenchronik, her. v. Sello. Forsch. z. Br. u. Pr. Gesch. I, 130.

[102] Chronica Marchionum, Brand. Forsch. z. Br. u. Pr. Gesch. I, 130.

[103] Vgl. das Hedemannsche Kataster, das sich im Stadtarchiv befindet.

[104] Riedel, C. d. Br. A. VIII, 155, 1241, ebenso 1269 und 1305, a. a. O., 169 und 212.

[105] Daß Brandenburg bei seiner Gründung als Stadt Magdeburger Recht erhielt, ist uns allerdings nicht unmittelbar überliefert. Aber wir erfahren doch, daß der Brandenburger anfangs aus Magdeburg seine Weistümer holen konnte. Diez, Archiv Magdeburger Rechte I, 8. Und wenn man bedenkt, daß das Magdeburgische alte Stadt- und Burggrafenrecht in allen eingedeutschten Slavenländern, nur mit Ausnahme des Abotritenlandes, ja selbst in Polen und Böhmen allgemeine Gültigkeit hatte, daß Stendal und Treuenbrietzen Magdeburgisches Recht erhalten haben, daß auch in Tangermünde nach Magdeburgischem Recht gerichtet wurde, so wird man nicht zweifeln dürfen, daß auch Brandenburg mit Magdeburgischem Rechte bewidmet wurde. Siehe über diese Frage: von Kamptz, Grundlinien eines Versuches über die älteren Stadtrechte der Mark Brandenburg, besonders in zivilrechtlicher Rücksicht. Mathis, Juristische Monatsschrift, T. XI, S. 38—85.

[106] Bis in die neuere Zeit ist vor der Altstadt eine Schulzenwiese vorhanden.

[107] Riedel, C. d. Br. A. 9, 10.

[108] Sello, Die Gerichtsverfassung und das Schöffenrecht Berlins bis zur Mitte des 15. Jahrhunderts, Märk. Forsch. XVI, 11 und 12.

[109] Riedel, C. d. Br. A. 9, 12 und 13.

[110] Riedel, C. d. Br. A. IX, 27.

[111] Riedel, C. d. Br. A. VIII, 107.

[112] Riedel, a. a. O., A. VIII, 109.

[113] O. Stiehl, Der Backsteinbau romanischer Zeit, S. 72 ff.

[114] Riedel, C. d. Br. A. IX, 6.

[115] Riedel, C. d. Br. A. VIII, 176.

[116] Friedrich der Große hat am Eingang der neustädt. Brandenburger Heide bei dem neuen oder Sandfurtskruge, gegenüber dem eben genannten Neuendorf unweit des Havelgemündes, ein Kolonistendorf Neuendorf gegründet, das dann 1826 nach König Friedrich Wilhelm III. den amtlichen Namen Wilhelmsdorf erhielt. Auch dies darf mit dem fraglichen Neuendorf nicht verwechselt werden.

[117] Riedel, A. IX, 4 und 5.

[118] Riedel, C. d. Br. A. IX, 4 und 5.

[119] Riedel, A. IX, 8.

[120] Ob der hier erwähnte Wendkietz dem Kietz entspricht, dessen Besitz der Markgraf sich 1249 bei der Abtretung von Luckenberg usw. noch vorbehält, ist aus dem Text der betreffenden Urkunde (A. IX, 3) nicht klar zu ersehen.

[121] Riedel, C. d. Br. A. IX, 3.

[122]) Riedel, C. d. Br. A. IX, 4.

[123]) Spangenberg, Hof- und Zentralverwaltung der Mark Brandenburg im M. A., S. 339.

[124]) Die große Entfernung der Bornlake von der Neustadt (11 km) könnte Bedenken wachrufen gegen die Festlegung dieser Örtlichkeit, die ja jenseits mehrerer später zur Stadtforst gezogenen Dörfer liegt. Indessen erstreckt sich in älterer Zeit das Hütungsrecht größerer Gemeinden häufig über die Feldmarken anderer Ortschaften hinweg, und eine „Bornlake" in dem rechten Sinne des Wortes läßt sich nach dem Urteil von Sachverständigen in der Nähe von Brandenburg nur im Buckautale denken. Das anfängliche Gebiet der Neustadt zwischen Havel, Bruchgraben (d. h. der Fortsetzung des Neujahrsgrabens nach SW) und der Plane betrug nach Schlottmann noch nicht 8 qkm, überstieg also keineswegs die durchschnittliche Feldmark der umliegenden Dörfer in der Zauche und im Havelland. Daraus erklärt sich genügend der Landhunger der Neustädter Bürger.

[125]) Riedel, C. d. Br. A. VIII, 188.

[126]) Riedel, C. d. Br. A. VIII, 188.

[127]) Riedel, A. XI., 488.

[128]) Riedel, C. d. Br. A. 9, 14.

[129]) Riedel, a. a. O., A. 9, 12.

[130]) Berliner Urkundenbuch, S. 8 und 9.

[131]) Berliner Urkundenbuch, Berlin 1869, S. 8 und 9.

[132]) Urkundenbuch der Stadt Magdeburg, I, 82.

[133]) G. Sello, Brandenburger Stadtrechtsquellen. Märk. Forsch. (1884), Bd. 18, S. 25—38.

[134]) Riedel, C. d. Br. A. IX, 11.

[135]) Riedel, C. d. Br. A. IX, 11. Über die allgemeinen Verhältnisse der Juden im Mittelalter siehe: G. Liebe, Das Judentum in der deutschen Vergangenheit. Monographien zur d. Kulturgesch., her. von Steinhausen, Bd. XI, S. 7—12.

[136]) Liebe, a. a. O., 9.

[137]) S. Schultz und R. Boelke, Beiträge zur Geschichte der Katharinenkirche und -gemeinde zu Brandenburg (Havel), Brandenburg (Havel) 1901, S. 1—5.

[138]) Zach. Garcaeus, Successiones familiarum, her. v. Krause, S. 346, A. z.

[139]) Michael, Die Charitas der Kirche im 13. Jahrhundert. Zeitschrift für katholische Theologie, Bd. 23.

[140]) Vgl. hierzu Ph. M. Gercken, Vermischte Abhandlungen aus dem Lehen- und Teutschen Rechte usw., I. Teil (Hamburg und Güstrow, 1771). Stück XII. Frustun, Stück Geldes. Von der Bedeutung dieses Wortes in brandenburgischen Urkunden, S. 226—232.

[141]) Über die Kalande vgl. v. Ledebur, Die Kalandsverbrüderungen in den Landen sächsischen Volksstammes mit besonderer Rücksicht auf die Mark Brandenburg. Märk. Forsch. IV, S. 7—76 (darin Verzeichnis sämtlicher Kalande). — W. Reinecke, Geschichte des Lüneburger Kalands. Jahresbericht des Museumsvereins für das Fürstentum Lüneburg für die Jahre 1891—1895, S. 1—54.

[142]) Riedel, C. d. Br. A. IX, 8.

[143]) Riedel, C. d. Br. A. IX, 10, nennt in der Überschrift die Gilde Kalandsbrüder. Schon 1305 und 1307 wird ein Elendenaltar (altare advenarum oder alienorum) im Brandenburger Schöffenbuche erwähnt, der jedenfalls eine Stiftung der Gilde war. Sello, Brandenb. Stadtrechtsquellen. Märk. Forsch. XVIII, S. 31 und 32, 1884. — Das Folgende nach E. v. Möller, Die Elendsbrüderschaften. Ein Beitrag zur Geschichte der Fremdenfürsorge im Mittelalter, Leipzig, 1906.

[144]) Küster, Altes und neues Berlin, Abt. II, Kap. I, 1752, S. 444, und nach ihm Fidicin, hist. dipl. Beiträge zur Geschichte Berlins, II, 1837, S. 46.

[145]) Dort wird der von den Elendsgilden völlig verschiedene Kaland noch in den Visitationsakten des 16. Jahrhunderts als Fraternitas exulum bezeichnet. v. Möller, Elendsbrüderschaften, S. 172.

[146]) Vgl. W. Michaelis, Die romanischen Ritzzeichnungen im ältesten Steinhause der Neustadt Brandenburg, 43. und 44. Jahresbericht des Historischen Vereins zu Brandenburg (Havel), S. 98—108.

[147]) Ad. Hofmeister, Von den 19 askanischen Markgrafen auf dem Markgrafenberge bei Rathenow. F. B. P. Gesch., Bd. 30, 1—30.

[148]) In Berlin trat er als Vormund der Markgrafenwitwe Agnes auf, weil diese Städte zum Leibgedinge dieser Fürstin gehörten. Riedel, A. VII, 411. Aber daneben nahm er von vornherein, wie sich aus

der Brandenburger Urkunde vom 14. Oktober ergibt, auch die Vormundschaft über den jungen Landsberger Markgrafen in Anspruch. Es ist nicht richtig, wenn Salchow (Der Übergang der Mark Brandenburg an das Haus Wittelsbach, 1893, S. 16) sagt, Rudolf habe sich erst im März 1320 plötzlich zum Vormund des jungen Heinrich erklärt.

149) Riedel, A. VII, 411, ut (cives) post sue vite exitum principi ac domino commaneant et adhereant, cui cives civitatum Brandenburg et Nawen tunc temporis adherebunt.

150) Riedel, C. d. B., B. 1, 467.

151) Z. B. in der Urkunde für Chorin, 30. Nov. 1320, nos, quos Deipietas in dictorum principum hereditatem misericorditer ordinavit. Riedel, C. d. Br. A. 13, 241. — Das Erbrecht der Seitenverwandten war indessen nach dem Herkommen der Askanier nicht gebräuchlich, wenn sie es nicht durch Belehnung zur gesamten Hand sich gesichert hatten; also ist das Recht der Sachsenherzöge auf die Mark sehr zweifelhaft. Taube, Ludwig d. Ä., Markgraf von Brandenburg. Berlin, 1900, Beil. I., S. 139. H. Schulze. Das Erb- und Familienrecht der deutschen Dynastien des Mittelalters. Halle, 1871, S. 34.

152) Vortmer weret dat ennych desser benumede stede ingheseghele an dessen bryf nycht en queme, dye en scolde nycht met dessen uorbescreven saken anstan. Riedel, C. d. B. B., 1, 468.

153) Riedel, C. d. B. A. 9, 20.

154) Über den Reichstag zu Nürnberg und die Übertragung der Mark auf den jungen Ludwig siehe Salchow: Der Übergang der Mark Brandenburg auf das Haus Wittelsbach. Halle a. d. S., 1893, S. 44. Die Urkunde für die Altstadt. Riedel, A. 9, 20.

155) Ausdrücke, die der Markgraf Ludwig in der betreffenden Urkunde braucht.

156) Salchow, a. a. O., S. 50. Riedel, a. a. O., A. 9, 21.

157) Die Schreiben der verbündeten Städte an Kyritz und Stendal, gedruckt bei Riedel, C. d. B. A. III, 361, und A. 15, 76, Rudolf urkundet in Spandau, 6. Dezember 1323. Riedel, A. XI, 29.

158) Taube, Ludwig der Ältere als Markgraf von Brandenburg, 1900, S. 17 ff.

159) Riedel, C. d. B. A. 9, 21.

160) Riedel, A. 9, 22: Diese Schenkung wird von Markgraf Ludwig unter genauerer Angabe der Grenzen bestätigt. A. 9, 28.

161) Riedel, A. 9, 22.

162) Riedel, C. d. B. A. 9, 23 und 24. Über die Leistung der Lehensware durch Bürger im Gegensatz zu der Abgabenfreiheit der Vasallen siehe Landbuch Karls des IV., S. 33, und Spangenberg. Die Zentral- und Hofordnung in der Mark Brandenburg, S. 251.

163) Riedel, A. 9, 26. Über die Örtlichkeiten siehe weiter unten.

164) Riedel, A. 7, 309, 2. Februar 1324 und A. 7, 412, 10. Februar 1324.

165) Riedel, A. 9, 27. Diese Urkunde des römischen Königs erweckt den Anschein, als erhöbe sie die Neustadt Brandenburg zur freien Reichsstadt. Indessen läßt sie natürlich die landesherrlichen Rechte des markgräflichen Sohnes unberührt, richtet ihr Ziel vielmehr gegen den Magdeburger Erzbischof, dem sie die Lehenshoheit über Neustadt Brandenburg abspricht.

166) Riedel, C. d. B. A. 8, 247.

167) Riedel, C. d. B. A. 9, 33.

168) Taube, Ludwig der Ältere, S. 79 und 80. Riedel, C. d. B. A. III, 127.

169) Riedel, A. XXI, 161. Diese Städte gehören zu den ersten, die sich dem falschen Waldemar anschließen und am längsten auf seiner Seite blieben.

170) Riedel, A. IX, 43.

171) Es sind dies die Städte Altstadt Brandenburg, 17. 8., Riedel, A. 9, 43; Pritzwalk, 19. 8., A. III, 378; Tangermünde, 19. 8., A. 16, 12; Osterburg, 19. 8., A. 16, 328; Prenzlau, 5. 9., A. 21, 163; Spandau, 20. 9., A. 11, 36; Berlin und Kölln, 21. 9., Riedel, Suppl. 233. Die Urkunde für Spandau wird von Klöden, III, 214, als gleichlautend mit den anderen angeführt und befindet sich nach seiner Angabe ungedruckt im Archiv zu Dessau. Sie ist auch seitdem nicht gedruckt worden.

172) Heinrich v. Herford, her. von Potthast, S. 272. Heinrich v. Herford beendet seine Chronik 1355, er hat also ganz gleichzeitig geschrieben.

[173] v. d. Hagen, Die Brandenburger Markgrafen des askanischen Stammes als Dichter und von gleichzeitigen Dichtern besungen. Märk. Forsch. I, S. 102, 112—114. Sello, Zur Gesch. Berlins im Mittelalter. Märk. Forsch. 17, 21. A.

[174] Riedel, C. d. B., B. II, 216.

[175] Taube, Ludwig der Ältere, S. 93 und 100.

[176] Klöden, III, 226 ff., u. Riedels Kritik in den Jahrbüchern für wiss. Kritik, 1845, 2. Bd., 490 ff. Taube, Ludwig der Ältere, S. 101.

[177] Riedel, B. 2, 219.

[178] Die Urkunde des Städtetages vom 26. Jan. 1349 ist abgedruckt Märk. Forsch. XIV, S. 268 u. 269. Die beteiligten Städte sind „old unde nye beide Stede tu Brandenburch, Rathenow unde Nowen, Gortzke und Kremmen, Perleberch, Havelberch, Sandow, Kiritz, Pritzwalk, Vriensten, Stendal, beyde stede tu Soltwedel, Sehusen, Tangermunde, Osterborch, Lenzen, Werben, Prentzlau, Pozwalk, Angermunde, Templin, Cedenik, Lyvenwalde, Sweth, Berlin, Colne, Spandow, Middenwalde, Bernowe, Everswolde, Struzeberch, Copenik. In der Urkunde vom 6. April fehlen Lenzen und Mittenwalde, dagegen sind hinzugetreten Strazeborch (Straßburg in der Uckermark), Fürstenwerder und (Alt-)Landsberg. Die Reihenfolge ist verändert gegen den 26. Januar, es folgen jetzt aufeinander: Brandenburg mit Havelland, Berlin und Spandau mit Barnim und Teltow, Altmark, Priegnitz, Uckermark. Es ist also Berlin an Brandenburg heran an die ihm gebührende zweite Stelle gerückt.

[179] Ok loven wi den vorgenannten Steden, Landen und Lüden, dat wy sy nicht scheiden willen und deylen. Riedel C. d. B., B. II, 246.

[180] Riedel, B. 2, 243, 247, 248, 249 und 250. Taube, Ludwig der Ältere, S. 111 und 112.

[181] Er bestätigte in jenen Tagen alle zwischen den Anhaltern und den Städten getauschten Briefe. Riedel, C. 3, 31.

[182] Riedel, C. d. B., B. 2, 258 u. 261. Aus beiden Stücken scheint hervorzugehen, daß nur die Städte des Barnim und Teltow sich in Unterhandlungen mit Ludwig eingelassen hatten.

[183] Über die Verhandlungen in Bautzen siehe das chronologische Urkundenregister zu Riedels C. d. Br., Bd. I., S. 278 und 279.

[184] Ebenda, S. 279.

[185] Die Erbhuldigung in der Altmark unterblieb, da diese an das Erzstift Magdeburg verpfändet war und die Erbhuldigung deshalb bis nach der Einlösung verschoben werden mußte. Klöden, a. a. O., IV, 3. Wegen der Priegnitz müssen besondere Verhandlungen mit Mecklenburg stattgefunden haben, welche die askanischen Fürsten verhinderten, dort die Erbhuldigung zu fordern. Urkunden sind darüber nicht vorhanden. Ebenda, IV, 3.

[186] Riedel, Suppl. 27.

[187] Riedel, a. a. O., B. II, 338.

[188] Riedel, a. a. O., A. VII, 314, „in castris ante Nauwen".

[189] Riedel, B. VI, 88.

[190] Riedel, B. II, 368.

[191] Riedel, A. IX, 47.

[192] Riedel, A. IX, 48.

[193] Riedel, C. d. B. A. IX, 48.

[194] 1355, 3. Dez. Riedel, B. II, 383.

[195] Riedel, C. d. B. C. I, 35, 36 (1355, 19. 5.)

[196] Spangenberg, Hof- und Zentralverwaltung, S. 103.

[197] Auf der Fürstenversammlung, die am 10. Dezember 1362 in Tangermünde abgehalten wurde, übertrugen Ludwig der Römer und Otto V. die Verwaltung ihrer Lande auf 3 Jahre dem Erzbischofe Dietrich Kagelwit von Magdeburg. Riedel, B. 2, 441, 442. A. Neuhaus, Otto V. von Wittelsbach, Markgraf von Brandenburg. Diss. München 1909, S. 48 und 49. — Theuner, Übergang der Mark Brandenburg vom Wittelsbachischen auf das Luxemburgische Haus. Breslau 1887, S. 28. — Vgl. auch Sello, Erzbischof Dietrich Kagelwit von Magdeburg. Magdeburg 1890.

[198] Koser, Geschichte der brandenburgisch-preußischen Politik, I, 68.

199) Neuhaus, Otto V. (1909), S. 136 ff.

200) Urkunde vom 24. Juni 1369. Riedel, A. 12, 301.

201) Koser, a. a. O., I, 69.

202) Sint uns der Keyser ist endtwesen, hatt kein Man werlich niy gelesen, das enich furste wer gewesen, die dy rober hat erschrecket. Aus dem Volksliede des Niclas Unslacht. Nach der Rathenower Chronik des Thomas Neumann im 43. und 44. Jahresbericht des Hist. Vereins, 1912, S. 73, ff. abgedruckt.

203) Riedel, B. 3, 56. Gutachten eines päpstlichen Nuntius über die märkischen Zustände vom 9. Dezember 1374. (Imperator) studuit mala corrigere, licet haec punitio absurda summe incolis Marchionatus utpote insuetis ad talia videatur, ob quae etiam eis praebetur materia susurandi quasi de re ab eis inaudita. Heidemann, Die Mark Brandenburg unter Jobst von Mähren, 1881, S. 3, A.

204) Riedel, C. d. B. B. III, 36.

205) Über Pulkawas Chronik siehe Riedel, C. d. Br. D. I, S. IX—XVI. Ebenda sind die darin enthaltenen Bruchstücke der brandenburgischen Chronik abgedruckt.

206) Für das Folgende vergleiche vor allem Heidemann, Die Mark Brandenburg unter Jobst von Mähren, Berlin, 1881.

207) Über Jobst von Mähren vergleiche Bretholz, Zur Biographie des Markgrafen Jobst von Mähren, Zeitschrift für d. Geschichte Mährens, Bd. III.

208) Riedel, C. d. Br. A. 7, 344, 346, 303. Heidemann, a. a. O., S. 15 und 16.

209) Riedel. A., XI, 66 (1393).

210) Riedel, A. 9, 68.

211) Des Engelbert Wusterwitz' märkische Chronik. Herausgegeben von Otto Tschirch, 43. und 44. Jahresb. des Hist. Vereins, 1912. S. 18 und 19.

212) Engelbert Wusterwitz, a. a. O., 19.

213) O. Tschirch, Die Übertragung der Mark Brandenburg an Wilhelm von Meißen im Jahre 1402, nach einer neu aufgefundenen Urkunde des Brandenburger Stadtarchivs. F. B. P. Gesch., VI, 565—571, 1893.

214) Otto Tschirch, Die Übertragung der Mark Brandenburg an Wilhelm von Meißen im Jahre 1402. F. B. Pr. Gesch., VI, 568.

215) Des Engelbert Wusterwitz' märkische Chronik. Herausgegeben von O. Tschirch, 43. und 44. Jahresb. d. Hist. Vereins zu Brandenburg, 1912, S. 22—24.

216) Riedel, A. 9, 73, 1396. Tschirch Johann von Quitzow an die Stadt Brandenburg: Im Schutze des Rolands, Brand. 1922, Bd. I, S. 141—154.

217) Bisher hat man den obenerwähnten Brief in eine spätere Zeit, um 1408, verlegt, wo Johann von Quitzow noch in andere Streitigkeiten mit der Neustadt verwickelt war. Schillmann, Gesch. Brdbgs., S. 357. Indessen fällt es auf, daß von diesen anderen Vorwürfen, die Johann gegen die Neustadt erhob, hier noch gar keine Rede ist. Ich setze daher diesen Brief in die ersten Jahre seiner Festsetzung in Plaue, wo noch kein offener Kriegszustand zwischen ihm und der Neustadt vorlag. Dazu würde die Beteuerung seiner friedlichen Absichten nicht übel passen. Vergl. Tschirch, Im Schutze des Rolands. Kulturgeschichtliche Streifzüge durch Alt-Brandenburg, Brandenburg (Havel), S. 141—146, 1922.

218) Der Wernitzwald darf nicht mit dem Dorfe Wernitz, südöstlich von Nauen, zwischen Markau und Wustermark gelegen, verwechselt werden, wie es Heffter in dem alphabetischen Register zu Riedel tut. Er befindet sich vielmehr bei der Bischofsburg Pritzerbe und gehörte schon um 1210 der Kirche. Riedel, D. 275. Er liegt an der alten Straße von Brandenburg nach Rathenow. Seine Lage wird durch die noch jetzt vorhandene Wernitzlake bezeichnet.

219) Riedel, C. d. Br. B. 3. 157. Heidemann, a. a. O., 119.

220) Ludwig von Neuendorf zahlte nur 800 Schock, 100 Schock trug ein gefangener Bürger für ihn ab, 100 Schock blieb er schuldig.

221) Wusterwitz, a. a. O., S. 27 und 28.

222) Heidemann, a. a. O., 133—142.

223) 1407/08 ist der winter so hart und kalt gewest, daß männer von 80 jahren bekannt, daß sie ihre lebenlang keinen härteren winter erfahren hetten. Engelbert Wusterwitz, a. a. O., S. 30.

224) Riedel, A. 9, 115.

225) Die Torsperre wurde nach Wusterwitz erst am St. Katharinentag aufgehoben (28. November). Engelbert Wusterwitz, S. 31. Markgraf Jobst ist vom 22. Nov. 1408 bis zum 16. Oktober 1409 nach Ausweis der Urkunden in der Mark anwesend gewesen. Siehe chronolog. Verzeichnis des Riedelschen Werkes. — Der ausführliche Bericht des Chronisten Wusterwitz über den Fluchtversuch des Herzogs (a. a. O., S. 30 und 31) findet eine sehr wesentliche Ergänzung und Berichtigung durch die Akten über einen später vor dem Kurfürsten Friedrich I. verhandelten Streit der Alt- und Neustadt Brandenburg. Riedel, C. d. B. A. IX, 111, 115. Vergleiche auch Schillmann, S. 353—357.

226) Im Jahre vorher, 1407, war dieser Bischof unmittelbar nach seiner Krönung von Johann v. Treskow und seinem Gesellen gefangengenommen (4. Dezember) und über ein Vierteljahr auf dem Schlosse Milow in Gewahrsam gehalten worden. Chron. Magdeb. ed. Meib. II, 352.

227) Wusterwitz, S. 32, gibt von dieser Unternehmung des Bischofs Henning v. Bredow eine ziemlich übelwollende Darstellung, indem er von einem Raubzuge spricht. Indessen war ja Henning in seinem eigenen Schlosse von den Feinden bedroht, und der Kampf spielte sich zwischen Ziesar und Brandenburg ab, so daß auch die Brandenburger Bürger ihm zu Hilfe kommen mußten. Vergleiche Heidemann, Die Mark Brandenburg unter Jobst, S. 163.

228) Wusterwitz, S. 33. Riedel, A. IX, 85.

229) Heidemann, a. a. O., Abschnitt 19—21. S. 172—208.

230) Wusterwitz, S. 45 und 46.

231) Unter den Abgeordneten befanden sich auch Ratmannen der Städte Brandenburg. Ein undatierter Brief, der von Frankfurt a. d. O. an den Rat von Berlin gerichtet ist (Fidicin, Beitr. II, 97) und der nach Heidemanns einleuchtender Annahme auf den 4. Mai 1411 anzusetzen ist (Heidemann, Die Mark Brandenburg, S. 211, A. 1.), ist unterzeichnet von den Vertretern der Städte Brandenburg, Frankfurt, Berlin, Stendal, Salzwedel u. a.

232) Die ältere Auffassung, daß der Burggraf die Mark als Pfand für ein dem Könige gewährtes Darlehen erhalten habe, ist durch Riedel, Geschichte des preußischen Königshauses, II, 45 ff., widerlegt worden. Vgl. auch Koser, Geschichte der brandenburgisch-preußischen Politik, I, 84, Anmk.

233) O. Tschirch, Bilder aus der Geschichte der Stadt Brandenburg, 1912, S. 71 und 72.

234) Wusterwitz, 52.

235) Ich gebe das Volkslied, das uns in der 1598 verfaßten Rathenower Chronik von Thomas Neumann erhalten ist, nach eigener Übersetzung wieder, die mit dem von Walter Specht herausgegebenen Neudruck der Handschrift im 43. und 44. Jahresbericht des Hist. Vereins zu Brandenburg, S. 73—76, 1912, veröffentlicht ist.

236) Wusterwitz, S. 50. Riedel, Geschichte des preußischen Königshauses.

237) Riedel, B. III, 356.

238) Wusterwitz, S. 54.

239) Magdeburger Schöppenchronik, 338.

240) Der Kläterpott ist eine Örtlichkeit bei Brandenburg, deren Name im Laufe der Jahrhunderte gewandert ist. Im späteren Mittelalter haben wir ihn in der Nähe des alten Planelaufs dort zu denken, wo die alte Heerstraße nach Magdeburg die Plane überschritt, von der Neustadt durch das Breite Bruch getrennt. Denn in einer Urkunde von 1423 wird die Lage des Breiten Bruchs folgendermaßen bestimmt: Dat brede bruk, dat dar liet tuschen der Nienstadt und klaterpot to Smerzker ackere wart. An der Planebrücke befindet sich noch heute die Kläterpothwiese, die früher zum neustädtischen Försterdienst gehörte. Auch dem Chronisten Zacharias Garcaeus, der um 1580 schrieb, ist der Name an dieser Stelle vertraut, denn er erwähnt das Treffen der jungen Markgrafen Johann und Otto an der Planebrücke oder dem „Kletterbach", den er mit dem Kläterpott seinerzeit gleichzusetzen geneigt ist. (Garcaeus, Successiones familiarum, S. 81). Später, im 17. und 18. Jahrhundert, wird Kläterpott die Wohnung des Holzvogts, also des neustädtischen Forstaufsehers, genannt, die sich auf der Hedemannschen Karte von 1722 und im entsprechenden Kataster bei der Jakobskapelle an der sogenannten Försterbrücke befindet. Die Namensübertragung hat sich jedenfalls in folgender

Weise vollzogen: Ursprünglich hat die Wiese den Namen Kläterpott wohl von der bekannten Wiesenpflanze, Klappertopf oder Katzenstart, die dort besonders häufig zu finden gewesen sein mag, erhalten. Als sie dann dem Holzvogt zugewiesen wurde, der seinen Hof vor dem Steintor bei der Jakobskapelle hatte, wurde der Name Kläterpott von der Wiese auf den Hof übertragen. Der Zeitpunkt, an dem dies geschehen ist, läßt sich sogar ziemlich genau festlegen. Es gibt ein undatiertes Schriftstück: ex Manuscriptis piscatoris Thoma Krops Carolo Nicolai dedicatis, in dem die Fischereirechte der neustädtischen Wehrherren an der Unterhavel näher bestimmt werden und das die Rechte der Schmöllnschen Wehrherren ihren Anfang nehmen läßt mit den Wehren auf jenseit der Plane, welche vom Klöterpott herunter bis in die Havel fließt. Dieses Schriftstück stammt nachweislich aus der Mitte des 17. Jahrhunderts, da der Empfänger der Widmung, Carl Nicolai, Brandenburger Ratsherr und Schöffe, um 1650 nachweisbar ist, während im Stadtbuch der Neustadt 1669 schon „der Diener auf dem Kläterpoth" genannt wird, dessen Wohnung dann aus Hedemanns Karte von 1722 festzulegen ist. Die Namensübertragung muß also zwischen 1650 und 1669 geschehen sein.

241) Riedel, B. III, 353—55.

242) Riedel, A. 9, 100 und 101, 117.

243) Staius, Stadtschreiber, Memorabilia der Stadt Frankfurt zu 1413. Riedel, C. d. Br. D. 1, 323.

244) Riedel, A. 9, 97.

245) Riedel, B. III, 369.

246) Reichstagsakten unter Sigismund, I, 274.

247) Liliencron, Historische Volkslieder der Deutschen, I, Nr. 68, von 49, 50. Leipzig. 1865.

248) Riedel, C. I, 166—168. Wann wir auch ye zu unser und des lands notdurfte ettwas an die unsern begert haben, so haben wir sy gutlich darumb gebeten. So haben sy uns auch mit gutem willen zu gesagt. So hoffen wir auch, wir haben es bisher also mit in gehalten mit allen Iren freyheiten gewonheiten und altem herchomen, das sy nichts args von uns clagen.

249) Riedel, A. 9, 130.

250) Riedel, A. 9, 130, 127. Riedel, A. 11, 66.

251) Reichstagsakten unter Sigismund, IX, 2383.18. Riedel, A. 10, 424. Nach Flacius Illyricus ist 1458 in Berlin ein Hussit verbrannt worden. — Bischof Christoph von Lebus klagt am 16. 10. 1428 dem Kurfürsten Friedrich über die Schwierigkeiten und Weigerungen beim Einsammeln des Ketzerschoßes und erklärt schließlich: Nue mag ewer gnad wol versteen uß sollichen entworten, daß mir nicht fügt, ichtes besunders fürzunemen als von eigener gewalt banne oder interdicte legen; wenn ich besorge, daß vil mere übels denn gutes daruß kommen möcht.

252) Riedel, A. 23, 190.

253) B.U.B., S. 349 und 350.

254) Riedel, A. XXII, 487. Desse nagescreuen Artikel vnde puncte hebben de Rede der Stede in der olden Marke vp sodanne artikel vnde stucke, als en van den reden der Stede in der nigenmarke vorgegeuen sint, vorhandelt vnde ouerwogen, vnde die weddir an die suluen nigenmarkschen Stede vp vorbeteringe to fultynde endrechtliken to bringen.

255) Bekanntlich wird in jener Zeit die Mittelmark noch neue Mark genannt, während die jetzige Neumark noch als Land jenseits der Oder bezeichnet wird.

256) Finckes Programm des neustädtischen Gymnasiums vom Jahre 1751. Fortsetzung 2, S. 9 und 10. Riedel, A. 24, 427.

257) Riedel, Suppl. 87—289, 26. 2. 1442.

258) Hanserezesse, herausgegeben von v. d. Ropp, III, 24. 35.

259) F. Priebatsch, Die Hohenzollern und die Städte der Mark im 15. Jahrhundert. Berlin 1892. S. 87.

260) 1443, 14. 7., Ropp, III, 24.

261) Urkunden des Berliner Geheimen Staatsarchivs. 27. 9. 1443.

262) Cod. dipl. Lubecensis, VIII, 178.

263) Cod. dipl. Lubecensis, VIII, 478.

264) Fincke, Merkwürdige Altertümer und Urkunden unserer Chur- und Hauptstadt Brandenburg. 2. Fortsetzung. Programm des Neustadt-Brandenburgischen Lyzeums. 1751, S. 14. Riedel, A. 24, 429.

265) Riedel, A. 9, 160.

266) Graf Stillfried und S. Hanule, Das Buch vom Schwanenorden. Berlin, 1881, S. 1 ff.

267) So vermutet Priebatsch. Die Hohenzollern und die Städte der Mark. 1892, S. 97. Ackermann dagegen glaubt eher an eine wohlwollende Gesinnung der Altstadt Brandenburg gegen die Juden. S. 29.

268) Riedel, A. 16, 247.

269) Auch die Gesandtschaft, die er 1463 an den König von Böhmen schickte, wurde von ihm über das geltende Recht aufgeklärt: So ein römischer wird erkoren oder so er zu kaiserlich würde kompt und gekrönt wird, mag er die Juden all brennen nach altem herkommen oder gnad beweysen. Spieß, Archivalische Nebenarbeiten und Nachrichten, Halle, I, S. 127.

270) Male ergo faciunt principes, qui Judeos ex cupiditate inauditos et sinejusta causa rebus suis spoliant et trucidant seu ad carceres ponunt; etsi bona, quibus sic spoliantur, sunt acquisita per usuram, principes tenentur ad restitutionem.

271) Riedel, A. IX, 229. Spangenberg, a. a. O., S. 165.

272) Riedel, A. 9, 200.

273) Riedel, A. 16, 89.

274) Riedel, B. IV, 221.

275) Riedel, A. 9, 153, 1440.

276) Riedel, A. 9, 166.

277) Riedel, A. 9, 153, 202. A. 24, 440.

278) Riedel, A. 9, 201.

279) Riedel, A. 9, 191 und 192, 197.

280) Riedel, A. 9, 189, 1456.

281) Der Fortsetzer von Detmars lübischer Chronik (zum Jahre 1441), Grautoff, II, 83, faßt den Erfolg Friedrichs gegenüber Berlin zutreffend in den Worten zusammen: Aldus hefft he beyde partye ghedwunghen, den rad unde ok de meynheyt, wente se syn beyde eghen, dar se vor vryg weren unde wol mochten hebben vryg ghebleven.

282) Vgl. die eingehende und feinsinnige Charakterschilderung Albrechts bei Koser, Geschichte der brandenburgisch-preußischen Politik, I, S. 123 ff.

283) Priebatsch, Beziehungen der beiden Städte Brandenburg zu Kurfürst Albrecht Achilles. 29 u. 30. Jahresbericht des Historischen Vereins zu Brandenburg. 1898, S. 66.

283a) Fontas rer. Austr., II. Abt., Bd. 42, 223.

284) van vorhindernisse treffliger saken vnsers gnäd. herrn des marggraven herkamende.

285) Tschirch, Brandenburg als Glied der Hansa in der Sammlung: Im Schutze des Rolands. Kulturgeschichtliche Streifzüge durch Alt-Brandenburg. Brandenburg, 1922. S. 30. Hanserezesse, Bd. 7, Seite 493.

286) Verhandlungen des Historischen Vereins für Regensburg und Oberpfalz, 44, 138 f.

287) So schreibt Kurfürst Albrecht 17. 8. 1483 an Markgraf Johann in einem Streit des Neustädter Rats mit Kurt Schwanebeck in Kölln, den der Rat unter Bruch des Geleits gefangengesetzt und der nun den Bürgermeister Claus von Gulen vor das kurfürstliche Gericht geladen hatte. Priebatsch, Beziehungen der beiden Städte Brandenburg zu Kurfürst Albrecht Achilles, a. a. O., S. 67—69.

288) Pol. Correspondenz des Kurfürsten Albrecht Achilles, 2. Bd. (Publ. aus den Königl. Preußischen Staatsarchiven Bd. 67), S. 441.

289) Sonnabend nach ascensio domini 1478. Zerbst, Stadtarchiv, II, 120.

290) Zach. Garcaeus, Successiones familiarum ed. Krause, 1729, S. 237 und 238.

291) Über Jan Kuks Ende berichtet Garcaeus: Captus latro Berolini carceri includitur, e quo elapsus interficitur aut occiditur, S. 238.

292) Riedel, A. 9, 241 und 242.

293) Riedel, A. 9, 255.

294) Mylius, corp. const. March. VI, Nachlese Nr. I, S. 1—8.

295) Dräger, Verfassung und Verwaltung von Alt- und Neustadt Brandenburg, S. 27—29.

296) Ebenda, S. 29.

297) Urkunde Joachims I. von 1521, 23. Januar. Riedel, A. 15, 505.

298) A. Stölzel, Der Brandenburger Schöppenstuhl, Berlin, 1901, S. 287 ff. O. Tschirch, Im Schutze des Rolands (im Aufsatze: Der Schöppenstuhl), I, S. 130 ff.

299) Beispiele dafür finden sich wiederholt, z. B. Riedel, A. 9, 103.

300) Dagegen führte der südliche, in der Görneschen Heide gelegene See, der jetzt Gördensee heißt, damals den Namen Zumit- oder Zummeltsee. Das ergibt sich daraus, daß bei Erwähnung beider Seen, die zu dem Dorfe Görne gehören, der Zummeltsee und der bei dem Dorfe Görne gelegene voneinander unterschieden werden (Riedel, A. VIII, 112, 1179), an anderer Stelle die Lage der Seen als zwischen Görne und Silow angegeben wird (A. VIII, 118, 134). Allerdings ist dabei zu berücksichtigen, daß der Name Silow eine ähnliche Wanderung wie der des Ortes Görne gemacht hat. Die Ortschaft Silow ist längst verschollen, hatte sich aber noch bis vor kurzem erhalten in dem Graben, der den Beetzsee und den Quenzsee verband. Jetzt ist auch dieser Graben verschwunden, hat vielmehr dem großen Schiffahrtskanal Platz gemacht, der ungefähr in derselben Linie geht. Man wird sich den Ort (Dorf oder Hof) Silow etwa in der Nähe des Quenzsees bei seinem Nordende zu denken haben. Das jetzige Vorwerk Silo, an der Straße nach Pritzerbe und Bohnenland gelegen, ist erst im 19. Jahrhundert erbaut und hat seinen Namen nach dem nicht weit davon fließenden Graben Silo empfangen. Vgl. Schillmann, S. 155, Anmerk. Aus der angegebenen ehemaligen Lage des Grabens und Ortes Silo ergibt sich also, daß die Ortschaft Görne an dem nördlich weiter draußen gelegenen See sich befand. Dasselbe erhellt daraus, daß nach der Urkunde, 1307, der Hof Görne in der nördlichen, von der Stadt weiter entfernten Hälfte der Heide liegt. Vgl. hierzu auch Schillmann, Geschichte der Stadt Brandenburg, S. 155, 225.

301) Riedel, A. 9, 22.

302) A. 9, 28. 9. Februar 1326.

303) A. 8, 247 und 248.

304) A. 9, 140 und 141.

305) Z. B. Bamme, Barnewitz, Bauersdorf, Bensdorf, Bochow, Briest, Buschow, Damsdorf, Derenthin, Fahrland, Glienicke, Göhlsdorf, Göttin, Gollwitz, Golzow, Grebs, Grüningen, Hoppenrade, Jerchel, Kanin, Ketzin, Krakow, Kruzewitz (= Kreutz), Landin, Mahlenzin, Markau, Michelsdorf, Möthlow, Mützlitz, Neuendorf, Nitzahn, Rietz, Rosenthal, Roskow, Schlagenthin, Schmergow, Schmölln, Schwanebeck, Selbelank, Tieckow, Töplitz, Trechwitz, Tucheim, Vieritz, Viesen, Warchau, Weseram, Wollin, Zabakuk, Zudam, Zühlsdorf. Beachtenswert ist, daß unter diesen Familiennamen auch die früh wüst gewordenen Dörfer vertreten sind. Daneben sind natürlich auch die Nachbarstädte vertreten, doch in geringerer Zahl. Es ist indessen natürlich bei der Folgerung aus dieser Zusammenstellung zu berücksichtigen, daß der gewaltigste Strom der Einwanderer zu einer Zeit in die Mark flutete, als sich die Familiennamen noch nicht gebildet hatten und festgewachsen waren. Dadurch wird die Beweiskraft dieser Namenreihen stark beeinträchtigt.

306) Schlottmann, Flurnamen der Neustadt. Brandenburger Anzeiger, 31. August 1921. Der Rehagen wird 1386 zuerst im Stadtbuch der Neustadt Brandenburg erwähnt, wo des Waldhüters daselbst gedacht wird (custodi indaginis cervorum), Brandenburger Stadtarchiv, Cod. 2, Fol. 2 b. Sello, M. F. 18, 62. Der Rehagen wird dann in Urkunden 1453 und 1529 genannt.

307) Riedel, A. 9, 70, 29. 11. 1390.

308) Riedel, A. 9, 73, 2. 1. 1396. Vgl. auch die Schuldverschreibung Wilhelms v. Meißen an die Neustadt. Riedel, A. 9, 74. 9. 1. 1336.

309) Riedel, A. 9, 77, 28. 9. 1398.

310) Riedel, A. 9, 75.

311) Riedel, A. 9, 117.

312) Riedel, A. 9, 146.

313) Riedel, A. 9, 203 (1470), und 75 (1396).

314) Schillmann, Gesch. d. Stadt Brandenburg, S. 337, Anm.

315) Tschirch, Im Schutze des Rolands, I, 143—146, Johann v. Quitzow und die Stadt Brandenburg.

316) Dullo, Kommunalgeschichte, S. 29.

[317]) Riedel, A. 10, 152.

[318]) Riedel, A. 9, 8 und 26.

[319]) Riedel, A. 9, 12.

[320]) Riedel, A. 9, 120.

[321]) Hierfür vergleiche den wichtigen ungedruckten Abschied vom Donnerstag nach Ägidii 1511. Roters Kopial I, f. 51 und 52. Die Großgarnfischerei im östlichen Teile des heutigen Plauer Sees, der jetzt die Namen: Breitlings- und Quenzsee führt und in älterer Zeit Altstädtischer See hieß, scheint früher die Altstadt allein besessen zu haben. In der Klageschrift von 1420 bestreitet die Altstadt der Neustadt noch das Recht, mit dem großen Garn auf der unteren Havel zu fischen. Riedel, A. 9, 102. Im 16. Jahrhundert aber muß sich das Recht der Neustadt, am Havelgemünde Garnzüge zu haben, durchgesetzt haben, denn Lorenz Klare wird Dienstag nach Elisabeth, 1581, auf das neustädtische Rathaus beschieden, um die Garnzüge der Stadt, die im Gemünde liegen, namkundig zu machen. Amtsgericht, Gerichtsprotokolle der Neustadt, Bd. II, 1566—1573 (mit einzelnen späteren Eintragungen), f. 76b

[322]) M. Klinkenborg, Die Urkunden des Domkapitels zu Brandenburg über seine Rechte an der Havel im Papsttum und Kaisertum. Forsch. zur polit. Geschichte und Geisteskultur des Mittelalters, Paul Kehr zum 60. Geburtstage dargebracht, herausgegeben von Albert Brackmann, München 1926, S. 561—570.

[323]) Riedel, A. 9, 25.

[324]) Riedel, A. 9, 26 und 27.

[325]) Riedel, A. 9, 203.

[326]) Riedel, A. 9, 112, 120.

[327]) Riedel, A. 9, 84, 99, 127.

[328]) Riedel, A. 9, 25.

[329]) Über den Erwerb des Kämmereidorfes Wust im Mittelalter ist nichts bekannt. Wir wissen nur, daß der Rat der Neustadt 1541 das Patronat der Kirche von Wust besitzt. Riedel, A. 11, 487. In einem Neustädter Stadtbuch (Cod. N. 11, S. 113) findet sich um 1580 ein „Vertragk und Handlung mit denen von Wust wegen des Ackerbaues und der Dienste".

[330]) Riedel, A. 9, 83.

[331]) Riedel, A. 9, 85.

[332]) Über die Streitigkeiten wegen des Havelbruches im 18. Jahrhundert enthält das Stadtarchiv umfangreiche Akten.

[332a]) Auf Seite 171 irrtümlich ebenfalls als 332 wie auf Seite 169 angegeben. — Riedel, A. 9, 18. Herzog Rudolf entscheidet den Zwist. 3. 10. 1320.

[333]) Es scheint erst in einer Stadt ein Kaufhaus vorhanden gewesen zu sein. Darauf deuten die Worte (Riedel, A. 9, 18) allermalk soll syne steide beholden, als hie sie von older gehatt hefft, dat Kophus gebwhet oder man scol et noch bwhen.

[334]) Außer dem weißen Kloster gab es in der Havelstadt noch das schwarze der Dominikaner in der Neustadt und das graue der Franziskaner in der Altstadt.

[335]) Riedel, Cod. dipl. Br. A. 9, 17—19.

[336]) Klage der Altstädter über die Neustadt an den Markgrafen (Riedel, C. d. B. A. 9, 108). Gnedighe here, desse mennigwaldighe gewalt und vordruckynge hefft uns gedan desse gheghenwardhigen sittende rat in der Nienstad Brandenburg, dy noch ys, so uns edder unsen vorvarn med eren vorvaren ny nod edder behuf gewest is, sunder sy lyten uns den jarmarkt volghen na des brives lud usw.

[337]) Riedel, A. 9, 105.

[338]) Riedel, A. 9, 5, nostra civitas possideat villam Br. liberam abomni labore.

[339]) Riedel, Cod. dipl. Br. A. 9, 110, 113.

[340]) Die Kuhmark wird von Sello vermutungsweise mit der späteren Kuh- oder Kurstraße gleichgesetzt. (Sello, Brandenburger Stadtrechtsquellen. Märk. Forsch., Bd. 18, 16.) Indessen deutet der noch vor kurzem übliche Name Kuhmarkwiese, Kuhbrücke und Kuhbrückengraben (alle drei Orte westlich von der Franz-Ziegler-Straße in der Wilhelmsdorfer Vorstadt) auf das vor der Neustadt

an der Unterhavel gelegene Gelände hin, das der Fischergenossenschaft der Kuhmärker oder Kuhmarkschen zu eigen war.

341) Riedel, A. 9, 112, 116, 120.

342) Der Wazmokfluß (fluvius Wazmok) wird zuerst in einer Urkunde des bayerischen Markgrafen Ludwig vom Jahre 1324 genannt, wo der Altstadt die Gewässer der Unterhavel bis zum Wazmokfluß und dem Plauer Wasser zugesprochen werden. Das Plauer Wasser hatte im Mittelalter eine engere Bedeutung als der heutige Plauer See. Es umfaßte nur den westlichen Teil des Sees, der durch den Kienwerder nach Osten hin abgegrenzt wird. Der Wazmok muß somit ein Fluß sein, dessen Lauf ungefähr der eben erwähnten Ostgrenze des Plauer Wassers entspricht, und da der Wazmok oder Wusmick ein Besitzstück des neustädtischen Heiligengeistspitals ist, so ist er mit Wahrscheinlichkeit auf der linken Havelseite zu suchen. Verbindet man diese beiden Hinweise, so darf man unter dem Wosmick den Unterlauf der Buckau vermuten, der allmählich seinen altslavischen Namen verloren haben mag.

343) wente wi und unse borgher gan in ere stad to byre, wem des hoghet.

344) Über die Homeienbrücke siehe 43. und 44. Jahresber. des Hist. Vereins, S. 146 und 147, Tschirch, Bedeutung der Homeienbrücke. Die älteste Erwähnung des Namens erscheint in einem Regest der Urkunde von 1384, die einen Vergleich über die Breite der Homeyenbrücke enthält. Indessen ist diese Urkunde nur angeführt in dem Repertorium der in der Neustadt 1719 befindlichen rathäuslichen Akten und Urkunden; ihr Wortlaut ist nicht bekannt. Die nächst jüngere Anführung findet sich 1627, wo „an der Ammeyenbrücke" geschanzt wurde. Gebauer, Forsch. z. Br. u. Pr. Gesch., Bd. 22, S. 39.

345) Roters Kopial I, Bl. 51.

346) Noch heute gibt es eine Kläterpotwiese an der unteren Plane, und auf diese Örtlichkeit werden wir hingewiesen, wenn schon 1423 es heißt, daß das von der Neustadt südwestlich sich erstreckende breite Bruch zwischen Neustadt und Kläterpot liege. Wenn dann derselbe Ort als untere Grenze der Koppelfischerei der Altstädter und Neustädter 1511 angegeben wird, so stimmt dies durchaus zu der früheren Vereinbarung von 1423, wo alle Fischer der Alt- und Neustadt einschließlich der Kuhmarkschen, Schmöllner und Neuendorfer Bauern nebeneinander den Stintfang betreiben dürfen. Roters Kopial I, Bl. 52. Riedel, C. d. B. A. 9, 120.

347) Riedel, C. d. B. A. VIII, 323, 358.

348) Riedel, C. d. Br. A. 9, 97.

349) Riedel, C. d. Br. A. 9, 173 (1441), 223 (1483), 1525 (273).

350) Z. B. 27. 3. 1723, Cod. G. 9, 6, 1752, 5. 5., Cod. G. 11, 525, 1753, Cod. G. 12, 40. Kämmereirechnung von 1732, Ausgaben insgemein.

351) Riedel, C. d. Br. A. VIII, 254.

352) Riedel, A. 9, 175.

353) Riedel, A. 9, 172 ff., 1441.

354) Riedel, A. 9, 222, 1483.

355) Riedel, A. 8, 323.

356) Riedel, A. 9, 222.

357) Riedel, C. d. Br. A. 8, 125, 1204, ebenda, S. 133. Die Krakauer Brücke wird dann zum letzten Male in obigem Vergleich von 1383, Riedel, A. 9, 63, genannt. 1384 begegnet uns dafür zum ersten Male der Name: Homeienbrücke. Die betreffende Urkunde ist allerdings nicht mehr vorhanden, nur ein Regest im Repertorium der in der Neustadt 1719 befindlichen rathäuslichen Akten und Dokumenten, VI, Nr. 4. Vergleich, daß die Homeyenbrücke 25 Fuß breit gebaut werden soll, damit die Ziegelschiffe ungehindert durchpassieren können, de a. 1384, R.-A., Cod. N. 100.

358) Obige Darstellung beruht auf einer Vergleichung der beiden Urkunden. Riedel, A. 8, 125 und A. 9, 63 und 64.

359) Riedel, A. 10, 258.

360) Riedel, A. 9, 83.

361) Riedel, C. d. Br. A. 10, 270, 20. 7. 1433.

[362]) Riedel, A. 10, 420, wird in diesem zusammenhängenden Schriftsatz, der von S. 418—434 reicht und sich auf die Streitigkeiten zwischen Lehnin und Neustadt bezieht, eine im Jahre 1437, 30. Nov., verübte Gewalttätigkeit des Prützker Schulzen erwähnt. Also ist diese Schrift wohl erst in das Jahr 1438 oder später zu setzen. — Das Dorf Möseritz lag gegenüber Riewend am Ostufer des Riewendsees, wo noch heute auf dem Meßtischblatt die Dorfstellen verzeichnet sind.

[363]) Der Schiedsspruch von 1441 wird in dem Vergleich, den das Kloster Lehnin mit der Neustadt Brandenburg, 20. August 1469, schließt, inhaltlich wiederholt und bestätigt. Riedel, A. 10, 319 und 320.

[364]) Riedel, C. d. B. A. 10, 319 und 320.

[365]) Riedel, A. 10, 431—433.

[366]) Riedel, A. 10, 320.

[367]) Riedel, A. 10, 306 und 307.

[368]) Riedel, A. 10, 309.

[369]) Riedel, A. 10, 117.

[370]) Riedel, A. 10, 141.

[371]) Riedel, A. 10, 142, 147.

[372]) Riedel, A. 10, 151. Schillmann, S. 466.

[373]) Riedel, A. 10, 153, 1455, dat alle die von Rochow die nu sin edder noch to komende werden upp unser Stad Radhuß mogen gan unde to uns in deme Rade komen, wanneher sie Gewerff vor uns hebben ane voreischend gelike anderen Medebesworen des Rades.

[374]) Riedel, A. 10, 155—159, 10 verschiedene Schreiben.

[375]) Riedel, A. 10, 173, 175 und 176.

[376]) Riedel, C. d. Br. A. 9, 166 und 191. Diese Verpfändung wurde 1478 erneuert (von Raumers, Cod. cont. II, 73). — Vgl. auch Riedel, II, 10, S. 10.

[377]) Riedel, A. 10, 29, 1482, S. 31, 1514.

[378]) Stadtbuch der Neustadt. Sello, Märk. Forsch. 18, 62.

[379]) von Raumer, cod. dipl. Brand. cont. II, 19.

[380]) Dräger, Verfassung und Verwaltung von Alt- und Neustadt Brandenburg bis zum 30jährigen Kriege. 50. Jahresbericht d. Hist. Vereins zu Brandenburg, 1918, S. 12.

[381]) Tschirch, Eine Brandenburger Budenordnung von 1655, 51.—54. Jahresbericht d. Hist. Vereins, S. 1—7.

[382]) Riedel, A. 11, 309, quousque id ipsum duximus revocare.

[383]) Riedel, A. 19, 223, von Freyberg, Beurkundete Geschichte des Herzogs Ludwig von Brandenburg, München, 1837, S. 151, 152.

[384]) Salfeld, Das Martyrologium des Nürnberger Memorbuches, Bd. III, der „Quellen zur Geschichte der Juden in Deutschland", S. 69, 247. Wibel, Fortgesetzte Sammlung von alten und neuen theologischen Sachen, 1740, S. 17. Ackermann, Gesch. der Juden in Brandenburg, S. 19—21.

[385]) Riedel, A. 8, 298.

[386]) Riedel, A. 8, 384.

[387]) Stadtbuch der Neustadt, Cod. N. 2, fol. 54b. Sello, Märk., Forsch. 18, 67.

[388]) Riedel, A. 9, 177.

[389]) Brief aus dem Zerbster Stadtarchiv. Faulhaber, Über Handel und Gewerbe der beiden Städte Brandenburg im 14. und 15. Jahrhundert, S. 43, Nr. 15.

[390]) Sello, Märk. Forsch. 18, 14, Schöffenbuch, I, ebenda, Nr. 122, 123.

[391]) Zimmermann, Märk. Städteverfassungen, I, 83. Dräger, Verfassung und Verwaltung der Alt- und Neustadt Brandenburg, S. 8.

[392]) Riedel, A. 9, 7. Ich führe die Namen hier in ihrer lateinischen Form auf: Praesentibus nobis consulibus predicte civitatis videlicet Johanne de Monkeberch, Rodolfo monetario, Conrado de merica, Segero de Greptitz, Jacobo de arce, Nicolao de Juterboc, Nicolao Jordani, Henrico de Jerchowe, Jacobo Vrise, Alberto Pilleatore, Henningo Johannis, Nicolao Nowen.

393) 1307 in Brandenburg zuerst bezeugt. Riedel, A. 8, 203.

394) Unter den neustädtischen Ratsfamilien des 14. und 15. Jahrhunderts treten besonders hervor die Becker, Bensdorf, Friese oder Friesicke, Jüterbock, Prützke, Thomas, Steinhaus, Kaltenborn, Meinhard oder Meins, Schröder.

395) Vgl. Märk. Forsch. 17, 40.

396) Riedel, A. 8, 254, Berliner Urkundenbuch, S. 27 und 46.

397) Märk. Forsch. 18, 59. Riedel, A. 8, 355.

398) Märk. Forsch. 18, 59. Geh. Staatsarchiv, Urk. St. Br., 5.

399) Märk. Forsch. 18, 70.

400) Märk. Forsch. 18, S. 15.

401) Schillmann, Gesch. der Stadt Brandenburg, S. 244. Die Gründe, wegen deren ich annehme, daß Altstadt und Neustadt von vornherein getrennte Rathäuser besessen haben, sind ausführlich entwickelt in meinem Aufsatze: Der Schöppenstuhl. Im Schutze des Rolands, Bd. I, S. 128 und 129.

402) Everhardus 1330, Schöffenbuch. Märk. Forsch. 18, 42, rector scolarium et scriptor noster. Der 1331 genannte Magister Everboldus, ebenda, S. 45, ist doch wohl derselbe.

403) Märk. Forsch. 18, 61. Ein Nicolaus oder Claus Golwitz wird als Ratmann 1376, 1380 und 1391 genannt. Märk. Forsch. 18, 60. Riedel, A. 8, 322. Geh. Staatsarchiv Brandenburg, Doc. Nr. 5.

404) So wird Johann Golwitz mit dem Kapellisten von St. Jakob gleichgesetzt. Märk. Forsch. 18, 72.

405) Tschirch, Beiträge zur Geschichte der Saldria in Brandenburg (Havel) 1889, S. 7, Stadtarchiv, Memorial von 1577, f. 357.

406) Märk. Forsch. 18, 15.

407) Märk. Forsch. 18, 15. Ebenda S. 62. Ob der praeco mit ihm gleichzusetzen ist, steht dahin. An anderen Stellen bedeutet das Wort gewöhnlich den Fronboten, vgl. Ducange, Lexikon, während Marktmeister hier mit magister fori übersetzt wird.

408) Allenfalls zwischen 1369 und 1415, 26. bis 28. Jahresber. d. Hist. Vereins Brandenburg. Bahrfeldt, Das Münzwesen der Stadt Brandenburg, S. 37, II. Für das Münzrecht der Brandenburger spricht, daß es später amtlich zu den alten Städten gerechnet wird, die es besessen haben.

409) Märk. Forsch. 18, 15.

410) Riedel, A. 9, 17, 19, 1320, 1321.

411) Stadtbuch der Neustadt von 1386, f. 2b, Märk. Forsch. 18, 62.

412) Nach Taymlers Frankfurter Stadtbuch war der Inhaber der „Garbude" schoß- und wachfrei, mußte aber dafür mit auf die Heerfahrt der Bürger ziehen, um für die Krieger zu kochen. Zimmermann, Märk. Stadtverfassungen, II, 35.

413) Märk. Forsch. 18, 14.

414) Stadtbuch der Neustadt Nr. 21. Sello, Märk. Forsch. 18, 67.

415) Märk. Forsch. 18, 15, 71, II, Nr. 33 und 34. Vorschoß entspricht der gabella emigrationis, Abschoß der gabella hereditaria.

416) Wohlbrück, Geschichte des ehemaligen Bistums Lebus, III, 103.

417) Märk. Forsch. 18, 5. Stadtbuch Nr. 23, S. 68, 1417.

418) Holtze, Geschichte der Befestigung Berlins. Märk. Forsch. 7, 14.

419) Eichholz in den Kunstdenkmälern der Provinz Brandenburg, S. 146.

420) Riedel, A. 9, 90, 93, 97. Was Eichholz in den Kunstdenkmälern der Stadt und Dom Brandenburg, S. 139, über den Ort dieser Gräben sagt, ist irreführend.

421) Teymler, Stadtbuch von Frankfurt. Zimmermann, Versuch einer histor. Darstellung der märk. Stadtverfassungen, Bd. II, 83 und 84.

422) Riedel, A. 11, 66, 1393.

423) Riedel, A. 9, 127.

424) Riedel, A. 9, 215.

425) Bornhak, Gesch. des preußischen Verwaltungsrechts, I, 173. — Anschlag von 1479.

426) Bornhak, A. a. a. O., I, 173.

427) Riedel, A. 9, 12, 23, 24, 59 (2mal), 61, 1315, 1324, 1373, 1378.

428) Fidicin, Landbuch Karls IV., S. 30.

429) Riedel, A. 9, 66.

430) Riedel, A. 9, 191.

431) Riedel, A. 9, 234—237.

432) Märk. Forsch. 18, 105.

433) Sello, Brandenburgische Stadtrechtsquellen. Märk. Forsch., Bd. 18, S. 8—12.

433a) Der Vers, der sich im Stadtbuch findet, lautet C quater M que bis JJ, locabatur forma Rulandi, Brandeburgensis: Augustus dat tibi mensis. Nach Sello ist damit das Jahr 1402 gemeint, S. 64. Der Wortlaut läßt es möglich erscheinen, daß der Roland damals überhaupt erst aufgerichtet wurde.

434) Über den Roland ist ein sehr weitschichtiges Schrifttum vorhanden, das hier nicht vollständig angeführt werden kann. Sellos Forschungen sind noch heute als bahnbrechend anzusehen. Sello, Die deutschen Rolande, F. z. Br. u. Pr. Gesch., Bd. 3, 399—418., 1890, und vorher: Rolandsbildsäulen. Montagsblatt der Magdeburger Zeitung, 1890, Nr. 9—19. Den Brandenburger Roland habe ich unter Berücksichtigung aller neuen Forschungen behandelt in: Im Schutze des Rolands, Bd. 1, S. 35—50.

435) Stölzel, der Brandenburger Schöppenstuhl, S. 41 ff.

436) Siehe oben, S. 202.

437) Stölzel, der Brandenburger Schöppenstuhl, S. 14 ff.

438) Riedel, A. 9, 1170. Für diesen Abschnitt vgl. Faulhaber, Über Handel und Gewerbe der beiden Städte Brandenburg im 14. und 15. Jahrhundert, 32. und 33. Jahresber. d. Hist. Vereins zu Brandenburg, 1901, S. 1—62. Faulhaber hat zuerst diesen Gegenstand eingehender erörtert. Für das Handwerk bildet jetzt die Grundlage: F. W. Jeroch, Innungsverfassungen der Stadt Brandenburg vom 13. bis 18. Jahrhundert, 58. bis 60. Jahresber. d. Hist. Vereins Brandenburg, 1928.

439) Rübel, Dortmunder Urkundenbuch, I, 391.

440) Vgl. des Verfassers Aufsatz: Brandenburg als Glied der Hansa in: Im Schutze des Rolands I, 19—34. Die dort gemachten Ausführungen bedürfen allerdings einiger Berichtigungen.

441) Niederlage für die Neustadt 1455. Riedel, A. 9, S. 180, für die Altstadt. R. A. Doc. I A, 173, Urkunde Joachims II. von 1564, 1571 durch Kurfürst Johann Georg bestätigt.

442) Riedel, A. 9, 135. Publ. aus dem preußischen Staatsarchiv, Bd. 71, 167, A. 8.

443) Riedel, A. 9, 218.

444) Verordnung des Lübecker Rats vom 14. 3. 1345, Lübecker Urkundenbuch, IV, 134. Krüner, Berlin als Mitglied der deutschen Hansa, 1897, Berlin. Progr. d. Falkrealgymnasiums.

445) Riedel, A. 9, 106.

446) Hechel, Einige naturwissenschaftliche Verhältnisse aus Brandenburgs Vorzeit, 1. Jahresber. des Hist. Vereins, S. 43. Hopfengärten hinter dem Dominikanerkloster und auf der Insel Middelhovel werden in den neustädtischen Stadtbüchern erwähnt, Sello, Märk. Forsch. 18, 19.

447) Faulhaber, Handel und Gewerbe der beiden Städte Brandenburg im 14. und 15. Jahrhundert, 32. und 33. Jahresber. d. Hist. Vereins Brandenburg, S. 22.

448) G. Schmoller, Die Straßburger Tucher- und Weberzunft, Straßburg, 1879, S. 393.

449) Faulhaber, Handel und Gewerbe, S. 21—23.

450) Tschirch, Im Schutze des Rolands, I, 31.

451) Faulhaber, a. a. O., 27.

452) Berliner Urkundenbuch, S. 484.

453) Über die Gefahren der Handelsreisen siehe: Faulhaber, Handel und Gewerbe, S. 28, ebenda, Anhang A., Nr. 1, 2, 6, 29. Vgl. auch Schillmann, Gesch. d. Stadt Brandenburg, S. 489.

454) Urkunde Joachims I. vom 19. Oktober 1509. Riedel, A. 9, 260. Die mittelalterlichen Nachrichten über die Wochenmärkte sind schwer zu deuten. Sie stammen aus den Jahren 1320, 1321, 1342 und 1343, 1420. Riedel, A. 9, 17—19, 37 und 38, 102.

455) Faulhaber, a. a. O., S. 31. Ebenda, Anhang A, Nr. 3, 23, 24. Riedel, A. 9, 251.

456) Priebatsch, F., Der märkische Handel am Ausgange des Mittelalters. Schriften d. Vereins f. d. Gesch. Berlins, H. 36, 1899.

457) Kopialbuch Simon Roters, Bd. I, Nr. 16, fol. 7 a.

458) Man denke an die Darstellung der an einer Sau saugenden Juden im Brandenburger Domkreuzgang, eine Darstellung, die sich an der Wittenberger Stadtkirche und sonst vielfach wiederfindet.

459) Holtze, Das Berliner Handelsrecht. Schriften d. V. für d. Gesch. der Stadt Berlin, Heft XVI, 15.

460) Bruchstück eines altstädtischen Stadtbuches aus dem Anfange des 15. Jahrhunderts, 32. und 33. Jahresbericht d. Hist. Vereins, S. 62.

461) So in Berlin und Kölln und in Frankfurt. Fidicin, Beiträge, I, 260, I, 23. Zimmermann, Stadtverfassungen, II, 40.

462) 1422 wird die Gilde der altstädtischen Tuchmacher (Lakemeker) auf Beförderung der Knochenhauer, Bäcker und Schuster neu aufgerichtet (Riedel, A. 9, 118), woraus man schließen darf, daß die in Verfall oder Unordnung geratene Wollwebergilde auf Veranlassung der übrigen zu den Vierwerken gehörigen Gilden und zur Erhaltung der Geschlossenheit dieser Körperschaft neu geordnet wurde. 1581 aber werden als Vierwerke der Altstadt genannt die Tuchmacher, Schuster, Bäcker, Schneider. R.-A., Cod. A. 33 f., 170 a. Bei der Vereinigung beider Städte im Jahre 1715 wurden dann diese altstädtischen Vierwerke diejenigen der vereinigten Gemeinden.

463) Mummenhoff, Der Handwerker in der d. Vergangenheit. Monographien zu der Kulturgeschichte, VIII. Bd., S. 54. Hoppe, Eine mittelalterliche Leinewebergilde in Luckenwalde, Forsch. z. Br. u. Pr. Gesch., 24, 536—539, gibt zahlreiche märkische Beispiele für die Nichtachtung der Leineweber schon im Mittelalter.

464) Mummenhoff, Der Handwerker, 22 und 23.

465) Riedel, A. 9, 121. Ebenso wird Zuwandernden in der Satzung der Schneider der Altstadt, 15. Jahrhundert, das offene oder heimliche Nähen außerhalb der Innung bei Strafe verboten, 32. und 33. Jahresber. d. Hist. Vereins, S. 60 und 61.

466) Geh. St.-A. Berlin. Urkundensammlung.

467) Diese Abgabe an den Rat findet sich in gleicher Höhe im Neust. Stadtbuch zum Jahre 1388 angegeben. Sello, Märk. Forsch. 18, 63.

468) Dar hebben uns dy ander dry werk ser innighe arbeydet (sich bei uns sehr eifrig bemüht), alse dat knokewerk, dy beker und dy schumeker. Riedel, A. 9, 119.

469) Riedel, A. 9, 118.

470) Dieser Gildebrief der Schuhmacher und Lohgerber von 1424 ist offenbar später stark überarbeitet und verändert und hat nicht mehr die ursprüngliche Form. Die Sprache ist zum Teil noch mittelniederdeutsch, an anderen Stellen schon hochdeutsch, die Münzsorten sind teils alte Pfennige, teils schon Taler und Silbergroschen. Auch die Erwähnung der Folge bei Begräbnissen im letzten Artikel, die Vigilien und Seelenmessen nicht mehr anführt, läßt auf die Zeit nach der Reformation schließen.

471) Raumer, Codex diplom. Brandenburgensis continuatus, Berlin, Stettin und Elbing, 1831, II, 295.

472) Urkunde der neustädt. Knochenhauer von 1391, Geh. Staatsarchiv, Berlin.

473) Satzungen der Schneider aus dem 15. Jahrhundert, 31. und 32. Jahresber. d. Hist. Vereins Brandenburg, S. 58 und 59. Besondere Innungshäuser, die die Gewerke besaßen und zu ihren Versammlungen benutzten, werden in Brandenburger Quellen nicht erwähnt.

474) Schuhmacher, 1424, § 18.

475) Riedel, A. 23, 3.

476) Riedel, A. 23, 28 und 29.

477) Mer wil wy, dat nymand fleysch selle, dat en dünke den guldemeisteren redelike sin. Is et nicht redelike, dat he dat mit syme gesynde ete oder gevet dorch god. Knochenhauerbrief von 1391, ungedruckt, § 15.

478) Tuchknappenbrief von 1407, 1. Jahresber. d. Hist. Vereins Brandenburg, S. 56.

479) Jeroch, Innungsverfassungen, S. 28.

480) 1. Jahresb. d. Hist. Vereins Brandenburg, S. 59.

481) Vgl. Hoppe, Eine mittelalterliche Leinewebergilde in Luckenwalde unter Berücksichtigung der märkischen Leinewebergilden, Forsch. z. Br. u. Pr. Gesch., Bd. 24, 529—545.

482) Der betreffende Knappenbrief ist von Fidicin, Beiträge I, S. 73, nach der im Berliner Stadtarchiv vorhandenen Abschrift abgedruckt, aber mit der irreführenden Überschrift, daß er für die Woll- und Leineweber bestimmt sei. Lanifices heißt nach einem Wolfenbütteler Vokabular von 1429 Wollschläger, textores ist im Stadtbuche in der Bedeutung von Wollenwebern zu verstehen, wie sich aus der deutschen Übersetzung der Litera textorum von 1295 ergibt. Berlinisches Stadtbuch, her. von Clauswitz, 1883, S. 68—70.

483) 1. Jahresber. d. Hist. Vereins Brandenburg, S. 55—57.

484) Geistliche Brüderschaft von Böttchermeistern und Gesellen der Neustadt, aufgerichtet 1511. Riedel, A. 24, 478 und 479.

485) Schanz, Zur Geschichte der deutschen Gesellenverbände, Leipzig, 1877, S. 32, Anm. 1.

486) Vgl. Frensdorf, Das Zunftrecht, insbesondere Norddeutschlands. Hans. Geschichtsbl., Jahrg. 1907, S. 62. Techen. Etwas von der mittelalterlichen Gewerbeordnung. Hans. Geschichtsbl., Bd. 25, S. 43 und Anm. 2.

487) Faulhaber, 32. und 33. Jahresber. d. Hist. Vereins, S. 59.

488) Riedel, C. d. Br. A. 9, 189.

489) Gildebrief der Tuchmacherinnung von 1540, 1. Jahresber. d. Hist. Vereins, S. 60.

490) Über die alte märkische Tuchmacherei siehe auch Fischbach, hist. Beyträge, 1782, Bd. I, 2. Abt. 2. Stück, S. 185.

491) Riedel, A. 9, 33.

492) Riedel, A. 9, 212, ff.

493) Riedel, A. 24, 478.

494) Riedel, A. 9, 198.

495) Tuchmacherbrief von 1569, 1. Jahresber. d. Hist. Vereins Brandenburg, S. 65.

496) Siehe Schillmann, Geschichte der Stadt Brandenburg, S. 450.

497) G. Steinhausen, Geschichte des deutschen Briefs, 1. Teil, Berlin 1889.

498) Klöden, Waldemar III., 5.

499) Gercken, Brandenburger Stiftshistorie, S. 164.

500) Siehe oben, S. 181 ff.

501) Tschirch, Das Buch der Ähnlichkeiten des heiligen Franziskus mit unserem Herrn Jesu Christo im grauen Kloster zu Brandenburg und Luthers Antwort darauf. Jahrb. für Brandenb. Kirchengesch., 32. Jahrgang, S. 3—10.

502) Abb, Die ehemalige Franziskanerbibliothek in Brandenburg (Havel). Zentralblatt f. Bibliothekswesen. 39. Jahrgang, Leipzig 1922.

503) Bünger, Zur Mystik und Geschichte der märkischen Dominikaner, Berlin 1926 (Veröffentlichungen d. Vereins für Gesch. der Mark Brandenburg), Brandenburg, S. 95—109. Insbes. S. 100.

504) Fronleichnam heißt Leichnam des Herrn. (Fron.)

505) Riedel, C. d. Br. A. 9, 50, 1355.

506) 1369. Riedel, C. d. Br. A. 9, 57.

507) Ordnung des Gottesdienstes in der Marienkirche. Riedel, A. 9, 79.

508) Riedel, C. d. Br. A. 9, 57.

509) Riedel, a a. O., A. 9, 61—63, 65, A. 9, 165.

510) 1455. Riedel, A. 9, 182.

510a) Riedel, A. 8, 437.

511) Riedel, A. 8, 462 (1472). Über die Fronleichnamsgilden beider Städte finden sich Nachrichten Riedel, a. a. O., A. 9, 81, 139, 181, A. 8, 395, 407.

512) Das Altarlehen der Schülerbruderschaft ist erwähnt: Riedel, A. 9, 284.

513) Kunstdenkmäler der Provinz Brandenburg II, 3. Stadt und Dom Brandenburg, S. 96 ff.

[514]) Wernicke setzt in Bergaus Inventar (S. 242) den Umbau der romanischen Feldsteinbasilika in eine gotische Backsteinhalle in das 2. Viertel des 14. Jahrhunderts. Eichholz gibt in den Kunstdenkmälern der Provinz Brandenburg (S. 5-6) eine davon abweichende, im einzelnen anfechtbare Darstellung. Superintendent Lic. Baltzer hat dann auf Grund einer im 18. Jahrhundert an einem Pfeiler des Kirchenschiffes noch vorhandenen und jetzt verschwundenen Inschrift, nach der „das Middelwerk dieses Chores" im Jahre 1456 angefangen wurde, die Annahme vertreten, daß nach Niederlegung der alten romanischen Kirche — der Westturm blieb stehen — zunächst der östlich befindliche Chor und ein Teil des Schiffes gebaut worden sei, während nach Westen hin lange eine Lücke blieb. Daß in der Tat der westliche Teil des Schiffes erst später erbaut oder wenigstens vollendet worden ist, dafür spricht der Umstand, daß von dem Pfeiler, an dem sich die Inschrift befand, eine Richtungsveränderung des Grundrisses beginnt, die so weit geht, daß die Mauern des Kirchenschiffes nicht genau auf den Turm treffen, sondern im Norden über ihn hinausragen, im Süden zurückbleiben. An der angegebenen Stelle tritt auch eine Veränderung des Ziegelformats ein, und ebenso zeigt der Dachstuhl einen Absatz an der gleichen Stelle. An den Außenmauern fehlt dagegen das veränderte Ziegelformat und der Absatz, so daß man annehmen darf, diese Mauern sind nach dem Bau des östlichen Teils rundherum ohne Dach aufgeführt worden und dann erst Pfeiler in diesem Kirchenteil gesetzt und das Dach darübergewölbt worden. Diese Feststellungen beruhen auf einer örtlichen Untersuchung durch den Oberbaurat Otto Stiehl. Ich habe die an der Ostmauer des Turmes im Kircheninnern befindliche Inschrift, die die im 14. und 15. Jahrhundert gespendeten Kirchenablässe verzeichnet, näher untersucht und die Amtszeiten der darin genannten Päpste und Bischöfe festgestellt. Danach zeigt es sich, daß in der ersten Hälfte des 14. und in der zweiten Hälfte des 15. Jahrhunderts die Ablässe am zahlreichsten sind. Man wird diese Zeiträume als die Hauptbauzeiten annehmen dürfen.

[515]) Max Säume, Hinrik Brunsberg, ein spätgotischer Baumeister. Baltische Studien. N. F., Bd. 28, S. 266—282, woselbst auch weitere Literatur angegeben ist.

[516]) Baudenkmäler der Provinz Brandenburg II, 3, S. 35—46.

[517]) Siehe oben, Anmerkung 514.

[518]) Riedel, a. a. O., 1496, A. 8, 452, 1498, A. 9, 249, 1501, A. 9, 254.

[519]) Urkunde des Bischofs Hieronymus Schultze vom 6. Nov. 1516. Riedel, A. 8, 475.

[520]) G. Sello, Brandenburgische Stadtrechtsquellen. Märk. Forsch. 18, 42, Nr. 136. 1331 wird Magister Everboldus genannt, der dieselbe Persönlichkeit sein mag, a. a. O., S. 45, Nr. 149, 1346. Riedel, A. VIII, 261. Rasmus, Beiträge zur Gesch. des Alt- und Neustädtischen Gymnasiums zu Brandenburg (Havel), 1897, I, 8, 9.

[521]) Riedel, A. VIII, 333, 1381. Nicolaus Bredow, Schulmeister in der Aldenstadt. — A. VII, 134, dem wisen manne Clause Bredow, dy schulmeister war in derselven oldenstad tu Brandenborg, 1385. Riedel, A. VIII, 134. — Peter Sartach, Stadtschreiber und Schulmeister, wird neben Kirchenvorstehern, Geistlichen und Handwerkern auf einem Pergamentzettel erwähnt, der 1412 bei dem Aufhängen der großen Glocke in der Gotthardtkirche in der Welle über dem Oehre eingespundet worden war und bei dem Herabnehmen derselben (1590) vorgefunden wurde. Memorial von 1577, f., 357. Tschirch, Beiträge zur Gesch. der Saldria, 1889, S. 7.

[522]) Tschirch, Beiträge, S. 18.

[523]) Unmittelbare Nachrichten fehlen allerdings darüber. Rasmus, Beitr. zur Geschichte des Gymnasiums. S. 10.

[524]) Riedel, A. 9, 284, 285, 289.

[525]) Abb, Die ehemalige Franziskanerbibliothek. Zentralblatt für Bibliothekswesen, Bd. 39.

[526]) Das Gemälde ist aus dem Besitze eines Frl. Modus durch letztwillige Verfügung in das Eigentum des Heimatmuseums übergegangen.

[527]) Der altstädtische Mühlentorturm ist abgebildet auf einem Gouachegemälde aus dem Ende des 18. Jahrhunderts, das sich in der Bürgerstube des Neustädtischen Rathauses befindet.

[528]) Die alte Form des Plauer Torturms ist aus einer Grabtafel der Gotthardtkirche ersichtlich, die für Hans Trebow im Jahre 1586 angebracht wurde. Ebenso ist der Turm auf dem Titelbilde dieses Bandes sichtbar.

[529]) Vgl. Bergau, Inventar, S. 192. Kunstdenkmäler der Provinz Brandenburg, II, 3, 142. Nach einer Stelle des Altstädtischen Stadtbuchs vom 16. Jahrhundert ist gelegentlich einer Ausbesserung des Rathenower Torturms der daraufgesetzte Vogel ausdrücklich als Rabe bezeichnet, woraus sich schließen läßt, daß schon damals die später von Gottschling (Beschreibung der Stadt Brandenburg, 1732, S. 145) erwähnte Sage, die der des Merseburger Domraben entspricht, in Brandenburg umging.

[530]) Kunstdenkmäler der Provinz Brandenburg II, 3, S. 140—142.

[531]) Kunstdenkmäler der Provinz Brandenburg II, 3, S. 150.

[532]) Daß ein solcher Vorgänger vorhanden war, bezeugt das Schöffenbuch der Neustadt (Cod. 1), indem es 1297 das praetorium oder consistorium nennt.

[533]) Kunstdenkmäler der Provinz Brandenburg II, 3, S. 166—176, doch sind die Ausführungen von Eichholz, soweit sie sich auf das Innere beziehen, nicht ohne Widerspruch geblieben.

[534]) Kunstdenkmäler der Provinz Brandenburg II, 3, S. 177 und 178. Der Schöppenstuhl des 16. Jahrhunderts ist wohl abgebildet auf dem im neustädtischen Rathause befindlichen Ölgemälde. Aus dieser Abbildung scheint hervorzugehen, daß das Gebäude mitten im Strom unterhalb der hölzernen langen Brücke stand und mit einem Satteldache gekrönt war.